D0294872

Yiyun Li

DIE STERBLICHEN

Roman

Aus dem Amerikanischen
von Anette Grube

Carl Hanser Verlag

Die amerikanische Originalausgabe erschien 2009 unter dem Titel *The Vagrants* bei Random House in New York.

Das Motto wurde übertragen von Karl August Horst.

1 2 3 4 5 13 12 11 10 09

ISBN 978-3-446-23421-5

Satz: Satz für Satz. Barbara Reischmann, Leutkirch
Druck und Bindung: Friedrich Pustet, Regensburg
Printed in Germany

FÜR MEINE ELTERN

Gediegenheit und Größe dieser Welt; was je
Gewicht verlieh und stets Gewicht behält,
War jetzt der andern Teil: sie waren klein,
Wer sollte Rettung bringen? Rettung nicht erschien.
Was Feinde antun können, ward getan. Bespien
Mit ärgster Schmach – so starben sie, vernichtet
In ihrem Stolz. Ihr Mannestum eher als der Leib gerichtet.

W.H. Auden, *Der Schild des Achilles*

ERSTER TEIL

1

Am 21. März 1979 begann der Tag für Lehrer Gu vor Sonnenaufgang, als er erwachte und sah, dass seine Frau still in ihre Decke weinte. Es war ein Tag der Gleichheit, so war es Lehrer Gu zumindest oft erschienen, wenn er über das Datum nachdachte, die Frühlingstagundnachtgleiche, und dann fiel es ihm wieder ein: Das Leben ihrer Tochter sollte an diesem Tag enden, an dem weder die Sonne noch ihr Schatten herrschte. Morgen käme die Sonne ihr und den anderen auf dieser Seite der Welt näher, unmerklich zuerst für das schwerfällige menschliche Auge, aber Vögel, Würmer, Bäume und Flüsse würden die Veränderung in der Luft spüren und es auf sich nehmen, den Wechsel der Jahreszeit anzukündigen. Wie viele vom Eis befreite Flüsse und wie viele blühende Bäume waren nötig, damit die Jahreszeit Frühling genannt wurde? Doch diese Bezeichnung konnte den Flüssen und Blumen nur wenig bedeuten, da sie ihren Rhythmus zuverlässig und gleichgültig wiederholten. Das Datum, an dem ihre Tochter sterben sollte, war so willkürlich festgesetzt wie das Verbrechen, für das das Gericht sie verurteilt hatte: Sie war eine unbußfertige Konterrevolutionärin; nur törichte Menschen maßen einem zufälligen Datum Bedeutung bei. Lehrer Gu zwang sich, reglos liegenzubleiben, und hoffte, seine Frau würde bald merken, dass er wach war.

Sie weinte weiter. Nach einer Weile stand er auf und schaltete das einzige Licht im Schlafzimmer an, eine Zehn-Watt-Glühbirne. Von einer Seite des Schlafzimmers zur anderen war eine rote Plastikleine gespannt; die Wäsche, die seine Frau am Abend zuvor zum Trocknen aufgehängt hatte, war feucht und kalt, und die Leine hing durch von ihrem Gewicht. Das Feuer in dem kleinen Ofen in der Zimmerecke war erloschen. Lehrer Gu überlegte, ob er selbst Kohlen nachlegen sollte, und entschied sich dagegen. Seine Frau war es, die jeden Tag das Feuer neu schürte. Er würde den Ofen ihr überlassen.

Er nahm ein weißes Taschentuch mit roten Schriftzeichen – der Spruch forderte von jedem Bürger absolute Loyalität der Kommunistischen Partei gegenüber – von der Wäscheleine und legte es auf ihr Kopfkissen. »Alle müssen einmal sterben«, sagte er.

Frau Gu drückte sich das Taschentuch auf die Augen. Bald wurden die nassen Flecken größer und färbten den Spruch dunkelrot.

»Betrachte heute als den Tag, an dem wir alles bezahlen«, sagte Lehrer Gu. »Die ganze Schuld.«

»Was für eine Schuld? Was sind wir schuldig?« fragte seine Frau, und er zuckte zusammen, weil ihre Stimme ungewohnt schrill klang. »Schuldet man nicht auch uns etwas?«

Er hatte weder die Absicht, mit ihr zu streiten, noch hatte er eine Antwort auf ihre Fragen. Er zog sich leise an, ging in das vordere Zimmer und ließ die Schlafzimmertür offen.

Der vordere Raum, der als Küche und Esszimmer diente und wo Shan vor ihrer Verhaftung geschlafen hatte, war halb so groß wie das Schlafzimmer und vollgestopft mit Dingen, die sie über Jahrzehnte angehäuft hatten. Ein paar Einmachgläser, die früher jedes Jahr mit Shans Lieblingspickles gefüllt worden waren, stapelten sich eins auf dem anderen, leer und verstaubt. Neben den Gläsern stand ein Karton, in dem Lehrer Gu und Frau Gu zwei Hühner hielten, sowohl zur Gesellschaft als auch wegen der paar Eier, die sie legten. Als sie Lehrer Gus Schritte hörten, rührten sie sich, doch er beachtete sie nicht. Er zog seine alte Schaffelljacke an und riss, bevor er das Haus verließ, das Kalenderblatt vom Vortag ab, eine jahrzehntealte Gewohnheit. Sogar in dem dunklen Raum stachen das Datum, 21. März 1979, und der kleine Schriftzug darunter, *Frühlingsanfang*, hervor. Er riss auch dieses Blatt ab und knüllte die zwei dünnen Zettel zu einem Bällchen zusammen.

Damit hatte er gegen ein Ritual verstoßen, aber es war sinnlos, so zu tun, als wäre dies ein Tag wie jeder andere.

Lehrer Gu ging zum öffentlichen Klosett am Ende der Gasse. An normalen Tagen kam seine Frau gleich hinterher. Sie hatten eingefahrene Gewohnheiten, der morgendliche Ablauf hatte sich in den letzten zehn Jahren nicht verändert. Um sechs Uhr klingelte der Wecker, und sie standen sofort auf. Wenn sie vom Klosett zurückkehrten, wuschen sie sich am Spülbecken, sie pumpte das Wasser für sie beide, keiner sprach ein Wort.

Ein paar Schritte vom Haus entfernt sah Lehrer Gu ein weißes Blatt mit einem großen roten Haken in der Mitte an der Mauer kleben, und er wusste, dass darauf der Tod seiner Tochter angekündigt wurde. Abgesehen von der einzigen Straßenlampe am Ende der Gasse und ein paar mattschimmernden Sternen war es dunkel. Lehrer Gu trat näher und sah, dass die Schriftzeichen in der Kalligraphie des alten Li-Stils geschrieben waren, jeder Strich mit besonderem Gewicht versehen, als wäre der Schreiber an diese Aufgabe gewöhnt und würde den bevorstehenden Tod einer Person mit gelassener Eleganz buchstabieren. Lehrer Gu stellte sich vor, der Namen würde einer fremden Person gehören, deren Vergehen kein geistiges, sondern ein physisches war. Dann könnte er, der schließlich ein Intellektueller war, die Brutalität des Verbrechens ignorieren – Vergewaltigung, Mord, Raub oder irgendeine andere Schandtat gegenüber einer unschuldigen Person – und die Kalligraphie aufgrund ihrer ästhetischen Vorzüge bewundern, aber dort stand der Name, den er seiner Tochter gegeben hatte, Gu Shan.

Lehrer Gu verstand die Person, die diesen Namen trug, schon lange nicht mehr. Er und seine Frau waren zeit ihres Lebens furchtsame, gesetzestreue Bürger. Mit Vierzehn war Shan von Leidenschaften besessen, die er nicht begriff. Zuerst hatte sie fanatisch an den Vorsitzenden Mao und seine Kulturrevolution geglaubt, und später hatte sie sie ebenso heftig abgelehnt und schonungslos den revolutionären Eifer ihrer Generation kritisiert. Sie hätte eins dieser göttlichen Geschöpfe aus den alten Legenden sein können, die sich über den Bauch ihrer leiblichen Mutter Zutritt zu der Welt der Sterblichen verschafften und sich einen Namen machten als Heldin oder Teufelin, je nachdem was die himmlischen Mächte für sie vorgesehen hatten. Lehrer Gu und seine Frau wären so lange ihre Eltern gewesen, wie sie aufwuchs und sie brauchte. Aber auch in diesen alten Geschichten brach den Eltern, wenn die Kinder sie verließen, um ihrem vorherbestimmten Ruf zu folgen, das Herz, da sie Menschen aus Fleisch und Blut waren, unfähig, sich ein größeres Leben als ihr eigenes vorzustellen.

Lehrer Gu hörte, wie ein Tor weiter unten in der Gasse in den Angeln quietsche, und ging eilig weiter, um nicht weinend vor der Ankündigung ertappt zu werden. Seine Tochter war eine Konterrevolutionärin, und es war für alle, auch ihre Eltern, gefährlich, wenn sie dabei beobachtet wurden, wie sie Tränen über ihren kurz bevorstehenden Tod vergossen.

Er kehrte nach Hause zurück und traf seine Frau an, wie sie in einer alten Truhe kramte. Auf dem ungemachten Bett lagen ein paar Jungmädchenkleider, die sie nicht an Gebrauchtwarenläden hatte verkaufen wollen, nachdem Shan aus ihnen herausgewachsen war. Bald kam mehr dazu, Blusen und Hosen, Nylonsöckchen, manches davon hatte Shan gehört, das meiste ihrer Mutter. »Wir haben ihr seit zehn Jahren keine neuen Kleider gekauft«, erklärte seine Frau ruhig und faltete eine wollene Maojacke und eine dazu passende Hose, die sie nur an Festtagen und zu besonderen Anlässen trug. »Wir werden mit meinen Sachen vorliebnehmen müssen.«

In der Gegend war es Brauch, dass die Eltern, wenn ein Kind starb, seine Kleider und Schuhe verbrannten, damit das Kind es auf dem Weg in die nächste Welt warm und behaglich hatte. Lehrer Gu hatte Mitleid mit den Eltern, die an Straßenkreuzungen vollgepackte Taschen verbrannten und den Namen ihres Kindes riefen, aber er konnte sich nicht vorstellen, dass seine Frau oder er so etwas tun würden. Mit Achtundzwanzig – achtundzwanzig Jahre, drei Monate und elf Tage, und so alt bliebe sie vom heutigen Tag an – war Shan kein Kind mehr. Sie konnten nicht zu einer Kreuzung gehen und ihrem konterrevolutionären Geist etwas nachrufen.

»Ich hätte dran denken sollen, ihr neue Schuhe zu kaufen«, sagte seine Frau. Sie stellte ein altes Paar Lederschuhe von Shan neben ihre eigenen Sandalen auf den Haufen. »Sie liebt Lederschuhe.«

Lehrer Gu sah zu, wie seine Frau die Kleider und Schuhe in eine Stofftasche packte. Er war immer der Ansicht gewesen, dass die schlimmste Form des Trauerns darin bestand, das Leben nach dem Tod als eine Fortsetzung des Lebens auf Erden zu betrachten – dann mussten die Hinterbliebenen nicht nur die eigene Last zu leben, sondern auch die der Toten tragen. Pass auf, dass du nicht in die sinnlosen und kindischen Traditionen ungebildeter Dörfler verfällst, wollte er sie mahnen, doch als er den Mund öffnete, fand er keine Worte, die sanft genug gewesen wären. Er ging abrupt in das vordere Zimmer.

In dem kleinen Herd brannte kein Feuer. Die beiden Hühner gackerten hungrig und erwartungsvoll in ihrer Kiste. An einem normalen Tag zündete seine Frau das Feuer an und verkochte den Rest Reis vom Vortag zu Brei, während er die Hühner mit einer Handvoll Hirse fütterte. Lehrer Gu füllte die Futterschale. Die Hühner pickten die Körner so aufmerksam, wie seine Frau packte. Er schob die Kehrrichtschaufel unter den Herd und zog den quietschenden Ascherost heraus. Die Asche vom Vortag fiel lautlos in die Schaufel.

»Sollen wir ihr jetzt die Kleider bringen?« fragte seine Frau. Sie stand neben der Tür, die volle Tasche in den Armen. »Ich mache Feuer, wenn wir zurück sind«, sagte sie, als er nicht antwortete.

»Wir können die Tasche nicht verbrennen«, flüsterte Lehrer Gu. Seine Frau schaute ihn fragend an.

»Es ist nicht richtig, so etwas zu tun«, sagte er. Es irritierte ihn, dass er ihr diese Dinge erklären musste. »Es ist abergläubisch, reaktionär – es ist falsch.«

»Was ist dann richtig? Den Mördern unserer Tochter Beifall zu klatschen?« Ihre Stimme klang wieder ungewohnt schrill, und ihre Miene war grimmig.

»Jeder muss einmal sterben«, sagte er.

»Shan wird ermordet. Sie ist unschuldig.«

»Das ist nicht unsere Entscheidung«, sagte er. Einen Augenblick lang hätte er am liebsten herausgeschrien, dass ihre Tochter nicht so unschuldig war, wie seine Frau glaubte. Aber schließlich war es nicht verwunderlich, dass eine Mutter die Vergehen des eigenen Kindes als erste verzieh und vergaß.

»Ich rede nicht davon, was wir entscheiden können«, sagte sie und hob die Stimme. »Ich frage nach deinem Gewissen. Glaubst du wirklich, dass sie wegen dem, was sie geschrieben hat, sterben soll?«

Ein Gewissen braucht man nicht zum Leben, dachte Lehrer Gu, aber bevor er etwas sagen konnte, klopfte jemand an die dünne Mauer, die ihr Haus von dem der Nachbarn trennte, vielleicht ein Protest gegen den Lärm, den sie zu so früher Stunde machten oder, wahrscheinlicher, eine Warnung. Ihre Nachbarn, ein junges Paar, waren ein Jahr zuvor eingezogen; die Frau, Anführerin der Kommunistischen Jugendliga des Bezirks, war zweimal in das Haus der Gus gekommen und hatte sie nach ihrer Einstellung zu ihrer verhafteten Tochter gefragt. »Die Partei und das Volk haben euch vertrauensvoll die Hand auf die Schulter gelegt, jetzt ist es an euch, ihr dabei zu helfen, ihre Fehler zu korrigieren«, hatte die Frau beidemal gesagt und ihre Reaktion mit scharfen Vogelaugen beobachtet. Das war vor Shans zweitem Prozess gewesen; damals hatten sie gehofft, dass sie bald freigelassen würde, nachdem sie die zehn Jahre, zu denen sie in ihrem ersten Prozess verurteilt worden war, abgesessen hatte. Sie hatten nicht damit gerechnet, dass ihr erneut der Prozess gemacht würde für das, was sie im Gefängnis in ihr Tagebuch geschrieben hatte, dass Worte, die sie zu Papier brachte, als Beweis genügten, um ein Todesurteil zu fällen.

Lehrer Gu schaltete das Licht aus, aber es wurde weiter geklopft. In der Dunkelheit sah er das Leuchten in den Augen seiner Frau, eher ängstlich als zornig. Sie waren wie Vögel, die beim ersten Surren des Bogens in Panik gerieten. Lehrer Gu drängte sie sanft: »Gib mir die Tasche.«

Sie zögerte und gab sie ihm dann; er versteckte sie hinter dem Karton mit den Hühnern, deren leises Scharren und Picken in der Schachtel widerhallte. Hin und wieder hörte man von der dunklen Gasse her, wie sich Tore quietschend öffneten, und auf einem nahen Hausdach krächzten ein paar Krähen in einem seltsam gesprächigen Tonfall. Lehrer Gu und seine Frau warteten, und als das Klopfen verstummte, riet er ihr, sich vor Tagesanbruch noch einmal auszuruhen.

DIE STADT HUN JIANG war benannt nach dem Fluss, der im Süden des Ortes nach Osten floss. Flussabwärts vereinigte sich der Schlammige Fluss mit anderen Flüssen und bildete den Goldenen Fluss, den größten Strom im Hochland des Nordostens, doch der Goldene Fluss schwemmte kein Gold an, sondern war von den Abwässern aus den Industriestädten zu beiden Ufern verseucht. Der Schlammige Fluss war ebenso falsch benannt, denn er entsprang im schmelzenden Schnee des Weißen Berges. Im Sommer schwammen und tauchten Jungen im Fluss zwischen durchsichtigen, hin und her flitzenden Elritzen und blickten zum flackernden Sonnenschein empor, während ihre Schwestern auf den runden Felsen am Ufer Wäsche wuschen und manchmal im Chor Revolutionslieder sangen, ihre Stimmen so klar und verspielt wie das Wasser.

Erbaut zwischen einem Berg im Norden und dem Fluss im Süden, hatte die Stadt die Form einer Spindel. Ihr Wachstum wurde im Norden vom Berg und im Süden vom Fluss begrenzt, aber in der Mitte breitete sie sich nach Osten und Westen aus bis in die Wildnis. Man brauchte eine halbe Stunde, um vom Nördlichen Berg bis zum Flussufer im Süden zu gehen, und zwei Stunden, um von einer Spitze der Spindel zur anderen zu gelangen. Für eine Stadt dieser Größe war Hun Jiang dicht bevölkert und konnte sich weitgehend selbst versorgen. Die Stadt war zwanzig Jahre alt und geplant worden, um das ländliche Gebiet zu industrialisieren, und es waren die vielen kleinen Fabriken, die den Bewohnern Arbeitsplätze boten und sie mit dem Lebensnotwendigen versorgten. Die Wohnhäuser waren ebenfalls planvoll angelegt. Abgesehen vom zentralen Platz mit ein paar vier- und fünfstöckigen Gebäuden und der Hauptstraße mit einem Kaufhaus, einem Kino, zwei Marktplätzen und vielen kleinen Geschäften war die Stadt in zwanzig große Blocks unterteilt, die ihrerseits in neun kleinere Blocks aus jeweils vier Reihen mit acht aneinandergebauten, einstöckigen Häusern gegliedert waren. Jedes Haus, ein Quadrat mit viereinhalb Metern Seitenlänge, bestand aus einem Schlafzimmer und einem weiteren Raum, davor ein kleiner Hof, von einem Holzzaun oder, bei bessergestellten Familien, von einer mehr als mannshohen Ziegelmauer eingefasst. Die Gassen vor den Häuserreihen waren eineinhalb Meter breit, die Gassen dahinter nicht einmal einen Meter. Damit sich die Leute nicht gegenseitig ins Bett schauten, war das kleine Fenster in den Schlafzimmern hoch oben in die rückwärtige Mauer eingelassen. In den warmen Monaten war es nicht ungewöhnlich, dass ein Kind nach seiner Mutter rief und eine fremde Mutter in einem anderen Haus antwortete; und auch in der kalten Jahreszeit hörten die Bewohner ihre Nachbarn durch die geschlossenen Fenster husten und manchmal schnarchen.

In diesen numerierten Blocks lebten Zehntausende von Menschen, Eltern schliefen mit ihren Kindern auf einem gemauerten Bett, unter dem ein Holzofen eingebaut war. Bisweilen schlief auch ein Großelternteil darauf. Nur selten sah man beide Großeltern in einem Haus, da die Stadt neu war und ihre Bewohner erst vor kurzem aus nahen und weit entfernten Dörfern zugezogen waren und ihre Eltern nur aufnahmen, wenn sie verwitwet waren und nicht länger allein leben konnten.

Außer für diese einsamen alten Menschen begann das Jahr 1979 vielversprechend für die Bewohner von Hun Jiang und die gesamte Nation. Zwei Jahre zuvor war der Vorsitzende Mao gestorben, und einen Monat später wurden Madame Mao und ihre Bande verhaftet. Sie wurden beschuldigt, verantwortlich zu sein für die zehn Jahre währende Kulturrevolution, die das Land vom Kurs abgebracht hatte. Durch Lautsprecher auf den Dächern wurden in Stadt und Land Maßnahmen verkündet, um Technologie und Wirtschaft zu entwickeln, und wenn ein Mann von einer Stadt zur anderen unterwegs war wie der blinde Bettler, der auf altersschwachen Beinen mit seiner alten Fiedel durch die Gegend um Hun Jiang zog, dann wurde er bei Sonnenaufgang von den gleichen Nachrichten geweckt, die ihn bei Sonnenuntergang in den Schlaf begleiteten, vorgelesen von einer anderen Stimme; Frühling nach zehn langen Jahren Winter, sangen diese wunderschönen Stimmen im Chor und sagten eine neue kommunistische Ära voraus, erfüllt von Liebe und Fortschritt.

In einem Block auf der Westseite, wo das Wohngebiet in Industrieanlagen überging, schliefen die Menschen in Reihenhäusern, die dem der Gus ähnelten, und in ihren Träumen kurz vor Tagesanbruch kamen die Eltern, die an diesem Tag ihre Tochter verlieren sollten, nicht vor. In einem dieser Häuser erwachte Tong. Als er die Augen aufschlug, hatte er den Traum bereits vergessen, aber das Lachen war noch da wie der Nachgeschmack seines Leibgerichts, Eintopf mit Kartoffeln und Fleisch. Neben ihm auf dem gemauerten Bett lagen seine Eltern, eine Haarsträhne seiner Mutter um den Finger seines Vaters gewickelt. Tong kletterte vorsichtig über die Füße seiner Eltern und griff nach seinen Kleidern, die seine Mutter auf den Holzofen gelegt hatte. Für Tong, der erst seit kurzem im Haus seiner Eltern lebte, war das gemauerte Bett immer noch eine Neuheit mit seinen geheimnisvollen und komplizierten Tunneln und dem eingebauten Ofen.

Tong war im Dorf seiner Großeltern mütterlicherseits in der Provinz Hebei aufgewachsen und erst vor einem halben Jahr ins Haus seiner Eltern gezogen, als er in die Grundschule musste. Tong war kein Einzelkind, aber nur er lebte jetzt unter dem Dach seiner Eltern. Seine zwei älteren Brüder waren nach der Mittelschule in die Provinzhauptstadt gezogen, so wie ihre Eltern zwanzig Jahre zuvor aus ihren Heimatdörfern nach Hun Jiang gezogen waren; beide Jungen arbeiteten als Lehrlinge in Fabriken, und Tongs Eltern sprachen über ihre Zukunft – Ehen mit passenden Arbeiterinnen in der Provinzhauptstadt, Kinder, die dort geboren und in dieser Stadt mit ihren großartigen Gebäuden im Sowjetstil leben würden. Tongs Schwester, die sogar in den Augen ihrer Eltern recht unansehnlich war, hatte geheiratet und war in eine größere, fünfzig Meilen flussabwärts gelegene Stadt gezogen.

Tong kannte seine Geschwister kaum, und er wusste auch nicht, dass er seine Existenz einem gerissenen Kondom verdankte. Sein Vater, dessen Geduld von den langen Arbeitsstunden an der Drehbank und der Versorgung von drei halbwüchsigen Kindern überstrapaziert war, war nicht gerade glücklich, als das Baby geboren wurde, ein Sohn, der für viele andere Haushalte Anlass zur Freude gewesen wäre. Er bestand darauf, Tong zu den Eltern seiner Frau zu geben, und nachdem sie einen Tag geweint hatte, unternahm Tongs Mutter mit dem einen Monat alten Baby die heldenhafte, achtundzwanzigstündige Fahrt in einem überfüllten Zug. Tong erinnerte sich nicht an die grunzenden Schweine und die rauchenden Bauern neben ihm, doch je gellender er schrie, um so mehr verhärtete sich das Herz seiner Mutter. Als sie in ihrem Heimatdorf ankam, war sie erleichtert, ihn ihren Eltern übergeben zu können. In den ersten sechs Jahren seines Lebens hatte Tong seine Eltern nur zweimal gesehen, aber er hatte nichts vermisst bis zu dem Augenblick, als sie ihn aus dem Dorf holten und in ein fremdes Zuhause brachten.

Tong ging leise in das vordere Zimmer. Ohne das Licht einzuschalten, fand er seine Zahnbürste mit ein wenig Zahnpasta und einen mit Wasser gefüllten Becher neben der Waschschüssel – Tongs Mutter vergaß nie, am Abend die Sachen für seine morgendliche Toilette vorzubereiten, und an diesen kleinen Dingen, merkte Tong, dass sie ihn liebte, obwohl sie meist nur eine freundliche Fremde für ihn war. Er spülte sich den Mund und gurgelte kurz, verschmierte die Zahnpasta am Rand des Bechers, damit seine Mutter keinen Verdacht schöpfte; mit einem Finger tupfte er sich ein bisschen Wasser auf die Stirn und die Wangen, weitere Anstrengungen hielt er für überflüssig.

Tong war den Lebensstil seiner Eltern nicht gewohnt. Im Dorf seiner Großeltern verschwendeten die Bauern kein Geld für merkwürdig schmeckende Zahnpasta oder duftende Seife. »Wozu sich das Gesicht waschen und hübsch aussehen?« hatte sein Großvater oft gesagt, wenn er alte Legenden erzählte. »Lebe dreißig Jahre in Wind, Staub, Regen und Schnee, ohne dir das Gesicht zu waschen, und du wirst ein richtiger Mann.« Tongs Eltern lachten über diese Sprüche. Tongs Mutter war es wichtig, dass er aussah und sich verhielt wie ein Junge aus der Stadt, doch obwohl sie ihn oft badete und so gut kleidete, wie sie es sich leisten konnten, merkten sogar die jüngsten Kinder in der Nachbarschaft an Tongs Akzent, dass er nicht von hier war. Tong nahm es seinen Eltern nicht übel und erzählte ihnen nichts, wenn er in der Schule gehänselt wurde. Rübenkopf, riefen ihn die Jungen und manchmal auch Knoblauchfresser oder Dorftrottel.

Tong zog seinen Mantel an, ein Erbstück von seiner Schwester. Seine Mutter hatte alle Schnallen ausgetauscht, aber er sah noch immer wie ein Mädchen- und nicht wie ein Jungenmantel aus. Als er die Tür zu dem kleinen Hof öffnete, sprang Ohr, Tongs Hund, aus seinem Karton und rannte zu ihm. Ohr war zwei und mit Tong aus dem Dorf nach Hun Jiang gekommen, doch für Tongs Eltern war Ohr nur ein beliebiger Köter, und sein glänzendes hellbraunes Fell und seine dunklen mandelförmigen Augen rührten sie nicht.

Ohr legte die Vorderpfoten auf Tongs Schultern und gab einen leisen gurgelnden Laut von sich. Tong hob den Finger an den Mund. Der Hund hatte seine Eltern nicht geweckt, und Tong war erleichtert. In seinem früheren Leben im Dorf war Ohr nicht dazu erzogen worden, sich still und unauffällig zu verhalten. Wären Tongs Eltern nicht gewesen und hätten die Nachbarn nicht damit gedroht, Ohr an ein Restaurant zu verkaufen, hätte es Tong nie übers Herz gebracht, den Hund gleich nach ihrer Ankunft zu schlagen. Die Stadt war ein unbarmherziger Ort, so schien es Tong zumindest, da aus dem kleinsten Fehler ein großes Vergehen werden konnte.

Sie liefen zum Tor, der Hund voraus. Die letzte Stunde der Nacht hing noch um die mattgelben Straßenlampen und vor den dunklen

Schlafzimmerfenstern der Häuser. Um die Ecke sah Tong den alten Hua, den Abfallsammler, der sich vorbeugte und mit einer riesigen Zange in einer Mülltonne wühlte, die winzigsten Fetzen gebrauchten Papiers herauspickte und in einen Jutesack steckte. Jeden Morgen durchsuchte der alte Hua den Abfall, bevor die jungen Männer und Frauen von der städtischen Müllabfuhr kamen und ihn fortschafften.

»Guten Morgen, Großvater Hua«, sagte Tong.

»Guten Morgen«, entgegnete der alte Hua. Er richtete sich auf und wischte sich die geröteten Augen; sie waren wimpernlos und tränten. Tong hatte gelernt, nicht auf die kranken Augen des alten Hua zu starren. Zuerst hatten sie ihn geängstigt, aber seit er den alten Mann besser kannte, achtete er nicht mehr darauf. Der alte Hua behandelte Tong, als wäre er eine bedeutende Persönlichkeit – der alte Mann hörte auf, mit der Zange herumzuhantieren, wenn er mit Tong sprach, als würde er sonst die interessantesten Dinge überhören, die der Junge erzählte. Deshalb wandte Tong immer respektvoll den Blick ab, wenn er mit dem alten Mann sprach. Die anderen Jungen dagegen liefen hinter dem alten Hua her und riefen ihn rotäugiges Kamel, und es betrübte Tong, dass es dem alten Mann nichts auszumachen schien.

Der alte Hua nahm ein kleines Bündel Papier aus der Tasche – abgerissene Stücke von Zeitungsseiten und ein paar Zettel, die nur auf einer Seite beschrieben waren, alle so platt wie möglich zusammengepresst – und reichte es Tong. Der alte Hua sammelte das gute Papier jeden Morgen für Tong, der lesen und auf den nicht benutzten Stellen das Schreiben üben konnte. Tong bedankte sich und steckte das Papier in die Manteltasche. Er schaute sich um, sah jedoch nirgends die Frau des alten Hua, die um diese Zeit normalerweise hustend den großen Besen aus Bambus schwang. Frau Hua war Straßenfegerin, angestellt bei der Stadtverwaltung.

»Wo ist Großmutter Hua? Ist sie krank?«

»Sie muss heute morgen als erstes Bekanntmachungen aufhängen. Ankündigung einer Exekution.«

»Wir gehen mit der Schule hin«, sagte Tong. »Eine Pistole am Kopf des bösen Mannes. Peng.«

Der alte Hua schüttelte den Kopf und sagte nichts. In der Schule war es anders, dort redeten die Jungen über den Ausflug wie über ein spannendes Ereignis, und kein Lehrer dämpfte ihre Aufregung. »Kennen Sie den bösen Mann aus der Ankündigung?« fragte Tong.

»Geh und schau sie dir an«, sagte der alte Hua und deutete die Straße entlang. »Dann komm zurück und sag mir, was du davon hältst.«

Am Ende der Straße sah Tong eine frisch angeklebte Bekanntmachung, die unteren beiden Ecken vom Wind bereits gelöst. Vor einem Hof stand ein wackliger Stuhl, und er holte ihn, stieg hinauf, und stellte sich auf die Zehenspitzen. Dennoch war er nicht groß genug, um die Unterkante des Papiers zu erreichen. Er gab es auf und ließ die Ecken im Wind flattern.

Das Licht der Straßenlampen war schwach, doch der östliche Himmel hatte sich bläulichweiß wie ein Fischbauch verfärbt. Tong las die Bekanntmachung laut, übersprang die Wörter, die er nicht aussprechen konnte, deren Bedeutung er jedoch mühelos erriet:

> Konterrevolutionärin Gu Shan, achtundzwanzig, wurde zum Tode verurteilt, alle politischen Rechte wurden ihr aberkannt. Die Exekution wird am einundzwanzigsten März neunzehnhundertneunundsiebzig stattfinden. Aus erzieherischen Gründen sind alle Schulen und Arbeitseinheiten verpflichtet, an der Denunziationszeremonie vor der Exekution teilzunehmen.

Am Ende der Bekanntmachung befand sich eine Unterschrift, bestehend aus drei Schriftzeichen, von denen Tong zwei nicht kannte. Ein großer roter Haken verlief über die gesamte Ankündigung.

»Hast du die Bekanntmachung verstanden?« fragte der alte Mann, als Tong an einer anderen Mülltonne wieder zu ihm stieß.

»Ja.«

»Steht darin, dass es eine Frau ist?«

»Ja.«

»Sie ist noch sehr jung, oder?«

Achtundzwanzig war kein Alter, das Tong als jung betrachtete. In der Schule hatte er Geschichten über junge Helden gehört. Ein Hirtenjunge, siebeneinhalb und damit nicht viel älter als Tong, führte die feindlichen japanischen Invasoren in ein Minenfeld, als sie ihn nach der Richtung fragten, und kam zusammen mit ihnen ums Leben. Ein anderer Junge schützte mit Dreizehn das Eigentum einer Volkskommune und wurde von dem Dieb getötet. Liu Halan wurde mit fünfzehneinhalb als jüngstes Mitglied der Kommunistischen Partei ihrer Provinz von der Weißen Armee exekutiert, und bevor sie enthauptet wurde, sah sie den Scharfrichter verächtlich an und sagte: »Sie, die für den Kommunismus kämpft, fürchtet den Tod nicht.« Die älteste Heldin, von der er gehört hatte, war ein sowjetisches Mädchen namens Zoya; mit Neunzehn wurde sie von den deutschen Faschisten gehängt, aber neunzehn Jahre waren ein langes Leben für eine Heldin.

»Mit Achtundzwanzig ist eine Frau zu jung, um zu sterben«, sagte der alte Hua.

»Liu Halan opferte mit Fünfzehn ihr Leben für den kommunistischen Kampf«, erwiderte Tong.

»Kinder sollten nicht daran denken, sich zu opfern, sondern sich des Lebens freuen«, sagte der alte Hua. »Wir Alten sollten an den Tod denken.«

Tong war anderer Ansicht als der alte Mann, aber er behielt es für sich. Er lächelte unsicher und war froh, dass Ohr zu ihm trottete, um den morgendlichen Spaziergang fortzusetzen.

NOCH DAS LEISESTE GERÄUSCH konnte einen hungrigen und frierenden Menschen wecken: ein fernes Hundebellen, ein dumpfes Husten im Schlafzimmer der Nachbarn, Schritte in der Gasse, die in Ninis Träumen zu Donnerschlägen wurden, während andere sie nicht bemerkten, das Schnarchen ihres Vaters. Mit der guten Hand versuchte Nini, die dünne Decke um sich zu wickeln, aber ein Teil von ihr blieb immer der eiskalten Luft ausgesetzt. Da der Vorrat an Kohlen, über den ihre Familie verfügte, begrenzt war, erlosch das Feuer im Ofen unter dem Bett jede Nacht, und weil Nini am weitesten vom Ofen entfernt schlief, kroch ihr durch die dünne Baumwollmatratze und die Schichten alter Kleider, die sie nachts nicht auszog, die Kälte in die Knochen. Ihre Eltern schliefen am anderen Ende, direkt über dem Ofen, so dass sie es am längsten warm hatten. In der Mitte lagen ihre vier jüngeren Schwestern, zehn, acht, fünf und drei Jahre alt, paarweise aneinander geschmiegt, um sich gegenseitig zu wärmen. Außer ihr war nur das Baby wach, das sich wie Nini an niemanden kuscheln konnte und nach der Brust seiner Mutter suchte.

Nini stand auf und schlüpfte in eine viel zu große Jacke aus Baumwolle, in der sie ihre missgebildete Hand mühelos verbergen konnte. Das Baby verfolgte Ninis Bewegungen mit glänzenden, ausdruckslosen Augen, und weil es von seinen vergeblichen Versuchen frustriert war, biss es mit seinen neuen Zähnen zu. Ihre Mutter schrie auf und schlug nach dem Baby, ohne die Augen zu öffnen. »Du Schuldenmacherin. Trinken. Trinken. Trinken. Sonst kannst du nichts. Bist du in deinem letzten Leben verhungert?«

Das Baby plärrte. Nini runzelte die Stirn. Für hungrige Menschen wie das Baby und Nini kam der Morgen immer zu früh. Manchmal, wenn sie beide wach waren, kuschelte sie mit dem Baby, und das Baby hielt sie für die Mutter und schlug mit dem großen Kopf gegen Ninis Brust; in diesen Momenten hielt Nini sich für etwas Besonderes, und aus diesem Grund fühlte sie sich dem Baby nahe und verantwortlich für alles, was es von seiner Mutter nicht bekam.

Nini humpelte zu dem Baby. Sie nahm es auf den Arm und beruhigte es, steckte ihm den Finger in den Mund und spürte seine neuen, perlengleichen Zähne. Abgesehen von Ninis erster und zweiter Schwester, die jetzt in die Grundschule gingen, hatten die Mädchen keine offiziellen Namen. Ihre Eltern hatten sich nicht einmal die Mühe gemacht, den jüngeren Mädchen einen Spitznamen zu geben, wie sie es bei Nini getan hatten; sie wurden schlicht »Kleine Vierte«, »Kleine Fünfte« und das Baby »Kleine Sechste« genannt.

Das Baby saugte heftig an Ninis Finger, aber nach einer Weile hörte es damit auf und begann zu weinen. Ihre Mutter schlug die Augen auf. »Könnt ihr beide nicht für einen Augenblick tot sein?«

Nini schlurfte mit der Kleinen Sechsten zurück zum Bett und flüchtete, bevor ihr Vater erwachte. Im vorderen Zimmer griff sie nach dem Bambuskorb für die Kohlen und stolperte über ein Paar Stiefel. Noch in der Gasse hörte sie das Schreien des Babys. Jemand klopfte gegen das Fenster und schimpfte. Nini versuchte, schneller zu gehen, ihr verkrüppeltes linkes Bein zog größere Kreise als üblich, und der Korb, den sie an einem Seil über der Schulter trug, schlug in einem unregelmäßigen Rhythmus gegen ihre Hüfte.

Am Ende der Gasse sah Nini eine Bekanntmachung an der Mauer kleben. Sie trat näher und betrachtete den großen roten Haken. Sie konnte die Schriftzeichen nicht lesen – ihre Eltern hatten vor langem klargestellt, dass es reine Geldverschwendung wäre, einen Krüppel wie sie in die Schule zu schicken –, aber am Geruch erkannte sie, dass der Kleister, mit dem die Bekanntmachung an die Mauer geklebt war, aus Mehl bestand. Ihr Magen knurrte. Sie schaute sich nach einem Schemel oder ein paar Ziegeln um, und da sie nichts entdeckte, stellte sie den Korb mit der Öffnung nach unten auf den Boden und stieg darauf. Er gab nach, brach jedoch unter ihrem Gewicht nicht zusammen. Mit der guten Hand fasste sie nach einer Ecke der Bekanntmachung und zog sie ab. Die Mehlpaste war noch nicht getrocknet oder gefroren, und Nini kratzte den Kleister ab und steckte alle fünf Finger in den Mund. Der Kleister war kalt und schmeckte süßlich. Sie kratzte mehr davon ab. Sie leckte ihre Finger, als eine Katze von der Mauer sprang, ein paar Schritte von ihr entfernt stehenblieb und sie lautlos und drohend anstarrte. Sie stieg rasch vom Korb, wäre dabei fast auf ihren schlimmen Fuß gefallen, und die Katze ergriff die Flucht.

An der nächsten Straßenecke stieß sie auf Frau Hua, die auf die vier Ecken einer Bekanntmachung Klebstoff pinselte.

»Guten Morgen«, sagte die alte Frau.

Nini schaute auf den kleinen Behälter mit Kleister, ohne zu antworten. Manchmal grüßte sie Frau Hua höflich, aber wenn sie schlechte Laune hatte, und das war häufig der Fall, dann saugte sie das Innere ihrer Wangen so fest ein, dass niemand sie zum Sprechen brachte. Heute war so ein Tag – die Kleine Sechste hatte mal wieder für Ärger gesorgt. Von allen Menschen auf der Welt liebte Nini die Kleine Sechste am meisten, aber diese Liebe, die Nini bisweilen als harten Knoten im Magen spürte, konnte ihren Hunger nicht stillen.

»Hast du gut geschlafen?«

Nini antwortete nicht. Wie konnte Frau Hua annehmen, dass sie gut geschlafen hatte, wenn sie ständig Hunger litt? Das bisschen Kleister war bereits verdaut, und der leicht süßliche Geschmack im Mund machte sie noch hungriger.

Die alte Frau nahm ein Brötchen aus der Tasche. Sie hatte jeden Morgen eins dabei für den Fall, dass ihr Nini über den Weg lief, aber das wusste das Mädchen nicht. Nini erinnerte Frau Hua an die Töchter, die sie einst gehabt hatte, an all die Mädchen, die von ihren Eltern ausgesetzt worden waren. In einem anderen Leben hätte sie Nini aufgenommen, dafür gesorgt, dass sie nicht fror, und sie gut ernährt, dachte Frau Hua. Ihr schien, dass das Leben für sie und ihren Mann vor nicht allzu langer Zeit ein solider Damm gewesen war – mit jedem Baby, das sie auf ihrer Wanderschaft aufnahmen, stellten sie immer wieder fest, dass es auch im Leben von Bettlern hin und wieder freudige Momente gab –, doch der Damm war gebrochen und überflutet, ihr Glück ausgelöscht wie unwirtliches Tiefland. Frau Hua sah zu, wie Nini einen großen Bissen schluckte, dann noch einen. Kurz darauf hatte das Mädchen einen Schluckauf.

»Du isst zu schnell«, sagte Frau Hua. »Vergiss nicht zu kauen.«

Nach der Hälfte des Brötchens aß Nini langsamer. Frau Hua wandte sich wieder der Bekanntmachung zu. Vom jahrelangen Straßenfegen und davor von der Wanderschaft von Stadt zu Stadt und dem Durchwühlen des Abfalls hatte die alte Frau einen Buckel, dennoch war sie ungewöhnlich groß, überragte die meisten Männer und Frauen. Vielleicht hat sie deswegen die Arbeit bekommen, dachte Nini, weil sie die Bekanntmachungen so hoch anbringen kann, dass niemand den Kleister stehlen kann.

Frau Hua drückte die Ecken der Bekanntmachung an die Mauer. »Ich gehe zur nächsten Straße«, sagte sie.

Nini rührte sich nicht und starrte unverwandt auf den Behälter mit Klebstoff in Frau Huas Hand. Die alte Frau folgte Ninis Blick und schüttelte den Kopf. Da außer ihnen niemand auf der Straße war, nahm sie ein Blatt vom Stapel der Bekanntmachungen und drehte es zu einer Tüte. »Nimm«, sagte sie und steckte die Tüte in Ninis gute Hand.

Nini sah zu, wie Frau Hua etwas Klebstoff in die Tüte tat. Als sie damit fertig war, leckte Nini die Tropfen von ihrer Hand. Frau Hua beobachtete sie mit unaussprechlicher Traurigkeit. Sie wollte etwas sagen, aber Nini ging davon. »Nini, wirf die Tüte weg, wenn du fertig bist«, sagte die alte Frau leise in ihrem Rücken. »Lass niemand sehen, dass du die Bekanntmachung benutzt hast.«

Nini nickte, ohne zurückzublicken. Trotz des Schluckaufs biss sie sich heftig auf das Innere ihres Mundes, damit ihr ja kein überflüssiges Wort über die Lippen kam. Sie verstand nicht, warum Frau Hua ihr gegenüber so freundlich war. Sie nahm die Güte der Welt ebenso hin wie ihre Grausamkeit, so wie sie hinnahm, dass sie mit einem missgebildeten Körper geboren war. Ninis Wissen über die Menschen stammte aus Gesprächen, die sie belauschte – wenn sie gutgelaunt waren, behandelten ihre Eltern sie wie ein Möbelstück, und andere Leute schienen ihre Existenz zu ignorieren. Das bedeutete, dass Nini Dinge erfuhr, die Kinder normalerweise nicht hören durften. Auf dem Marktplatz unterhielten sich Hausfrauen laut kichernd über »Schlafzimmergeschichten«; sie machten sich auf bösartige Weise lustig über die halbwüchsigen Hausierer aus den Bergdörfern, die neu im Geschäft waren und sich bemühten, die Frauen zu überhören, sich jedoch oft genug verrieten, indem sie rot wurden. In der Gasse versammelten sich die Nachbarinnen zu zweit oder zu dritt nach der Arbeit und vor dem Abendessen und tauschten Klatschgeschichten aus, und wenn Nini in der Nähe war, wechselten sie nie so schnell das Thema, wie wenn andere Kinder an ihnen vorbeigingen. Sie hörte alle möglichen Geschichten – über eine Schwiegertochter, die feine Glassplitter in die Klöße für ihre Schwiegermutter mischte, ein Kindermädchen, das ein Baby so fest geschlagen hatte, dass es für immer taub war, ein Paar, das im Schlafzimmer so viel Lärm machte, dass der Nachbar, ein Mechaniker, der im Steinbruch arbeitete, eine winzige Zeitbombe installierte, damit aus dem Penis des Mannes vor Schreck Zuckerwatte wurde. Über diese Geschichten freute sie sich, wie andere Kinder sich über Spielsachen oder Spiele mit Gefährten freuten. Sie war klug genug, eine desinteressierte Miene aufzusetzen, doch die flüchtige Freiheit und Schadenfreude des Lauschens war Ninis Ersatz für eine Kindheit, die ihr vorenthalten worden war, von deren Verlust sie jedoch nicht einmal etwas ahnte.

Der Sechs-Uhr-dreißig-Güterzug pfiff. Nini ging jeden Morgen zum Bahnhof, um Kohlen zu sammeln. Die Brücke über den Fluss, die einzige, die die Stadt mit dem jenseitigen Ufer des Schlammigen Flusses verband, war eine vierspurige Brücke, aber zu dieser frühen Stunde waren nur wenige Lastwagen und Fahrräder unterwegs. Die einzigen anderen Fußgänger waren Frauen und Jugendliche, die aus den Bergen kamen mit frischgelegten, in Taschentücher gewickelten Eiern, kleinen Kannen mit frischer Ziegen- oder Kuhmilch und hausgemachten Nudeln und Pfannkuchen. Nini ging gegen den Strom der Bauern und beäugte sie argwöhnisch, während sie sie angafften und ihren Widerwillen beim Anblick ihres verunstalteten Gesichts nicht verbargen.

Am Bahnhof an der Brücke hielten nur Güterzüge. Kohle, Holz und Aluminiumerz aus den Bergen wurden hier verladen und in die großen Städte transportiert. Die Personenzüge hielten an einem anderen Bahnhof am westlichen Ende der Stadt, und wenn Nini über die Brücke ging, sah sie sie manchmal vorbeifahren, sah die

Gesichter der Menschen hinter den vielen Fenstern. Sie fragte sich häufig, wie es wohl wäre, so schnell von einem Ort zum anderen zu reisen. Sie liebte Geschwindigkeit – die langen Züge, deren ratternde Räder auf den Schienen Funken sprühten; die Jeeps mit den Kennzeichen der Regierung, die selbst durch die verstopftesten Straßen rasten und während der Trockenzeit Staub aufwirbelten und Schlamm verspritzten, wenn es regnete; die Eisschollen, die im Frühjahr den Schlammigen Fluss hinuntertrieben; die draufgängerischen Jungen auf ihren Fahrrädern, die wild in die Pedale traten und dabei freihändig fuhren.

Nini beschleunigte den Schritt. Wenn sie nicht rasch genug zum Bahnhof käme, hätten die Arbeiter die Kohlen bereits von den Lastwagen in die Güterwaggons verladen. Die Arbeiter ließen jeden Morgen absichtlich Kohlen auf den Boden fallen, die sie später untereinander aufteilten. Ninis morgendliche Aufgabe bestand darin, in der Nähe zu stehen, die Männer anzustarren und darauf zu warten, dass ein Arbeiter sie schließlich bemerkte und ihr einen kleinen Teil der Kohle gab. Alle arbeiteten für ihr Essen, erklärte Ninis Mutter immer wieder, und Nini wollte nichts weiter, als rechtzeitig den Bahnhof erreichen, damit ihr später das Frühstück nicht verweigert wurde.

ZWISCHEN DEN BAUERN ging Bashi in die entgegengesetzte Richtung über die Brücke. Tief in Gedanken versunken, bemerkte er das Mädchen nicht und hörte nicht, wie sich zwei Bäuerinnen über Ninis verunstaltetes Gesicht ausließen. Er war damit beschäftigt, sich vorzustellen, wie ein Mädchen *da unten* zwischen den Beinen aussah. Bashi war neunzehn und hatte noch nie die Geschlechtsteile eines Mädchens gesehen. Das war für Bashi, Sohn eines kommunistischen Helden – des Rötesten der roten Saat – ein beunruhigender Makel.

Bashis Vater hatte als einer der ersten Piloten des Landes im Koreakrieg gedient und war mehrfach als Kriegsheld ausgezeichnet worden. Nicht die amerikanischen Bomben hatten ihn getötet, sondern ein kleines menschliches Versagen – er starb bei einer

Mandeloperation, als Bashi zwei Jahre alt war. Der Arzt, der das falsche Narkosemittel gespritzt hatte, wurde später zum Tod verurteilt, weil er die kommunistische Nation untergraben und einen ihrer besten Piloten ums Leben gebracht hatte, aber was mit dem Arzt geschah, ob er lebenslang bekam oder zum Tod verurteilt wurde, bedeutete Bashi wenig. Seine Mutter hatte ihn seiner Großmutter väterlicherseits überlassen, hatte wieder geheiratet und war in eine andere Provinz gezogen, und seitdem kam die Regierung für seinen Lebensunterhalt auf. Die Zahlungen, eine großzügige Summe verglichen mit dem Verdienst anderer Leute, ermöglichten seiner Großmutter und ihm ein Leben in bescheidenem Wohlstand. Sie hatte gehofft, dass er ein guter Schüler wäre und aufgrund seiner Fähigkeiten einen anständigen Lohn verdienen würde, aber dem war nicht so, da Bashi mit dem, was er gelernt hatte, wenig anzufangen wusste. Sie sorgte sich und nörgelte an ihm herum, doch er verzieh ihr, weil sie die einzige Person war, die ihn liebte und die er liebte. Eines Tages würde sie sterben – in den letzten zwei Jahren hatte sich ihr Zustand verschlechtert, und ihr Kopf war vollgestopft mit Tatsachen und Phantasien, die sie nicht mehr auseinanderhalten konnte. Bashi freute sich nicht auf den Tag, an dem sie auf die andere Seite der Welt gehen würde, aber er wusste sehr wohl, dass er sein Leben lang in dem Haus, das der Regierung gehörte, wohnen durfte, und dass das Geld auf ihrem Sparbuch für Essen, Kleidung und Kohlen ausreichte, ohne dass er je einen Finger würde krumm machen müssen. Was sollte er sich vom Leben noch wünschen? Eine Frau natürlich, aber wie viel mehr Lebensmittel würde sie verbrauchen? Was Bashi betraf, konnte er sich ein behagliches Leben mit einer Frau leisten, und keiner von beiden müsste arbeiten.

Das Problem war, wie er eine Frau finden sollte. Abgesehen von seiner Großmutter hatte Bashi kein Glück bei Frauen. Ältere Frauen, Frauen im Alter seiner Großmutter oder seiner Mutter, führten ihn ihren Kindern als warnendes Beispiel vor. Wenn sie einen Sohn oder Enkel wie Bashi ertragen müssten, würden sie sich so schämen, dass sie nach dem Tod ihren Vorfahren nicht begegnen wollten – solche Bemerkungen, oft laut genug, dass Bashi sie hören konnte, galten Kindern, die eine Abschreckung nötig hatten. Jüngere Frauen im heiratsfähigen Alter mieden Bashi, wie im Märchen die Schwanenprinzessin die Kröte meidet. Bashi war überzeugt, dass er mehr Kenntnisse des weiblichen Körpers brauchte, bevor er Zugang zum Herzen einer Frau gewinnen konnte, aber welche der jungen Frauen, die ihm verächtliche Blicke zuwarfen, würde ihm ihre Geheimnisse offenbaren?

Bashi setzte jetzt seine Hoffnungen auf wesentlich jüngere Mädchen. Er hatte es schon mehrmals versucht, hatte kleinen Mädchen aus anderen Vierteln Bonbons angeboten, aber keins war bereit gewesen, mit ihm in das hohe Gras am Flussufer zu gehen. Schlimmer noch, eins der Mädchen hatte ihn bei ihren Eltern verpetzt, und sie hatten ihn geschlagen und es weitererzählt, und wohin immer er jetzt ging, meinte er, von Leuten mit Töchtern aufmerksam beobachtet zu werden. Die kleinen Mädchen sangen ein Lied über ihn, nannten ihn Wolf und Stinktier und schleimiger Aal. Er war nicht gekränkt; im Gegenteil, er trat gern in den Kreis der spielenden Mädchen und lächelte, wenn sie ihm das Lied vorsangen. Er stellte sich vor, wie er mit einem nach dem anderen in ein verstecktes Gebüsch ging und lernte, was er mit ihnen lernen musste, und er lächelte noch entzückter, weil keins der jungen Mädchen, die mit ihren schönen Stimmen für ihn sangen, auch nur ahnte, was mit ihr in diesem Augenblick geschehen könnte.

Bashi hatte auch noch andere Pläne. Zum Beispiel hatte er vor, sich im öffentlichen Klosett zu verstecken nach Mitternacht oder am frühen Morgen, wenn eilig noch halb träumende Frauen kamen, zu verschlafen, um ihn zu bemerken, wenn er an einer Stelle hockte, die das Licht der Glühbirne nicht erreichte. Aber der Gedanke, lange Zeit irgendwo im Gestank zu sitzen, frierend und müde, hielt Bashi davon ab, den Plan in die Tat umzusetzen. Er konnte sich auch die Kleider seiner Großmutter anziehen und ein Tuch um den Kopf wickeln und zu einem öffentlichen Badehaus gehen. Er konnte seine Stimme verstellen und um eine Eintrittskarte für den Bereich der Frauen bitten, den Umkleideraum betreten und die Frauen, die sich auszogen, mit den Augen verschlingen. Er konnte eine Weile bleiben und dann vorgeben, dass er nach Hause müsste, um sich um etwas Wichtiges zu kümmern, vielleicht um ein Huhn, das auf dem Herd kochte, oder um Wäsche, die man von der Leine nehmen musste.

Es gab noch andere Möglichkeiten, die dauerhafte Hoffnung boten, zum Beispiel am Flussufer nach einem Baby zu suchen, was Bashi gerade tat. Er hatte bereits am Ufer entlang der Gleise gesucht, und jetzt ging er langsam auf der Stadtseite am Fluss entlang und schaute hinter jeden Felsen und Baumstumpf. Es war unwahrscheinlich, dass jemand in dieser kalten Jahreszeit ein Baby aussetzte, aber es schadete nicht, sich zu vergewissern. Bashi hatte einmal ein Baby gefunden, eines Morgens im Februar vor zwei Jahren, unter der Brücke über den Fluss. Das Baby war steif gefroren, wenn nicht von der kalten Nacht, dann vom Tod. Er hatte das graue Gesichtchen betrachtet, doch bei dem Gedanken, die Decke zurückzuschlagen und unter den Lumpen nachzusehen, schauderte ihm aus unerfindlichem Grund, deswegen ließ er es liegen, wo es war. Eine Stunde später kehrte er an die Stelle zurück, und ein paar Leute hatten sich eingefunden. Es war bestimmt ein Mädchen, sagten sie, ein kräftiges, gesundes Baby, aber jammerschade, dass es nicht ein Junge war. Man brauchte nur ein paar Lagen nasses Strohpapier, und es dauerte nicht länger als fünf Minuten, sagten die Leute, als hätten sie alle schon mindestens einmal im Leben ein kleines Mädchen erstickt, so lebhaft sprachen sie über die Details. Bashi meinte, es sei vielleicht erfroren, aber niemand beachtete ihn. Sie redeten untereinander, bis der alte Hua und seine Frau kamen und das kleine Lumpenbündel in einen Sack steckten. Bashi begleitete als einziger die Huas zu der Stelle, wo sie die ausgesetzten Babys begruben. Flussaufwärts am westlichen Rand der Stadt, wo den ganzen Sommer über namenlose weiße Blumen blühten, die die Kinder in der Stadt Tote-Baby-Blumen nannten. An diesem Tag war die Erde so gefroren, dass sie nicht einmal ein kleines Loch graben konnten; das Paar fand eine Nische hinter einem Felsen und bedeckte das Baby mit trockenem

Laub und welkem Gras, dann markierten sie die Stelle. Sie kämen später zurück, um es zu begraben, sagten sie zu Bashi, und er erwiderte, er zweifle nicht daran, dass sie sie angemessen verabschieden würden, da sie gutherzig waren und keine Menschenseele im Stich ließen.

Bashi verstand nicht, warum die Leute keine Mädchen mochten. Er würde, wenn er ein lebendes Baby fände, es nach Hause mitnehmen, füttern, baden und großziehen, aber dieses Vorhaben musste er vor den Leuten in der Stadt geheimhalten, die ihn wie einen Idioten behandelten. Und Idiotie schien eines der wenigen Verbrechen, für die man nie genug bestraft werden konnte. Ein Räuber oder ein Dieb wurde für eine Straftat zu einem Jahr oder länger verurteilt, aber ein Idiot – oder ein Konterrevolutionär – zu sein, diese Bezichtigung richtete sich gegen das innerste Wesen eines Menschen, und aus diesem Grund mochte Bashi seine Mitbürger nicht. Sogar ein Konterrevolutionär wurde manchmal reingewaschen, wie man dieser Tage des öfteren im Radio hörte. Es gab viele Geschichten von Personen, denen während der Kulturrevolution Unrecht geschehen war und die jetzt wieder in die große kommunistische Familie aufgenommen wurden, doch für Bashi schien diese Art Erlösung unerreichbar. Die Leute achteten kaum auf ihn, wenn er sich an einem Sommerabend in ein Gespräch an einer Kreuzung oder eine Partie Schach am Straßenrand einmischte, und wenn doch, lächelten sie ungläubig und nachdenklich, als würde ihnen Bashi erst klarmachen, um wie viel intelligenter sie selbst doch waren. Bashi hatte schon oft beschlossen, dass er nie mehr mit diesen Leuten reden würde, aber wenn er das nächstemal auf eine solche Gruppe stieß, schöpfte er wieder Hoffnung. Obwohl sie ihn schlecht behandelten, liebte er die Menschen, und er liebte es, mit ihnen zu sprechen. Er träumte von dem Tag, an dem sie verstehen würden, wie bedeutend er war; vielleicht würden sie ihn dann sogar an der Hand oder der Schulter fassen und sich für ihre Fehler entschuldigen.

Ein Hund trottete das Ufer entlang, sein goldenes Fell schimmerte im Morgenlicht. In der Schnauze hatte er eine Papiertüte.

Bashi pfiff dem Hund. »Ohr, komm her, was für einen Schatz hast du gefunden?«

Der Hund schaute Bashi an und machte ein paar Schritte rückwärts. Er gehörte einem Neuankömmling in der Stadt, und Bashi hatte sowohl den Hund als auch den Jungen beobachtet. Bashi hielt Ohr für einen merkwürdigen Hundenamen, und der Junge, der ihn so genannt hatte, musste nicht ganz richtig im Kopf sein. Der Junge und der Hund waren von derselben Sorte, im Dorf aufgewachsen und nicht sehr helle. Bashi steckte eine Hand in die Tasche und sagte mit sanfter Stimme: »Hier, ein Knochen, Ohr.«

Der Hund zögerte und kam nicht näher. Bashi starrte dem Hund in die Augen, näherte sich ihm vorsichtig und rief ihn erneut mit seiner sanften Stimme. Dann hob er unvermittelt einen Stein auf und schleuderte ihn auf den Hund, der kurz aufjaulte, davonrannte und dabei die Papiertüte fallen ließ. Bashi warf noch mehr Steine in die Richtung, in der er verschwunden war. Einmal war es ihm gelungen, den Hund so nah zu sich zu locken, dass er ihm einen kräftigen Tritt in den Bauch geben konnte.

Bashi hob die Tüte auf und breitete das Papier auf dem Boden aus. Die Druckerschwärze war verschmiert, aber die Botschaft war eindeutig. »Eine Konterrevolutionärin ist kein Witz«, sagte er laut. Der Name auf der Bekanntmachung war ihm nicht vertraut, und Bashi fragte sich, ob die Frau aus der Stadt war. Wessen Tochter war sie? Der Gedanke, dass jemandes Tochter hingerichtet wurde, war beunruhigend; kein Verbrechen, das eine junge Frau begehen konnte, sollte zu so einem entsetzlichen Ende führen, aber war sie noch Jungfrau? Bashi las die Bekanntmachung noch einmal; sie enthielt nur wenig Informationen über diese Gu Shan. Vielleicht war sie verheiratet – bei einer Achtundzwanzigjährigen konnte man nicht erwarten, dass sie noch Jungfrau war, außer sie war ... »Eine alte Jungfer?« vervollständigte Bashi den Gedanken laut. Er fragte sich, was die Frau getan hatte, um den Titel Konterrevolutionärin zu verdienen. Die einzige andere ihm bekannte Person, die ein vergleichbares Verbrechen begangen hatte, war der Arzt, der seinen Vater umgebracht hatte. Bashi las die Ankündigung ein drittes

Mal. Ihr Name klang nett, vielleicht war sie jemand wie er, den niemand verstand und den zu verstehen niemand sich die Mühe machte. Wie schade, dass sie an dem Tag sterben musste, an dem er sie entdeckte.

TONG RIEF MEHRMALS nach Ohr, bevor er wieder auftauchte. »Hast du den schwarzen Hund wieder geärgert?« fragte Tong Ohr, der in Panik auf ihn zu rannte. Der schwarze Hund gehörte dem alten Kwen, dem Hausmeister des Elektrizitätswerks, der nicht in einem Reihenhaus, sondern in einer kleinen, heruntergekommenen Hütte an der Grenze zwischen dem Wohn- und dem Industriegebiet lebte. Über den alten Kwen und seinen Hund hatte Tongs Vater ihm nach seiner Ankunft etwas erzählt. Der Hund war sein Leben lang an einer eineinhalb Meter langen Kette angeleint und angeblich der gemeinste und schärfste Wachhund der Stadt, bereit, jeden anzufallen und zu Tode zu beißen, der es wagte, sich der Hütte seines Herrn zu nähern. Halte dich von einem Mann fern, der seinen Hund so behandelt, warnte ihn sein Vater, aber als Tong fragte, warum, erklärte er es nicht.

Zu neugierig und zu gutmütig, hatte sich Ohr dem schwarzen Hund mehrmals genähert, und jedesmal knurrte der schwarze Hund, sprang hoch und zerrte wütend an der Kette; Tong hatte lange gebraucht, um Ohr wieder zu beruhigen. »Du musst lernen, andere Hunde in Ruhe zu lassen«, sagte Tong jetzt, aber Ohr winselte nur. Vielleicht schalt er Ohr aus dem falschen Grund, dachte Tong, denn er hatte den schwarzen Hund nicht bellen gehört. »Vielleicht war es nicht der schwarze Hund, sondern jemand anders. Du musst lernen, andere in Ruhe zu lassen. Nicht alle mögen dich so, wie du glaubst«, sagte Tong.

Sie gingen am Ufer entlang. Schwere Wolken hingen am Himmel. Der Wind roch nach altem, verharschtem Schnee. Tong riss eine Schicht bleicher, harter Rinde von einer Birke und setzte sich auf einen Baumstumpf. Mit einem Bleistiftstummel schrieb er auf die Rinde die Worte der Bekanntmachung, an die er sich erinnerte: *Konterrevolutionärin, Schulen, verpflichtet.*

Tong gehörte in seiner Klasse zu den Schülern, die sich am meisten anstrengten. Manchmal sagte die Lehrerin vor der Klasse, dass Tong ein gutes Beispiel für jemanden war, der nicht gerade gescheit war, seine Unzulänglichkeiten jedoch durch gründliches Arbeiten ausglich. Zuerst war Tong traurig über diese Bemerkung und nicht stolz, aber nach einer Weile gelang es ihm, sich aufzuheitern: Schließlich war Lob von der Lehrerin immer noch Lob, und eine Anhäufung solcher positiven Kommentare würde ihn vielleicht zu einem wichtigen Schüler in ihren Augen machen. Tong sehnte sich danach, am Ende der ersten Klasse als einer der ersten den Kommunistischen Jungpionieren beizutreten, damit ihn die Städter mehr respektierten, und zur Erfüllung dieses Traums brauchte er etwas, womit er seine Lehrerin und seine Schulkameraden beeindrucken konnte. Er hatte daran gedacht, jedes Schriftzeichen aus dem Grundschulwörterbuch auswendig zu lernen und sie der Lehrerin am Ende des Schuljahrs vorzulegen, aber seine Eltern, beide Arbeiter, hatten nicht genug Geld, um ihm immer neue Hefte zum Üben zu kaufen. Auf die Idee mit der Birkenrinde war Tong gekommen, nachdem er in seinem Lesebuch vom Genossen Lenin gelesen hatte, der im Gefängnis das Schwarzbrot als Tintenfass und die Milch als Tinte benutzt und geheime Botschaften an seine Genossen auf den Rand von Zeitungsseiten geschrieben hatte; die Nachrichten waren nur zu sehen, wenn man die Zeitung nahe ans Feuer hielt; wann immer sich ein Wärter näherte, verschlang er sein Tintenfass mit der Tinte darin. »Wenn man die richtige Gesinnung hat, findet man den richtigen Weg«, hatte die Lehrerin die Moral der Geschichte erklärt. Seitdem versuchte Tong, die richtige Gesinnung zu haben, und sammelte Bleistiftstummel, die andere Kinder wegwarfen. Und er hatte die Birkenrinde entdeckt, die perfekt zum Schreiben und besser als Nachschub taugte als das Papier, das der alte Hua für ihn aufhob.

Ohr setzte sich auf die Hinterbeine und schaute Tong eine Weile zu. Dann lief er zu dem gefrorenen Fluss und hinterließ dabei kleine, blumengleiche Pfotenabdrücke im alten Schnee. Tong schrieb, bis seine Finger so kalt waren, dass er sie nicht mehr bewegen konnte. Er blies große weiße Atemwolken darauf und las sich die Wörter vor, bevor er den Bleistiftstummel einsteckte.

Tong blickte zur Stadt. Auf dem Rathaus und dem Gericht wehten rote Fahnen. In der Mitte des großen Platzes stand eine steinerne Statue des Vorsitzenden Mao, neben der das fünfstöckige Krankenhaus klein wirkte. Laut den Lehrern in der Schule war es die größte Statue des Vorsitzenden Mao in der gesamten Provinz, der ganze Stolz von Hun Jiang, und lockte Wallfahrer aus Kleinstädten und Dörfern an. Hauptsächlich wegen der Statue war Hun Jiang zur Kreisstadt befördert worden und verwaltete jetzt mehrere Städtchen und Dörfer in der Umgebung. Ein paar Monate zuvor, kurz nach Tongs Ankunft, war ein Arbeiter, der die halbjährliche Säuberung der Statue vornahm, verunglückt und von der Schulter des Vorsitzenden Mao in den Tod gestürzt. Viele Leute scharten sich um die Unfallstelle. Tong war eins der Kinder, die sich zwischen den Beinen der Erwachsenen hindurchdrängten, um die Leiche besser sehen zu können – in der blauen Uniform der Putzkolonnen lag der Mann mit dem Gesicht nach oben da, neben dem Mund eine kleine Lache Blut; die Augen waren weit geöffnet und glasig, und Arme und Beine standen in seltsamen, unmöglichen Winkeln ab. Als die Sanitäter kamen, um die Leiche wegzubringen, glitt und rutschte sie herum, als hätte sie keine Knochen, und das erinnerte Tong an die Nacktschnecken im Dorf seiner Großeltern – sie waren fleischig und feucht, und wenn man eine Prise Salz darauf streute, wurde langsam eine weiße, klebrige Flüssigkeit aus ihnen. Das Kind neben ihm musste sich übergeben und wurde von seinen Eltern weggezogen, doch Tong zwang sich, keine Schwäche zu zeigen. Sogar ein paar Erwachsene wandten den Blick ab, als die Sanitäter den Kopf des Mannes vom Boden kratzten, aber Tong beobachtete alles ganz genau, um nur ja keine Einzelheit zu verpassen. Wenn er tapfer genug wäre, hoffte er, würden ihn die Jungen in der Stadt und vielleicht auch die Erwachsenen achten und als einen der Besten unter ihnen akzeptieren. Es war nicht das erste Mal, dass Tong eine Leiche sah, aber nie zuvor hatte er einen Menschen auf diese ausgefallene Art sterben sehen.

Im Dorf seiner Großeltern starben die Menschen auf alltägliche Weise, weil sie krank oder alt waren. Nur einmal war eine Frau, die auf einem Feld mit einem Kanister Pestiziden auf dem Rücken arbeitete, plötzlich ums Leben gekommen, weil der Kanister explodierte. Tong und andere Kinder versammelten sich am Rand des Feldes und sahen zu, wie der Mann und die zwei halbwüchsigen Söhne der Frau aus der Ferne mit einem Schlauch das Feuer löschten; sie schienen weder schockiert noch traurig, ihr Schweigen wies auf etwas, was Tong nicht verstand.

Der Tod mancher Menschen wiegt schwerer als der Berg Tai, andere sind leicht wie eine Feder. Tong dachte an die Lektion, die die Lehrerin ein paar Wochen zuvor durchgenommen hatte. Die bei der Explosion getötete Frau wurde zu einer Geschichte, die die Dörfler Fremden erzählten, und oft machten die Zuhörer verwunderte Bemerkungen, aber verlieh das ihrem Tod mehr Gewicht als dem der alten Nachbarin von Tongs Großeltern, die im Schlaf starb? Der Tod der Konterrevolutionärin musste leichter als eine Feder sein, doch die Fahnen und die angekündigte Zeremonie schienen etwas anderes zu sagen.

Unter dem staunenden Blick des Jungen erwachte die Stadt zum Leben; manche waren besser auf diesen wichtigen Tag vorbereitet als andere. Eine Viertklässlerin stellte entsetzt fest, dass ihr seidenes Jungpionier-Halstuch von ihrem kleinen Bruder zerrissen worden war, der es um die Pfote der Katze gebunden und Tauziehen mit ihr gespielt hatte. Ihre Mutter versuchte, sie zu trösten – hatte sie nicht ein Ersatzhalstuch aus Baumwolle? fragte die Mutter, und selbst wenn sie das seidene Tuch umband, würde niemand den kleinen Riss bemerken –, doch nichts konnte das Mädchen beruhigen. Wie konnten sie ihr, der Anführerin der Jungpioniere in ihrer Klasse, zumuten, ein schlichtes Halstuch aus Baumwolle oder ein zerrissenes Halstuch zu tragen? Das Mädchen weinte, bis ihr klar war, dass sie mit verweinten Augen noch schlechter aussehen würde; zum erstenmal spürte sie die ungeheure Wertlosigkeit des Lebens, wenn eine kleine Katzenpfote den größten Traum zerstören konnte.

Ein paar Blocks weiter fasste ein Lastwagenfahrer nach seiner jungen Frau, gerade als sie aufstehen wollte. Noch einmal, bat er; sie wollte nicht, aber als sie ihren Arm nicht aus seinem Griff befreien konnte, gab sie nach. Schließlich konnten sie beide während der Denunziationszeremonie dösen, und sie brauchte sich heute keine Sorgen um ihn zu machen, weil er nicht fahren musste. Eine Krankenschwester kam zu spät zur Frühschicht im Krankenhaus, weil ihr Sohn, der in die Mittelschule ging, verschlafen hatte; und weil sie es eilig hatte, ihre Arbeit zu erledigen, bevor sie zur Denunziationszeremonie musste, verabreichte sie einem Kleinkind, das eine Lungenentzündung hatte, eine falsche Dosis Antibiotika; erst Jahre später sollten die Ärzte feststellen, dass das Kind taub war, aber die Ursache wurde nicht untersucht, und die Eltern konnten nur das Schicksal für ihr Unglück verantwortlich machen. Im Fernmeldeamt auf der anderen Straßenseite schrie die junge Frau, die in der Vermittlung arbeitete, einen Bauern an, der mit seinem Onkel in der Nachbarprovinz sprechen wollte; wusste er denn nicht, dass heute ein wichtiger Tag war und sie sich auf das politische Ereignis vorbereiten musste, statt ihre Zeit mit ihm zu verschwenden, sagte sie, und die Hälfte ihrer bösen Worte gingen in der schlechten Verbindung unter; während sie ihn beschimpfte, rief das Armeekrankenhaus aus der Hauptstadt der Provinz an, und diesmal wurde die junge Frau angebrüllt, weil sie den Anruf nicht prompt entgegengenommen hatte.

2

Die junge Frau trug einen dunklen Männeranzug, der ihr etwas zu groß war, ihr Haar war hochgebunden und unter einem ebenso dunklen Hut verborgen. Ihre Hände steckten in schwarzen Handschuhen und umfassten fest den Griff eines kurzen Schwertes. Die Klinge, das einzige helle Objekt auf dem Schwarzweißfoto, zeigte nach oben. Das ernste Gesicht des Mädchens befand sich zur Hälfte im Schatten der Mütze, ihre Augen blickten direkt in die Kamera. Denk daran, dass Herbstjade bereit war, ihr Leben zu geben. Das hatte ihre Lehrerin erklärt, erinnerte sich Kai, nachdem sie auserwählt worden war, die berühmte Heldin in einer neuen Oper zu spielen. Kai war damals zwölf gewesen, ein aufsteigender Stern der Theaterschule in der Provinzhauptstadt, und es war keine Überraschung, dass jede größere Rolle mit ihr besetzt wurde, von Herbstjade, die nach einem fehlgeschlagenen Attentat – sie hatte eine Amtsperson am Hof des letzten Kaisers töten wollen – enthauptet wurde, bis zu Chen Tiejun, der jungen Kommunistin, die neben ihrem Geliebten erschossen wurde, nachdem sie sich vor dem Exekutionskommando zu Mann und Frau erklärt hatten. Kai war immer für ihre reife Darstellung gelobt worden, doch als sie jetzt das Foto betrachtete, entdeckte sie in den Augen des Mädches wenig Verständnis für die Märtyrerinnen, die sie einst verkörpert hatte. Damals war Kai stolz darauf gewesen, früher als ihre Altersgenossinnen erwachsen zu werden, aber dieses Erwachsensein, das sah sie jetzt, war so falsch und unglaubwürdig gewesen wie ihre Interpretationen von Tod und Märtyrertum.

Sie hängte das gerahmte Bild wieder an die Wand, wo es seit fünf Jahren zusammen mit anderen Bildern hing, Relikte ihres Lebens auf der Bühne im Alter zwischen zwölf und zweiundzwanzig Jahren. Das Studio, ein kleiner, fensterloser Raum ganz oben im Verwaltungsgebäude mit schalldichten Wänden und von Neonröhren erhellt, war Kai zuerst fast wie eine Gefängniszelle vorgekommen. Han war es gewesen, nachdem er ihr die Stelle der Nachrichtensprecherin verschafft hatte, der den Raum dekoriert, die Fotos an die Wände, einen herzförmigen Spiegel an die Tür gehängt, und Vasen mit Plastikblumen in die Regale gestellt hatte, damit sie das ganze Jahr blühen konnten, ohne Sonnenschein oder andere Pflege zu brauchen – damit das Studio zu ihrem eigenen wurde. Noch ein Grund mehr, seinen Heiratsantrag ernst zu nehmen, drängte Kais Mutter und erinnerte sie an die weniger priviligierten Stellen, die ihr hätten zugewiesen werden können, nachdem sie die Theatergruppe der Provinz verlassen hatte. Zum Beispiel hätte sie als Lehrerin in einer Grundschule landen können, wo sie darum hätte kämpfen müssen, dass die Kinder weniger misstönend sangen, oder als Angestellte in einem Büro der Kultur- und Unterhaltungsabteilung, wo sie wenig anderes zu tun gehabt hätte, als dem Raum eine freundliche weibliche Note zu verleihen. Han, einziger Sohn eines der mächtigsten Paare in der Stadtverwaltung, hatte Kai damals schon ein halbes Jahr lang den Hof gemacht, eine perfekte Partie nach Ansicht ihrer Eltern, beide Verwaltungsangestellte auf mittlerer Ebene, die nicht den Status hatten, um Kai weiterzuhelfen, als sie jüngeren Gesichtern auf der Bühne weichen musste. Den wichtigsten Erfolg findet eine Frau in der Ehe, nicht im Beruf, meinte Kais Vater, als sie überlegte, Hun Jiang zu verlassen und als Schauspielerin in Beijing oder Schanghai zu arbeiten; es ist eine größere Herausforderung, sich die lebenslange Aufmerksamkeit eines einzigen Menschen zu erhalten, als die Herzen vieler zu gewinnen, die sie über Nacht wieder vergessen würden, erklärte Kais Vater in Abwesenheit ihrer Mutter, und sowohl seine Erkenntnis, dass die Natur des Ruhmes flüchtig sei, als auch der unmissverständliche Hinweis, dass ihre

Mutter – die in der Ehe dominierte und häufig ausfällig wurde – versagt habe, veranlassten Kai, ihre Entscheidung zu revidieren. Ein Kind, das zum erstenmal einen Blick auf die dunklere Seite der Ehe seiner Eltern wirft, ist gezwungen, in der Welt der Erwachsenen zu leben, oft gegen sein inneres Wesen und seinen Willen, so wie es einst durch den Geburtskanal gepresst wurde, um seine Existenz zu beginnen. Kai, die mit Acht ihr Zuhause verlassen hatte, um die Theaterschule zu besuchen, erlebte diese zweite Geburt zu einer Zeit, als die meisten ihrer Schulfreundinnen bereits verheiratet und junge Mütter waren, und sie beschloss, in Hans Familie einzuheiraten. Als Kais Vater bald darauf an zu spät entdecktem Leberkrebs starb, schien Kais Entscheidung richtig gewesen zu sein – zumindest kam ihr das im ersten Jahr ihrer Ehe so vor.

Kai legte eine Platte auf den Plattenspieler und setzte die Nadel auf. Pflichtbewusst erklang die Erkennungsmelodie der Morgennachrichten, *Liebe für das Heimatland*, aus den Lautsprechern und erfüllte die Stadt bis in die letzte Straßenecke. Kai dachte an die Welt außerhalb des Studios: an den dunklen Kohlenrauch, der aus den Dächern in den bleiernen Himmel aufstieg; an die Spatzen, die mit staubigen Flügeln von einem Dach zum nächsten hüpften, ihr Zwitschern von der patriotischen Musik übertönt; an die Menschen unter den Dächern, die das morgendliche Ritual von Musik und Nachrichten gewohnt waren und wahrscheinlich gar nicht zuhörten.

Der Chor endete, und Kai hob die Nadel hoch und schaltete das Mikrofon an. »Guten Morgen, Arbeiter, Bauern und revolutionäre Genossinnen und Genossen in Hun Jiang«, begann sie die übliche Begrüßung, ihre gut ausgebildete Stimme warm und zugleich unpersönlich. Sie las internationale und nationale Nachrichten vor, die jemand in der Propagandaabteilung nachts aus der *Volkszeitung* und dem *Amtsblatt* ausgewählt hatte, gefolgt von Meldungen aus der Provinz und der Stadt. Danach folgte ein Kommentar, der die vietnamesische Regierung anprangerte, weil sie den wahren kommunistischen Glauben verraten hatte, und die ideologische Bedeutung von Pol Pot und seinen Roten Khmer pries, trotz des zeitweiligen Rückschlags aufgrund der vietnamesischen Invasion. Während Kai las, bemerkte sie einen ans Mikrofon geklebten Zettel, der sie anwies, Gu Shans Denunziationszeremonie und ihre anschließende Exekution zu verkünden.

Gu Shan war achtundzwanzig, genauso alt wie Kai und vier Jahre jünger als Herbstjade, als sie nach einem hastigen Prozess enthauptet wurde. Herbstjade hinterließ zwei Kinder, die zu jung waren, um sie zu betrauern, und einen Mann, der sie verstoßen hatte, um die letzte Dynastie zu verteidigen, gegen die sie gekämpft hatte. Kai hatte einen Mann und einen Sohn; Gu Shan hatte niemanden. Die Freiheit, sich für die eigene Überzeugung zu opfern, war ein Luxus, den sich nicht viele leisten konnten, dachte Kai. Sollte sie die Worte *Pionierin* und *Märtyrerin* in den Text einflechten? Würde Shan, der vielleicht gerade ein letztes Frühstück und saubere Kleidung gebracht wurden, die Stimme einer Freundin hören, etwas, worauf sie nach den langen Jahren der Haft nicht mehr gehofft hatte? Kais Hände zitterten, als sie die Bekanntmachung vorlas. Sie und Shan waren jetzt Verbündete, auch wenn Shan es nie erfahren würde.

Kai schaltete das Mikrofon aus, und sofort klopfte jemand an die Tür, zweimal ein kurzes Pochen, dann ein Kratzen. Kai blickte rasch in den Spiegel, bevor sie die Tür öffnete.

»Das beste Elixier der Welt für die Stimme«, sagte Han und präsentierte mit theatralischer Geste eine Thermoskanne. Bevor Han in sein Büro im selben Gebäude ging, schaute er jeden Morgen mit einer Thermoskanne Tee vorbei, gekocht aus Kräutern, die angeblich gut für die Stimme waren. Er hatte nach den Flitterwochen damit angefangen, und Kai hatte geglaubt, dass diese Gewohnheit nach einer Weile aufhören würde wie alle unvernünftigen Leidenschaften zwischen Mann und Frau, doch fünf Jahre und ein Kind später hatte Han sie immer noch nicht abgelegt. Er war bestimmt der einzige Mann in der Stadt, der seiner Frau Tee brachte, meinte Han bisweilen verblüfft und voller Bewunderung, als wäre er selbst angenehm erstaunt über das, was er tat; andere mussten ihn mittlerweile für einen Idioten halten, spottete er über sich selbst, doch der Stolz, der aus seinen Worten herauszuhören war, erfüllte Kai mit Panik. Zu heiraten und Mutter zu werden war ihr früher als der natürliche Verlauf ihres Lebens erschienen, aber Kai konnte nicht umhin, sich manchmal zu wünschen, dass alle falschen Entscheidungen rückgängig zu machen wären.

»Ich habe dir schon oft gesagt, dass ich ihn nicht brauche«, sagte Kai. Diese Antwort, die meistens wie ein liebevoller Vorwurf klang, hörte sich in ihren Ohren heute ungeduldig an. Han schien es nicht aufzufallen. Er gab ihr einen Kuss auf die Wange, ging an ihr vorbei ins Studio und goss ihr eine Tasse Tee ein. »Es ist ein wichtiger Tag. Ich möchte, dass die Stimme meiner Frau vollkommen klingt, wenn die Welt sie hört.«

Kai lächelte verzagt, und als Han sie drängte, den Tee zu trinken, nahm sie einen Schluck. Han schaute sie an. Wie weit war er mit den Vorbereitungen für den Tag, fragte sie, bevor er Gelegenheit hatte, ihr wie so oft Komplimente für ihre Schönheit zu machen.

»Alles erledigt bis auf den Helikopter«, sagte er.

Den Helikopter? fragte sie. Dafür sei er nicht verantwortlich, erwiderte er und beließ es dabei. Wozu brauchte er einen Helikopter? hakte Kai nach und heuchelte unschuldige Neugier, und Han entgegnete, er sei sicher, dass jemand die Sache erledigen würde, sie solle sich nicht um seine langweiligen Angelegenheiten kümmern. »Sorgen machen alt«, sagte er scherzhaft, und Kai meinte, es wäre vielleicht bald an der Zeit, dass er sich eine jüngere Frau suchte. Han lachte und interpretierte Kais Bemerkung als Koketterie.

Es erstaunte sie, dass ihr Mann nie an ihr zweifelte. Er glaubte und vertraute ihr – und mehr noch sich selbst – und fand nichts auszusetzen an ihrer Ehe. Wie einfach es war, einen vertrauensvollen Menschen hinters Licht zu führen, doch dieser Gedanke beunruhigte Kai. Sie blickte auf die Uhr und sagte, sie müsse gehen. Sie wurde um acht im Ostwind-Stadion erwartet, eine der Örtlichkeiten, an denen die Denunziationszeremonie abgehalten wurde.

Han wollte sie begleiten. Kai wünschte, sie hätte eine Ausrede, um das Angebot abzulehnen, aber sie schwieg.

Sie legte ein paar Blätter mit Nachrichten zur Seite und überprüfte ihre Frisur, bevor sie mit Han das Studio verließ. Er fasste sie am Ellbogen, als brauche sie seine Führung und Hilfe, um die fünf Stockwerke hinunterzugehen, doch als sie aus dem Gebäude traten, ließ er ihren Arm los, um in der Öffentlichkeit keinen ungebührlichen Körperkontakt zur Schau zu stellen.

»Ich sehe dich dann in den Drei Freuden?« fragte Han, als sie um die Ecke bogen.

Wozu? fragte Kai, und Han erklärte, dass zur Feier des Tages ein Bankett veranstaltet wurde. Niemand habe sie davon informiert, sagte Kai, und Han entgegnete, er habe geglaubt, sie wisse mittlerweile, dass es nach einem solchen Ereignis die Regel sei. »Bei den letzten zwei Essen hat der Bürgermeister gefragt, warum du nicht da bist«, sagte Han und fügte hinzu, dass er sie beide Male entschuldigt hatte.

Kai sah sich am Tisch sitzen mit dem Bürgermeister und seiner Frau, Han und seinen Eltern und ein paar weiteren Familien, ein durch Status und Macht eng verbundener Zirkel. Es hatte zu den Reizen dieser Verbindung gehört, dass sie als Mitglied von Hans Familie einem gesellschaftlichen Kreis angehören würde, in den aufzusteigen ihre Eltern ihr Leben lang geträumt hatten. Kai gab es jetzt nur ungern zu, doch sie wusste, dass Eitelkeit eine der Schwächen war, die sie teuer zu stehen kamen. Sie war eine vorzeigbare Ehefrau und Schwiegertochter: sie sah gut aus, hatte keinen Freund gehabt vor Han und als erstes Baby einen Sohn zur Welt gebracht. Ihre Schwiegereltern behandelten sie gut, aber sie würden keinen Augenblick zögern, ihr zu verstehen zu geben, dass sie es war, die in die bessergestellte Familie eingeheiratet hatte.

Sie habe dem Kindermädchen gesagt, dass sie gegen Mittag zu Hause sein würde, erklärte Kai. Das neue Kindermädchen, das erst eine Woche zuvor bei ihnen angefangen hatte, war fünfzehneinhalb, nach Kais Ansicht zu jung, um sich um ein Kleinkind zu kümmern, aber nachdem das vorherige Kindermädchen aufgehört hatte, um sich mit ihrem Mann und ihren Söhnen auf dem Land abzurackern – nach vielen Jahren der Volkskommunen hatte die Regierung den Bauern endlich das Recht zugestanden, ihr eigenes Land zu bewirtschaften –, fanden sie niemand anders als dieses Mädchen aus einem Bergdorf.

Er würde den Dienstboten seiner Eltern schicken, um das Kindermädchen zu beaufsichtigen, sagte Han. Was verstand schon ein achtzehnjähriger Junge von einem elf Monate alten Baby, erwiderte Kai, und Han, der eine Spur Ungehaltenheit in ihren Worten entdeckte, betrachtete sie, fragte, ob alles in Ordnung sei, und drückte ihr kurz die Hand, bevor er sie wieder losließ.

Kai schüttelte den Kopf und sagte, sie mache sich nur Sorgen um Ming-Ming, und Han meinte, das verstehe er. Nur dass seine Eltern nicht glücklich seien, wenn sie bei wichtigen gesellschaftlichen Ereignissen fehlte. Sie nickte und erklärte sich einverstanden zu kommen, wenn er es wünschte. Das Baby war eine gute Ausrede, wenn sie am Frühstückstisch zerstreut war, Abendessen bei Hans Eltern versäumte, ihre eigene Mutter seltener besuchte und Müdigkeit vorschützte, um abends Hans Verlangen nach Sex zurückzuweisen.

»Meine Eltern möchten, dass du dabei bist«, sagte Han. »Und ich auch.«

Kai nickte, und sie setzten schweigend ihren Weg fort. Ein paar Straßenzüge weiter stieg Rauch von einer Kreuzung auf. Ein paar Leute hatten sich versammelt, und in der Luft hing der beißende Geruch nach verbranntem Leder. Der Wind wehte einen Fetzen Seide, groß wie eine Hand und von einer müden, verblassten Farbe, über die Straße. Eine orangefarbene Katze, die auf einer niedrigen Mauer lag, sah dem schwebenden Stück Stoff nach.

Han wies die Gruppe an, Platz zu machen. Ein paar Leute traten zur Seite, und Kai folgte ihm in den Kreis. Ein Mann, der die rote Armbinde eines Wachmanns der Gewerkschaft trug, starrte auf eine alte Frau, die vor einem Haufen brennender Kleidung saß. Sie schaute nicht auf, als Han sie fragte, warum sie am Tag eines bedeutenden politischen Ereignisses den Verkehr aufhielt.

»Die alte Hexe spielt die Taubstumme«, sagte der Wachmann und fügte hinzu, dass sein Kollege gerade die Polizei holte.

Kai blickte auf den Kopf der alten Frau, der mit spärlichem grauem Haar bedeckt war. Sie beugte sich zu ihr hinunter und erklärte ihr, dass sie gegen die Verkehrsregeln verstieß und besser gehen sollte. Die Leute horchten auf, als sie Kais Stimme erkannten. Als Kai sich wieder aufrichtete, spürte sie, dass die Frau neben ihr zur Seite wich, um ihr Gesicht besser mustern zu können.

»Wenn Sie jetzt gehen, haben Sie vielleicht noch eine Chance«, sagte Han. Leiser sagte er zu Kai, sie solle zu der Zeremonie gehen, er werde auf die Polizei warten.

Die alte Frau schaute auf. »Sie alle verabschieden sich auf Ihre Weise von ihr. Warum kann ich mich nicht auf meine von ihr verabschieden?«

Der Wachmann erklärte Han und Kai, dass sie die Mutter der Konterrevolutionärin war, die heute exekutiert werden sollte. Erst jetzt bemerkte Kai den Trotz in Frau Gus Augen; zwölf Jahre zuvor, als sie und Shan Mitglieder von rivalisierenden Fraktionen der Roten Garden gewesen waren, hatte sie ihn in Shans Augen gesehen.

»Unsere Art, uns von Ihrer Tochter zu verabschieden, ist nicht nur die korrekte Art, sondern zugleich die einzige vom Gesetz erlaubte«, sagte Han und befahl dem Wachmann, Wasser zu holen. Frau Gu stocherte mit einem Ast im Feuer, als hätte sie Han nicht gehört. Als der Mann mit einem Eimer Wasser zurückkehrte, trat Han zur Seite und wies ihn an, das Feuer zu löschen. Frau Gu schirmte ihr Gesicht nicht vor dem spritzenden Wasser ab. Das Feuer zischte und schwelte, doch sie stocherte weiter darin herum, als wollte sie die Flammen neu entfachen.

Zwei Polizisten drängten sich nach vorn und forderten die Leute auf, weiterzugehen. Manche zogen davon, aber viele traten nur zurück und formten einen größeren Kreis. »Lass uns kein großes Theater darum machen«, sagte Kai zu Han, bevor er sich an die Polizisten wandte.

»Diejenigen, die bestraft werden wollen, werden bekommen, worum sie bitten«, sagte Han.

Der Wachmann begrüßte die Polizisten und deutete auf Han und Kai. Frau Gu beachtete die Männer nicht, die um sie herumstanden, murmelte etwas und wischte sich Tränen aus den Augenwinkeln.

»Warum lässt du sie nicht einfach gehen?« sagte Kai zu Han und zitierte ein altes Sprichwort: *Die Gunst, die man anderen erweist, wird einem vergolten werden, und Schmerzen, die man anderen zufügt, wird man selbst erleiden.*

Han blickte zu Kai. Er habe nicht gewusst, dass sie so abergläubisch sei, sagte er.

»Wenn du um deinetwillen nicht daran glauben willst, dann tu es für deinen Sohn«, sagte Kai. Die Dringlichkeit ihres Tonfalls ließ Han innehalten. Er sah sie verschmitzt an und meinte, er hätte sich nie vorstellen können, dass sie den Glauben der alten Generation annehme.

»Eine Mutter braucht jede nur erdenkliche Hilfe, um ihrem Kind ein gutes Leben zu ermöglichen«, sagte Kai. »Was, wenn die Leute Ming-Ming mit einem Fluch belegen für das, was wir tun?«

Han schüttelte den Kopf, als amüsiere er sich über die Logik seiner Frau. Er befahl den Polizisten, die alte Frau nach Hause zu bringen und dafür zu sorgen, dass die Straße gereinigt wurde. »Machen wir diesmal kein großes Theater«, wiederholte er Kais Worte und fügte hinzu, es sei unnötig, den Tag noch mit zusätzlichen Problemen zu belasten. Die Männer zollten ihm Komplimente für seine Großzügigkeit. Wohl dem, der jemanden gehen lässt, ohne seine Verfehlungen zu verfolgen, sagte der ältere Polizist, und Han nickte zustimmend.

3

Frau Hua sah nicht, wie die Polizisten Frau Gu vom Tatort ihres Vergehens entfernten; und wäre sie Augenzeugin dieser Szene gewesen, hätte sie nicht gewusst, dass die Frau, die halb zum Polizeijeep gezerrt, halb geschleppt wurde, Frau Gu war.

Wie Frau Gu sollte Frau Hua nie im Leben Großmutter werden. Frau Hua war sechsundsechzig, ein Alter, in dem ein oder zwei Enkelkinder ein besserer Grund zum Weiterleben waren als die Straßen, die ihr Mann nach Abfall durchstöberte und die sie fegte, aber die Straßen boten ihnen im Gegensatz zu den Träumen von Enkeln einen Lebensunterhalt. Sie war sich des Glücks, am Leben zu sein, durchaus bewusst, und ihr Mann und sie ermahnten sich oft gegenseitig, dafür dankbar zu sein. Dennoch war das Bedürfnis, ein Baby zu halten, hin und wieder so stark, dass sie mitten in der Arbeit innehielt und sich mit angehaltenem Atem das Gewicht eines kleinen, warmen Körpers in ihren Armen vorstellte. Dabei wirkte sie immer wie eine ziemlich verwirrte alte Frau. Ihr Chef Shaokang, ein Mann in den Fünfzigern, der nie geheiratet hatte, drohte ihr bisweilen damit, sie zu feuern, als wäre er wütend, weil sie seinen Anweisungen zu langsam nachkam, aber sie wusste, dass er es nur wegen der anderen Arbeiter bei der Stadtreinigung tat, denn er gehörte zu den Menschen, die ihre Freundlichkeit hinter harten Worten verbargen. Er hatte ihr die Arbeit in seiner Abteilung dreizehn Jahre zuvor angeboten, als er sie und ihren Mann zum erstenmal auf der Straße sah. Sie hatte hohes Fieber, und er bat in einem Laden um eine Schale Wasser. Das war kurz nachdem ihnen die vier jüngeren Mädchen weggenommen und in Waisenhäuser in vier verschiedenen Bezirken gebracht worden waren, eine Praxis, von der man glaubte, dass sie gut für einen Neuanfang der Mädchen wäre. Frau Hua und ihr Mann waren drei Monate durch vier Provinzen gewandert in der Hoffnung, dass die Straße ihren Kummer linderte. Sie hatten nicht beabsichtigt, sich in Hun Jiang niederzulassen, doch Shaokang erklärte ihnen streng, dass der bevorstehende Winter sie beide umbringen würde, wenn sie sein Angebot nicht annähmen, und schließlich hatte ihr Wille, weiterzuleben, ihrer Wanderschaft ein Ende gesetzt.

»Kreuzung Befreiungs- und Gelber-Fluss-Straße«, sagte Shaokang, als Frau Hua die Halle betrat, die so groß war wie ein Lagerhaus. Als Büro diente eine Ecke, in der ein Schreibtisch stand. Sie ging zum Waschtisch und spülte den Behälter aus. Es war kaum mehr Kleister übrig; er hatte ihr viel mehr Mehl gegeben, als sie brauchte, aber sie wusste, dass er nicht nach dem Verbleib des restlichen Mehls fragen würde.

Frau Hua ging zu dem Schrank, in den die Leute von der Straßenreinigung nach ihrer Rückkehr die Besen stellten. Wenn sie alle da wären, stünden die Besen, die großen aus Bambuszweigen und die kleineren aus Stroh, in einer Reihe da wie ein Zug Soldaten, jeder versehen mit einer Nummer in Shaokangs sauberer Handschrift und einem speziellen Straßenkehrer zugeordnet. Manchmal fragte sich Frau Hua, ob Shaokang in einem seiner dicken Notizbücher alle Besen aufführte, die je angeschafft worden waren: Wie viel Zeit sie auf den Straßen verbracht und wie lange sie müßig im Schrank gestanden hatten; wie lange es dauerte, bis ein Besen unbrauchbar wurde. Die jüngeren Straßenkehrer machten sich hinter Shaokangs Rücken über ihn lustig, behaupteten, dass er die Besen liebte, als wären es seine Kinder, aber Frau Hua fand das gar nicht komisch und dachte, dass nur junge Leute, die nichts von Elternschaft verstanden, zu solchen Witzen fähig waren.

Frau Hua nahm die Besen, die ihr gehörten, und erzählte, sie habe in der Nacht geträumt, dass sie zum Geburtstag eines Enkelkindes rote Eier gemalt hatte. Frau Hua sprach mit Shaokang nur, wenn sie allein waren. Manchmal vergingen Tage oder Wochen, bis sie wieder Gelegenheit hatten, sich zu unterhalten, doch keiner von beiden fand das merkwürdig, da sie sowieso immer nur ein paar Worte wechselten.

»Ein Traum ist so wirklich wie eine Blüte im Spiegel oder ein Vollmond im Fluss«, sagte Shaokang. Er blickte nicht auf von dem Notizbuch, in dem er las. Frau Hua seufzte zustimmend und ging zur Tür. Früher am Morgen hatte sie den Traum ihrem Mann erzählt, und er hatte gemeint, es sei ein guter Traum.

»Wollen Sie heute frei haben?« fragte Shaokang.

Warum sollte sie? erwiderte Frau Hua. Er befürchte, dass die Denunziationszeremonie sie langweilen würde, sagte Shaokang und fügte hinzu, dass genügend andere Arbeiter die Stadtreinigung vertreten würden. Als wäre Langeweile etwas, weswegen sich Leute wie sie sorgen sollten, dachte Frau Hua, aber sie konnte einen freien Tag gebrauchen, um mit ihrem Mann die Flaschen zu sortieren, die sich in ihrer Hütte angesammelt hatten. Ja, sie kämpfe gegen eine Erkältung an, sagte Frau Hua und log um des Schreibtisches, der Besen und der vier kahlen Wände willen. Shaokang nickte und sagte, sie müsse nicht zur Denunziationszeremonie gehen, nachdem sie die Kreuzung gefegt hätte.

Der Haufen auf der Kreuzung war von den gleichgültig stapfenden Schuhen der Erwachsenen und den vorsätzlich zutretenden Füßen der Kinder verteilt worden, die die halbverbrannten Kleider und die versengten Schuhe durch die Gegend kickten. Frau Hua verscheuchte ein paar hartnäckige Kinder, fegte die Straße und dachte dabei über ihren Traum nach.

»Morgen, Frau Hua«, flüsterte eine Stimme ganz nah an ihrem Ohr.

Frau Hua erschrak und sah dann, wie Bashi, dieser nichtsnutzige Faulpelz, sie anlächelte. Sie murmelte, sie wünschte, er hätte Besseres zu tun, als alte Leute auf der Straße zu erschrecken.

»Erschrecken? Das wollte ich nicht. Ich wollte Sie nur daran erinnern, dass der alte Hua zu Hause mit dem Frühstück auf Sie wartet.«

»Zu Hause? Abfallsammler haben kein Zuhause«, sagte Frau Hua. »Es ist nur ein zeitweiliges Nest.«

»Aber mein Haus ist Ihr Haus, Frau Hua. Ich habe meiner Großmutter oft gesagt, dass Sie und der alte Hua jederzeit bei uns einziehen können. Sie wissen ja, dass sie ein bisschen einsam ist und nichts gegen die Gesellschaft alter Freunde hätte«, sagte Bashi und blickte Frau Hua aufrichtig in die Augen.

Frau Hua schüttelte den Kopf. »Außer deiner Großmutter kauft dir niemand dieses Süßholzgeraspel ab.«

»Ich meine es ernst, Frau Hua. Fragen Sie die Leute in der Stadt. Jeder weiß, dass ich großzügig mit meinem Reichtum umgehe und jedem helfe, der bedürftig ist.«

»Dein Reichtum? Es ist das Geld, für das dein Vater mit dem Leben bezahlt hat.«

Bashi zuckte die Achseln und machte sich nicht die Mühe, der alten Frau zu widersprechen.

»Mein Sohn, machst du dir keine Sorgen um deine Zukunft?«

»Weswegen sollte ich mir Sorgen machen?«

»Was kannst du, Sohn?« sagte sie. »Ich mache mir Sorgen um dich.«

»Ich kann mit dem alten Hua Abfall sammeln«, sagte Bashi. »Ich kann mit Ihnen die Straßen fegen. Ich kann hart arbeiten. Schauen Sie meine Muskeln an, schauen Sie: hier. Ich sage Ihnen, Frau Hua, es ist keine Kleinigkeit, jeden Morgen Hanteln zu heben.«

Es gab weder Hanteln noch nennenswerte Muskeln, mit denen Bashi angeben konnte, aber er hatte keine Mühe, solche Geschichten überzeugend zu erfinden.

»Heutzutage ist eine Stelle als Straßenkehrer schwer zu bekommen«, sagte Frau Hua. Seit dem Ende der Kulturrevolution zwei Jahre zuvor waren viele junge Leute vom Land zurückgekommen, wohin sie während des letzten Jahrzehnts geschickt worden waren. Jetzt war sogar die Stelle eines Straßenkehrers begehrt, und Frau Hua hätte sich nicht gewundert, wenn sie demnächst durch jemand anders ersetzt worden wäre.

»Man braucht keine Erlaubnis, um Abfall zu sammeln«, sagte Bashi. »Das geht ganz einfach.«

»Es ist ein hartes Leben.«

»Das macht mir nichts aus. Ehrlich, Frau Hua, ich würde gern mitgehen zum Abfallsammeln und zum Babysammeln.«

Frau Hua fegte die nasse Asche auf dem Boden zusammen, ohne zu antworten. Es waren Jahre vergangen, seitdem sie und ihr Mann die sieben Mädchen weggegeben hatten, die sie auf ihrer Wanderschaft als Abfallsammler gefunden hatten, und sie verstand nicht, was nach wie vor das Interesse des jungen Mannes an der Geschichte erregte, nachdem Neugier und Klatschsucht anderer Leute längst befriedigt waren. Er fragte sie oft danach, doch sie erzählte nie viel.

»Würden der alte Hua und Sie noch einmal ein Mädchen aufziehen, wenn Sie ein lebendes Baby fänden?«

Frau Hua blickte zum Himmel und dachte über die Frage nach. Sosehr sie sich auch anstrengte – häufig nachts, wenn sie nicht schlafen konnte –, sie konnte die sieben Gesichter nicht deutlich heraufbeschwören. Wie kam es, dass sie vergessen hatte, wie sie aussahen, da sie diese kleinen, in Lumpen gewickelten Geschöpfe doch aufgezogen hatte? Aber das Alter spielte ihr übel mit, trübte ihre Erinnerung wie auch ihr Augenlicht.

»Würden Sie denn Ausschau halten nach einem Baby?« hakte Bashi nach.

Frau Hua schüttelte den Kopf. »Das wäre ein zu hartes Leben. Für alle.«

»Aber ich könnte das Mädchen gemeinsam mit Ihnen aufziehen, Frau Hua. Ich habe Geld. Ich kann auch arbeiten. Ich bin jung.«

Frau Hua betrachtete Bashi mit ihren vom Altersstar trüben Augen. Bashi richtete sich auf und rückte seine Mütze zurecht. Dieser junge Mann hatte noch nie im Leben etwas Schlimmes erlebt, dachte Frau Hua und sprach es auch aus.

»Ich habe meine Eltern verloren, als ich noch ein Kind war«, sagte Bashi. »Ich bin genauso eine Waise wie die Mädchen, bevor Sie sie zu sich genommen haben.«

Frau Hua fiel nichts ein, was sie erwidern sollte. Sie hatte nicht gewusst, dass Bashi sich noch an seine Eltern erinnerte. Nach einer Weile sagte sie: »Es wäre besser gewesen, wir hätten sie sterben lassen.«

»Wo sind Ihre Töchter jetzt?« fragte Bashi. »Wie alt sind sie?«

»Wohin immer das Schicksal sie verschlagen hat. Wo sonst sollten sie sein?«

»Wo ist das?« beharrte Bashi.

»Drei von ihnen haben wir bei Leuten gelassen, die willens waren, sie als Kinderbräute aufzunehmen. Die vier Jüngeren hat die Regierung konfisziert und in Waisenhäuser gesteckt, weil wir nicht die gesetzlichen Eltern waren. Wie findest du das, mein Sohn?« sagte Frau Hua und merkte nicht, dass sie die Stimme gehoben hatte. »Wir haben sie Löffel für Löffel gefüttert und aufgezogen, und dann wurde uns gesagt, es ist gegen das Gesetz, dass wir sie überhaupt aufgenommen haben. Besser ist es, sie gleich sterben zu lassen.«

Bashi seufzte. »Dieses Leben, es ergibt keinen Sinn, nicht wahr?«

Frau Hua erwiderte nichts. Bashi wiederholte den Satz und ließ ihn noch einen Augenblick zwischen ihnen in der Luft schweben.

NINI GING LANGSAMER, als sie sich der Gasse näherte, in der Lehrer Gu und Frau Gu lebten. Sie war gerade noch rechtzeitig zum Bahnhof gekommen, die Arbeiter hatten ihr Kohlen gegeben und sie dann verscheucht. Keiner schien sie zu mögen, und sie fragte sich oft, ob man sie eines Tages unerträglich hässlich finden und ihr die Kohlen verweigern würde. Das war zwar bislang nicht passiert, aber sie machte sich deswegen oft Sorgen.

Sie machte sich zudem Sorgen wegen Frau Gus Gastfreundschaft. Während der letzten zwei Jahre hatte es Frau Gu nie versäumt, an der Stelle zu stehen, wo ihre Gasse auf die Straße stieß. Sie stützte sich mit einer Hand an den Stamm eines halb abgestorbenen Pflaumenbaums und schwang abwechselnd das eine und das andere Bein, als würde sie halbherzig ein bisschen turnen, und wenn Leute an ihr vorbeigingen, grüßte sie sie nicht. Wenn sie Nini sah, nickte Frau Gu unmerklich und kehrte wieder in ihre Gasse zurück, und Nini wusste, dass sie ein weiteres Mal in ihrem Haus willkommen war.

Dieses morgendliche Ritual hatte angefangen, kurz nachdem Ninis Eltern ihr die Verantwortung für die Kohlen übertragen hatten. Das Haus der Gus lag nicht direkt auf Ninis Weg, und es war Frau Gu gewesen, die sie eines Morgens ansprach und sie höflich fragte, ob sie ein paar Bissen frühstücken wollte, bevor sie nach Hause ging. Nini fand die Einladung merkwürdig und verdächtig, doch da sie ihr Leben lang Hunger gelitten hatte, konnte sie schwerlich ablehnen.

Nini hatte keine Ahnung, warum Lehrer Gu und Frau Gu sie zum Frühstück einluden. Sie sprachen nur selten miteinander, zumindest wenn sie dabei war. Hin und wieder erkundigten sie sich nach ihrer Familie, und wenn Nini so knapp wie möglich antwortete, insistierten sie nicht, und daher wusste Nini, dass sie sich nicht mehr für das Thema interessierten als sie. Lehrer Gu aß hastig, und während er wartete, dass Nini ihr Frühstück beendete, faltete er einen Frosch aus dem Blatt Papier, das er vom Kalender gerissen und ordentlich auf den Tisch gelegt hatte. Für deine Schwestern, sagte Lehrer Gu, wenn er ihr den Frosch reichte, doch sie gab ihn nie weiter. Sie hätte gern alle Papierfrösche aufgehoben, aber in ihrem Haus gab es keinen Winkel, in dem man etwas hätte aufbewahren können, und schließlich warf sie sie in die Mülltonne. Später klaubte sie der alte Hua heraus, faltete sie auseinander und verkaufte sie bei der Wiederverwertungsstelle.

Nini sorgte sich immer, dass Lehrer Gu und Frau Gu sich eines Tages nicht mehr um sie kümmern und ihre Schale nicht mehr auf den Tisch stellen würden. Als sie an diesem Morgen niemanden neben dem Pflaumenbaum stehen sah, dachte sie, Frau Gu und Lehrer Gu hätten möglicherweise verschlafen; vielleicht waren sie auch krank, schließlich waren sie alt und anfällig. Doch ihr Instinkt sagte ihr, dass sie sie nicht mehr bei sich wollten, und sie beschloss, zum Haus der Gus zu gehen, um sich zu vergewissern.

Sie hatte kaum ein paar Schritte getan, als ein Polizeijeep, kurz und ungeduldig hupend, auf Nini zufuhr, und sie trat hastig zur Seite und verrenkte sich fast den schlechten Fuß. Als der Jeep um die Ecke bog, fluchte Nini, wie sie es auf dem Marktplatz gehört hatte – obwohl sie die Bedeutung des Fluchs nicht wirklich verstand, entsprach er ihrer Stimmung, und sie benutzte ihn oft. Sie blieb ein paar Minuten vor dem Tor der Gus stehen und hustete leise, aber weder Frau Gu noch Lehrer Gu kamen und entschuldigten sich für die Verspätung. Nini drückte das Tor auf und betrat den Hof. Im vorderen Zimmer brannte kein Licht, und das Fenster, das auf den Hof hinausging, war mit dicken Schichten Zeitungspapier verhängt. Nini schaute hinein, konnte aber nichts erkennen. »Frau Gu«, sagte sie leise, dann hob sie die Stimme ein wenig. »Lehrer Gu.« Als niemand antwortete, versuchte sie es mit der Tür, und sie öffnete sich lautlos. Das vordere Zimmer war dunkel und kalt, durch die halboffene Schlafzimmertür fiel ein langer orangefarbener Lichtstreifen auf den Boden. »Frau Gu«, sagte Nini. »Geht es Ihnen heute nicht gut?«

Die Schlafzimmertür wurde ganz geöffnet, und Frau Gu trat auf die Schwelle, eine dunkle Silhouette. »Geh jetzt nach Hause, Nini«, sagte Frau Gu tonlos. »Wir schulden dir nichts mehr. Komm nie mehr wieder.«

Ihr Leben lang hatte Nini auf einen Augenblick wie diesen gewartet. Sie war nicht überrascht, sondern erleichtert. Sie hatte sich nicht getäuscht: Die Leute überlegten es sich ständig anders, oft grundlos. Sie saugte die Wangen ein und rührte sich nicht. In den dunklen Schatten konnte sie Frau Gus Gesicht nicht sehen, aber die alte Frau würde jetzt jeden Moment näher kommen, sie an den Armen fassen und zur Tür hinausstoßen, und Ninis kleiner Körper spannte sich an. Sie fragte sich, ob sich Frau Gus Hände auf ihrem Gesicht anders anfühlen würden als die Schläge ihrer Mutter. »Nini«, sagte Lehrer Gu in milderem Tonfall. Er war hinter seiner Frau aufgetaucht, ging an ihr vorbei und nahm Nini das Seil von der Schulter. Sie ließ den Korb sinken und folgte ihm zu dem Schreibtisch, der sowohl als Abstellfläche wie auch als Esstisch diente. Kein Reisbrei und kein eingelegter Kohl standen darauf. Lehrer Gu sah sich um, und bevor er etwas sagen konnte, war aus dem Schlafzimmer ein leiser Schrei zu hören. Er rieb sich die Hände. »Frau Gu geht es heute nicht gut«, sagte er. »Ich komme gleich wieder, warte hier.«

Nini nickte. Nachdem Lehrer Gu die Schlafzimmertür hinter sich geschlossen hatte, zog Nini eine Schublade des Schreibtischs auf. In dem schwachen Lichtschimmer, der durch das verhangene Fenster fiel, sah Nini, dass die Schublade mit Stäbchen, Messern, Zündhölzern, Kerzen, verbrauchten Batterien und anderem Krimskrams gefüllt war. Sie schloss sie lautlos und zog die zweite Schublade auf: ein paar Bleistifte, ein Etui aus schwarzem Samt, ein paar Zettel, ein dickes Notizbuch, in das viele Quittungen geklebt waren, eine Haarspange aus Plastik. Nini öffnete das Etui, das einen Füller enthielt; sie berührte das glatte dunkelblaue Gehäuse, bevor sie ihn zurück in das Etui legte. Dann nahm sie die Spange und steckte sie in ihre Tasche; das verdiente Frau Gu. Die zwei Hühner scharrten und gackerten leise; Nini, die sie gar nicht wahrgenommen hatte, erschrak und hätte beinahe einen Schrei ausgestoßen. Als niemand kam, blätterte sie in dem Notizbuch. Eine lose Quittung befand sich darin, und sie steckte sie ebenfalls ein, gerade rechtzeitig, bevor Lehrer Gu aus dem Schlafzimmer kam. Er schaltete die Lampe ein, und Nini blinzelte im plötzlichen grellen Lichtschein. Er ging zum Schrank und nahm eine Dose Kekse heraus. »Nini, nimm die Kekse mit«, sagte Lehrer Gu. »Für dich und deine Schwestern.«

Nini blickte Lehrer Gu ins Gesicht, doch seine müden, traurigen Augen schienen sie nicht zu sehen. Sie dachte an die Quittung in ihrer Tasche, nach der er später suchen würde; wenn er sich mit ein paar freundlichen Worten für Frau Gu entschuldigte, würde sie einen Weg finden und die Quittung heimlich zurück in die Schublade stecken oder sie einfach neben der Tür fallen lassen.

Lehrer Gu bemerkte ihr Zögern nicht. Er hob ihren Korb auf. »Frau Gu geht es zur Zeit nicht gut, und sie möchte dich eine

Weile nicht sehen«, sagte Lehrer Gu und schob Nini sanft zur Tür hinaus. »Komm erst wieder, wenn es Frau Gu besser geht.«

Auf der Straße öffnete Nini die Dose und aß ein Keks. Es schmeckte süß und altbacken. Auch Lehrer Gu hatte es sich anders überlegt und sie mit einer Dose Kekse weggeschickt, die seit einer Ewigkeit im Schrank gestanden haben musste. Nini holte die Quittung heraus und betrachtete den offiziellen roten Stempel darauf. Sie konnte nicht lesen, aber ein roter Stempel bedeutete bestimmt etwas Wichtiges, und das machte sie glücklich. Sie zerknüllte die Quittung und warf sie in eine Mülltonne. Sie nahm noch ein Keks, knabberte daran und ging langsam nach Hause, als ihr jemand auf die Schulter klopfte.

Nini drehte sich um und sah das Gesicht des jungen Mannes, der die meiste Zeit damit verbrachte, über den Marktplatz zu schlendern. Sie trat einen Schritt zurück und schaute ihn an.

»Du heißt Nini, nicht wahr?« sagte er und entblößte die Zähne, die gelb und schief waren.

Sie nickte.

»Du fragst dich bestimmt, woher ich deinen Namen weiß«, sagte der Mann. »Willst du wissen, woher ich ihn weiß?«

Nini schüttelte den Kopf.

»Und du hast fünf Schwestern. Willst du wissen, was ich noch über dich weiß?«

Nini starrte den jungen Mann an, ohne etwas zu sagen. An einem anderen Tag, in einer anderen Stimmung hätte sie den jungen Mann vielleicht gefragt, wer er glaubte zu sein, dass er sich in die Angelegenheiten anderer Leute einmischte. Sie hatte Erwachsene so reden hören, und sie glaubte, den richtigen Tonfall gelernt zu haben, ungeduldig und herrisch. Ihre Schwestern zumindest waren eingeschüchtert, wenn sie in diesem Ton mit ihnen sprach. Sie konnte diesen jungen Mann sprachlos machen und in Verlegenheit bringen, aber dazu war sie heute nicht in der Stimmung. Sie wollte nur so fest auf das Innere ihrer Wangen beißen, dass sie bluteten.

»Wenn deine Mutter noch eine Tochter auf die Welt bringt, werden deine Eltern zum Himmlischen Kaiser und zur Himmlischen Kaiserin, weißt du, warum?«

Nini schüttelte den Kopf.

»Nur das Himmlische Kaiserpaar hat sieben Töchter geboren, die Sieben Märchenschwestern«, sagte der Mann. »Ha.«

Der Mann wartete, dass sie auch lachte. Er schien enttäuscht, als sie es nicht tat. »Ich heiße Bashi, *Achtzig.*«

Was für ein komischer Name, dachte Nini. Sie fragte sich, ob der Mann Geschwister hatte und ob sie Siebzig, Sechzig und Fünfzig hießen. Als hätte er ihre Gedanken erraten, sagte er: »Weißt du, warum ich Bashi heiße? Weil ich am Tag meiner Geburt achtzig Klöße gegessen habe.«

Auch Nini wusste, dass es ein Scherz war, aber er war nicht lustig, und sie beschloss, nicht zu lächeln.

»Bist du stumm?« fragte Bashi.

»Natürlich nicht. Was für eine dumme Frage.«

»Ah, du kannst ja reden! Wie alt bist du?«

»Das geht dich nichts an«, sagte Nini.

»Ich bin neunzehn, na ja, neunzehn und drei Viertel. Ich bin im Juli geboren. Am siebten Juli, ein wichtiger Tag, weil ich an diesem Tag geboren wurde. Hast du schon mal ein Geschichtsbuch gesehen? Dort stehen die Geburtstage von allen wichtigen Leuten drin, und eines Tages werde ich auch drin stehen.«

Nini nahm den Korb mit den Kohlen auf die andere Schulter. Sie wusste genug, um ihm nicht zu glauben, doch noch nie hatte jemand so lange mit ihr gesprochen.

»Wie alt bist du? Wenn du es mir nicht sagen willst, muss ich raten.«

»Zwölf«, sagte Nini. Sie verstand nicht, warum der Mann so beharrlich fragte.

»Zwölf? Wunderbar.«

»Was ist wunderbar daran?«

Bashi blickte verdutzt drein angesichts von Ninis Frage. »Willst du mitkommen und dich mit mir unterhalten?« fragte er.

»Warum?«

Bashi kratzte sich fest am Kopf, und Nini sah, wie Schuppen herunterfielen. »Du kannst mitkommen und dich mit mir unterhalten, damit du wegen der Kohlen nicht den weiten Weg zum Bahnhof gehen musst. Was du tust, ist eigentlich Diebstahl, das weißt du bestimmt. Wenn jetzt niemand was sagt, heißt das nicht, dass man dich nicht später deswegen verhaften wird. Warte nur ab. Jederzeit kann dich jemand anzeigen, weil du Staatseigentum stiehlst. ›Was für ein Jammer‹, werden die Leute sagen. ›Was für ein nettes kleines Mädchen, aber schaut nur, in was für Schwierigkeiten sie geraten ist.‹ Willst du wie eine Diebin erwischt werden? Und in einem Käfig herumgeführt werden, damit die Leute Steine auf dich werfen können?« fragte Bashi. »Wir haben Kohlen zu Hause. Meine Großmutter und ich wohnen zusammen, und sie unterhält sich gern mit kleinen Mädchen wie dir. Wir können noch mehr Kohlen kaufen, die du nach Hause mitnehmen kannst, und du musst es deinen Eltern auch nicht sagen. Denk drüber nach, ja?«

Niemand hatte sie je als *nett* bezeichnet, und einen Augenblick lang fragte sich Nini, ob der Mann blind war. Aber er hatte recht, was sie tat, war ungesetzlich. Es war ihr nie zuvor eingefallen, aber jetzt fragte sie sich, ob das nicht der Grund war, warum man sie zum Kohleholen schickte. Sie stellte sich vor, wie Polizisten kämen, um sie zu verhaften. Ihre Eltern wären erleichtert, und ihre Schwestern würden feiern, weil ein Esser weniger am Tisch säße. Frau Gu und Lehrer Gu würden sich vielleicht nicht einmal fragen, was aus ihr geworden war. Die Nachbarn würden sich glücklich schätzen, dass das hässliche Mädchen endlich aus ihrem Leben verschwunden war. Niemand würde sie vermissen.

Bashi riet ihr noch einmal, über sein Angebot nachzudenken. Nini verstand nicht, warum die Leute beschlossen, nett oder öfter noch gemein zu ihr zu sein. Sie stellte sich ein Haus mit guten, soliden Kohlevorräten vor. Ein paar Männer und Frauen gingen an ihnen vorbei, alle trugen ihre besten Mao-Jacken und hielten bunte Fähnchen in den behandschuhten Händen. Manche blickten Ninis Gefährten geringschätzig an, die meisten ignorierten ihn.

Bashi schien es nicht zu bemerken. Er grinste und winkte ihnen zu. »Morgen, Onkel und Tanten. Findet heute eine Parade statt? Wegen der Exekution?« fragte er. »Wer ist diese Frau überhaupt? Kennt jemand ihre Geschichte?«

Da ihm niemand eine Antwort gab, wandte Bashi sich wieder Nini zu. »Heute wird jemand exekutiert. Eine Frau. Denk drüber nach. Man kann nicht ein Verbrechen begehen und glauben, ohne Strafe davonzukommen.« Dann fügte er leiser hinzu: »Sag, willst du kommen und dich mit mir unterhalten?«

»Wo?«

»Komm mit. Ich zeige dir mein Haus.«

Nini schüttelte den Kopf. Es war spät, und ihre Mutter würde sie und ihr schlechtes Bein verfluchen. »Ich muss nach Hause«, sagte sie.

»Hast du nach dem Frühstück Zeit? Ich warte flussaufwärts auf dich, bei der alten Weide. Kennst du die Stelle?«

Die Weide war ein knorriger Baum mit einer Krone voller Äste wie der Kopf einer verrückten Frau. Es war eine ziemliche Strecke von Ninis Haus, durch die halbe Stadt, an dem Birkenwäldchen am Flussufer vorbei, bis man die Reihen niedriger Häuser nicht mehr sah, sondern die hohen Schornsteine des Elektrizitätswerks. Vor der Geburt der Kleinen Sechsten war Nini dort gewesen; sie hatte noch nicht die meisten Arbeiten im Haushalt erledigen müssen, und im Frühling wurde sie bisweilen dorthin geschickt, um Löwenzahn und Hirtentäschel zu holen. Während des Frühlings und im Frühsommer ernährte sich ihre Familie von essbaren Gräsern, in Wasser gekocht und stark gesalzen; sie aßen sie noch lange, nachdem ihre Saison vorüber war, bis sie nur noch bittere, harte Fasern kauten. Die Erinnerung daran füllte Ninis Mund mit dem grasigen Geschmack.

»Und?« sagte Bashi. Er sah sie an, als wäre ihr Gesicht wie das Gesicht jedes anderen Mädchens, ihr Mund nicht nach links verschoben, ihre Augen nicht in die gleiche Richtung verzerrt. Sie hatte eine schlechte linke Hand und einen schlechten linken Fuß, aber er schien es nicht zu bemerken. »Kommst du?«

Nini nickte.

»Gut«, sagte Bashi. Er nahm ein Keks aus der Dose in Ninis Hand und steckte es sich in den Mund, bevor er davonstolzierte.

LEHRER GU MACHTE Feuer und goss Wasser über den Rest Reis. Er sah zu, wie die gelbe Flamme am Boden des Topfes leckte, hörte das beruhigend hypnotische Gemurmel des Wassers. Ein Sandkorn ist so vollständig wie eine Welt, sagte er zum Feuer, seine Stimme nur für die eigenen Ohren hörbar. Der Gedanke, dass jemand über den Wolken saß und in diesen kleinen Kokon schaute, in dem er und seine Frau im Schmerz gefangen waren, tröstete ihn; ihre Schmerzen mochten in den Augen hoch oben so winzig und unbedeutend sein wie das Stückchen Kohle in seinen Augen, eine schwelende Glut, die gleich zu einem Häufchen grauer Asche zerfallen und erkalten würde.

Das Wasser kochte, und aus dem Deckel des Topfes strömten Seufzer weißen Dampfes. Lehrer Gu rührte den Reis um und setzte sich an den Tisch. Aus dem Schlafzimmer drang kein Geräusch, vielleicht war seine Frau eingeschlafen; sie war von zwei Polizisten zurückgebracht worden, die barsche Drohungen aussprachen, bevor sie ihr die Handschellen abnahmen. Er hatte Angst, dass sie hysterisch würde, aber sie war still gewesen, bis Nini kam, die letzte Person auf der Welt, an der seine Frau ihre Wut auslassen sollte.

Lehrer Gus Hände tasteten auf dem Tisch herum, als gehörten sie einem Blinden. Im Lauf der Jahre hatte er die Gewohnheit entwickelt, seine Hände mit allem zu beschäftigen, was sie zu fassen bekamen, das Symptom eines beunruhigenden psychischen Problems vielleicht, doch Lehrer Gu versuchte, nicht darüber nachzudenken. Abgesehen von einer Schale mit einem Rest Suppe war der Tisch leer. Noch ein aufgegebenes Ritual, dachte Lehrer Gu, so wie Nini verschwunden war und er aufgehört hatte, aus einem Kalenderblatt Frösche zu falten. Er hatte damit angefangen, als Shan vierzehn war, eine junge Rotgardistin, bereit die Welt auseinanderzunehmen. Er hatte zwanghaft Papier gefaltet, seine geschäftigen Finger bewahrten ihn davor, dabei zusehen zu müssen, wie sich seine Tochter vor seinen Augen in eine kaltherzige Fremde verwandelte. Beim Frühstück an einem frühen Sommertag, als Shan auf ihn einredete, dass er sich den revolutionären Jugendlichen fügen sollte, statt mit seinem Schweigen Widerstand zu leisten, ließ er den Papierfrosch hüpfen, und er landete im Reisbrei seiner Frau. Weder Frau Gu noch Lehrer Gu nahmen den Frosch heraus, und da wusste er, dass sie nie wieder gemeinsam als Familie lachen würden. Am selben Morgen, als Shans junge revolutionäre Freunde kamen, schlug sie vor, sie sollten losziehen und »ein paar Konterrevolutionären in den Hintern treten«. So mühelos brachte sie diese vulgären Worte über die Lippen, diese Tochter, der er von Kindesbeinen an beigebracht hatte, Gedichte aus der Zeit der Tang-Dynastie zu rezitieren. Später kam jemand in seine Schule mit der Nachricht, dass Shan nicht nur ein paar Leuten in den Hintern getreten hatte, sondern auch in den Bauch einer Frau, die im achten Monat schwanger war. Lehrer Gu versteckte sich in seinem Büro und schrieb einen langen Aufsatz, eine Meditation über das Versagen der Poesie als Erziehungsmittel in einem unpoetischen Zeitalter. Nachdem er den Aufsatz beendet und noch einmal gelesen hatte, warf er ihn ins Feuer und wappnete sich, um seiner Frau gegenüberzutreten, mit der er die Verantwortung teilte, eine Beinahe-Mörderin in die Welt gesetzt zu haben.

Wie Shan den Konsequenzen ihrer Tat entgangen war, begriff Lehrer Gu nicht. Seine Frau brach langsam zusammen und weinte oft als erstes am Morgen und manchmal während einer Mahlzeit, die nach nichts schmeckte. Was hatte sie getan, um Shan zu verdienen? fragte ihn seine Frau. Bestrafte sie der Himmel, weil sie beide schon einmal verheiratet gewesen waren und so ihre Ehe verunreinigt hatten? Das war abergläubischer Unsinn, wollte Lehrer Gu erwidern, doch auch seine Frau war verloren, fehlgeleitet von dem Glauben, sie selbst sei verantwortlich für die Verbrechen, die ihre Tochter beging. Aufgrund seiner stillen Missbilligung wurde sie zu einer gewöhnlichen, geistlosen Frau, die nach einem Grund für jedes Unheil und Versagen suchte, als wäre die Welt erklärbar und als müsste das Leben einen Sinn haben, damit man weiterleben konnte.

Lehrer Gu schüttelte den Kopf. Er war nicht besser als sie, dachte er. Er war ein Mann, der sich von seinen eigenen Wünschen törichterweise hatte täuschen lassen. Als er seine Frau kennenlernte, hatte sie gerade ihren ersten Mann verlassen, der mit fünf Frauen verheiratet gewesen war. Sie war die einzige, die freiwillig aus der Familie ausschied, als die neue kommunistische Regierung die Polygamie verbot; die anderen Frauen mussten von Regierungsbeamten mit Gewalt aus dem Haus gezerrt werden. Sie war die erste, die sich für Lehrer Gus Kurs für Analphabetinnen anmeldete – achtzehn damals, ihr Haar schwarz und schimmernd wie Seide, ihre Wangen pfirsichfarben und ihre Augen zwei tiefe traurige Brunnen. Sie war mit einem unheilverheißenden Gesicht geboren, warnten die Leute Lehrer Gu, als er beschloss, sie zu heiraten. Ihre Wangenknochen sind zu hoch, ihre Lippen nicht voll genug, sagten die Leute. Er tat ihre Kommentare ab. Tatsächlich war sie vom Pech verfolgt, hatte ihre Eltern mit Zwölf verloren, wurde mit Vierzehn von einem Onkel an einen vierzig Jahre älteren Mann verkauft, dem sie halb als Frau, halb als Haushaltshilfe diente, aber Lehrer Gu wollte nicht auf das Gerede hören. Mann und Frau waren Vögel mit demselben Schicksal – so stand es in den alten Gedichten. Wollten sie nicht deswegen Mann und Frau werden? An ihrem Hochzeitstag schickte ihm seine erste Frau ein Telegramm. *Erhaltet einander am Leben mit eurem Wasser*, lautete die Botschaft. Er versteckte das Telegramm, obwohl seine neue Frau noch nicht alle Schriftzeichen lesen konnte. Er erzählte ihr nie von diesem Segen, noch von der Fabel hinter den Worten – zwei Fische, Mann und Frau, strandeten in einer Pfütze; sie schluckten so viel Wasser wie möglich, bevor die sengende Sonne die Pfütze austrocknete, so dass sie einander während des langen Leidens vor dem Tod am Leben erhalten konnten, indem sie einander Wasser gaben.

Da Lehrer Gu und seine erste Frau ineinander verliebt waren, war es kein Wunder, dass sie die beiden Fische in der Geschichte hatten sein wollen, und es war auch keine Überraschung, dass über diesen Wunsch ebenso wie über andere Träume und Pläne am Ende ihrer Ehe nicht mehr gesprochen wurde. Nichts lief schief, außer dass ihre Ehe, wie seine Frau sich in ihrem Antrag auf Scheidung ausdrückte, den Ansprüchen der neuen Gesellschaft nicht genügte, da sie ein beispielhaftes Mitglied der Kommunistischen Partei und er ein konterrevolutionärer Intellektueller war, der einst der nationalistischen Regierung als Experte für Erziehung gedient hatte. Sie blieb nach der Scheidung an der Universität, die erste Professorin für Mathematik im Grenzgebiet dreier Provinzen, und wurde später zur Präsidentin einer renommierten Universität in Beijing befördert; er, Gründer der ersten Oberschule nach westlichem Vorbild in der Provinz, wurde zum Lehrer an der örtlichen Grundschule degradiert. Wenn Mann und Frau tatsächlich Vögel mit demselben Schicksal waren, dann hatte er nicht zu seiner ersten Frau gepasst. Er wünschte ihr Glück, einen Mann zu finden, der ihrer Position besser entsprach, jemanden, den die Partei billigte oder, besser noch, ihr zuwies. Aber sie blieb allein und kinderlos, und er brachte nie den Mut auf, sie zu fragen, warum. Er schrieb ihr jedes Jahr ein, zwei Briefe, in denen er wenig sagte, weil er das Gefühl hatte, dass er nichts oder aber zu viel zu erzählen hatte. Ihre Briefe bestanden aus schlichten Grüßen an ihn und seine Familie, und er wagte es nicht, sich das Leid hinter ihrer gelassenen Höflichkeit vorzustellen.

Lehrer Gus erste Ehe hatte drei Jahre gedauert, und woran er sich später vor allem erinnerte, waren ihre intellektuellen Gespräche. Sogar in den Flitterwochen hatten sie mehr Zeit damit verbracht, zu lesen und über Kant zu diskutieren als damit, das Strandleben zu genießen. Zu Beginn seiner zweiten Ehe betrachtete er seine junge Frau manchmal nachts im Schlaf und hoffte, dass sie irgendwann mehr als ihre körperliche Schönheit zu bieten hätte, dass er sein geistiges Leben mit ihr würde teilen können – er war damals zweiunddreißig, noch zu jung, um zu begreifen, wie grenzenlos die Wünsche der Menschen waren und wie absurd ihre Gier.

Als er sich endlich abfand mit dem, was er von seiner jungen

Frau erwarten konnte, liebte er sie deswegen nicht weniger. Er fühlte sich noch verantwortlicher für sie, nicht nur als Ehemann, sondern auch als Vater und Erzieher. Er hatte sie immer als sein erstes Kind betrachtet, bevor Shan und die anderen Kinder, die sie verloren, geboren wurden. Ihr Erstgeborenes, ein Junge, lebte nur drei Tage, und als Shan zwei war, machten sie einen weiteren Versuch, der jedoch mit einer Fehlgeburt endete. Danach gaben sie auf und waren dankbar für Shan, ein gesundes, kräftiges und schönes Mädchen.

Mit einem Sohn wäre es vielleicht anders gewesen, dachte Lehrer Gu jetzt, mit einem Sohn, der zu einem intelligenten jungen Mann herangewachsen wäre, jemandem, mit dem er ein richtiges Gespräch hätte führen können. Ein Sohn würde sich um seine Eltern kümmern an diesem Tag des Verlustes und an allen weiteren Tagen. Aber das war ein törichter Gedanke, ein vergeblicher Wunsch. Er sollte diesen irrationalen Phantasien ein Ende setzen. Lehrer Gu zog eine Schublade auf. Seit gestern hatte er nicht Buch geführt.

Er blätterte gewissenhaft in seinem Notizbuch, doch er fand die Quittung nicht. Er ging in Gedanken den Vortag durch, erinnerte sich an die zwei nicht unhöflichen Beamten, an die rosa, die gelbe und die weiße Kopie der Quittung, die sie ausgestellt hatten. Es war Lehrer Gu nie zuvor in den Sinn gekommen, dass er und seine Frau für die Kugel zahlen mussten, die seine Tochter töten würde, doch warum diese Absurdität in Frage stellen, wenn er nicht dazu berechtigt war? Er unterschrieb und zählte vor den beiden Männern das Geld für die Kugel ab. Der Preis für zwei Bleistifte oder ein paar Maiskolben – Dinge, die er oft für seine ärmeren Schüler kaufte. Er erinnerte sich, dass er die Quittung in der Mitte gefaltet und in das Notizbuch gelegt hatte, als seine Frau vom Markt zurückkam, einen Kohlkopf und einen Rettich im Netz. Sie wunderte sich nicht über die beiden Männer, die die Gasse entlanggingen; vielleicht hatte sie sie nicht gesehen, oder sie wusste, wer sie waren. Er und seine Frau hatten nicht mehr über Shans Fall gesprochen, seit die Berufung abgelehnt worden war.

Lehrer Gu kontrollierte noch einmal das Notizbuch. Seine Frau rührte es nie an, da sie ihm in allen Geldangelegenheiten vertraute. Er selbst hatte es seit gestern abend nicht mehr aufgeschlagen. »Sie ist bestimmt mit einem Gespenst spazierengegangen«, sagte eine vertraute Stimme zu Lehrer Gu, und einen Augenblick lang war er erschrocken, doch dann erkannte er die Stimme seines Kindermädchens. Vor Jahrzehnten hatte sie im Dienst seiner Großeltern gestanden und ihn Junger Herr genannt, doch sie war mehr wie eine Mutter für ihn gewesen – seine eigene Mutter war Direktorin eines Mädcheninternats und verbrachte die meiste Zeit damit, Geld für Schülerinnen aus armen Familien zu sammeln, um ihnen eine höhere Schulbildung zu ermöglichen. Deine Mutter ist fähiger als ein Mann, hatte sein Kindermädchen voller Bewunderung gesagt. Sie selbst war wie alle Frauen ihrer Generation und aus ihrem Milieu völlig ungebildet, aber sie hatte Theorien und Erklärungen noch für die kleinsten Vorfälle im Leben. Eine verlegte Haarnadel ging bestimmt mit einem Gespenst spazieren, ebenso eine verlorene Münze oder ein verschwundener Zinnsoldat; manchmal brachten die Gespenster den vermissten Gegenstand zurück, legten ihn aber an einen anderen Ort, weil Gespenster vergesslich waren, was auch das ständige Verschwinden von Dingen erklärte. Sie hatte eine heisere Stimme, die ihrer Ansicht nach daher rührte, dass sie soviel geweint hatte wegen ihres Mannes und ihrer Kinder, die eine Choleraepidemie dahingerafft hatte. Sie haben ihre Schulden bezahlt, sagte sie über ihre Familie, als ob die Todesfälle eine ganz gewöhnliche Begebenheit wären, die eine unkomplizierte Erklärung erforderten.

Lehrer Gu schloss die Augen; er war schläfrig, und ihm schien, als wäre er in seine Kindheit zurückgekehrt und würde bei den Geschichten, die das Kindermädchen in aller Ruhe erzählte, einnicken.

Die Schlafzimmertür wurde geöffnet, und bevor Lehrer Gu das Notizbuch beiseite legen konnte, lief seine Frau zum Ofen und nahm den Topf vom Feuer. Der Brei blubberte schon lange nicht mehr, und das Zimmer war erfüllt von einem starken rauchigen

Geruch. Lehrer Gu bat seine Frau mit einem Blick um Entschuldigung, aber sie schaute weg und löffelte Reisbrei für sie beide aus dem Topf, die weniger verbrannte Portion für ihn und den schwarzen Rest für sich selbst.

Sie aßen, ohne zu sprechen und ohne etwas zu schmecken. Danach stand sie auf und spülte die Schalen. Er wartete, bis sie damit fertig war. »Nini hat nichts getan. Du solltest sie nicht so behandeln.«

Die Worte klangen vorwurfsvoller, als er es beabsichtigt hatte. Seine Frau starrte ihn an. Er versuchte, einen milderen Tonfall anzuschlagen. »Ich meine, schließlich haben wir ihr und ihrer Familie Schaden zugefügt. Sie haben uns nichts getan.«

»Sie gehören zu denen, die den Mord an deiner Tochter feiern werden«, sagte seine Frau. »Warum müssen wir das Gefühl haben, dass wir anderen Leuten etwas schulden, wenn uns mehr als anderen geschuldet wird?«

»Was mir gehört, ist mein Glück, was mir geschuldet wird, ist mein Verhängnis«, erwiderte Lehrer Gu. Die Worte klangen beruhigend, und er wiederholte sie in einem leisen Singsang. Seine Frau entgegnete nichts und schloss die Schlafzimmertür hinter sich.

NINI ASS die Kekse auf und warf die Dose weg, bevor sie das Tor aufdrückte. Im Gegensatz zu den meisten Familien in Hun Jiang besaßen sie in ihrem kleinen Hof nicht einmal eine rudimentäre Vorratshütte. Sie schüttete die Kohlen in eine Holzkiste, die mit einer alten Plane bedeckt war. Das weiße Huhn, eins der beiden, die Ninis Familie besaß, flatterte mit den Flügeln und hüpfte auf den Rand der Kiste. Nini schubste das Tier zurück auf den Boden. Jeden Morgen kontrollierte die weiße Henne, das neugierigste Tier auf der Welt, die Kohlen, als hätte Ninis Mutter sie damit beauftragt. Leise mahnte Nini sie, sie solle sich um ihre eigenen Angelegenheiten kümmern, doch die weiße Henne spazierte unbekümmert davon.

Im vorderen Zimmer, das auch als Küche diente, briet Ninis Mutter etwas in heißem Öl, und Nini rümpfte die Nase über den ungewohnten Geruch. Das andere Huhn der Familie, das braun war und nicht so eifrig Eier legte, flatterte mit den Flügeln, als es Nini eintreten sah. Seine Beine waren aneinander und an ein Stuhlbein gebunden, weswegen es sich nicht weit wegbewegen konnte. Ohne sich zu ihr umzuwenden, fragte Ninis Mutter laut, um das zischende Öl zu übertönen, warum sie so spät komme. Nini sprach stockend von der langen Wartezeit am Bahnhof und rechnete damit, dass ihre Mutter zornig wäre und sie zur Strafe kein Frühstück bekäme, aber sie schien sie nicht zu hören.

Im Schlafzimmer saßen Ninis Vater und ihre jüngeren Schwestern um den Tisch auf dem gemauerten Bett. Der kleine Tisch aus Holz war das einzige gute Möbelstück, das sie besaßen; der Rest des Hauses war mit Pappschachteln angefüllt, die als Schränke, Truhen und Kommoden dienten. Auf dem Bett fanden alle Tätigkeiten der Familie statt, es diente als Esstisch, als Schreibtisch für die Hausaufgaben ihrer Schwestern und als Arbeitstisch. Ninis Vater arbeitete in der Schwermetallfabrik, und ihre Mutter verpackte Ginseng und Pilze in der Großhandelsabteilung des Landwirtschaftsamts; sie verdienten kaum genug, um Nini und ihre fünf Schwestern zu ernähren, und Kleidung wurde weitergegeben, von den Eltern an Nini und dann an die anderen Mädchen. Jeden Abend saß die Familie zusammen um den Tisch und faltete Streichholzschachteln, um zusätzlich Geld zu verdienen. Sogar die Dreijährige musste einen kleinen Stapel falten. Außer dem Baby war Nini wegen ihrer nutzlosen schlechten Hand die einzige, die von dieser Arbeit ausgenommen war, und viele Male war sie darauf hingewiesen worden, dass sie nicht nur vom Blut und Schweiß ihrer Eltern lebte, sondern auch vom Blut und Schweiß ihrer jüngeren Schwestern.

Im Bauch des Bettes brannte ein Feuer. Ninis Vater nippte an einer Tasse mit billigem Schnaps aus Jamswurzel, aber er schien nicht so schlecht gelaunt wie wenn er abends trank. Ihre Mutter kam mit einem Teller fritierten Brotes herein, und Nini war schokkiert über dieses extravagante Frühstück.

Ninis Vater winkte ihr und sagte: »Komm schon. Wenn du dich nicht beeilst, essen wir deins auch.«

Ihre Schwestern kicherten, zuerst etwas nervös, dann als ihre Mutter sie nicht lauthals zur Ruhe rief, mutiger. Sogar die Kleine Sechste gab vernehmbar zufriedene Laute von sich. Ninis Vater tauchte die Stäbchen in den Schnaps und ließ die Flüssigkeit in den Mund des Babys tropfen. Ninis Mutter mahnte ihn, damit aufzuhören, doch sie lachte dabei. Die Drei- und die Fünfjährige baten kreischend um eine Kostprobe des Schnapses, und der Vater gab jeder ein paar Tropfen. Die zwei älteren Mädchen, die bereits in die Schule gingen, waren klüger und schwiegen, aber sie saßen nahe bei ihrem Vater. Seit kurzem wetteiferten sie um seine Aufmerksamkeit, die zweite Tochter lief und brachte ihm die Schlappen und Tee, wenn er nach Hause kam. Aber sosehr sie sich auch bemühte, ihre Mutter auf vielerlei Art zu ersetzen, sah Nini doch, dass sie es mit der dritten Tochter nicht aufnehmen konnte. Die Achtjährige war ein Barometer für die Laune ihres Vaters – wenn er gutgelaunt war, verhielt sie sich, als wäre sie seine einzige Liebe, forderte mit leisem Quengeln und kleinen Gesten mehr und mehr Aufmerksamkeit; war er schlechtgelaunt, hielt sie sich zurück und ging auf Zehenspitzen durchs Haus.

Nini stieg auf das Bett. Sie setzte sich an den Tisch, so weit wie möglich von ihrer Mutter entfernt, und fragte die Zehnjährige: »Was ist mit der braunen Henne los?«

»Heute abend gibt es zur Feier des Tages Hühnereintopf«, sagte ihre Mutter. »Esst. *Für jede Seele, der Unrecht getan wurde, kommt der Tag, an dem es wiedergutgemacht wird.* Ich bin froh, dass der Tag endlich da ist.«

Jedes Frühjahr kamen Bauern aus den Bergen nach Hun Jiang mit Bambuskörben voller gelber, flauschiger Küken, die piepsten und pickten. Kinder erbaten sich schüchtern ein, zwei Küken als Haustiere und staunten nicht schlecht, wenn ihre Eltern zehn oder fünfzehn kauften. Die Küken gingen schnell ein, und die Kinder waren oft untröstlich, aber mit ein bisschen Glück erlebten ein paar den Sommer, darunter Hennen, die bald Eier legen würden. Ninis Eltern konnten es sich nicht leisten, viele Küken zu kaufen, deswegen beauftragten sie Ninis Schwestern, aufzupassen, dass im

Frühjahr keine streunenden hungrigen Katzen die Küken fraßen. Abends, wenn Nini für die Familie kochte, halfen ihre Schwestern den Nachbarn die Hühner für die Nacht einzufangen. Manchmal hatte eine Familie am Ende des Sommers ein Huhn übrig und schenkte es Ninis Familie. Diese Transaktion erfolgte auf der Grundlage von Vertrauen und Verständnis, doch oftmals hatten die Nachbarn am Ende des Sommers selbst keine Hühner mehr, und dann gingen sie leer aus.

Nini dachte an die braune Henne, die gern herumpickte, wenn Nini im Sommer die Wäsche der Familie im Hof wusch. Es überraschte sie nicht, dass ihre Mutter beschlossen hatte, die braune und nicht die weiße Henne zu töten. Nini hatte nie zuvor Huhn gegessen, und sie wünschte, die braune Henne wäre nicht die erste.

Ninis Vater leerte eine weitere Tasse Schnaps. Obwohl er viel trank, war er im Gegensatz zu anderen Trinkern in der Nachbarschaft nett zu seiner Frau und schlug sie nie. Abgesehen von der Achtjährigen ignorierte er seine Töchter die meiste Zeit. Er seufzte oft und weinte manchmal, wenn er abends allein trank und glaubte, dass die Mädchen schliefen. Nini warf ihm dann aus der Ecke des Betts verstohlene Blicke zu. Ihre Mutter kümmerte sich nicht um ihn, als gäbe es seine Tränen nicht, und faltete still Streichholzschachteln.

»Ich will euch allen was sagen«, sagte Ninis Mutter. »Seid immer freundlich zu anderen. Der Himmel hat ein Auge auf Menschen, die böse sind. Sie entgehen ihrer Strafe nicht.«

Ninis Schwestern nickten beflissen. Ihre Mutter legte das größte Stück Brot auf den Teller des Vaters. »Die Hure der Gus ist das beste Beispiel«, sagte sie. »Lernt die Lektion.«

»Wer ist die Hure?« fragte die Achtjährige.

Ninis Mutter schenkte ihrem Mann und sich selbst eine Tasse Schnaps ein. Nie zuvor hatte Nini gesehen, dass ihre Mutter Alkohol trank, doch jetzt nippte sie genussvoll daran. »Nini, glaub nicht, dass dich deine Eltern ungerecht behandeln und dich wie eine Sklavin arbeiten lassen. Jeder muss sich auf seine Weise nützlich machen. Deine Schwestern werden heiraten, wenn sie alt genug sind, und ihre Männer werden sie für den Rest ihres Lebens versorgen.«

Die Achtjährige grinste Nini herablassend an, und Nini wünschte, sie könnte dem Mädchen eine Ohrfeige geben.

»Du wirst allerdings niemand finden, der dich heiraten will«, fuhr Ninis Mutter fort. »Du musst dich für deinen Vater und mich nützlich machen, verstehst du?«

Nini nickte und schob die schlechte Hand unter das Bein. Sie saß gern auf der schlechten Hand, bis sie taub wurde. In diesen Augenblicken war die Hand wie die Hand eines anderen, und sie musste jeden Finger berühren, um zu wissen, dass er da war.

»Jemand hat uns durch dich mit einem Fluch belegt, Nini, und deswegen haben wir nie einen Jungen bekommen. Aber heute ist der letzte Tag für die, die uns das angetan hat. Der Bann ist jetzt gebrochen, und ich werde bald einen Sohn bekommen«, sagte die Mutter, und ihr Mann streckte die Hand aus, um ihr über den Bauch zu streichen. Sie lächelte ihn an, bevor sie sich wieder den Mädchen zuwandte. »Ihr habt alle von der Denunziationszeremonie heute gehört, oder?«

Die Zehn- und die Achtjährige sagten, dass sie mit der Schule hingehen würden, und Ninis Mutter schien zufrieden mit der Antwort. »Du auch, Nini, nimm die Kleine Vierte, die Kleine Fünfte und die Kleine Sechste mit ins Ostwindstadion.«

Nini dachte an den jungen Mann Bashi und den Weidenbaum hinter dem Birkenwäldchen am Fluss. »Warum, Mama?« fragte die Achtjährige.

»Warum? Weil ich möchte, dass alle meine Töchter sehen, was mit der Hure passiert«, sagte ihre Mutter und teilte ihr eigenes Brot in vier Teile. Sie gab allen Mädchen ein Stück außer Nini und dem Baby.

Ninis Vater stellte die Tasse ab. Sein Gesicht war gerötet, und sein Blick war unstet. »Ich will euch eine Geschichte erzählen, die ihr nicht vergessen dürft. Eure Mutter und ich, wir wuchsen in einem Dorf in der Provinz Hebei auf, wo eure Onkel und Tanten immer noch leben. Eure Mutter und ich – wir verliebten uns ineinander, als wir in die fünfte Klasse gingen.«

Die Zehnjährige schaute zur Achtjährigen, und beide kicherten, die Jüngere unverhohlener als die Ältere. Ninis Mutter wurde rot. »Warum erzählst du ihnen diese alten Geschichten?« fragte sie, und Nini fand, ihre Mutter sähe einen Moment lang wie eine andere Person aus, verschämt wie ein junges Mädchen.

»Weil ich möchte, dass alle meine Kinder wissen, was wir beide durchgemacht haben«, sagte Ninis Vater. Er hob die Tasse und roch am Schnaps, bevor er sich wieder den Mädchen zuwandte. »Wenn ihr irgendwann in unser Dorf kommt, werden euch die Leute noch immer unsere Liebesgeschichte erzählen. Als wir vierzehn waren, fuhr eure Mutter in die Innere Mongolei, um eine Tante zu besuchen. Einen Sommer lang schrieben wir uns, und zusammen verbrauchten wir mehr Briefmarken, als in unserem Dorf normalerweise in einem Jahr verkauft wurden. Der Briefträger sagte, dass er so was noch nie erlebt hatte.«

»Mal ehrlich, woher hattest du das Geld für die Briefmarken?« fragte Ninis Mutter. »Ich habe Geld aus der Schublade meiner Tante genommen und mich nie getraut, sie zu fragen, ob sie die verschwundenen Geldscheine bemerkt hat.«

»Ich habe Kupferdraht aus dem Elektrizitätswerk gestohlen, erinnerst du dich daran, das neben dem Walnussdorf? Den habe ich verkauft.«

Es musste das erste Mal sein, dass Ninis Mutter die Geschichte hörte, denn ihr Blick wurde sanft und verträumt wie der des Vaters. »Es überrascht mich, dass sie dich nicht erwischt haben«, sagte sie. »Und du hast keinen tödlichen Stromschlag bekommen.«

»Hätte ich einen tödlichen Stromschlag bekommen, wer würde dich dann heute noch zum Funkensprühen bringen?« erwiderte Ninis Vater und kicherte.

Ninis Mutter wurde rot. »Mach vor den Kindern keine solchen Witze.«

Er lachte und schob ihr ein Stück eingelegten Tofu in den Mund. Wenn sie getrunken hatten, wurden beide verwegen und vergaßen die Welt. Nini schaute zu ihnen, dann wandte sie halb fasziniert, halb angewidert den Blick ab.

»Der Vater eurer Mutter – euer Großvater – machte Tofu, und mein Vater war der beste Bauer in der Gegend und verdiente genug, um sich Land zu kaufen.«

»Und vergiss nicht«, sagte Ninis Mutter. »Mein Vater war ein ehrlicher Mann und hat sein Leben lang keinen einzigen Menschen übervorteilt.«

»Aber dieses junge Mädchen, diese Gu Shan hat behauptet, eure Großväter wären Kapitalisten und Landbesitzer. Sie war eine Anführerin der Roten Garden und kam mit einer Gruppe junger Mädchen, um eure Mutter zu verprügeln. Damals war eure Mutter mit Nini schwanger, und das junge Mädchen hat eure Mutter in den Bauch getreten. Deswegen wurde Nini so geboren.«

Die Zehnjährige und die Achtjährige warfen Nini verstohlene Blicke zu; die Kleine Sechste brabbelte und fasste nach Ninis Hand, um darauf herumzukauen. Nini nahm die Kleine Sechste auf den Arm und fütterte sie mit einem kleinen Bissen Brot. »Ist deswegen heute die Denunziationszeremonie?« fragte die Achtjährige nach einem langen Moment der Stille.

»Nein«, sagte Ninis Mutter. »Wen interessiert es, was sie uns angetan hat? Niemand erinnert sich mehr an unser Unglück, weil wir kleine Leute sind. Aber das ist in Ordnung. Hauptsache, die Gerechtigkeit nimmt ihren Lauf. An einem Tag bist du die Anführerin der Roten Garden, am nächsten bist du eine Konterrevolutionärin und wartest auf die Kugel. Wofür immer sie auch verurteilt wurde, ich bin zufrieden, dass sie heute ihre Schulden bezahlen muss.«

Nini drückte das Baby an sich, und die Kleine Sechste fuhr mit der Hand über Ninis Wange, bis sie ihr Ohr zu fassen bekam; sie zog daran, eine Geste, die für beide tröstlich war.

»Ich habe nachgedacht«, sagte Ninis Mutter nach einer Weile, und ihre Stimme klang jetzt ruhiger. »Ich möchte mir morgen eine Dauerwelle machen lassen. Viele meiner Kolleginnen haben eine Dauerwelle.«

»Wird es dem Baby nicht schaden?« fragte Ninis Vater.

»Ich habe mich erkundigt, und es heißt, dass es sicher ist«, sagte Ninis Mutter. »Es ist Zeit, dass ich wie eine Frau aussehe und nicht wie ein Gespenst.«

»Für mich warst du immer die schönste Frau der Welt.«

»Wer glaubt schon deinen betrunkenen Unsinn?« Ninis Mutter lächelte und hob die Tasse, um mit ihrem Mann anzustoßen.

BASHI PFIFF vor sich hin und begab sich mit langen federnden Schritten nach Hause. Alle zehn, fünfzehn Meter sah er Leute vor der Bekanntmachung stehen, andere waren unterwegs, um sich ihren Arbeitseinheiten anzuschließen, Fähnchen und Spruchbänder in der Hand. Er war in Gedanken an Nini vertieft und hatte keine Zeit, stehenzubleiben und mit den Leuten zu plaudern. Er fragte sich, warum ihm die Idee nicht früher gekommen war. Seit mehreren Jahren sah er Nini frühmorgens auf der Straße, wie sie Kohlen vom Bahnhof nach Hause schleppte; tagsüber ging sie zum Marktplatz und sammelte halbverwelkte Gemüseblätter auf, die die Hausfrauen wegwarfen, bevor sie zahlten. Er hatte sie für ein verabscheuungswürdiges Geschöpf gehalten. Sie war immer noch hässlich, aber sie sah jetzt eindeutig mehr wie ein Mädchen aus. Zwölf Jahre alt, sagte Bashi und genoss das Vergnügen, die süße Zahl laut auszusprechen. Da es auf der Welt so viele gesunde und hübsche Mädchen gab, wer außer ihm hätte Nini als begehrenswert empfunden? Er pfiff, laut und falsch, ein Liebeslied aus einem Film aus den fünfziger Jahren. Zwei Mädchen vor den Toren der Mittelschule deuteten kichernd auf ihn. Er lächelte sie freundlich an und warf ihnen eine Kusshand zu, wie er es einen Schauspieler in einem Film hatte tun sehen, im ersten ausländischen Film, der in Hun Jiang gezeigt worden war, importiert aus irgendeinem osteuropäischen Land. Bashi war von der Nonchalance des Mannes beeindruckt gewesen und hatte die Geste viele Male vor dem Frisierspiegel seiner Großmutter geübt. Die Mädchen gingen schnell davon, ihre Gesichter rot vor Empörung, und er lachte laut und warf ihnen noch eine Kusshand zu.

Bashi dachte an Frau Hua und die sieben Mädchen, die nicht länger die Töchter der alten Frau waren. Obwohl sie von ihren Eltern ausgesetzt worden waren, hatten sie bestimmt wohlgeformtere Gesichter und Körper als Nini. Er fragte sich, warum Ninis Eltern, nachdem sie mit diesem schrecklichen Gesicht geboren war, nie daran gedacht hatten, sie am Flussufer sterben zu lassen, oder warum Ninis Eltern auch ihre Schwestern behielten, da sie doch augenscheinlich versuchten, Baby nach Baby, einen Sohn zu bekommen. Er dachte an die Töchter, die Frau Hua als Kinderbräute bei anderen Leuten gelassen hatte. Vielleicht war es das, was er brauchte, ein junges Mädchen als zukünftige Frau, das er von jemandem wie den Huas kaufte. Aber das würde dauern. In der Zwischenzeit konnte er an Nini denken, das hässliche, aber reale Mädchen, das ihn in einer Weile erwarten würde.

Als Bashi das Haus betrat, fand er auf dem Tisch einen Bambuskochtopf vor, warmgehalten von einer kleinen Baumwolldecke. Darin lagen sechs weiße Brötchen, frisch und einladend. Er drückte auf ein Brötchen und amüsierte sich, dass seine Finger einen Abdruck in dem weichen, glatten Teig hinterließen. Er rief seiner Großmutter zu, dass das Frühstück bereit sei; da er keine Antwort bekam, ging er in das Schlafzimmer, das er sich mit ihr teilte. Beide Betten waren gemacht, und der Vorhang dazwischen war zurückgezogen und mit einer Kordel festgebunden. Den Vorhang hatte Bashi zwei Jahre zuvor angebracht, als er die aufregenden Dinge entdeckte, die er mit sich selbst im Bett anstellen konnte. Nicht, dass seine Großmutter aufwachen und spionieren würde, ihre Sinne waren damals schon so stumpf wie ein rostiges Messer, aber Bashi hatte auf einem Vorhang bestanden, da dadurch das Vergnügen an seinen heimlichen Spielen gesteigert wurde.

Bashi biss in ein Brötchen und trat näher zu seiner Großmutter, die in einem Sessel auf ihrer Seite des Schlafzimmers döste. Er hielt ihr einen Finger unter die Nase und spürte ihren Atem. Sie lebte noch. »Steh auf, steh auf, du faules Ferkel. Die Sonne scheint, und das Haus brennt.« Bashi sprach und sang mit der Stimme einer Frau – der Stimme seiner Großmutter, als er ein kleiner Junge gewesen war. »Das Frühstück ist fertig, und die Ameisen warten auf die Krümel«, intonierte Bashi. Sie schlug die Augen auf, nickte und döste wieder ein. Er gab auf. Sie war einundachtzig und hatte das Recht, zu tun, was ihr beliebte: kurze Nickerchen am Morgen, hin und wieder ein Bissen, lange Zeit, die sie dösend auf dem Nachttopf saß. Sie ging nicht mehr auf das öffentliche Klosett, wo die Leute über Felsen und Steine springen mussten, um nicht in den stinkenden Morast zu treten. Bashi wusste, dass er sie eines Tages versorgen, für sie kochen, ihr Bett machen, ihren Nachttopf ausleeren, sie waschen müsste. Er hatte keine Angst davor. Seine Großmutter hatte sich ihr Leben lang um ihn gekümmert, und er würde sich um sie kümmern, wenn sie ihn brauchte. Wenn er je ein Baby hätte, würde er das gleiche für das kleine Mädchen tun. Wenn er jetzt ein Mädchen fände, würde er es Bashiyi nennen, *Einundachtzig*, nach seiner Großmutter, dem einundachtzigjährigen Baby. Bashi war auf die gleiche Weise benannt worden, da er in dem Jahr geboren wurde, in dem sein Urgroßvater achtzig wurde. »Bashiyi«, sagte Bashi laut zum Zimmer und dachte, dass nur ein Genie auf diesen Namen kommen könnte – dadurch würde das kleine Mädchen, das begriff jeder Dummkopf, zu seiner Schwester, doch das Mädchen würde auch zu ihm gehören. Einundachtzig existierte nur, weil achtzig existierte, und wo fände man Bashiyi ohne Bashi? Er verspürte das Bedürfnis, diesen Gedanken jemandem mitzuteilen, doch seine Großmutter wurde jeden Tag vergesslicher; oft unterbrach sie ein Gespräch mit irrelevanten Bemerkungen zu Ereignissen, die Jahre oder sogar Jahrzehnte zurücklagen. Vielleicht konnte er es Nini erzählen. Würde sie ihn verstehen? Sie sah aus wie ein dummes kleines Ding, aber die Leute in der Stadt waren sich auch einig, dass er dumm war. »Man kann nie wissen«, sagte Bashi und nickte, als würde jemand neben ihm stehen. »Sie ist vielleicht schlauer, als man denkt.«

Bashi schob sich den Rest des Brötchens in den Mund und verließ das Haus, als es acht Uhr schlug. Auf der Hauptstraße herrschte Festtagsstimmung. Zwei Männer mit roten Armbinden sperrten den Marktplatz ab. Schüler aus einer nahen Grundschule marschierten vorbei und sangen ein sowjetisches Lied, die Melodie war Bashi vertraut, den Text hatte er jedoch nie gelernt, und er verstand die Worte nicht, während er den Kindern zuhörte, die mehr schrien als sangen, ihre Münder eine Reihe von Os. In einer Seitenstraße drängten zwei Kindergärtnerinnen zwölf kleine Kinder, sich der Parade anzuschließen. Sie hielten sich an einem Seil fest, dessen Enden die Kindergärtnerinnen in der Hand hatten. Die Arbeiter der Süßwarenfabrik, Männer und Frauen in blauen Overalls, warteten, dass die Schüler vorbeizogen, plauderten und lachten, zwei Männer pfiffen ein paar älteren Mädchen nach, die wahrscheinlich mehrmals durchgefallen und alt genug waren, um zurückzuschauen.

»Wo findet die Denunziationszeremonie statt?« fragte Bashi einen Polizisten an einer Kreuzung.

Der Polizist zog Bashi am Arm zurück und sagte: »Halten Sie den Verkehr nicht auf.«

»Was schadet es, wenn ich hier stehe, Genosse?« sagte Bashi. »Sehen Sie den Spruch dort an der Mauer? DEM VOLKE DIENEN. Wissen Sie, wer das gesagt hat? Der Vorsitzende Mao. Dienen Sie dem Volk, indem Sie es anschreien und ihm fast das Handgelenk brechen?«

Der Polizist wandte sich Bashi zu. »Wer sind Sie?«

»Ich bin ein Mitglied des Volkes, dem Sie dienen.«

Der Polizist nahm ein kleines Notizbuch aus der Tasche. »Wie heißen Sie? Zu welcher Arbeitseinheit gehören Sie?«

Bashi wollte etwas erfinden, doch bevor er etwas sagen konnte, wandte sich der Polizist ab und schrie jemanden an, der sich durch die Reihen der Kinder drängen wollte. Bashi zuckte die Achseln und murmelte vor sich hin, während er davonschlich: »Ich heiße Dein Onkel, und meine Arbeitseinheit ist das Bett deiner Mutter.«

Ein paar Schritte weiter fragte Bashi jemand anders und fand heraus, dass die Leute in diesem Viertel alle zur nächsten Oberschule marschierten, einem der sechs Orte, an dem vor der Exekution die Denunziationszeremonie stattfand.

»Wissen Sie, wer die Frau ist?« fragte Bashi.

»Eine Konterrevolutionärin«, sagte der Mann.

»Ich weiß, aber wer ist sie?«

Der Mann zuckte die Schultern. »Was geht dich das an?«

»Wo bekommt man eine Eintrittskarte?« fragte Bashi.

»Eintrittskarte? Geh mit deiner Schule.«

»Ich gehe nicht mehr zur Schule.«

»Geh mit deiner Arbeitseinheit.«

Bashi wollte erklären, dass er ein freier Mann war, aber er hielt mitten im Satz inne, da der Mann ihm nicht zuhörte. Bashi stand da und sah zu, wie Männer und Frauen, Schüler und pensionierte Arbeiter vorbeimarschierten. Sie wirkten alle vergnügt, sangen Lieder, riefen Slogans und wedelten mit bunten Fähnchen in der Luft. Bashi hatte nie darüber nachgedacht, ob es wichtig war, Mitglied einer Einheit zu sein. Er überlegte, ob er hinter den Oberschülern hergehen sollte, aber ohne Fähnchen in der Hand sah er sicher verdächtig aus. Nach einer Weile sagte er sich: »Was ist so besonders an der Denunziationszeremonie? Ich gehe auf die Insel, um mir die Exekution selbst anzusehen.«

Kaum waren die Worte ausgesprochen, stand Bashis Entschluss fest. Warum sollte er sich in die marschierende Menge einreihen, wenn er alle Freiheit der Welt besaß, zu tun, was er wollte? »Auf Wiedersehen«, sagte er lächelnd und winkte den Leuten, die sich durch die Straße schoben wie eine Herde Schafe.

4

Das Ostwindstadion, erbaut auf dem Höhepunkt der Kulturrevolution 1968 und dem Arbeiterstadion in Beijing nachempfunden, wenn auch mit weit geringerem Fassungsvermögen, war keine ungewöhnliche Bühne für Kai. Mehrmals im Jahr fungierte sie hier als Zeremonienmeisterin, um den Tag der Arbeit zu feiern, den Gründungstag der Kommunistischen Partei Chinas, den Nationalfeiertag und andere Errungenschaften, die mit Massenaufläufen zu ehren die Stadtverwaltung beschlossen hatte. An der Stelle, wo sie stand, konnte sie den Großteil des Publikums nicht sehen, doch sie hatte gelernt, die Aufmerksamkeit von fünfzehntausend Menschen mittels ihrer durch den Lautsprecher verstärkten Stimme einzuschätzen, die, so schien es, durch kleinste Luftveränderungen beeinflusst wurde. Manchmal hatte das Echo ihrer Stimme ein eigenes Leben, vibrierte vor Energie, und dann wusste Kai, dass sie voller Bewunderung und vielleicht mit freundlichem Verlangen betrachtet wurde und im Herzen eines Fremden an die Stelle einer Geliebten, einer Frau oder eines Kindes trat, wie kurzfristig auch immer. Doch im letzten Jahr waren diese Momente zunehmend selten geworden; jetzt kam sie sich immer öfter wie eine Bettlerin vor, ihre Stimme verloren in einem komplizierten Labyrinth und zurückgeworfen von kalten, abweisenden Mauern.

»Bist du nervös?« fragte Han, als sie vor dem Nebeneingang stehenblieben. Er schaute sich um, bevor er ihr Gesicht mit dem Handrücken berührte. Alles würde gutgehen, sagte er. Sie schüttelte den Kopf, ohne zu antworten. Im vergangenen Herbst war sie aus dem Mutterschaftsurlaub in die Arbeit zurückgekehrt und hatte auf der Bühne während der Feierlichkeiten zum Nationalfeiertag die Beherrschung verloren. Ihre von unkontrollierbaren Tränen erstickte Stimme hatte sich innerhalb einer Minute wieder gefangen, und das Publikum reagierte zwar verwundert, doch nicht negativ. Dennoch, die Offiziellen, die als Ehrengäste nahe der Bühne saßen, mussten ihre Tränen bemerkt und darüber gesprochen haben. Es seien wohl die Hormone gewesen, meinte die Frau des Bürgermeisters bei dem anschließenden Bankett, und Hans Mutter, weniger großzügig und nachsichtig, warnte Kai vor den anderen Gästen, nicht zuzulassen, dass belanglose Gefühle ihren politischen Pflichten in die Quere kämen.

»Die Leute hören immer zu, wenn eine Frau exekutiert wird«, sagte Han. Kai blickte zu ihm auf, erschrocken über die schlichte und grausame Wahrheit seiner Worte, die sie ihm nicht zugetraut hätte. Ein paar Tage nach der Krise am Nationalfeiertag hatte Han sie gefragt, was passiert sei; sie habe sich Sorgen gemacht, dass das Publikum ihr nicht zuhören würde, hatte Kai gelogen, da sie wusste, dass sie Han oder jemand anderem nie das Gefühl unermesslicher Einsamkeit erklären könnte, das sie auf der Bühne überwältigt hatte.

Han versicherte ihr, dass heute alles klappen würde, und Kai nickte und sagte, sie müsse ins Stadion. Er sehe sie beim Bankett, sagte er, und sie schaute auf den geübt verzogenen Mund – wie ein Jugendlicher, der sehr wohl wusste, wie gut er aussah, übte Han Gesichtsausdrücke wie Lächeln, Grinsen, Stirnrunzeln, Starren vor dem Spiegel – und verspürte eine zärtliche Regung. Wäre Han in eine Familie mit geringerem Status geboren worden, wäre er aufgrund seiner jungenhaften Unschuld nicht nur ein guter Ehemann und guter Vater, sondern vielleicht auch ein guter Mensch geworden, doch andererseits wäre diese Unschuld an den Härten des Lebens vermutlich längst zerbrochen. Zum erstenmal an diesem Morgen blickte sie ihm in die Augen und wünschte ihm Glück für den Tag.

»Das Glück ist immer auf meiner Seite«, sagte Han.

Kai verließ Han am Nebeneingang des Stadions. Er würde ihr nachsehen, bis sie verschwunden wäre, und sie musste sich zusammenreißen, um sich nicht umzudrehen und ihn um Verzeihung zu bitten. Früher am Morgen hatte sie Ming-Ming mit einer Leidenschaft geküsst, die das Kindermädchen erstaunte. Das Mädchen hatte sich unauffällig in eine Ecke des Kinderzimmers zurückgezogen und gewartet, mit gesenktem Blick und stoischer Miene, um erneut Mutterstelle für das Baby einzunehmen. Ming-Ming hatte mit dicken weichen Fingern Kais Gesicht berührt, nichts ahnend von der Liebe seiner Mutter und ihrem Entschluss, die Welt, die von dieser Liebe eingegrenzt wurde, zu verlassen.

Hinter der Bühne war man mit den letzten Vorbereitungen beschäftigt. Ein Kollege ging mit Kai den Ablauf der Veranstaltung durch, und dann ruhte sie sich in einem kleinen Raum aus, in dem eine duftende Tasse Tee auf sie wartete. Einen Augenblick später kam eine Sekretärin der Propagandaabteilung herein und sagte, am Nebeneingang warte jemand auf sie. War es Han? fragte Kai, und die Frau entgegnete, nein, ein Fremder. Ein heimlicher Bewunderer, sagte die Sekretärin grinsend, und Kai wiegelte ab und meinte, sie brauche keinen Bewunderer. Wenn Kai es wünsche, würde sie dem Mann erklären, dass Kai bereits eine glückliche Ehefrau und Mutter sei, sagte die Sekretärin. Kai dankte ihr und erklärte, das wolle sie selbst tun. Die Sekretärin entfernte sich, um etwas zu erledigen, und Kai hörte sie noch im Flur lachen. Die Welt konnte so vertrauensselig und blind sein wie ein argloser Ehemann.

Unter einem Baum gegenüber dem Stadion stand Jialin; seine graue Jacke war vor der Mauer in seinem Rücken kaum zu sehen. Er hatte eine alte Baumwollkappe im sowjetischen Stil tief in die Stirn gezogen und die Ohrenklappen unter dem Kinn gebunden; ein Mundschutz aus weißer Baumwolle, wie ihn Männer und Frauen in den langen Wintern trugen, bedeckte fast sein ganzes Gesicht. Wäre nicht seine Brille gewesen mit dem zerbrochenen und mit mehreren Pflastern geklebten Rahmen, wäre Jialin so unauffällig gewesen wie ein Arbeiter, der von der Nachtschicht nach Hause kam, oder ein Ladenbesitzer, der zu seinem käfigähnlichen Laden unterwegs war. Dennoch, es sah ihm nicht ähnlich, dass er sie an diesem Tag in der Öffentlichkeit sprechen wollte.

»Kann ich etwas für dich tun?« fragte Kai. In der Welt außerhalb der Bibliothek, in der sie sich gelegentlich trafen, konnten sie nur so tun, als würden sie sich nicht kennen.

Er wollte sich nur vergewissern, ob alles in Ordnung sei, sagte er, und dann hatte er einen Hustenanfall und wandte das Gesicht ab. Sie wüsste nicht, was er meinte, erwiderte Kai, als er nicht mehr husten musste, und sie fragte sich, ob er den falschen Ton in ihrer Stimme hörte.

»Ich muss mir also keine Sorgen machen?« sagte Jialin. »Ich wollte sicher sein, dass du keinen geheimen Plan hast, den du ganz allein ausführen willst.«

»Warum?«

»Jede vorzeitige Aktion kommt Selbstmord gleich.«

»Ich meinte, warum glaubst du, dass ich etwas tun würde, ohne es dir zu sagen?«

Jialin musterte Kai, und sie wich seinem Blick nicht aus. In ihrem Rücken hörte sie einen Pfiff und Wachmänner, die einen Passanten anschrien. Sie musste dieses Gespräch mit ihm bald beenden; sie wurde demnächst auf der Bühne erwartet, und er, der von der Welt schon als halbtot betrachtet wurde, wäre nicht im Publikum.

»Als ich dich das letztemal gesehen habe, hast du etwas angedeutet«, sagte Jialin und schüttelte den Kopf. »Ich hoffe, ich habe mich getäuscht.«

Eine Revolution erfordere einen Impuls, hatte sie zwei Wochen zuvor gesagt, als sie das Datum für Gu Shans Exekution erfuhr. Sie war zu seiner Hütte gegangen, ein unvorhergesehener Besuch. Es ist Zeit zu handeln, hatte sie gesagt. In der Hoffnung, Gu Shans Leben zu retten, hatte sie leidenschaftlicher gesprochen, als sie es je nach ihrem Ausscheiden aus der Theatertruppe getan hatte. Die Massen mussten motiviert, die öffentliche Aufmerksamkeit auf den Fall gelenkt werden; mit der richtigen Aktion sollten sie zumindest die Exekution verhindern, wenn nicht das Urteil aufheben können. Während sie zu ihm sprach, hörte Jialin stirnrunzelnd zu. Es sei ein impulsiver und unkluger Vorschlag, sagte Jialin dann, und sie stritten zum erstenmal.

»Auch ich will handeln«, sagte er jetzt.

Kai schaute ihm in die Augen. Er blickte verwirrt drein, als könnte er nicht die richtigen Worte finden. Seine Worte, gegen die sie keine Argumente hatte anführen können, hatten sie empört, und sie hatte ihn an jenem Nachmittag vor zwei Wochen einen Feigling genannt. Er sei dem Grab näher als die meisten Menschen, die er kenne, hatte Jialin damals entgegnet, und er sorge sich nicht um sein Leben oder seinen Tod, sondern um den richtigen Zeitpunkt. Er sprach mit einem kalten Zorn, den sie hinter seiner gelassenen Sanftmut nicht vermutet hätte, und Kai musste seine Hütte ohne Entschuldigung verlassen. Als sie sich ein halbes Jahr zuvor kennenlernten, hatte er sie von seinem Zustand in Kenntnis gesetzt, aber seitdem hatten sie die Tuberkulose nie wieder erwähnt. Jialin war vier Jahre älter als Kai, doch die Krankheit machte ihn alterslos, und das war Kai bewusst, als sie beschloss, sich mit ihm anzufreunden; auch er musste wissen, dass er als todkranker Mann von vielen gesellschaftlichen Regeln ausgenommen war, dachte sie, als er ihr zum erstenmal einen Brief schrieb, der ihn ins Gefängnis hätte bringen können, weil er hauptsächlich von Demokratie und Diktatur handelte. Sie staunte über sein Vertrauen in eine Fremde, eine Frau, deren Stimme mehr als alles andere die Stadtverwaltung von Hun Jiang repräsentierte, doch sie hatte ihn nie gefragt, warum er sich dafür entschieden hatte, ihr seinen Idealismus und sein Leben anzuvertrauen. Obwohl sich ihre Freundschaft rasch entwickelte, sprachen sie nur selten von Angesicht zu Angesicht miteinander. In ihren Briefen konzentrierten sie sich auf politische Themen und gesellschaftlichen Wandel und klammerten ihr persönliches Leben weitgehend aus.

»Warum glaubst du, dass ich allein etwas unternehmen würde?« fragte Kai noch einmal.

Er hoffe, er täusche sich, sagte Jialin, aber er habe das Gefühl, dass er es später bereuen werde, wenn er heute morgen nicht gekommen wäre, um mit ihr zu reden. Seine Intuition täuschte ihn nicht, wollte Kai antworten: Seitdem sie sich zuletzt gesehen hatten, hatte Kai beschlossen, ihren eigenen Plan auszuführen; da er so zurückhaltend war, hoffte sie, dass er und seine Freunde gezwungen wären zu handeln, wenn sie bei der Denunziationszeremonie einen öffentlichen Aufschrei initiierte. Wie ein Kind, das die Mutter aus seiner Welt verbannen musste, bevor sie ihm den Rücken kehrte, hatte Kai gedacht, sie hätte sich auf einen Tag, einen Kampf, ein Leben ohne Jialin vorbereitet. Dass er ahnte, wie sie sich entschieden hatte, und gekommen war, um sie aufzuhalten, rührte und erschreckte sie.

Jialin musterte sie. »Hast du etwas vor, wovon ich nichts weiß?«

»Nein.«

»Hast du vor, einen Protest zu initiieren, ohne es mir zu sagen?« fragte er. »Mache ich mir zu Recht Sorgen?«

Ein paar Leute gingen an ihnen vorbei, und Jialin und Kai schwiegen einen Augenblick. Eine Fahrradglocke klingelte ungeduldig, gefolgt von einem lauten Geräusch. Beide schauten sich nicht nach dem Unfall um.

Sie hatte sein Gesicht nur einmal gesehen, als sie eines frühen Nachmittags nach der Adresse auf dem Briefumschlag suchte. Der Umschlag, der in dem Briefkasten mit ihrem Namen vor der Propagandaabteilung lag, fiel ihr ins Auge zwischen der Fanpost, die Bewunderung für ihre Auftritte bei diversen Veranstaltungen oder Kommentare enthielten, von denen die Absender hofften, dass sie ausgewählt und von ihr während der Sendung vorgelesen würden. Die Handschrift auf dem Umschlag erinnerte sie an einen alten Mann aus der Generation ihres Vaters, der sein Leben lang Kalligraphie geübt hatte, und aus Neugier hatte sie ihn an sich genommen, bevor sie die anderen an eine Sekretärin in der Propagandaabteilung weitergab.

Er hatte an jenem Nachmittag vor sechs Monaten ganz ungezwungen auf ihr Klopfen reagiert, und später vermutete sie, zu Recht, dass sie nicht die einzige war, die ihn besuchte. Sie schob das Tor auf und betrat einen kleinen Hof, und nach einer Weile kam er aus einer niedrigen Hütte und schien überrascht, dass sie nicht die Person war, die er erwartete. Er war ein großer Mann, viel jünger, als sie gedacht hatte, sein Gesicht blass und schmal. Wenn er sprach, hatte er hin und wieder einen Hustenanfall, und sein Gesicht nahm eine ungesunde rote Färbung an. Er bat sie nicht in seine Hütte. Bitte, kommen Sie das nächstemal mit Mundschutz und Handschuhen, sagte er zu ihr; als sie sich besser kannten, schlug er vor, sie sollten sich im Lesesaal der einzigen öffentlichen Bibliothek der Stadt treffen.

»Ich weiß, dass ich dich hier nicht lang aufhalten kann«, sagte Jialin jetzt, als niemand mehr in Hörweite war. »Aber versprichst du mir, nichts zu unternehmen, bevor wir noch einmal miteinander geredet haben?«

Sein flehentlicher Ton war ihr neu; er war immer der Zuversichtliche von ihnen beiden gewesen. Manchmal hatte Kai einen Brief viele Male neu geschrieben aus Angst, ihn zu enttäuschen.

»Früher oder später müssen wir das, was wir haben, aufgeben für das, was wir glauben, oder?« sagte Kai.

»Wir opfern uns nicht für einen irrationalen Traum.«

»Wir lassen also zu, dass Gu Shan sich für uns opfert?« sagte Kai. Sie fragte sich, ob Jialin ihre Leidenschaft für unklug und kindisch hielt, wie er es zwei Wochen zuvor angedeutet hatte. Sie zweifelte nicht an seinen Prinzipien, hatte aber das Gefühl, zu versagen. Sie hätten nichts getan, um Gu Shans Leben zu retten, sagte sie jetzt; würden sie sie auch noch sterben lassen, ohne die Öffentlichkeit auf die Ungerechtigkeit aufmerksam zu machen? Er täusche sich nicht, sie habe vor, allein zu handeln; sie habe ihr Mikrofon, und sie habe ihre Stimme.

Jemand rief ihren Namen, und Kai drehte sich um und sah, dass die Sekretärin ihr zuwinkte und die Wachmänner auf sie und Jialin aufmerksam machte. Sie müsse gehen, sagte Kai. Würde sie wenigstens seine Worte überdenken, bevor sie etwas unternehme? fragte Jialin, doch Kai, die keine Zeit mehr hatte, um zu antworten, verließ ihn ohne das Versprechen, auf das er hoffte. Die Wachmänner blickten besorgt zu ihr, als sie die Straße überquerte. Einer der Leute, die mit ihr über Politik diskutieren wollten, sagte Kai, als die Sekretärin sie fragte, und nein, sie sollten ihn in Ruhe lassen, sagte sie zu den Wachmännern.

EINES TAGES WÜRDE SIE ihren ältesten Sohn verlieren, dachte Jialins Mutter, als sie ihm das Frühstück auf den Baumstumpf stellte, der als Tisch diente. Abgesehen von dem Baumstumpf, einem Stuhl und einer schmalen Liege gab es keine Möbel in der Hütte. Die Heizung bestand aus einem Gaskanister, den Jialins Mutter dreimal am Tag mit heißem Wasser füllte, und in der Hütte war es kaum wärmer als im Freien, die Laken und die Decke waren das ganze Jahr über feucht. Auf einer Seite der Hütte stapelten sich Bücher auf flachgedrückten Kartons, darunter ein Stück Plastikplane. Eine Schuhschachtel mit Drähten, Röhren und Knöpfen – sein Radio, wie Jialin das primitiv zusammengebaute Ding nannte – stand auf seinem Bett, daneben lag ein Kopfhörer, ein Skelett aus Draht und Metallringen.

Jialin war nicht da, und sie fragte sich, wo er sich an diesem Morgen aufhielt. Er ging nicht oft weg, und sie war nahezu glücklich, dass sie eine Weile allein in der Hütte verbringen konnte. Wenn er da war, war er höflich, dankte ihr für das Essen, das heiße Wasser und die saubere Wäsche, die sie ihm brachte, aber er bat sie nicht, sich zu setzen. Dass Jialin jemand war, den sie nie verstehen würde, war eine Tatsache, die sie seit langem akzeptierte, aber wie alle Mütter, deren Kinder heranwachsen und sich entfernen, verspürte auch sie das Bedürfnis, so lange wie möglich in seinem Zimmer zu sein, sich an alles zu klammern, woraus sie einen Sohn aus der Erinnerung rekonstruieren könnte, wenn er aus ihrem Leben verschwunden wäre. Sie nahm ein Buch in die Hand und schlug es aufs Geratewohl auf; jemand hatte einen Absatz mit dicken roten und blauen Strichen markiert – Jialin vielleicht oder der frühere Besitzer des Buches, doch sie wollte lieber glauben, dass das Buch keine Geschichte hatte, sondern einzig ihrem Sohn gehörte. Sie betrachtete die Worte, die sie nicht lesen konnte – sie war Analphabetin, und aus diesem Grund, so glaubte Jialin, war sie von der Papierfabrik zum Einstampfen verbotener Bücher eingestellt worden. Er hatte sie gebeten, ein paar Bücher für ihn zu retten; damals hatte er schon seit einem Jahr Tuberkulose, und ein von der Welt isolierter Sohn war genug, um eine Mutter zu einer Diebin zu machen. Jeden Tag versteckte sie ein oder zwei Bücher unter ihrer Kleidung, und wenn sie zu Hause ankam, waren die Bücher so warm wie ihr Körper. Sein Gesicht strahlte, wenn er die Bücher sah, und wegen dieser seltenen Glücksmomente bereute sie, eine ehrliche Frau, die noch keine Menschenseele auf der Welt betrogen hatte, ihr Vergehen nicht.

Jemand im Haus rief nach dem Frühstück, und sie hastete zurück in die Küche, um die Mahlzeit für den Rest der Familie zuzubereiten: ihre drei jüngeren Söhne, neunzehn, sechzehn und vierzehn, die nichts taten, außer die Stäbchen in die Hand zu nehmen, die sie für sie bereitlegte, und ihren Mann, der die Jungen dafür lobte, dass sie sich wie Männer verhielten.

Jialin war der Sohn aus einer früheren Ehe; sein Vater, ein kräftiger Mann, der am Meer aufgewachsen war, sprang drei Monate vor Jialins Geburt in den Schlammigen Fluss und brach sich das Genick. Ein Sohn, der den eigenen Vater das Leben gekostet hatte, sagten die Leute, als sie mit Heiratsangeboten und dem Ratschlag kamen, das Baby zur Adoption freizugeben. Sie hatte diesen Unsinn nicht hören wollen und zehn Jahre gewartet, bis sie wieder heiratete, aber manchmal fragte sie sich, ob sie nicht einen Fehler gemacht hatte. Wäre Jialin von einem fremden Paar aufgenommen worden, hätte er vielleicht ein anderes Leben geführt, frei von Krankheit und Unglück, beides Dinge, die sie nicht verstand. Jialin war zweiunddreißig, zu alt, um zu heiraten, zu jung, um zu sterben. Sie würde nicht erleben, dass er heiratete, aber sie würde ihn sterben sehen. Sie holte tief Luft, doch ihr stiegen keine Tränen mehr in die Augen. Sie wusste nicht, wo er sich die Tuberkulose zugezogen hatte, und ebensowenig wusste sie, woher seine Gelehrsamkeit stammte; sein Vater war wie ihr jetziger Mann ungebildet gewesen. Ihre drei anderen Söhne waren robust, grob, unbändig – jeder eine jüngere Version des Vaters, der als ungelernter Arbeiter im Verladebahnhof beschäftigt war. Jialin war anders, als stammte er aus einer anderen Familie, als wäre er nicht der Sohn ihres ersten Mannes, sondern eines gütigen, freundlichen Gelehrten. Dieser Gedanke ging ihr bisweilen durch den Kopf, aber er war zu seltsam, als dass sie ihn zu Ende dachte.

Jialins Mutter hatte einst, als sie frisch verheiratet war und einen Kurs für analphabetische Frauen besuchte, von einem anderen Mann geträumt, von Lehrer Gu. Sie war noch kein Jahr verheiratet, aber ihr Mann hatte ihr bereits all das Leid zugefügt, das ein Mann einer Frau antun kann. Lehrer Gu dagegen war der sanftmütigste Mann, den sie je kennengelernt hatte, seine Augen hinter der schwarzgefassten Brille blickten melancholisch, sein Hemd und seine Hose waren stets makellos sauber. Sie bemerkte seine ordentlich kurz geschnittenen Fingernägel, wenn er ihr zeigte, wie sie den Stift zu halten hatte, und dieses Bild ließ sie erröten, wenn sie wach neben ihrem schnarchenden Mann lag. Sie war enttäuscht, als sie hörte, dass Lehrer Gu eine Mitschülerin heiraten würde, die ehemalige Konkubine eines Landbesitzers, eine Frau mit einem kleinen, herzförmigen Gesicht, und sowohl die Demütigung, die sie empfand, als auch ihre Schwangerschaft hielten sie davon ab, weiterhin zum Unterricht zu gehen. Im Lauf der Jahre sah sie Lehrer Gu hin und wieder in der Stadt, so still und melancholisch, wie sie sich an ihn erinnerte. Er erkannte sie nicht wieder, aber es war seltsam tröstlich, dass sie ihn von weitem sehen konnte. Sie stellte sich vor, wie sich der alte Mann, der seine Tochter verlieren sollte, fühlen musste; sie hatte sogar Lehrer Gus Frau, einst das Objekt ihrer heimlichen Eifersucht, vergeben, denn schließlich hätte Lehrer Gu einen Sohn gebraucht, und sie hatte ihm nur eine konterrevolutionäre Tochter geboren. Wenn er nur einen Sohn wie Jialin hätte, der mit seiner blassen Haut und den ungesund geröteten Wangen ein ebenso trauriger Mann war wie Lehrer Gu. Sie würden einander verstehen, dachte sie und schüttelte den Kopf. Sie trug das Essen zum Tisch und setzte sich neben ihren Mann. Jialin würde als junger Mann sterben; was für ein Trost wäre er als Sohn für Lehrer Gu? Er war eine Zeitlang im Sanatorium gewesen, aber es bestand keine Hoffnung auf Genesung. Es war sinnlos, Geld für ihn zu verschwenden, wenn die drei jüngeren Söhne über Nacht aus ihren Kleidern herauszuwachsen schienen; ihr Mann musste sie nicht daran erinnern, bevor sie zustimmte, Jialin nach Hause zu holen. Ihr Mann hatte für Jialin eine Hütte im Hof gebaut, und es wurde nicht ausgesprochen, aber erwartet, dass Jialin den Rest seiner Tage dort verbringen würde.

NACH DEM FRÜHSTÜCK verließ Lehrer Gu das Haus und wich den Blicken der Nachbarn aus, die zu Fuß oder mit dem Fahrrad zu ihren Arbeitseinheiten unterwegs waren. Ein paar Schüler seiner Schule riefen ihm einen Gruß zu, aber er konnte nicht sagen, ob sich ihre Einstellung zu ihm gewandelt hatte. Hatten ihre Eltern ihnen von seiner Tochter erzählt? Wenn er am nächsten Tag wieder am Pult stünde, was würden die Kinder von ihm denken, während er die gleichen Lektionen durchnahm, die nicht verhindert hatten, dass seine Tochter auf Abwege geriet?

Von seinem Haus war es eine halbe Stunde Fußmarsch bis zum Stadtrand im Westen. Als er in die Hauptstraße bog, war sich Lehrer Gu bewusst, dass seine Hände keine Fähnchen schwenkten, sondern in den Jackentaschen steckten, und seine müden Beine nicht mit den anderen Schritt halten konnten. Er beschloss, auf kleineren Seitenstraßen zu gehen, wo nach dem Aufbruch der Leute zur Denunziationszeremonie die Hühner, Katzen, Hunde sowie die alten Witwen und Witwer das bisschen Platz zwischen den Häuserreihen einnahmen. Ein alter Mann, der auf einem niedrigen Schemel saß und keinen Zahn mehr im Mund hatte, blickte auf zu Lehrer Gu und murmelte etwas; Lehrer Gu nickte, ohne ihn zu verstehen, und eine Frau, jünger als der Mann, aber trotzdem alt, kam und wischte ihm mit einem Taschentuch, das mit einer Nadel an seiner Jacke befestigt war, den Speichel vom Kinn, kehrte dann zu dem wackligen Stuhl auf der anderen Straßenseite zurück und widmete sich wieder ihrem Strickzeug – irgendetwas aus aufgetrennter, rostfarbener Wolle.

Als Lehrer Gu am Personenbahnhof vorbeiging, hielt gerade der Zug, der in die Provinzhauptstadt fuhr. Auf dem Bahnsteig stand gähnend der Bahnwärter, der tagsüber in seinem Kabäuschen saß und nachts in der Hütte daneben schlief, seit Lehrer Gu sich erinnern konnte. Ein sieben- oder achtjähriges Mädchen verkaufte durch die Fenster hartgekochte Eier an die Fahrgäste, ihre Finger voller Frostbeulen und dick wie kleine Karotten. Lehrer Gu verlangsamte den Schritt und betrachtete sie. Aus Gewohnheit hätte er gern gewusst, wo sie wohnte und ob sie zur Schule ging, aber er verwarf den Gedanken. Dreißig Jahre lang hatte er Kindern aus armen Familien, vor allem Mädchen, geholfen, in die Schule zu gehen, und die Gebühren bezahlt, wenn die Eltern das Geld dafür nicht aufbringen konnten. Er sah die Freude darüber, lesen zu können, in den Augen seiner Frau und in den Augen jeder neuen Generation Mädchen; er hoffte, dass er seinen Teil dazu beigetragen hatte, um diese Welt, und wenn auch nur ein wenig, zu einer besseren zu machen. Aber er wusste auch, dass die Texte in den Büchern, verfasst von Männern und Frauen, die betrügen und verführen wollten, diese Mädchen in die Irre leiteten. Selbst seine beiden besten Schülerinnen – seine Frau und seine Tochter – hatten ihn enttäuscht. Shan wäre nie eine fanatische Rotgardistin geworden, wenn sie die verlockenden Sprüche der Kulturrevolution in den Zeitungen nicht hätte lesen können; und sie wäre auch nicht verhaftet worden, als sie ihre Zweifel anmeldete, hätte er ihr nicht beigebracht, selbstständig zu denken, statt die Argumente der Massen zu glauben. Seine Frau hätte den Verlust von Shan in leidgeprüftem Schweigen ertragen, wie es alle ungebildeten Frauen taten, die ihre Kinder einem unabwendbaren Schicksal überließen und ihre ganze Hoffnung in das nächste Leben setzten.

Der alte Bahnwärter läutete eine Glocke. Lehrer Gu blieb stehen und schaute zu dem weißen Rauch in der kalten Morgenluft und zu den Fahrgästen, die sich entfernten; ein Mann stopfte sich ein Ei in den Mund, eine Frau knabberte an einer hausgemachten

Wurst. Bald nahm der Zug Fahrt auf, und die Gesichter verschwammen. Das war der Punkt in ihrem Leben, an dem er und seine Frau sich befanden. Ein Tag war ununterscheidbar vom nächsten, und sie sollten sich eigentlich nicht mehr sorgen, dass ein Augenblick oder ein Tag zu lang oder zu elend war. Zumindest hatte er das zu seiner Frau gesagt, nachdem sie von der Kleiderverbrennung zurückgekehrt war; sie mussten nach vorn schauen und begreifen, dass die Schmerzen in ein, zwei Jahren nicht mehr so akut wären wie jetzt. »Jeder muss einmal sterben«, hatte er gesagt. »Wir sind nicht die ersten Eltern, die eine Tochter verlieren, und werden auch nicht die letzten sein.« Sie verloren auch nicht zum erstenmal ein Kind; er hatte es nicht ausgesprochen, doch er hoffte, seine Frau würde sich daran erinnern.

Der Zug fuhr vorbei, und ein Schaffner, der vor dem letzten Waggon stand, winkte Lehrer Gu zu. Nach ein paar Sekunden raffte sich Lehrer Gu auf, um zurückzuwinken, aber der Mann war bereits ein kleiner Punkt, zu weit entfernt, um seine Geste noch zu sehen.

Lehrer Gu überquerte das Gleis. Wo die Straße zu einem unbefestigten Weg wurde, der zu den Dörfern in den Bergen führte, fand Lehrer Gu die Hütte der Huas. Der alte Hua saß davor und sortierte Flaschen, und Frau Hua rührte in einem Topf mit Brei auf dem offenen Feuer eines kleinen Gaskochers. Lehrer Gu sah ihnen zu, und erst als Frau Hua aufschaute, grüßte er sie.

Die Huas standen auf und begrüßten Lehrer Gu. »Haben Sie schon gefrühstückt? Bitte setzen Sie sich zu uns, wenn Sie noch nichts gegessen haben«, sagte Frau Hua.

»Ich habe schon gegessen«, sagte Lehrer Gu. »Tut mir leid, dass ich Sie beim Frühstück störe.«

»Sie brauchen sich nicht zu entschuldigen«, sagte Frau Hua und stellte eine weitere Schale mit Reisbrei auf den Holztisch in der Hütte. »Setzen Sie sich zu uns. Wir haben nicht viel zu bieten.«

Lehrer Gu rieb sich die Hände und sagte: »Das ist sehr freundlich von Ihnen, Frau Hua.«

Frau Hua schüttelte den Kopf. Sie stellte eine verbeulte Pfanne auf das Feuer und tröpfelte etwas Öl aus einer kleinen Flasche hinein, in der sich einst Honig befunden hatte. »Ein Spiegelei, Lehrer Gu?«

Er versuchte, sie davon abzuhalten, doch ein paar Minuten später legte sie ein Spiegelei für ihn auf einen kleinen Teller. Der alte Hua hörte auf mit dem Sortieren und bat Lehrer Gu erneut, sich zu setzen. Da er keine Möglichkeit sah, das Gespräch zu beginnen, ohne ihre Gastfreundschaft anzunehmen, setzte sich Lehrer Gu auf den Stuhl des alten Hua, während der alte Hua zwei Körbe als provisorische Sitzgelegenheit für sich selbst aufeinanderstellte.

»Der Frühling kommt dieses Jahr spät«, sagte der alte Hua. »Ziemlich ungewöhnlich, finden Sie nicht auch?«

»So ist es«, sagte Lehrer Gu.

»Geht es Ihnen gut?« fragte der alte Hua.

»Ja, ja.«

»Und Frau Gu, geht es ihr auch gut?« fragte Frau Hua.

»Sie fühlt sich ein bisschen unwohl aufgrund der Jahreszeit, aber nicht zu sehr.«

»Hoffentlich geht es ihr bald wieder besser«, sagte Frau Hua und schob Lehrer Gu den Teller hin. »Bitte, bedienen Sie sich.«

»Das ist zuviel«, sagte Lehrer Gu und schob den Teller weiter zum alten Hua. »Ich bin satt.«

Nachdem sie den Teller eine Weile hin und her geschoben hatten, fand sich der alte Hua damit ab, dass Lehrer Gu das Ei nicht anrühren würde, teilte es mit den Stäbchen und gab eine Hälfte seiner Frau. Lehrer Gu wartete schweigend, bis das Paar gegessen hatte. »Ich bin gekommen, um Sie um einen Gefallen zu bitten«, sagte Lehrer Gu. Das Paar saß still da, beide blickten auf ihre leeren Schalen.

Lehrer Gu nahm ein Päckchen heraus und schob es dem alten Hua zu. »Einen großen Gefallen, und ich hoffe, dass das Ihre Mühen begleichen wird.«

Der alte Hua wechselte einen Blick mit seiner Frau. »Suchen Sie jemand, der sich heute um Ihre Tochter kümmern wird?«

»Ja«, sagte Lehrer Gu. »Es gereicht uns zur Schande, dass wir sie nicht gut genug erzogen haben, um einen nützlichen Menschen –«

Frau Hua unterbrach ihn und sagte nahezu heftig, ihr Mann und sie könnten wenig mit diesem offiziellen Gerede anfangen. Lehrer Gu entschuldigte sich und konnte einen Augenblick lang nicht weitersprechen.

»Es tut uns leid«, sagte Frau Hua in milderem Tonfall. »Für Sie und Frau Gu.«

Der alte Hua nickte zustimmend.

»Sie sind sehr freundlich«, sagte Lehrer Gu.

»Aber Sie müssen uns verzeihen«, sagte Frau Hua und schob das Päckchen über den Tisch zurück. »Wir können Ihnen nicht helfen.«

Lehrer Gu verspürte einen stechenden Schmerz in der Brust und wusste nicht, was er antworten sollte. Der alte Hua hustete verlegen und wandte den Blick ab. »Es tut uns leid«, sagte er.

Lehrer Gu nickte und stand auf. »Nein, ich muss mich entschuldigen, weil ich gekommen bin, um Sie mit dieser unangemessenen Bitte zu belästigen. Wenn Sie mich jetzt entschuldigen, werde ich gehen.«

Frau Hua nahm das Päckchen und reichte es dem alten Hua. Der legte es in Lehrer Gus Hände und sagte: »Wir haben uns schon gedacht, dass Sie kommen werden, deswegen habe ich herumgefragt, ob jemand willens ist, zu helfen. Kennen Sie den alten Kwen?«

Lehrer Gu erwiderte, er kenne Kwen nicht und wolle den alten Hua nicht länger belästigen. Es war unverantwortlich zu glauben, die Huas würden als Bestatter jedes unerwünschten Kindes einspringen, wollte Lehrer Gu hinzufügen, unterließ es dann aber.

»Kein Problem«, sagte der alte Hua. »Er ist ein bisschen unfreundlich, aber das ist nicht ungewöhnlich bei einem alten Junggesellen. Was immer er anpackt, macht er gut. Wenn es Ihnen recht ist, bringe ich Sie zu ihm.«

»Zuviel der Mühe«, sagte Lehrer Gu. Er spürte, wie seine Beine nachgaben, und musste sich mit beiden Händen auf den Tisch stützen.

»Geht es Ihnen auch gut?« fragte Frau Hua.

Lehrer Gu nickte und wünschte einen Augenblick lang, dass es sich das Paar anders überlegen würde. Er stellte sich vor, wie er zu einem anderen Haus gehen und darauf warten müsste, dass ein Fremder ihn verächtlich behandelte oder, schlimmer noch, Mitleid mit ihm hatte. Tiefe Müdigkeit überkam ihn.

»Der alte Kwen wohnt nicht weit von hier«, sagte der alte Hua und zog seine Schaffelljacke an. »Es sind nur fünf Minuten.«

Frau Hua setzte ihrem Mann eine alte wollene Mütze auf und wischte etwas Staub ab. »Wir wünschten, wir könnten helfen, aber wir haben eigene Schwierigkeiten«, sagte sie.

»Ja, ich verstehe.«

»Wir möchten wirklich gern helfen«, sagte Frau Hua, als befürchtete sie, Lehrer Gu würde ihr nicht glauben. »Denken Sie nicht, dass wir Shan etwas nachtragen.«

Lehrer Gu nickte. Er hatte nichts zur Verteidigung seiner Tochter vorzubringen – der alte Hua und seine Frau gehörten zu denen, die Shan bei einer öffentlichen Versammlung 1966 mit Füßen getreten und ausgepeitscht hatte. Alle Beschuldigten an jenem Tag waren alte Leute gewesen, Witwen ehemaliger Landbesitzer, gebrechliche Großeltern, unter den Zuschauern ihre Enkelkinder, die vor Angst schrien, bis ihre Eltern sie zum Verstummen brachten. Lehrer Gu und Frau Gu standen damals ebenfalls als Angeklagte auf der Plattform, aber ihre Tochter war zumindest so barmherzig und überließ es ihren Gefährten, sie zu bestrafen. Lehrer Gu wusste nicht, warum die Huas dabei waren – sie stammten beide aus armen Familien. Aber die jungen Revolutionäre waren völlig verrückt: Die bloße Tatsache, dass jemand ein Mensch war, schien für sie Grund genug, ihn zu demütigen. An diesem Tag verlor Lehrer Gu die letzte verbliebene Hoffnung, die er in seine

Tochter gesetzt hatte. Sie war nicht die einzige Wilde; eine ihrer Genossinnen, ein pausbäckiges Mädchen, noch ein Jahr jünger als Shan, drosch mit einem Stock, der mit Nägeln gespickt war, auf den Kopf einer alten Frau ein. Die Frau stolperte und stürzte auf die Bühne. Lehrer Gu erinnerte sich daran, wie sich ihr spärliches silbriges Haar langsam rot färbte von dunklem, klebrigem Blut; anschließend zwang Shan die Zuschauer, die Tat ihrer Genossin zu bejubeln.

»Wir wissen, wie Sie sich all die Jahre gefühlt haben«, sagte Frau Hua.

Lehrer Gu nickte. Die Huas waren unter den wenigen, die Lehrer Gu und seine Frau ins Haus ließen, als sie nach dem Ende der Kulturrevolution die Menschen, die Shan einst geschlagen hatte, mit Geschenken und Entschuldigungen besuchten; viele Leute, darunter Ninis Eltern, schickten sie vor der Tür wieder weg.

»Es war nicht Ihre Schuld. Sie war noch ein Kind damals.«

»*Die Fehler des Schülers gehen auf die Unfähigkeit des Lehrers zurück*«, zitierte Lehrer Gu eine alte Weisheit. »*Die Schuld des Kindes ist die Schuld des Vaters.*«

»Nehmen Sie diese Last nicht auf sich«, sagte der alte Hua.

Sie wurden alt, meinte Frau Hua, und sie hofften, den Rest ihres Lebens in Hun Jiang zu verbringen. Sie hatten keinen gesetzlichen Wohnsitz, deswegen konnten sie es nicht riskieren, Sympathisanten genannt zu werden. »Wenn wir jünger wären, würden wir nicht zögern, Ihnen zu helfen. Damals waren wir immer unterwegs.«

»Ja.«

»Und hatten weniger Angst.«

»Ja.«

»Wir werden Ihnen mit allem anderen helfen.«

»Ja, ich verstehe.«

»Kommen Sie, wann immer Ihnen danach ist, auf eine Tasse Tee vorbei«, sagte Frau Hua. Der alte Hua wartete darauf, dass seine Frau das Gespräch beendete, dann zog er sanft an Lehrer Gus Arm. »Lehrer Gu, hier entlang, bitte.«

Lehrer Gu nickte und versuchte, seine Enttäuschung zu verbergen. »Danke, Frau Hua.«

»Bringen Sie Frau Gu mit zum Tee, wenn ihr danach ist«, sagte Frau Hua. Sie zögerte und fügte dann hinzu: »Auch wir haben Töchter verloren.«

5

Das Stadion war halbvoll, als die Grundschule Roter Stern eintraf. »Der Kommunismus ist gut«, ein Lied, das Tong auswendig kannte, schallte aus den Lautsprechern, und er summte mit. Den Schülern wurden Sitze in den vordersten Reihen zugewiesen, und kaum hatten sie sich gesetzt, begannen ein paar Schüler aus Tongs Klasse den Imbiss auszupacken, den ihnen die Eltern in die Schultaschen gesteckt hatten; andere tranken aus Feldflaschen, doch Tong, der sich feierlich und wichtig fühlte, machte diese kindischen Fehler nicht.

Die Denunziationszeremonie begann um neun. Eine Frau in einer brandneuen blauen Maojacke aus Wolle mit einem roten Band auf der Brust betrat die Bühne und bat das Publikum aufzustehen und gemeinsam mit dem Arbeiterchor »Ohne kommunistische Partei gibt es kein Leben« zu singen. Tong sprang auf und schaute bewundernd zu der Frau. Nach seiner Ankunft in Hun Jiang, bevor er sich in den Straßen der Stadt auskannte wie in seiner Westentasche, hatte Tong zusammen mit Ohr morgens und nachmittags im Hof gesessen und der Nachrichtensprecherin zugehört, deren Stimme aus den Lautsprechern drang. Er verstand die Nachrichten nicht, aber ihre warme, tröstliche Stimme, erinnerte ihn an die liebevollen Hände seiner Großmutter, wenn sie ihn ins Bett brachte.

Es dauerte eine Weile, bis die Erwachsenen aufstanden, und als der Chor zu singen begann, redete und lachte die Hälfte der Leute noch. Die Frau gab den Zuschauern das Signal einzustimmen, und Tong wurde rot und sang, so laut er konnte. Die verschiedenen

Abschnitte des Stadions sangen mit unterschiedlicher Geschwindigkeit, und als der Chor und die Begleitmusik endeten, dauerte es wiederum eine Weile, bis das Publikum das Lied beendete, da jeder Abschnitt unterschiedlich lang brauchte. Hier und da wurde gutgelauntes Gelächter laut.

Der erste Redner wurde vorgestellt, ein Parteikader aus der Stadtverwaltung, und es dauerte ein paar Sekunden, bis die Erwachsenen sich beruhigten. Weitere Redner von verschiedenen Arbeitseinheiten und Schulen betraten die Bühne und denunzierten die Konterrevolutionärin, ihre Ansprachen beendeten sie stets mit Sprüchen, die sie ins Mikrofon schrien und die Zuschauer wiederholten. Die Rede, die Tong am meisten bewunderte, hielt eine Fünftklässlerin aus seiner Schule, die Anführerin der Jungpioniere der Schule und die beste Sängerin des Chors der Jungpioniere von Hun Jiang. Sie sprach mit melodischer Stimme harte, verdammende Worte, und Tong wusste, dass er nie so vollkommen klingen würde wie sie und nie den richtigen Akzent hätte, der ihm die Ehre einbrächte, bei einer so feierlichen Zeremonie wie dieser sprechen zu dürfen.

Der interessanteste Teil der Veranstaltung hatte noch nicht begonnen – die Denunziation der Konterrevolutionärin in Person, bevor sie zum Ort der Exekution gebracht wurde. Die Verbrecherin musste von einem Veranstaltungsort zum nächsten gefahren werden, erklärte die Sprecherin und forderte dazu auf, patriotische Lieder zu singen.

Die Erwachsenen spazierten herum und unterhielten sich gutgelaunt. Ein paar Frauen holten Stricknadeln und Wollknäuel heraus. Eine Lehrerin wies die Kinder an, ihr Pausenbrot zu essen. Ein Junge verkündete mit lauter Stimme, seine Mutter wünsche, dass er im Stadion mindestens einmal zum Pinkeln gehen solle, woraufhin mehrere Jungen und Mädchen die Hand hoben und sich der Bitte anschlossen. Die Lehrerin zählte die Kinder ab, und als es genug waren, führte sie sie im Gänsemarsch hinter das Stadion.

Tong saß aufrecht auf seinem Platz, das Salzgebäck, das seine

Mutter für ihn eingepackt hatte, unberührt in seiner Tasche. Er wünschte, die Sprecherin würde auf die Bühne kommen und die Kinder und Erwachsenen beschimpfen, die die Zeremonie zu einem Jahrmarkt umfunktioniert hatten, aber seit er in Hun Jiang war, hatte er gelernt, dass die Meinung eines Kindes nicht ernst genommen wurde. Die Bauern im Dorf seiner Großeltern hatten ihn respektiert, weil er einst von einem berühmten Wahrsager als Lehrling erwählt worden war. Tong war damals zweieinhalb gewesen, zu jung, um sich noch daran zu erinnern, und er kannte nur die Geschichten, die seine Großeltern und Nachbarn erzählten: Der alte blinde Mann, geschwächt von der jahrelangen Wanderschaft von Dorf zu Dorf und erschöpft vom Wahrsagen, hatte seinen eigenen Tod vorhergesehen und beschlossen, einen Jungen auszuwählen, der seine geheimen Weisheiten und sein Wissen über die Welt erben sollte. Er war über drei Berge und durch achtzehn Dörfer gezogen, bevor er Tong fand. Die Legende wollte es, dass der alte Mann, als er in das Dorf kam, die Schädelform von allen Jungen unter Zehn studierte und jedesmal enttäuscht war, bis er zu Tong kam, dem Jüngsten in der Reihe; der alte Mann berührte Tongs Kopf und vergoss sofort Tränen der Erleichterung. Für das nächste halbe Jahr ließ er sich im Dorf nieder und setzte sich jeden Morgen vor Sonnenaufgang an Tongs Bett, brachte ihm das Singen bei und ließ ihn Sprüche und Formeln auswendig lernen, die er für seine zukünftige Laufbahn als Wahrsager brauchen würde.

Tong erinnerte sich nicht mehr an seinen Meister. Der alte Mann starb kurz nach Tongs drittem Geburtstag, eine Überraschung für die Dorfbewohner, da der Meister seinen eigenen Tod nicht präzise vorhergesagt hatte. Es war jammerschade, dass die Weisheit des blinden Mannes für die Welt verloren war; dennoch zeichnete die kurze Lehre bei dem Wahrsager Tong als Jungen mit besonderem Status aus. Doch diese Geschichten bedeuteten Tongs Eltern und den Leuten in der Stadt wenig. Sie schauten Tong nicht in die Augen, die nach Aussagen der alten Leute im Dorf zutiefst menschlich waren. Einen außergewöhnlichen Jungen hatten sie ihn genannt, und Tong wusste, dass er für Großes bestimmt war, aber wie sollte er die Stadt von seiner Bedeutung überzeugen, wenn seine Existenz so flüchtig wahrgenommen wurde wie die von Hunden und Katzen auf der Straße?

Ein Zug Polizisten marschierte ins Stadion und bezog Stellung zu beiden Enden jeden Ganges. Die Sprecherin forderte die Zuschauer auf, zu ihren Plätzen zurückzukehren. Ihre Stimme klang belegt, als sei sie erkältet, und von seinem Platz in der ersten Reihe sah Tong, dass sie die Augenbrauen zusammengezogen hatte. Er fragte sich, ob sie der Mangel an Begeisterung ebenso kränkte wie ihn, doch sie sah sein emporgerecktes, besorgtes Gesicht nicht, als sie die Ankunft der Konterrevolutionärin verkündete.

Leises Gemurmel ging durch das Stadion, als die Frau von zwei Polizisten, die akkurat gebügelte, schneeweiße Uniformen trugen, auf die Bühne gezerrt wurde. Man hatte ihr die Hände auf den Rücken gebunden, und sie wurde von den beiden Männern aufrecht gehalten, ihre Füße berührten kaum den Boden. Zum erstenmal seit Beginn der Zeremonie hielt das Publikum kollektiv den Atem an. Der Kopf der Frau war nach vorn gesunken, als schlafe sie. Ein Polizist zog ihr den Kopf an den Haaren nach hinten, und Tong sah, dass ihr Hals dick bandagiert war, der Verband blutbefleckt. Aus halbgeöffneten Augen schien sie die Kinder in den vorderen Reihen anzuschauen, ohne etwas zu sehen, und als der Polizist ihr Haar wieder losließ, sank ihr Kopf wieder nach vorn, als schlafe sie erneut ein.

Die Zuschauer wurden aufgefordert aufzustehen, und das Intonieren der Slogans begann. Tong schrie zusammen mit seinen Klassenkameraden, aber er fühlte sich hintergangen. Die Frau war nicht, was er erwartet hatte: Ihr Kopf war nicht geschoren, wie seine Eltern vermutet hatten, und sie sah auch nicht wie die Teufelin aus, die ihm ein Mitschüler beschrieben hatte. Von seinem Platz aus konnte er eine kahle Stelle in der Mitte ihres Kopfes erkennen, und in der Häftlingsuniform, die an ihrem Körper herunterhing wie ein grauer Mehlsack, sah sie nicht wie eine gefährliche Verbrecherin aus.

Nach ein paar Minuten wurde die Frau wieder von der Bühne

geschleppt und verschwand mit den beiden Polizisten. Das Schreien der Slogans verstummte, und es gab nichts anderes mehr zu tun, als nach Hause zu gehen. Ein paar Erwachsene wandten sich den Ausgängen zu, aber das Wachpersonal ließ sie nicht durch. Es kam zu Raufereien, mehr Wachleute liefen herbei, und kurz darauf hastete die Sprecherin wieder auf die Bühne und forderte das Publikum auf, gemeinsam mit dem Chor weitere revolutionäre Lieder zu singen. Die meisten Erwachsenen hatten bereits das Interesse verloren und drängten sich vor den Ausgängen, und die Fähnchen, die sie mitgebracht hatten, lagen verlassen auf den Sitzen.

Auf dem Rückweg in die Schule hörte Tong, wie die Jungen hinter ihm über das Ereignis sprachen. Ein Junge schwor, dass die Frau gedroht hatte, von der Bühne zu springen und ihn niederzuschlagen, aber dass die beiden Polizisten sie daran gehindert hatten; ein anderer Junge erzählte eine Geschichte, die er von seinem Großvater gehört hatte: Manchmal war eine Frau eine verkleidete Schlange – wenn es ihr gelang, einem in die Augen zu schauen, konnte sie nachts in deine Träume schleichen und dein Gehirn auffressen.

Was für ein Blödsinn, dachte Tong, doch seine Stimmung war gedrückt, und er wollte den kindischen Vorstellungen seiner Kameraden nicht widersprechen.

WEDER DIE KLEINE VIERTE noch die Kleine Fünfte wollte Ninis schlechte Hand fassen, und sie musste die Kleine Vierte laufen lassen. Die Kleine Fünfte versuchte, sich Ninis Griff zu entwinden, und Nini sagte wütend, dass sie von einem Auto überfahren oder jemand sie stehlen und an Fremde verkaufen und sie die Eltern nie wiedersehen würde, wenn sie nicht gehorchte. Verängstigt begann das Mädchen zu weinen, und die Kleine Sechste, die Nini auf den Rücken gebunden war und zufrieden vor sich hin geplappert hatte, betrachtete einen Augenblick lang ihre weinende Schwester und stimmte dann in das Geheul mit ein.

Nini überlegte kurz, ob sie ihre drei Schwestern nach Hause zurückbringen und einsperren sollte, wie sie es oft tat, wenn sie auf den Marktplatz ging. Sie wollte allein zum Flussufer gehen. Obwohl er komisch daherredete, war der junge Mann Bashi doch eine interessante Person, und Nini war neugierig und wollte herausfinden, ob er gelogen hatte, als er versprach, ihr umsonst Kohlen zu geben. Aber die Mädchen würden sie verpetzen, und ihre Mutter ließe sie bestimmt während des Mittagessens in einer Ecke knien. Sie hätte die Dose mit den Keksen verstecken sollen, dachte Nini, aber dann fiel ihr die Haarspange in ihrer Tasche ein. Sie hieß ihre Schwestern still sein und zeigte ihnen die Schmetterlingsspange aus blauem Plastik auf ihrer Handfläche. Nini musste den älteren Mädchen fünf Minuten gut zureden und drohen, um sie davon zu überzeugen, dass sie warten sollten, bis sie an der Reihe waren. Dann setzte sie die Kleine Sechste auf den Gehweg, flocht ihr weiches braunes Haar zu einem winzigen Zopf mitten auf dem Kopf und steckte die Spange ans Ende. Der Zopf wackelte, und die Kleine Vierte und die Kleine Fünfte klatschten lachend in die Hände. Nini lächelte. In solchen Augenblicken mochte sie ihre Schwestern.

Als sie das Ostwindstadion erreichten, waren alle Eingänge geschlossen; nur Wachmänner mit roten Armbinden gingen herum. »Was tut ihr hier?« rief ein Wachmann Nini zu, als sie sich einem Eingang näherten. Die Kleine Vierte klammerte sich plötzlich nervös an Ninis Ärmel.

Nini zog sie näher zu sich und entgegnete, sie seien wegen der Denunziationszeremonie gekommen.

»Zu welcher Einheit gehört ihr?«

»Einheit?« sagte Nini.

»Ja, zu welcher Einheit?« sagte der Mann und lächelte unmerklich.

Ein älterer Wachmann kam hinzu und mahnte seinen Kollegen, die jungen Mädchen nicht zu hänseln, und der andere erwiderte, er hänsele sie nicht, sondern lehre sie die wichtigste Lektion im Leben, nämlich dass man einer Einheit angehören müsse. Der ältere Mann ignorierte ihn und sagte zu Nini: »Geht jetzt nach Hause. Das ist kein Ort zum Spielen.«

Nini wollte ihm erklären, warum sie zur Denunziationszeremonie gehen mussten, aber er fuchtelte mit den Armen herum und verscheuchte sie. Nini ging mit ihren Schwestern zu der Gasse, die dem Stadion am nächsten war, und wies sie an, sich an der Ecke hinzusetzen. »Wir warten hier.«

»Warum?« fragte die Kleine Vierte.

»Wir sollen die Tochter der Familie Gu anschauen, bevor sie hingerichtet wird«, sagte Nini. »Wenn wir sie nicht sehen, kriegen wir heute kein Abendessen.«

Die beiden Mädchen setzten sich sofort. Ein paar Minuten später spielten sie mit kleinen Steinen und Zweigen und sangen leise vor sich hin. Nini ging im Kreis herum, bis die Kleine Sechste eingeschlafen war, ihr Kopf schwer und warm in Ninis Nacken. Aus den Lautsprechern im Stadion drangen Slogans, Lieder und zornige Stimmen, aber Nini verstand nicht, was gesagt wurde. Sie dachte an Frau Gu, die eingelegte Bohnen und Rührei vor sie hinstellte und ihr sagte, sie könne soviel essen, wie sie wollte, und an Lehrer Gu, der ihr einen Papierfrosch gab, ohne dass seine sanften Hände ihre berührten. Sie mussten die ganze Zeit gewünscht haben, dass Nini nicht existierte, da ihre Missbildungen ein Beweis für die Verbrechen ihrer Tochter waren.

Auf der Hauptstraße fuhren ein Polizeiauto und ein Krankenwagen vor und bogen in die Gasse. Die Fahrer stellten die Sirenen ab, ließen das blaue und rote Licht jedoch weiter blinken. Die Kleine Vierte und die Kleine Fünfte hörten auf zu spielen und wollten wissen, was los war.

Bevor Nini antworten konnte, stieg ein Polizist aus dem Streifenwagen und schrie die Mädchen an: »Was tut ihr hier? Geht nach Hause. Fort mit euch.«

Die Kleine Sechste erwachte und begann zu weinen. Nini fasste nach der Hand der Kleinen Fünften und sagte zur Kleinen Vierten, sie solle mitkommen. Ein paar Schritte weiter in der Gasse sah Nini ein Haus, das keinen Zaun hatte. Sie versteckte sich mitsamt ihren Schwestern hinter dem Zaun des Nebenhauses und mahnte sie zur Ruhe. Die Kleine Sechste wand sich auf Ninis

Rücken. Sie steckte ihr einen Finger in den Mund, und das beruhigte sie. Die zwei anderen Mädchen spazierten durch den Hof zu einem Stapel Feuerholz in der Ecke und zerrieben ein paar Stückchen weicher Kohle zu Staub.

Nini spähte hinter dem Zaun hervor. Mehrere Leute sprangen aus dem Krankenwagen, alle trugen weiße Kittel, weiße Kappen und einen Mundschutz. Einer zog eine Trage aus dem Wagen, und die beiden kleineren Personen – zwei Frauen, wie Nini sah, da ihr Haar unter der Kopfbedeckung hervorschaute und ihnen bis zum Nacken reichte – zogen diverse Dinge aus dem Wagen: weiße und blaue Päckchen, Schläuche, eine seltsam geformte Lampe, die mit langen Armen aus Metall mit dem Inneren des Krankenwagens verbunden war. Eine Frau schaltete die Lampe zu Testzwecken ein und aus, und vier Polizisten mit schwarzen Schlagstöcken patrouillierten desinteressiert in der Nähe.

Plötzlich begann jemand zu schreien. Ein Hund rannte winselnd die Gasse entlang, verfolgt von einem Polizisten, der seinen Stock schwang. »Schnell, sie kommen«, rief eine Stimme. Der Mann, der den Hund verfolgt hatte, lief zurück. Jemand wurde in die Gasse gezerrt. Einen Augenblick lang glaubte Nini, das schwarze Haar einer Frau zu sehen, doch bevor sie noch einmal hinschauen konnte, legten mehrere Männer die Person auf die Trage, wo sie sofort mit einem weißen Tuch bedeckt wurde. Der Körper unter dem Tuch wehrte sich, aber Hände hielten ihn fest. »Was ist los?« fragte die Kleine Vierte. Nini antwortete nicht, ihr Herz schlug schneller, als sie sah, wie sich auf dem weißen Tuch ein roter Fleck ausbreitete, zuerst ungefähr so groß wie ein Teller, dann wurde er größer.

Ein paar Minuten später wurde der Körper von der Trage gehoben, die Beine zappelten, doch merkwürdigerweise gab die Person keinen Laut von sich; Nini spürte eine eigenartige Schwere in der Brust, als wäre sie in einem Alptraum gefangen, in dem sie keinen Laut herausbrachte, sosehr sie sich auch bemühte. Die Polizisten schoben den Körper in den Streifenwagen. Die Männer und Frauen in den weißen Kitteln stiegen wieder in den Krankenwagen, und einen Moment später fuhren beide Wagen mit lautem Sirenengeheul in die Hauptstraße und verschwanden.

»Was ist los?« fragte die Kleine Vierte wieder.

Nini schüttelte den Kopf und sagte, sie wisse es nicht.

»Was ist los? Was ist los?« fragte die Kleine Fünfte, und Nini sagte, sie solle nicht plappern wie ein Papagei. Sie führte sie in die Gasse, an die Stelle, wo ein paar Minuten zuvor der Krankenwagen gestanden hatte. Bevor die jüngeren Mädchen die Blutstropfen auf dem Boden entdecken konnten, fuhr sie mit dem schlechten Fuß darüber und verrieb sie im Staub. Die Kleine Vierte deutete auf einen schwarzen Baumwollschuh, der zu Boden gefallen war, und die Kleine Fünfte hob ihn auf. In der Gummisohle war ein Loch; sie schob den Finger durch das Loch und wackelte mit dem Finger. Nini befahl ihr, den Schuh wegzuwerfen, und als sie sich weigerte, griff Nini danach und warf ihn so heftig wie möglich von sich. Die Kleine Fünfte begann zu weinen, hörte aber sofort wieder auf, als am Himmel ein lautes Brummen zu hören war. Nini und ihre Schwestern blickten empor. Ein Armeehubschrauber flog über sie hinweg wie eine riesige grüne Libelle. »Hubschrauber«, sagte die Kleine Vierte, und die Kleine Fünfte wiederholte das Wort, beide deuteten mit dem Finger zum Himmel.

Bald öffneten sich die Tore des Stadions, und die Zuschauer schwärmten plaudernd heraus. Nini fasste ihre Schwestern an den Händen und näherte sich der Menge.

»Die Frau hat die ganze Zeit kein Wort gesagt«, sagte ein Mann. »Ich frage mich, ob man sie unter Drogen gesetzt hat.«

Ein anderer Mann schwor, er habe gesehen, wie die Frau den Mund geöffnet habe. »Sie sah überhaupt nicht aus, als stünde sie unter Drogen«, sagte er.

»Wie hätte sie was sagen sollen? Sie müssen ihr die Luftröhre durchgeschnitten haben«, sagte ein anderer Mann. »Habt ihr nicht gesehen, dass ihr Hals bandagiert war?«

»Die Luftröhre? Du Dummkopf. Wie könnte sie noch am Leben sein, wenn sie ihr die Luftröhre durchgeschnitten hätten? Die Stimmbänder haben sie ihr durchgeschnitten.«

Der erste Mann zuckte die Achseln. »Jedenfalls konnte sie nicht sprechen.«

»Entschuldigung«, sagte Nini und hob die Stimme, als niemand zuhörte. »Entschuldigung, Onkel. Ist die Konterrevolutionärin noch im Stadion?«

»Was geht dich das an?« fragte einer der Männer.

Nini stotterte und sagte, sie wollten die Konterrevolutionärin sehen, aber noch bevor sie den Satz beenden konnte, fielen ihr die Männer ins Wort. »Was gibt's da zu sehen? Sie haben sie sofort weggebracht, kaum war die Veranstaltung zu Ende. Wahrscheinlich hat man sie mittlerweile erschossen.«

Enttäuscht wies Nini ihre Schwestern an, sich ein bisschen weiter weg vom Tor hinzustellen, damit die Menge sie nicht überrannte. Sie warteten, bis immer weniger Leute herauskamen und schließlich die letzte Gruppe Grundschüler davonmarschiert war. Jetzt blieb auch ihnen nichts anderes mehr übrig, als nach Hause zu gehen.

DER ARMEEPILOT schaute nicht hinunter auf die Stadt und die vielen nach oben blickenden Köpfe, während er den Hubschrauber über die riesige Statue des Vorsitzenden Mao flog. Der Flug zur Provinzhauptstadt würde keine halbe Stunde dauern, und danach gab es das Mittagessen, auf das er sich freute. Um das Essen nach einem Spezialauftrag – Brathähnchen, Rindersteaks und gedämpfter Fisch – rissen sich sogar die bestbezahlten Piloten. Er dachte an sein erstes Jahr in der Armee, damals war er sechzehneinhalb und einen ganzen Kopf kleiner als der Ausbilder, der ihm gern ins Gesicht spuckte und ihm gegen die Beine trat, wenn sie Aufstellung bezogen. Während der ersten drei Monate hatte es kein Fleisch gegeben. Der Pilot wünschte, sein Ausbilder könnte ihn jetzt sehen, einen Streifen und drei Sterne auf den Schultern. Sein Vater hatte oft gesagt, dass derjenige, der das Unerträgliche ertragen konnte, eines Tages zu einem Mann über allen anderen Männern würde. Ein Mann über euch allen, dachte der Pilot und stellte sich die Jungen vor, die durch die engen Gassen rannten und einander auf den Hubschrauber aufmerksam machten.

Zu denen, die den Kopf emporreckten, gehörte Bashi, der am Fluss gegenüber der Buckligen Insel stand. Die Insel am östlichen Rand der Stadt, wo der Schlammige Fluss breiter wurde und sich nach Süden wandte, war ein langes schmales Stück Land in Form eines Walrückens. Im Sommer gab es dort massenhaft Wildgänse und Enten, die ihre Wanderung nach Norden führte; in diesen Monaten schwammen Kinder auf die Insel und stahlen ihre Eier, die einen starken, unangenehmen Geschmack hatten, wenn sie nicht mit besonders scharfen Gewürzen gekocht wurden; die Eierjagd erfolgte demnach mehr zum Vergnügen als aus praktischen Gründen. Abgesehen von den Wildvögeln und den Kindern suchte hin und wieder die Polizei die Insel auf, da hier die Exekutionen durchgeführt wurden. Im Sommer vor zwei Jahren war zum letztenmal jemand auf der Insel erschossen worden; ein Mann aus einem benachbarten Bezirk wurde für schuldig befunden, eine junge Frau vergewaltigt und fast erwürgt zu haben. Die Polizisten hatten die Insel geräumt, doch ein paar tollkühne junge Männer schwammen hinüber und versteckten sich im Schilf. Später behaupteten sie, gesehen zu haben, wie der Kopf des Mannes nach dem Schuss zerplatzte wie eine Wassermelone. Bashi war nicht dabeigewesen, aber nach einer Weile bildete er es sich ein; er erzählte den Leuten, wie das Glied des Mannes in seiner Hose zum Himmel zeigte, noch nachdem er wie ein schwerer Sack tot zu Boden gefallen war. »Ein Mann wie er, ihr wisst schon, mit Problemen da unten«, sagte Bashi mit einem wissenden Lächeln unterschiedslos zu Männern und Frauen.

Bashi betrachtete die roten Fahnen und das gelbe Band, das die Insel rundum absperrte. Da der Fluss gefroren war, bestand keine Möglichkeit, sich im Schilf zu verstecken, und Bashi sehnte sich danach, die Behörden auszutricksen und auf die Insel zu gelangen. Wenn er sich nur unsichtbar machen könnte! Er würde mühelos auf die Insel gelangen, um die Polizisten herumschleichen und ihnen kalte, kitzelnde Luft auf die Wangen blasen. Er könnte sogar mit der bezaubernden, gehauchten Stimme einer jungen Frau zu ihnen sprechen, sie mit intimen Kosenamen anreden, ihnen danken, dass sie ihr qualvolles Leben für sie beendeten, sie auffordern, mitzukommen und Spaß mit ihr auf der anderen Seite zu haben. Bashi stellte sich die Polizisten vor, insbesondere den, der ihm zuvor auf der Straße gedroht hatte, wie sie zu Tode erschraken und ihre weißen Uniformhosen besudelten. Bashi lachte lauthals, bis er sich an einen Baum lehnen musste, um Luft zu schöpfen. Niemand würde es je wieder wagen, einen Fuß auf die Spukinsel zu setzen; er könnte eine Hütte auf der Insel bauen und mit der Frau leben, die sich gewiss für ihn aufopfern würde, weil er sie gerettet hatte.

Achtundzwanzig war die Frau, erinnerte sich Bashi, in der Bekanntmachung gelesen zu haben. Achtundzwanzig war nicht zu alt. Bashi lebte problemlos mit seiner viel älteren Großmutter, und er war überzeugt, dass ihn die Frau wie seine Großmutter lieben würde. Wenn er nach Hause gehen und eine Weile bei seiner Großmutter bleiben müsste – die Frau würde so ein Arrangement gewiss verstehen –, könnte er, damit sie nicht allein wäre, Nini bitten, ihr Gesellschaft zu leisten, als vertrauenswürdiges Dienstmädchen, denn niemand würde sich dafür interessieren, was Nini wusste. Da fiel ihm ein, dass Nini jetzt wahrscheinlich an der Weide auf ihn wartete. Na gut, er könnte sie später suchen und Geschichten über die Exekution erfinden, um sie zu unterhalten. Es war schwer, sie zum Lächeln zu bringen, ihr kleines verschobenes Gesicht mit der mürrischen Miene, aber es machte Bashi nichts aus, es wieder zu versuchen.

Jemand tippte Bashi auf die Schulter und sagte: »Was machst du hier und grinst wie ein Idiot?«

Bashi blickte auf und sah Kwen, der ihn musterte. Kwen hatte nie geheiratet, und Bashi wollte ihn schon immer fragen, wie es war, ein alter Junggeselle zu sein ohne Frau, die einem das Bett wärmte und die Füße wusch, ob Kwen wie er selbst von Frauen träumte, doch diese Fragen konnten anstößig sein. Es gab nur eine Handvoll Personen auf der Welt, die Bashi mit seiner Geschwätzigkeit nicht belästigte, und eine davon war Kwen. Die Leute behaupteten, Kwen sei kein einfacher Charakter. Alle Hunde in der Stadt verhielten sich in seiner Anwesenheit wie Kätzchen. Gerüchte wollten, dass die Wölfe in den Bergen Angst vor ihm hatten, auch die Schlangen und sogar die Schwarzbären. Bashi zweifelte nicht an diesen Behauptungen. Er hatte einmal gesehen, wie Kwen mit einer Zigarette im Mundwinkel seinen schwarzen Hund schlug; sein Ausdruck war nahezu freundlich gewesen, und er hatte ein geduldiges Lächeln aufgesetzt, doch der schwarze Hund, die Bestie, die sich gegenüber fast jedem Geschöpf auf der Welt bösartig verhielt, war so fügsam wie ein Lamm gewesen, den Kopf knapp über dem Boden winselte er um Gnade.

»Hast du mich gehört?« fragte Kwen. Aus der Nähe sah Kwen wie ein beliebiger alter Mann aus, Runzeln, blinzelnde Augen, zwei Vorderzähne fehlten, und der Rest war vom Zigarettenrauch gelbschwarz gefleckt. Bashi lächelte und hob beide Hände, als würde er sich ergeben. »Was für eine Überraschung. Was tun Sie hier?«

»Ich bin aus dem gleichen Grund da wie du.«

»Warum bin ich da?« fragte Bashi höchst interessiert.

»Wegen der Exekution, oder?«

»Falsch. Ich habe eine Verabredung«, sagte Bashi. »Mit einer schönen Frau.«

Kwen schüttelte den Kopf. »Wenn du sagen würdest, dass du hier bist, weil du eine Verabredung mit dem Tod hast, würde ich dir eher glauben.«

Bashi spuckte sich dreimal in die Hände. »Schlechtes Omen. Sagen Sie so was nicht.«

»Woher hast du diese weibische Gewohnheit?«

Bashi tat, als höre er nicht. »Also, was tun Sie hier?« fragte er.

»Ich habe eine Verabredung mit dem Tod.«

»Ach was!« sagte Bashi. Er kramte in den Jackentaschen und fand die Schachtel Zigaretten, die er zwei Wochen zuvor gekauft hatte, schließlich in der Hosentasche – er hatte vier- oder fünfmal versucht zu rauchen, musste jedoch immer wieder feststellen, dass er den versengten Geschmack nicht mochte. Bashi tippte auf den

Boden der Schachtel, bis ihm eine Zigarette auf die Handfläche fiel. »Hier«, sagte er und drehte die Zigarette, bis sie vollkommen rund war, dann gab er sie Kwen.

Kwen betrachtete sie zweifelnd. Bashi seufzte und gab ihm die Schachtel. Kwen zündete die Zigarette an und steckte die Schachtel ein. Ein Polizeiauto traf mit lautem Sirenengeheul am Flussufer ein, gefolgt von einem Lastwagen. Eine Gruppe Polizisten sprang von der überdachten Ladefläche, und einen Augenblick später wurde die Konterrevolutionärin an den Armen aus dem Streifenwagen gezerrt. Kwen und Bashi schauten zu, wie die Gruppe wortlos über den gefrorenen Fluss ging. Von dort, wo sie standen, konnten sie das Gesicht der Frau nicht sehen.

»Sind Sie wegen ihr hier?« fragte Bashi.

Ja, erwiderte Kwen und erklärte, dass er gekommen war, um ihre Leiche zu holen.

»Warum holen Sie ihre Leiche und nicht ich?« fragte Bashi.

»Weil ich dafür bezahlt werde.«

»Von wem?«

»Von ihren Eltern.«

»Wo ist das Geld?« fragte Bashi.

Kwen tätschelte die Brusttasche seiner Jacke. »Hier.«

»Kann ich es sehen?« fragte Bashi. Er glaubte Kwen nicht. Eine Frau war eine Frau, und Bashi wusste, dass Kwen hier war, um sie sich anzusehen, gleichgültig, in welchem Zustand sie sich befand.

Kwen nahm ein kleines Päckchen aus der Tasche. Es sah aus wie ein dickes Bündel, aber wer konnte garantieren, dass Kwen nicht Toilettenpapier eingepackt hatte? Bashi wollte das Päckchen genauer inspizieren, doch Kwen steckte es wieder in die Tasche und sagte: »Pfoten weg von meinem Geld.«

»Wieviel haben sie Ihnen gezahlt?«

»Warum sollte ich dir das sagen?«

»Weil ich Ihnen den gleichen Betrag gebe, um die Leiche nicht zu holen.«

»Wer wird sie dann holen? Man kann die Leiche nicht auf der Insel liegen und verwesen lassen.«

»Ich werde sie holen«, sagte Bashi.

Kwen grinste. »Du bist lustiger, als ich dachte.«

»Warum?«

»Weil ich noch nie einem interessanteren Idioten begegnet bin.«

Bashi überlegte, ob er beleidigt sein sollte, doch dann lachte auch er. Vielleicht konnten sie Freunde werden, wenn er ihn weiterhin amüsierte. Die Leute würden ihn in einem anderen Licht sehen, wenn sie merkten, dass er als einziger Kwens Freund war. Ein Fuchs wurde von allen Tieren gefürchtet, weil er mit einem Tiger befreundet war, diese alte Fabel ging Bashi durch den Kopf, aber was war falsch daran, ein schlauer Fuchs zu sein? »Kann ich Ihnen helfen, die Leiche zu holen? Für eine Person ist sie bestimmt schwer«, sagte Bashi.

»Ich habe kein Geld, um für deine Hilfe zu zahlen«, sagte Kwen.

»Ich kann Sie zahlen, wenn Sie mich helfen lassen«, sagte Bashi. »Lassen Sie mich zumindest einen Blick auf sie werfen.«

Kwen sah Bashi eine Weile an, dann lachte er laut. Ein paar Spatzen, die auf einer Lichtung zwischen den Bäumen pickten, flogen auf. Bashi lächelte nervös. Dann hörten sie einen einzelnen Schuss, gefolgt von einem harten metallischen Echo. Kwens Lachen verstummte, und beide sahen den Vogelschwärmen nach, die von der Insel aufflogen. Ein paar Minuten lang geschah nichts, dann kehrten die Polizisten über den Fluss zurück. Ihre schweren Stiefel zertrampelten den alten Schnee. »Brich«, flüsterte Bashi leise und stellte sich ein großes Loch im Eis vor, das alle Leute verschlingen würde, die er verachtete.

»Jetzt bin ich dran«, sagte Kwen, als das Polizeiauto und der Lastwagen davonfuhren.

»Was ist mit mir?« sagte Bashi.

»Wieviel kannst du zahlen?«

Bashi hielt zwei Finger hoch; Kwen schüttelte den Kopf, und Bashi streckte einen dritten, dann einen vierten Finger aus. Kwen schaute ihn mit hochgezogenen Augenbrauen an.

»Na gut, hundert, ist das in Ordnung?« sagte Bashi nahezu flehentlich. »Hundert ist wahrscheinlich mehr, als die Familie Ihnen zahlt, oder?«

Kwen lächelte. »Das ist meine Sache«, sagte er und bedeutete Bashi, ihm auf das Eis zu folgen.

6

Frau Gu reagierte nicht, als Lehrer Gu sagte, dass das Mittagessen fertig sei. Als er von seinem Besuch beim alten Kwen zurückgekommen war, hatte sie still auf einem Stuhl gesessen, reglos wie eine Statue. Er suchte sich mit allen möglichen Dingen zu beschäftigen und dabei ein bisschen Krach zu verursachen. Als es nichts mehr zu tun gab, setzte er sich und zwang sich, ein kurzes Nickerchen zu halten. Er wurde von den Leuten geweckt, die von der Denunziationszeremonie zurückkehrten, Männern, die sich unterhielten und ihre Fahrräder absperrten, Frauen, die ihre Kinder zum Essen riefen. Er stand auf und begann, geräuschvoll das Mittagessen zuzubereiten, zu hacken, zu schneiden, zu braten. Er versuchte, nicht daran zu denken, was außerhalb ihres Hauses geschehen war – seit langem wusste er, dass der einzige Weg, weiterzuleben, darin bestand, sich auf das bisschen Leben zu konzentrieren, das man vor Augen hatte.

Lehrer Gu setzte sich mit einer vollen Schale Reis an den Tisch und bat seine Frau noch einmal, zumindest eine Kleinigkeit zu essen. Sie erwiderte, sie habe keinen Appetit.

»Man ist für seinen Körper verantwortlich«, sagte Lehrer Gu. Er hatte immer darauf bestanden, regelmäßig nahrhafte Mahlzeiten einzunehmen, um Körper und Geist gesund zu halten. Wenn er auf etwas stolz war, dann darauf, dass kein Problem ihn davon abhalten konnte, die Pflichten seinem Körper gegenüber zu erfüllen. Das Leben war unvorhersehbar, hatte er seiner Frau und seiner Tochter immer wieder eingetrichtert, und Essen und Schlafen gehörten zu den wenigen verlässlichen Dingen, mit denen man dem Leben und seinen Kapriolen ein Schnippchen schlagen konnte. Lehrer Gu kaute und schluckte gewissenhaft. Er hatte den Reis mit zu wenig Wasser gekocht, und die Körner waren trokken und hart. Die Kohlfasern blieben zwischen seinen bereits lokkeren Zähnen hängen, doch er kaute hartnäckig, wollte seiner Frau als gutes Beispiel vorangehen, wie er es immer getan hatte.

Nachdem er aufgegessen hatte, ging er zu ihr hin. Sie rührte sich nicht, und nach kurzem Zögern legte er ihr die Hand auf die Schulter. Sie zuckte zusammen, und er zog die Hand zurück. Es hätte schlimmer sein können, sagte er, sie sollten die positive Seite sehen.

»Schlimmer als was?« fragte sie.

Er antwortete nicht. Nach einer Weile sagte er: »Die Huas können es nicht machen. Ich habe den Hausmeister des Elektrizitätswerks um Hilfe gebeten.«

»Wo wird er sie hinbringen?« fragte Frau Gu.

»Er wird eine Stelle finden. Ich habe ihn gebeten, sie nicht zu kennzeichnen.«

Frau Gu stand auf. »Ich muss gehen und sie suchen«, sagte sie.

»Ich dachte, wir wären uns einig«, sagte Lehrer Gu. Gemeinsam hatten sie die Entscheidung gefällt, er hatte es vorgeschlagen und sie hatte zugestimmt, dass sie sie nicht selbst begraben würden. Sie waren zu alt für diese Arbeit, ihre Herzen zu zerbrechlich.

Sie habe es sich anders überlegt, sagte Frau Gu und schaute sich nach ihrer Jacke um, sie könne nicht einen Fremden ihre Tochter verabschieden lassen.

»Es ist zu spät«, sagte Lehrer Gu. »Es ist vorbei.«

»Ich möchte sie ein letztes Mal sehen.«

Lehrer Gu schwieg. Während der letzten zehn Jahre hatte er Shan nur zweimal besucht, zu Beginn ihr Haftzeit und kurz vor der zweiten Verhandlung. Beim erstenmal war er mit seiner Frau hingegangen, und sie waren beide voller Hoffnung gewesen trotz der Tatsache, dass Shan zu zehn Jahren verurteilt worden war. Sie war damals achtzehn, noch ein Kind. Zehn Jahre seien nicht schwer zu überstehen, sagte er zu Frau und Tochter, nur ein kleiner Teil eines langen Lebens. Es könnte schlimmer sein, sagte er zu ihnen.

Während er sprach, grinste Shan höhnisch. Dann sagte sie: »Baba, hast du es nicht allmählich satt, über Dinge zu sprechen, an die du selbst nicht glaubst?«

»Ich glaube an Geduld«, entgegnete Lehrer Gu. Es überraschte ihn nicht, dass seine Tochter sich ihm gegenüber so verhielt. Die Verhaftung war ein Schock für ihn und seine Frau gewesen; sie hatten ihre Tochter für eine revolutionäre Jugendliche gehalten. Erst später erfuhren sie, dass Shan ihrem Freund einen Brief geschrieben und darin Zweifel am Vorsitzenden Mao und seiner Kulturrevolution zum Ausdruck gebracht hatte. Lehrer Gu und seine Frau hatten nicht gewusst, dass sie einen Freund hatte. Hätte er von dem Mann gewusst, hätte er Shan gewarnt; er hätte gesagt – immer wieder, auch wenn sie nicht auf ihn gehört hätte –, dass einen oft die Menschen verrieten, die einem im Leben am nächsten standen und am wichtigsten waren. Er hätte verlangt, dass sie ihm den Freund vorstellte. Aber hätte es etwas geändert? Der Freund hatte den Brief dem Revolutionskomittee übergeben. Shan wurde zu zehn Jahren verurteilt, und ihm wurde das Privileg zuteil, in die Armee aufgenommen zu werden, obwohl seine Herkunft – er stammte aus einer Familie von Kapitalisten und Konterrevolutionären – eigentlich dagegen sprach.

Menschen sind die gefährlichsten Tiere auf der Welt, hatte Lehrer Gu seiner Tochter bei seinem Besuch vor zehn Jahren sagen wollen; bleib so klein und bedeutungslos wie ein Sandkorn, wollte er ihr raten, aber bevor er die Gelegenheit dazu hatte, weigerte sich seine Tochter, länger in dem Raum zu bleiben, und ließ sich von den Wärtern abführen.

Danach hatte Lehrer Gu seine Tochter nicht mehr besucht. Seine Frau war zu ihr gegangen, doch nur ein-, zweimal im Jahr. Sie hatte Bedenken, dass zu viele Besuche in Shans Akte negativ vermerkt werden und ihre Haftzeit verlängern würden. Sie sprachen nur selten über ihre Tochter und hofften insgeheim, dass die zehn Jahre ohne Störfälle vorübergehen würden. Doch was am

Ende der Haftzeit kam, war die Benachrichtigung, dass Shans Fall neu verhandelt würde – sie hatte sich im Gefängnis nicht reumütig gezeigt und Jahr für Jahr Gesuche um Berufung und persönliche Tagebücher geschrieben, in denen sie den Kommunismus aufs bösartigste verleumdete.

Bei der wöchentlichen Besprechung in der Schule forderte der Parteisekretär Lehrer Gu auf, seine Ansichten zur bevorstehenden Neuverhandlung seiner Tochter mitzuteilen. Er habe nichts zu sagen, antwortete er, und alle Parteimitglieder schüttelten enttäuscht den Kopf. »Da Sie nichts zu sagen haben, werde ich sagen, was ich denke«, sagte der Parteisekretär. »Beim letztenmal wurde Ihre Tochter verurteilt, weil sie die kommunistische Sache verleumdete. Damals war sie jung und erziehbar, und ihr wurde die Chance gegeben, ihre falschen Vorstellungen zu korrigieren. Aber was ist passiert? Sie hat die Gelegenheit nicht genutzt. Sie hat sich nicht nur geweigert, die Liebe und das Vertrauen in unsere Partei und die kommunistische Sache zurückzugewinnen, sondern hat auch vom allerkonterrevolutionärsten Standpunkt aus gegen uns argumentiert. Das«, sagte der Parteisekretär und deutete mit Zeige- und Mittelfinger auf Lehrer Gu, »wird niemals toleriert werden.«

Lehrer Gu erzählte seiner Frau nichts von der Besprechung. Eine ähnliche Zusammenkunft musste auch in ihrer Arbeitseinheit stattgefunden haben, eine ähnliche Botschaft musste auch ihr übermittelt worden sein. Manchmal hörte er sie nachts weinen. Wenn er versuchte, sie zu trösten, gab sie sich zuversichtlich und meinte, sie sollten sich nicht allzu große Sorgen machen. Shan sei noch immer eine junge Frau, und sie habe bereits zehn Jahre im Gefängnis verbracht; der Richter werde nachsichtig sein und der erneute Prozess nur eine Art Verwarnung.

Lehrer Gu sagte nichts, was die blinde Zuversicht seiner Frau bestärkt hätte. Ein paar Tage später machte er einen Besuch im Gefängnis. Die Wärter behandelten ihn barsch, doch er hatte sich im Lauf der Jahre an Pöbeleien gewöhnt und dachte nicht weiter über ihr Verhalten nach. Was ihn entsetzte, war Shans Zustand – sie war nicht das trotzige, lebhafte Mädchen von vor zehn Jahren.

Ihre Gefängnisuniform, grau und zerrissen, stank; ihr kurzes Haar war schmutzig und dünn, und mitten auf dem Kopf hatte sie eine große kahle Stelle; ihre Haut war so blass, dass sie nahezu durchsichtig war, und ihre Augen waren groß und verträumt. Sie erkannte ihn sofort, aber es schien, als wäre alles, was zehn Jahre zuvor geschehen war, aus ihrem Gedächtnis getilgt. Sie begann augenblicklich zu reden, kaum hatte sie sich gesetzt. Sie erzählte ihm, sie habe Briefe an den Vorsitzenden Mao geschrieben, und er habe geantwortet, sich für das falsche Urteil entschuldigt und baldige Freilassung versprochen. Der Vorsitzende Mao war zwei Jahre zuvor gestorben, doch Lehrer Gu, der in kalten Schweiß gebadet war, wies Shan nicht darauf hin. Sie sprach hastig über all die Dinge, die sie nach ihrer Freilassung tun wollte. In ihrer Vorstellung hatte sie einen Freund, der vor den Gefängnismauern auf sie wartete, und als erstes wollten sie ins Rathaus gehen und eine Heiratserlaubnis beantragen. Lehrer Gu protestierte nicht, als am Ende der Besuchszeit zwei Wärter grob nach Shans Armen griffen und sie gewaltsam aus dem Raum führten. Sie sprach immer noch, aber er hörte sie nicht. Er starrte auf ihre Uniformhose, befleckt von Menstruationsblut. Der Tod war bei weitem nicht das Schlimmste, was einem Menschen passieren konnte. Etwas Größeres als Angst ergriff von ihm Besitz; er wünschte, er könnte das Leben seiner Tochter für sie beenden.

Lehrer Gu wusste nicht, seit wann seine Tochter verrückt war, ebensowenig wusste er, ob sich seine Frau über diese Tatsache im klaren war. Vielleicht hatte sie es jahrelang vor ihm geheimgehalten. Seinerseits log er und erfand eine Benachrichtigung aus dem Gefängnis, dass Shan wegen Ungehorsams nicht mehr besucht werden dürfe. Seine Frau seufzte, hakte aber nicht nach, und er fragte sich, ob sie die Benachrichtigung um seinetwillen kommentarlos hinnahm. Als das Todesurteil gefällt wurde, war er erleichtert, vielleicht auch seine Frau, aber er hatte keine Möglichkeit, es herauszufinden. Nach der Ablehnung der Berufung sprach Frau Gu davon, dass sie Shan ein letztes Mal sehen wolle, doch ihr Antrag auf Besuchserlaubnis wurde ohne Begründung abgelehnt.

Frau Gu zog ihre Jacke an. Frauen waren wie Kinder, dachte Lehrer Gu, hielten hartnäckig an Dingen fest, die von geringer Bedeutung waren. Als er sie bat zu bleiben, wurde sie laut und fragte ihn, warum er sie ihre Tochter nicht sehen lassen wollte.

»*Sehen ist nicht so gut, wie blind zu bleiben*«, zitierte Lehrer Gu ein altes Gedicht.

»Wir waren unser ganzes Leben lang blind«, sagte Frau Gu. »Warum willst du nicht die Augen aufmachen und den Tatsachen ins Gesicht sehen?«

In ihrem Blick erkannte er den gleichen Trotz, den er einst in Shans Augen gesehen hatte. »Die Toten sind nicht mehr da. Wir sollten das alles vergessen«, sagte er.

»Wie kannst du so leicht vergessen?«

»Es ist eine Notwendigkeit«, sagte Lehrer Gu. »Eine Notwendigkeit ist nie etwas Einfaches, aber wir müssen sie hinnehmen.«

»Du hast immer gewollt, dass wir alles akzeptieren, ohne Fragen zu stellen«, sagte seine Frau. »Warum müssen wir ohne Rückgrat leben?«

Lehrer Gu wandte den Blick ab. Er wusste keine Antwort, und er wünschte, sie würde die Sache auf sich beruhen lassen, ihrer beider Leiden nicht verlängern. Bevor er etwas sagen konnte, fühlte sich die linke Hälfte seines Körpers plötzlich taub an, und seine Knie knickten ein. Er blickte hilfesuchend zu seiner Frau auf, aber seine Augen sahen nichts mehr. Sie stürzte herbei, um ihn zu stützen, aber er war zu schwer für sie; sie ließ ihn langsam auf den Boden sinken, und er spürte, wie die Kälte des Betonbodens durch seine Kleider kroch und sein ganzer Körper gefühllos wurde. »Geh nicht weg«, bat er und sehnte sich nach einem Feuer, nach ihrem warmen, weichen Körper. Einen Augenblick lang war er verwirrt und dachte, er sähe das Gesicht seiner ersten Frau, jung und schön wie vor dreißig Jahren. »Verlass mich nicht«, sagte er. »Ich möchte dich nicht noch einmal verlieren.«

DIE LEICHE DER FRAU lag mit dem Gesicht nach unten auf dem gefrorenen Schnee, die Arme nach hinten gezerrt und auf komplizierte Weise auf dem Rücken gebunden. Ihr Kopf war entgegen Bashis Erwartung unversehrt. Er blieb ein paar Schritte entfernt stehen und betrachtete die Blutflecken auf der Gefängnisuniform. »Ist sie tot?« fragte er.

»Was, hast du jetzt Angst?« sagte Kwen und beugte sich vor, um die Leiche in Augenschein zu nehmen. »Du wolltest doch unbedingt mitkommen.«

»Angst? Nein, nein. Ich wollte nur sicher sein, dass sie keine Chance mehr hat.«

»Sie hat überhaupt keine Chance mehr«, sagte Kwen und trat zuerst gegen ein Bein der Leiche, dann gegen das andere. Er ging neben der Leiche in die Hocke und deutete auf den Rücken der Frau. »Schau her. Sie haben ihr die Arme auf diese Weise gefesselt, damit ihr linker Mitterfinger genau auf dem Herzen liegt.«

»Warum auf dem Herzen?«

»Damit der Schütze wusste, wohin er zielen musste.«

Auf dem Weg über den gefrorenen Fluss auf die Insel hatte sich Bashi in allen Farben eine Geschichte von einem weggeschossenen Kopf ausgedacht, von einem blutigen Gehirn, das auf dem Schnee verspritzt war wie verschüttete Farbe. Er hatte sich ausgemalt, wie er den Leuten in der Stadt, die ehrfurchtsvoll um ihn herumstanden, davon erzählte. Er trat näher und ging neben Kwen in die Hocke. Der Blutfleck auf ihrem Rücken war so groß wie eine Reisschale, und Bashi wunderte sich, dass eine so kleine Wunde ein Leben beenden konnte. Das Gesicht der Frau lag halb verborgen im Schnee, ihre Züge waren nicht zu erkennen. Bashi berührte ihren Kopf; er war kalt, aber das dünne, weiche Haar fühlte sich merkwürdig lebendig an.

»Machen wir uns an die Arbeit«, sagte Kwen. Er schnitt die Fessel mit einem Messer durch, aber die Arme der Frau rührten sich nicht von der Stelle. Kwen zuckte die Achseln. Er zog ein schmutziges Tuch aus der Jackentasche, wickelte es zweimal um den Kopf der Frau und band es hinten mit einem Knoten.

»Wozu das?« fragte Bashi.

»Damit wir ihre Augen nicht sehen müssen.«

»Warum nicht?«

»Weil ihr Geist durch die Augen nach jemand sucht, den er für ihren Tod verantwortlich machen kann. Wenn der Geist dich sieht, wird er dich nie mehr loslassen«, sagte Kwen. »Vor allem ein junger weiblicher Geist. Er kommt und saugt dich aus.«

»Aberglaube«, sagte Bashi. »Mir wäre es nur recht, wenn mich jemand aussaugen würde.«

Kwen lachte schnaubend. »Ich habe mehr Salzkörner gegessen als du Reiskörner. Bitte, wenn du mir nicht glauben willst, aber komm nicht nach Hilfe heulend angelaufen, wenn du mich brauchst.«

»Wovor haben Sie Angst? Wir helfen ihr doch nur«, sagte Bashi. Er deutete auf ihren Rumpf. »Was ist das? Haben sie da noch mal geschossen?«

Die beiden Männer beugten sich weiter vor, um den unteren Rücken der Leiche zu inspizieren, wo die Uniform getränkt war von bereits getrocknetem dunkelbraunem Blut. Da er die Kleidung nicht schichtweise ausziehen konnte, zerrte Kwen an dem Stoff und versuchte so, sie vom Leib zu trennen.

»Vorsicht«, sagte Bashi.

»Wozu? Sie spürt nichts mehr.«

Bashi entgegnete nichts. Nachdem Kwen die Uniform von der Leiche gerissen hatte, schauten beide auf den nackten Rücken der Frau, das blutige, aufgeschnittene Fleisch, das wie ein unheimlich lächelnder Mund klaffte. Bashi spürte, wie ihm eine warme Flüssigkeit in den Hals stieg, und er übergab sich neben einem Busch. Mit einer Handvoll Schnee wischte er sich das Gesicht und empfand die Kälte als erfrischend und beruhigend.

»Nicht gerade hübsch, was?« murmelte Kwen. Er hatte bereits zwei Jutesäcke über die Leiche gezogen und band die beiden Säcke jetzt mit Schnüren zusammen.

»Was haben sie mit ihr gemacht?« fragte Bashi.

»Sie haben ihr wahrscheinlich was rausgenommen, bevor sie sie erschossen haben.«

»Was rausgenommen?«

»Organe. Die Nieren vielleicht. Oder was anderes. Immer die gleiche Geschichte.«

»Wozu?«

»Hast du noch nie von Transplantationen gehört?« sagte Kwen.

»Nein.«

»Ich dachte, du wärst in die Schule gegangen«, sagte Kwen. »Wer weiß, wer jetzt ihre Organe hat. Manchmal transplantieren sie gar nicht, sondern die Ärzte üben damit.«

»Woher wissen Sie das?«

»Wenn du so alt bist wie ich, gibt's nichts, was du nicht weißt«, sagte Kwen.

»Wie alt sind Sie?«

»Sechsundfünfzig.«

»Aber ich wette, eins wissen Sie nicht«, sagte Bashi. Da die Leiche in den Säcken verstaut war, fühlte er sich wieder sicher und war gut aufgelegt.

»Und das wäre?«

Bashi trat näher und flüsterte Kwen zu: »Über Frauen wissen Sie nichts.«

»Woher willst du das wissen?« sagte Kwen und sah Bashi grinsend an.

»Sie sind doch ein alter Junggeselle, oder?«

»Es gibt viele Möglichkeiten, was über Frauen in Erfahrung zu bringen«, sagte Kwen. »Eine zu heiraten gehört zu den schlimmsten.«

»Warum?«

»Weil man dann nur was über eine einzige Frau erfährt.«

»Kennen Sie viele Frauen?«

»In gewisser Weise ja.«

»In welcher Weise?«

Kwen lächelte. »Ich habe gehört, dass die Leute in der Stadt dich einen Dummkopf nennen. Aber du bist zu neugierig, um ein Dummkopf zu sein.«

»Wie meinen Sie das?«

»Du bist ein Mann mit einem Gehirn, und du musst es benutzen.«

Bashi war verwirrt. Abgesehen von seiner Großmutter war er noch nie einer Frau nahe gekommen. »Können Sie mir zeigen wie?« fragte er.

»Ich kann dir die Tür zeigen, aber durchgehen und den Weg suchen musst du selbst«, sagte Kwen und zündete sich eine Zigarette an. »Ich erzähle dir eine Geschichte, die ich von alten Leuten gehört habe, als ich so alt war wie du. Es war einmal eine Frau, deren Mann gern mit anderen Frauen schlief. Die Frau war natürlich nicht glücklich darüber. ›Warum lässt du mich allein und gehst zu anderen Frauen?‹ fragte sie. Ihr Mann sagte: ›Schau dir dein Gesicht an – du bist nicht hübsch.‹ Die Frau schaute sich ihr Gesicht im Spiegel an und heckte dann einen Plan aus. Jeden Abend kochte sie Gemüsegerichte und richtete sie so phantasievoll wie möglich an: aus Rettichen schnitzte sie Pfingstrosenblüten, Erbsen fädelte sie zu Halsketten und Armbändern auf, als wären sie Perlen, aus Bambussprossen schnitt sie kurvenreiche Frauen.«

Bashi schluckte hörbar, ohne es zu merken.

»Am Anfang war der Mann beeindruckt. ›Du bist zu einer wunderbaren Köchin geworden‹, sagte er zu seiner Frau, aber nach dem Essen ging er immer noch weg, um mit anderen Frauen zu schlafen. Nachdem er tagelang die Gemüsegerichte gegessen hatte, fragte der Mann: ›Wo sind die Schweine- und Rindfleischgerichte, die du so gut kannst? Warum kochst du sie nicht mehr?‹ Die Frau lächelte und sagte: ›Aber mein Meister, sie sehen überhaupt nicht hübsch aus.‹ Der Mann lachte und sagte: ›Jetzt verstehe ich dich.‹ Und von da an ging er nie wieder zu einer anderen Frau.«

Bashi starrte Kwen an, nachdem er verstummt war.

»Die Geschichte ist zu Ende«, sagte Kwen.

»Was ist passiert?«

»Ich habe dir eine Geschichte erzählt, und die Geschichte ist zu Ende.«

»Was ist mit dem Mann passiert? Warum ging er nicht mehr zu anderen Frauen?«

»Weil ihm seine Frau eine Lektion erteilt hat.«

»Was für eine Lektion?«

»Benutz deinen Kopf. Denk drüber nach.«

»Ich bin nicht gut im Rätsellösen. Sie müssen mir die ganze Geschichte erzählen«, sagte Bashi.

»Warum muss ich das?« fragte Kwen lächelnd.

»Oh, bitte«, sagte Bashi. »Wollen Sie noch eine Schachtel Zigaretten? Eine Flasche Reisschnaps?«

»Wenn du mir eins versprichst, werde ich es dir erzählen.«

»Ich verspreche es.«

»Willst du nicht wissen, was du versprechen sollst?«

»Alles, solange Sie nicht verlangen, dass ich jemand umbringe.«

»Warum sollte ich wollen, dass du jemand umbringst?« sagte Kwen. »Wenn ich jemand töten wollte, könnte ich es selbst viel besser als du.«

Bashi schauderte. Kwen sah ihn an und lachte. »Mach dir keine Sorgen. Warum sollte ich jemand umbringen wollen? Es geht um folgendes: Ihre Eltern haben mir Geld für einen Sarg und die Bestattung gegeben. Aber ich frage mich, wozu einen Sarg? Ein Sarg ändert nichts, weder für sie noch ihre Eltern oder dich oder mich, ich werde mir die Mühe also sparen.«

»Das ist verständlich.«

»Aber du musst mir versprechen, niemand was davon zu sagen. Ich will nicht, dass die Leute es erfahren.«

»Natürlich nicht.«

Kwen sah Bashi an. »Wenn mir etwas zu Ohren kommt, drehe ich dir den Hals um, hast du mich verstanden?«

»He, jagen Sie mir keine Angst ein. Schlechte Scherze vertrage ich nicht.«

Kwen hob einen armdicken Ast auf und brach ihn mit den Händen entzwei. »Ich mache keine Scherze«, sagte er und sah Bashi streng an.

»Ich schwöre – wenn ich irgend jemand Kwens Geheimnis erzähle, werde ich einen schlimmen Tod sterben«, sagte Bashi. »Können Sie mir jetzt die Lektion erklären?«

Kwen schaute Bashi lange an und sagte dann: »Die Lektion ist: Ein hübsches Gesicht ist nichts; einem richtigen Mann ist nur das Fleisch wichtig, und der Teil ist bei allen Frauen gleich.«

»Welcher Teil ist das?«

Kwen schüttelte den Kopf. »Ich dachte, du wärst ein schlauer Junge.«

»Dann sagen Sie es mir«, sagte Bashi etwas aufgeregt.

»Ich habe dir genug erzählt. Den Rest musst du selbst herausfinden«, sagte Kwen und wandte sich wieder den Säcken zu. Er packte die Leiche an den Füßen und testete das Gewicht.

»Wenn Sie es mir nicht erklären, helfe ich Ihnen nicht mit der Leiche«, sagte Bashi.

»Ist mir recht.«

»Ich sterbe, wenn Sie es mir nicht sagen.«

»Niemand stirbt an Neugier«, sagte Kwen lächelnd.

»Dann will ich nicht mehr Ihr Freund sein.«

»Ich wusste nicht, dass wir Freunde sind«, sagte Kwen. »Warum ziehst du nicht ab? Und ich gehe meiner Wege.«

Bashi seufzte, er war noch nicht bereit, Kwen aufzugeben. »Ich habe nur Spaß gemacht«, sagte er und griff die Leiche bei den Armen. Gemeinsam hievten sie sie auf die Schultern. Sie war schwerer, als Bashi gedacht hatte, und nach ein paar Schritten keuchte er und musste sie absetzen. Kwen ließ sein Ende los, und die Leiche prallte mit einem dumpfen Schlag auf dem Boden auf. »Was für ein Hänfling du bist«, sagte Kwen. »Was würdest du mit einer Frau tun, selbst wenn du eine hättest?«

Bashi atmete schwer, beugte sich vor und schulterte die Leiche allein. Bevor Kwen ihn aufhalten konnte, begann er forsch auszuschreiten. Nach ein paar Schritten stolperte er über einen Baumstumpf, stürzte zu Boden, und die Leiche fiel auf ihn.

Kwen brüllte vor Lachen. Bashi befreite sich mit einem heftigen Stoß von der Leiche. »Sie sah so winzig aus«, sagte er und massierte sich die Brust, wo der Körper auf ihn aufgeschlagen war. »Aber sie muss Tonnen gewogen haben.«

»Weißt du denn nicht, dass der Körper hundertmal schwerer wird, sobald er tot ist?«

»Wie ist das möglich?« fragte Bashi.

Kwen zuckte die Achseln. »Ein Trick des Todes.«

DER BANKETTSAAL im ersten Stock des Drei Freuden war manchen als der Ort bekannt, in dem das Schicksal von vielen entschieden wurde, aber für die meisten in der Stadt war es ein Raum mit doppelten Türen, die die ganze Zeit geschlossen waren; was sich dahinter befand, lag jenseits ihrer dürftigen Löhne und ebenso dürftigen Phantasie. Das Erdgeschoss mit zehn dunkelrot gestrichenen Holztischen und dazu passenden Bänken war nichts weiter als ein schmuddliges Selbstbedienungsrestaurant. Das Essen wurde bestellt und bezahlt an einem Fenster, hinter dem eine mürrische Kassiererin das Geld entgegennahm und das Wechselgeld zusammen mit einem schmierigen Bambusstäbchen zurückschob, auf dessen Seite eine nahezu unlesbare Nummer gestanzt war. Später wurde die Nummer durch ein schmales Fenster ausgerufen, von wo die Gäste sofort ihr Essen abholen mussten, sonst wurden sie wegen Säumigkeit gerügt. Die Gerichte waren fettig, stark gewürzt und überteuert, wie es von Restaurants erwartet wurde. Abgesehen von Geschäftsreisenden, denen die Kosten ersetzt wurden, aßen nur solche Leute aus der Stadt im Drei Freuden, die eine extravagante Schau veranstalten mussten – eine Hochzeit, um die Städter zu beeindrucken, oder ein Essen, um Verwandten aus dem Dorf zu imponieren.

Kai betrat das Restaurant um kurz nach zwölf. Das Erdgeschoss war leer abgesehen von zwei Männern, neben denen Koffer auf dem Boden standen. Die Männer, eingehüllt in eine Wolke Zigarettenrauch, blickten zu ihr, und einer nickte, als würde er Kai wiedererkennen. Sie starrte sie an, und erst als die Männer einen Blick wechselten, wurde ihr klar, dass sie sie einen Augenblick zu lang angesehen hatte. Sie wandte sich der Treppe zu und ging hinauf zum Bankettsaal. Würden diese Männer ihre Frauen mit der Geschichte einer Exekution unterhalten, wenn sie wieder zu Hause wären, fragte sich Kai, oder würde das Ereignis, begraben unter anderen bedeutungslosen, auf ihren Reisen angesammelten Erinnerungen, erst wieder an die Oberfläche steigen, wenn sie ein warnendes Beispiel für ein ungehorsames Kind benötigten? Der Tod einer Fremden konnte allen möglichen Zwecken dienen. Zeit und Ort würden hinzugefügt oder abgezogen, bis der Tod zu etwas anderem wurde. Märtyrerblut, hatte Kai einst auf der Bühne gesungen, nährte die Azaleen, die im Frühling blühten, ihre Blütenblätter so rot wie die Farbe der Revolution; der Text und die Musik hatten ihr Herz mit einer immensen Leidenschaft erfüllt, die die irdische Welt, in der sie lebte, klein und flüchtig erscheinen ließ, aber was konnte eine Vierzehnjährige im Tod anderes sehen als den trügerischen Schein großer Schönheit? Kai hatte sich die Zeremonie, ihre letzte Begegnung mit Shan anders vorgestellt: Kais Ansprache hätte die Vorrede zu dem sein sollen, was Shan zu sagen gehabt hätte; ihrer beider Worte hätten die Zuschauer wachrütteln und den Verlauf des Tages ändern sollen. Aber was von Shan noch übrig war nach der Ermordung ihres Geistes und vor der Exekution ihres Körpers – die schmutzige Gefängnisuniform und die durchtrennten Stimmbänder, der halbgeöffnete Mund und die ins Leere blickenden Augen, ein gewichtloser Körper im Griff der Polizisten –, hatte Kai mit Übelkeit erfüllt. Die sorgfältig abgefasste Rede mit ihren hohlen Phrasen war von den Slogans im Stadion mühelos übertönt worden.

Ein junger Mann mit der Armbinde des Sicherheitsdienstes öffnete die Doppeltür für Kai, als sie sich dem Bankettraum näherte. Die von den Gerüchen nach fritiertem Essen, hochprozentigem Schnaps und Zigarettenrauch gesättigte warme Luft schlug ihr ins Gesicht. Die Frau des Bürgermeisters und die Frau eines anderen Kaders begrüßten Kai und beglückwünschten sie zu ihrem hervorragenden Auftritt und Kai musste widersprechen, da unter diesen Umständen Bescheidenheit von ihr erwartet wurde, und sie sagte etwas von ihrer Unfähigkeit, die Aufgabe so gut zu erledigen, wie sie gehofft hatte. Das Gespräch wandte sich bald anderen Themen zu. Die Frau des Bürgermeisters, deren Schwiegertochter jetzt jeden Tag niederkommen sollte, fragte Kai nach der Spritze, die ihr nach der Geburt injiziert worden war, damit ihr die Milch nicht einschoss. Hans Eltern glaubten wie alle Leute ihres sozialen Rangs, dass Stillen eine rückständige Art war, ein Baby zu ernähren; Kai bekam nichtsahnend die Spritze und weinte deswegen später in Ming-Mings Bündel. Nein, erwiderte Kai jetzt, sie habe die Behandlung überhaupt nicht als unangenehm empfunden.

»Junge Frauen Ihrer Generation sind so privilegiert«, mischte sich eine Frau mittleren Alters in das Gespräch ein. »Zu unserer Zeit gab es kein Milchpulver.«

»Und auch keine frische Kuhmilch«, sagte Hans Mutter. »Ich sage Ihnen – Han, dieser kleine Nimmersatt, hat mir gereicht, danach wollte ich kein zweites Kind mehr.«

Die Frauen lachten, und eine gratulierte Kai zu ihrem Glück, dass sie den einzigen Sohn von Hans Eltern geheiratet hatte, bevor eine andere Frau eine Chance gehabt hatte. Kai hörte mit geübtem Lächeln zu, nickte und antwortete, wenn es von ihr erwartet wurde. Am anderen Ende des Raums lächelte Han ihr zu, bevor er ehrerbietig den Hals reckte, um dem Bürgermeister zuzuhören, der heftig gestikulierend zu einer kleinen Gruppe Männer sprach. Die Frau des Bürgermeisters redete weiter über Geburten, und Hans Mutter forderte Kai auf, die Schwiegertochter des Bürgermeisters bald zu besuchen. »Nicht dass Kai mehr über Geburten weiß als Sie und ich, aber sie ist in Susus Alter, und sie haben sich vielleicht einiges zu sagen«, erklärte Hans Mutter. Sie blickte einen Moment lang zu Kai und wandte sich dann wieder an die Frau des Bürgermeisters. »Außerdem sind diese jungen Frauen vielleicht froh, wenn ihnen eine Weile die Weisheiten von uns alten Frauen erspart werden.«

Gu Shan hätte ohne weiteres die Schwiegertochter einer dieser Frauen sein können, dachte Kai und bemühte sich, dem Gespräch zu folgen. Vielleicht hatte die leichtfertige Entscheidung eines Fremden ebensoviel zu ihrer falschen Plazierung im Leben beigetragen wie ihre eigene Entscheidung, in Hans Familie einzuheiraten. Wenn die Juroren Gu Shan statt Kai zur Siegerin des Gesangs- und Tanzwettbewerbs in der zweiten Klasse gekürt hätten, wäre Shan vielleicht auf die Theaterschule in der Provinzhauptstadt geschickt worden. Dann wäre alles anders gekommen, Shan wäre in die Rolle der Hauptdarstellerin hineingewachsen, während Kai ein gewöhnliches Mädchen in Hun Jiang geblieben wäre. Hätte sie Jialin dann früher kennengelernt, vielleicht sogar bevor er krank wurde? Von dem Gedanken schwindelte Kai, und sie versuchte, mit ruhiger Stimme zu sprechen, während sie der Frau des Bürgermeisters von dem Drei-Tassen-Huhn erzählte, das zu kochen Hans Mutter sie gelehrt hatte. Es sei Hans Lieblingsgericht, sagte seine Mutter zur Frau des Bürgermeisters, und Kai fügte hinzu, dass es weit weniger gelinge, wenn sie es zubereite, ein Kommentar, der mit dem beifälligen Lächeln der älteren Frauen belohnt wurde.

Kai hatte Gu Shan seit Jahren nicht mehr gesehen. Sie waren gemeinsam in die erste Klasse gegangen, aber Kai konnte sich nicht erinnern, wie Gu Shan damals aussah; doch sie erinnerte sich an Shans Eltern – Lehrer Gu, der in jenem Jahr die Klasse unterrichtet hatte, und Frau Gu, die Kai nur einmal bei einem Schulfest gesehen hatte, als Frau Gu unter den anderen Müttern herausstach. Kai erinnerte sich, dass sie damals neidisch auf Shan gewesen war, nicht nur weil ihr Vater ihr Lehrer war, sondern auch wegen der Schönheit ihrer Mutter – sie trug am Tag des Schulfestes eine Seidenbluse unter der schlichten grauen Maojacke, die granatapfelrote Seide war nur unter den Ärmelsäumen und am Kragen zu sehen. Eine Plastikspange in der gleichen Farbe hielt ihr glattes schwarzes Haar zurück, das ein paar Zentimeter länger war, als es sich für verheiratete Frauen eigentlich ziemte. Kai hatte versucht, Frau Gus Haltung zu imitieren, als sie mit Vierzehn eine junge Mutter spielte, die ihr neugeborenes Baby aufgab, um das Kind eines hohen Kaders der Kommunistischen Partei zu retten; mit geradem Rücken drückte sie die Plastikpuppe an die Brust, während eine andere Puppe, eingewickelt in ein blaues Tuch, auf der Bühne in den reißenden Fluss geworfen wurde. Die Ballade, die gesungen wurde, während das Baby ertrank, war Kais Lieblingslied in ihrer Laufbahn als Schauspielerin gewesen, das Wiegenlied einer Mutter für ein Kind, das nie einen Sonnenaufgang sehen würde.

Zum letztenmal hatten Kai und Shan sich im Herbst 1966 gesehen. Shan war die Anführerin der örtlichen Roten Garden, und als Kai mit ihrer Rotgardistentruppe aus der Provinzhauptstadt nach Hun Jiang kam, traten die zwei Gruppen in einem Gesangs- und Tanzwettwerb auf dem großen städtischen Platz auf. Der Wettstreit, bei dem es darum ging, wer die loyalsten Anhänger des Vorsitzenden Mao waren, und die Feindseligkeit, die von dieser Rivalität herrührte, schienen jetzt bedeutungslos; aber Kai erinnerte sich an diesen Herbst als den Beginn ihres Lebens als Erwachsene, und manchmal stellte sie sich vor, dass Shan sich an die gleichen Dinge wie sie erinnerte, an die Septembersonne, die ihnen auf der provisorischen Bühne in die Augen schien, an die Straßenarbeiter, die im Rhythmus ihres Gesangs mit den Schaufeln auf den Boden schlugen, an die alten Leute und die kleinen Kinder, die ihren Auftritt mit großem Interesse verfolgten, und an den schlaksigen Jungen, der nicht viel älter als Kai oder Gu Shan wirkte und mit abwesendem Lächeln abseits der Menge stand, als wäre er als einziger von der Darbietung beider Gruppen nicht sonderlich beeindruckt.

Der Junge hatte einen Großvater und zwei Onkel, die in der nationalistischen Armee gedient und im Bürgerkrieg gegen die Kommunisten gekämpft hatten, und wurde in keiner Gruppe der Roten Garden in der Stadt aufgenommen. Zwei Jahre später kam aus Hun Jiang die Nachricht, dass Shan als kriminelle Gegnerin der Kulturrevolution verhaftet worden war. Der schlaksige junge Mann, damals Shans Freund, hatte der Stadtverwaltung ihre Briefe übergeben und durfte im Gegenzug der Armee beitreten. Wäre sie in Hun Jiang geblieben, fragte sich Kai jetzt, wäre sie dann auf sein falsches Lächeln hereingefallen?

Der Bürgermeister forderte seine Gäste auf, an den beiden Tischen Platz zu nehmen, auf denen Schalen mit Suppe und Platten mit dampfendheißem Essen auf sie warteten. Nun wurden Bescheidenheit und Ehrerbietung zur Schau gestellt, während jeder dem anderen den Vortritt lassen und die besten Plätze in der Nähe des Bürgermeisters und seiner Frau ablehnen wollte; erst nachdem diese Vorführung zu Ende gespielt war, verkündete der Bürgermeister, er nehme sich die Freiheit, um der knurrenden Mägen willen Plätze zuzuweisen. Die Gäste setzten sich, und das mittägliche Bankett begann.

NACHDEM NINI AM NACHMITTAG auf dem Marktplatz gewesen war, ging sie nicht nach Hause. Statt dessen humpelte sie durch die Stadt bis zum Flussufer, den halb mit welken Gemüseabfällen gefüllten Korb über der Schulter. Die Sonne hatte die dicksten Wolken hinter sich gelassen und hing jetzt als bleiche, kalte Scheibe am westlichen Himmel. Auf dem Rückweg vom Stadion hatte sie Bashi nicht gesehen, auch nicht auf dem Marktplatz, wo sie ihn früher manchmal gesichtet hatte. Sie fragte sich, ob er noch neben der Weide auf sie wartete – Bashi schien jemand zu sein, der endlos dastehen und warten würde –, und sie beschloss, ihn zu suchen. Ihre Schwestern würden bestimmt aus ihrem Nachmittagsschlaf erwachen, bevor sie nach Hause käme, doch sie hatte die Tür von außen verschlossen. Das einzige Fenster war doppelt verglast. Sie konnten weinen, soviel sie wollten; es machte ihr nichts aus, solange sie es nicht hörte.

Während sie flussaufwärts ging, dachte Nini über ihre Zukunft nach. Ihre Mutter war der Ansicht, dass alle ihre Töchter Schulden anhäuften. Sie konnte es nicht erwarten, sie zu verheiraten, sagte sie oft. Sie sollten besser lernen, sich zu benehmen, damit ihre Schwiegermütter, wenn sie im Haus ihres Mannes lebten, ihnen nicht die niederträchtigen Seelen aus dem Leib prügelten. Sie stellte klar, dass die Mädchen, wenn sie es ihren Schwiegerfamilien nicht recht machten, sich für die Strafen wappnen sollten und keine Hilfe von ihren Eltern erwarten konnten. Doch diese Warnungen waren nie an Nini gerichtet. Es galt als ausgemacht, dass Nini, die von den sechs Mädchen die meisten Schulden anhäufte, ihren Eltern eine Bürde bliebe; niemand würde ihr die Ehe antragen. Wenn sie nur einen einzigen Sohn hätten und eine Schwiegertochter, die sie in die nächste Welt verabschieden würden, sagte Ninis Mutter, und Nini begriff, dass ihre Mutter mehr an einer Schwiegertochter interessiert war als an ihren sechs Töchtern. Wenn kein Sohn geboren würde, müsste sich Nini, die Tochter, die nicht zu verheiraten war, um ihre Eltern kümmern, solange sie lebten.

Bis zu diesem Morgen hatte Nini sich gewünscht, die Tochter der Gus zu werden. Sie hatte Lehrer Gu und Frau Gu geliebt; ihre Stimmen waren sanft, wenn sie ihren Namen nannten, und in ihrem stillen Haushalt gab es reichlich warme Mahlzeiten. Aus dem Wunsch war ein Traum geworden, den sie an manchen Tagen stundenlang träumte. In diesem Traum lebte Nini bei Lehrer Gu und Frau Gu. Zwischen ihr und ihren neuen Eltern gab es Missverständnisse – eine zerbrochene Porzellanschale, die Nini aus der schlechten Hand glitt, eine verlegte Brieftasche, die Lehrer Gu nicht finden konnte, ein verkochtes Abendessen, um das sich zu kümmern Nini vergessen hatte. Doch sie sagten nie ein harsches Wort zu ihr oder warfen ihr argwöhnische Blicke zu; sie wussten, dass sie unschuldig war, sie wussten, dass sie immer ihr Bestes tat, doch allein schon der Gedanke, Lehrer Gu und Frau Gu zu enttäuschen, trieb Nini Tränen in die Augen. Sie zwickte und biss sich in die nutzlosen Teile ihres Körpers, wenn sie es nicht sahen, aber früher oder später entdeckten sie die Wunden und blauen Flekken, und das tat ihnen mehr weh als Nini selbst. Frau Gu flehte Nini an, es nicht wieder zu tun. Lehrer Gu seufzte und rieb sich hilflos die Hände. Nini stieß sie weg und zwickte und biss sich noch mehr, weil sie ihrer Liebe nicht würdig war. Wussten sie denn nicht, dass sie am liebsten tot wäre, weil sie so hässlich war, schrie Nini sie an; dann verletzte sie sich noch schlimmer, die verdiente Strafe dafür, dass sie die Menschen, die sie am meisten liebte, angeschrien hatte.

Dann kam der Augenblick, in dem Frau Gu und Lehrer Gu ihr mit sanften, aber bestimmten Worten verboten, sich noch einmal Schmerzen zuzufügen. Sie sei überhaupt nicht hässlich, sagten sie und umarmten sie, wenn sie sich nicht wehrte. Sie liebten sie, sie war in ihren Augen so wertvoll wie ein Juwel. Sie glaubte ihnen nicht, aber sie beteuerten es wieder und wieder, bis sie sich rühren ließ und weinte. Nini hatte gelernt, die Geschichte immer länger auszuspinnen, bis sie es nicht mehr aushielt, auf den letzten Moment zu warten, wenn ihre Einsamkeit und ihr Hunger gemildert wären von den beiden Menschen, die sie liebten wie ihr eigenes Leben. Wenn der Moment kam – es konnte jederzeit passieren, auf dem Weg zum Marktplatz oder zum Bahnhof oder wenn sie das Baby in den Schlaf wiegte oder das Abendessen kochte –, hielt Nini die Luft an, bis sie fast erstickte. Anschließend raste ihr Herz, und ihre Gliedmaßen fühlten sich schwach und angenehm taub an.

Dann schrie sie unweigerlich ein Wachmann mit roter Armbinde an oder ihre Mutter schlug sie auf die Schulter oder eine Schwester beschimpfte sie, und Nini erwachte aus dem Traum. Dann träumte Nini andere Träume, beschwor andere Welten herauf, die sie zur Tochter der Gus machten. Manchmal starben ihre Eltern, und sie sollte gerade mit ihren Schwestern in ein Waisenhaus geschickt werden, als Frau Gu und Lehrer Gu zu ihrer Rettung herbeieilten. Ein anderes Mal warfen ihre Eltern Nini aus dem Haus, und Frau Gu und Lehrer Gu hörten ein Klopfen am Tor, kamen und holten sie von der dunklen, kalten Straße in ihr warmes Haus; sie hatten genauso lange wie sie auf diesen Augenblick gewartet, sagten sie, und jetzt würde alles gut. In einem Traum schlug ihre Mutter Nini bewusstlos, und als sie erwachte, lag sie in Frau Gus Armen, deren Augen in Tränen der Dankbarkeit schwammen, weil Nini nicht gestorben war.

Wofür würde sie jetzt leben, da sie wusste, dass Frau Gu und Lehrer Gu nicht die sanftmütigen Eltern aus ihren Träumen waren? In ihren Träumen kehrten die Gus ihr nie den Rücken.

»Na, na. Warum bist du so traurig? Vermisst du mich jetzt schon?«

Nini blickte auf und sah Bashi, der mit schweißglänzender Stirn eine Schaffellmütze auf einem Finger kreisen ließ wie ein Jongleur. Sie holte tief Luft und schaute sich um. Sie war auf halber Strecke zum Birkenwäldchen; der Schnee auf dem gefrorenen Fluss war schmutzig. Sie schmeckte Blut auf der Zunge, weil sie sich so fest gebissen hatte. »Warum bist du hier?« fragte sie und schniefte.

»Ich habe auf dich gewartet, hast du's vergessen? Seit heute morgen.« Bashi tippte sich in einer übertriebenen Geste zweimal aufs Handgelenk, obwohl er keine Uhr trug. »Aber du bist nicht gekommen.«

»Meine Mutter hat mich zur Denunziationszeremonie geschickt.«

»Hast du die Frau gesehen?«

»Nein.«

»Natürlich nicht, weil du keiner Arbeitseinheit angehörst«, sagte Bashi. Er trat näher und setzte Nini die Mütze auf den Kopf. Sie war ihr zu groß. Er rückte sie zurecht, aber sie rutschte ihr noch immer bis zu den Augenbrauen. »Du siehst aus wie eine Soldatin in einem Film«, sagte Bashi.

»In welchem Film?«

»Weiß ich nicht. In jedem Film kommt eine Soldatin vor. *Die Guerillas. Geschichte eines roten Herzens, Die Pioniere.* Hast du sie gesehen?«

Nini schüttelte den Kopf.

Bashi schnalzte mit der Zunge und gab einen Laut von sich, als wäre er überrascht. »Ich werde mal mit dir ins Kino gehen.«

Nini war noch nie im Kino gewesen. Gelegentlich sahen ihre Eltern einen Film mit ihrer Arbeitseinheit, ihre beiden Schwestern mit ihrer Schulklasse. Im Sommer wurde auf einer Wiese neben dem Schlammigen Fluss eine weiße Leinwand aufgestellt und jede zweite Woche ein Film gezeigt, aber Nini musste immer mit dem Baby zu Hause bleiben. Sie blieben so lange wie möglich im Hof und horchten auf die leise Musik, die vom Fluss drang, bis die Moskitoschwärme kamen und sie vertrieben.

Bashi beobachtete Nini genau. »Was, willst du keinen Film mit mir sehen?«

»Aber wirst du mir trotzdem die Kohlen geben, auch wenn du mit mir ins Kino gehst?« fragte Nini.

»Die Kohlen? Jederzeit«, sagte Bashi und legte Nini den Arm

um die Schulter. Erschrocken wehrte sich Nini, und Bashi ließ sie kichernd los. »Warum suchen wir uns nicht einen Baumstamm und setzen uns?« sagte er und führte Nini flussaufwärts. Sie versuchte, mit seinen langen Schritten mitzuhalten, und als Bashi es merkte, ging er langsamer.

»Weißt du, wen ich heute gesehen habe?« fragte er.

»Nein.«

»Willst du es wissen?«

Nini zögerte und sagte: »Ja.«

»Ich habe die Konterrevolutionärin gesehen.«

Nini blieb stehen. »Wo ist sie?«

»Sie ist jetzt tot.«

»Hast du sie lebend gesehen?«

»Ich wünschte, das hätte ich. Nein, sie war schon tot«, sagte Bashi und drehte vorsichtig Nini den linken Arm auf den Rücken. »Sie haben sie so gefesselt, dass ihr Mittelfinger direkt auf ihr Herz gedeutet hat. Und peng.« Er stieß Nini mit dem Zeigefinger in den Rücken.

Nini schauderte. Sie zog den Arm zurück und versteckte die schlechte Hand im Ärmel. »Wo ist sie jetzt?« fragte sie.

»Warum?«

»Ich möchte sie sehen.«

»Alle wollen sie sehen. Aber glaub mir, es gibt nichts zu sehen. Sie ist so tot wie ein Baumstamm. Schwerer als ein Baumstamm. Weißt du, woher ich das weiß?«

»Nein.«

»Weil ich gerade dem Mann geholfen habe, der ihre Leiche von der Insel geschafft hat. Oh, sie ist schwer, glaub mir.«

»Ist sie bei dem Mann?«

»Er hebt ein Grab für sie aus.«

»Wo sind sie?«

»Auf der anderen Seite des Waldes. Es ist eine ziemliche Schufterei, jetzt ein Loch zu graben. Im Winter sollten sie niemand erschießen. Im Sommer wäre es für alle leichter. Ich habe dem Mann gesagt, er soll seine Zeit nicht verschwenden. Der alte Hua und seine Frau graben im Winter nie ein Loch. Aber der Mann hat gesagt, er würde sich drum kümmern, und hat mich nach Hause geschickt. Ich wollte natürlich nicht bei dem armen Kerl bleiben und zusehen, wie er sich abrackert. Vielleicht können wir morgen vormittag hingehen und nachsehen, ob er bis dahin ein Loch so groß wie eine Reisschale gegraben hat.«

»Können wir jetzt hingehen?«

»Warum?«

»Ich will sie sehen.«

»Aber es gibt nichts zu sehen. Sie steckt in zwei Säcken.«

Nini schaute flussaufwärts. Das Feuer im Herd wäre erloschen, wenn sie nach Hause käme. Sie würde eine Viertelstunde brauchen, um das Feuer anzufachen, und das Abendessen wäre zu spät fertig. Ihre Mutter würde ihr mit ihren harten Knöcheln auf den Kopf schlagen. Bashi könnte es sich anders überlegen und ihr keine Kohlen geben. Dennoch stieß sie Bashis Hand weg und ging Richtung Wald.

»He, wohin gehst du?«

»Ich möchte die Leiche sehen.«

»Lass mich nicht hier. Ich komme mit«, sagte Bashi und legte die Hand wieder auf Ninis Schulter. »Der Mann, der sie begräbt, weißt du, mit dem kann man nicht leicht reden, aber er ist ein Freund von mir. Du kannst ihn um alles bitten, und er wird es für dich tun.«

»Warum?« fragte Nini.

»Dummchen, weil du meine Freundin bist, oder?«

NACH SONNENUNTERGANG FRISCHTE der Wind auf, und Bashi fiel ein, dass er die Mütze Nini gelassen hatte. Er musste kichern, als er an ihr ernstes kleines Gesicht dachte. Sie lächelte nur selten, aber ihre Augen, auch das schlechte, das nach unten hing, wurden groß vor Aufmerksamkeit, wenn er mit ihr sprach. Er wusste nicht, wieviel sie von den Regeln begriff, die zwischen Jungen und Mädchen galten, oder was sie über ihn gehört hatte, aber sie hatte nichts dagegen, als er ihr die Hand auf die Schulter legte.

Bevor sie sich trennten, hatte Bashi Nini gebeten, am nächsten Tag wiederzukommen, und sie hatte weder zugestimmt noch abgelehnt. Der alte Mistkerl Kwen musste ihr eine Heidenangst eingejagt haben. Bashi hob einen Stein vom Boden auf. Es war Abendessenszeit, und die Straße war verlassen abgesehen von den Fetzen der Bekanntmachungen, die der Wind hochhob und herumwirbelte. Bashi schaute sich um, und als er niemanden sah, zielte er auf die nächste Straßenlampe. Er brauchte drei Versuche, um die Glühbirne zu treffen.

Kwen hatte sich überhaupt nicht wie ein Freund benommen, als Bashi und Nini ihn fanden. Sie brauchten eine Weile, und erst als er die Spur auf dem Laub sah, die die Leiche hinterlassen hatte, wurde Bashi klar, dass Kwen sie weiter weg zu einer Baumgruppe geschleift hatte. Kwen war damit beschäftigt, einen großen Felsbrocken zu der Leiche, die bereits halb mit Steinen unterschiedlicher Größe bedeckt war, zu rollen und zu tragen. Es sei unrealistisch von den Eltern, von ihm zu erwarten, dass er sie bei diesem Wetter in der Erde vergrabe, sagte Kwen, als sie sich ihm näherten.

»Das habe ich doch gleich gesagt«, bemerkte Bashi.

»Könntest du ausnahmsweise mal den Mund halten?« sagte Kwen.

So sprach man nicht mit einem Freund, erst recht nicht vor seiner neuen Gefährtin, aber Bashi protestierte nicht. »Wenn Sie sich wegen streunender Hunde Sorgen machen, können Sie ein paar schwere Äste auf die Leiche legen. So macht es der alte Hua«, sagte Bashi. »Dann brauchen Sie nicht die vielen Steine zu schleppen.«

»Ich dachte, du wärst ein schlauer Junge, der sich nicht in die Angelegenheiten anderer Leute einmischt.«

»War nur ein gutgemeinter Vorschlag«, sagte Bashi.

Kwen sah Bashi finster an. »Mir wäre es recht, wenn ihr gehen würdet.«

»Keine Sorge. Ihr Geheimnis ist bei mir sicher«, sagte Bashi, fuhr sich mit dem Finger über den Mund und gab einen Laut von sich, als zöge er einen Reißverschluss zu. Er trat näher zu Kwen. »Aber meine Freundin hier, sie möchte die Leiche sehen.«

»Warum?«

»Wer will sie nicht sehen?«

Kwen schüttelte den Kopf und sagte, das sei nicht möglich.

»Kommen Sie«, sagte Bashi und legte Kwen die Hand auf die Schulter, wie er es andere Männer hatte tun sehen. »Das Mädchen will nur schnell einen Blick darauf werfen. Das tut niemand weh. Ich nehme die Steine weg und lege sie wieder drauf. Sie können daneben stehenbleiben und uns überwachen. Es dauert keine Minute.«

Kwen schüttelte Bashis Hand ab. Bashi blickte zu Nini und zog eine Grimasse in der Hoffnung, sie würde verstehen, dass diese schroffe Geste ein normales Verhalten unter Männern war. Wollte er nicht einem Freund helfen, sein Mädchen zu beeindrucken, flüsterte Bashi; sie war nur ein Mädchen, das niemand beachtete, und warum sie nicht für einen Tag glücklich machen? Kwen schüttelte den Kopf, und als Bashi hartnäckig blieb und meinte, er würde den Sack selbst öffnen, sah Kwen ihn kalt an. »Du gehst besser, bevor mir der Geduldsfaden reißt.«

»Was ist los mit Ihnen?« fragte Bashi. »Es ist nur die Leiche einer Konterrevolutionärin, nicht die Ihrer Mutter.«

Fluchend sagte Kwen, er solle den Mund halten. Bashi war schockiert. Er hatte geglaubt, dass Kwen ihn mochte; eine Stunde zuvor hatte Kwen ihm eine Geschichte erzählt. Nini starrte ihn an, und es schmerzte ihn, dass ihr Blick so unverwandt auf sein Gesicht gerichtet war, das jetzt heiß und wahrscheinlich rot wie Rote Bete war. »Fick *dich*«, sagte Bashi zu Kwen. »Fick deine Schwestern und deine Mutter und deine Tanten und Großmütter und alle deine toten weiblichen Verwandten in ihren Gräbern.«

Bevor Bashi reagieren konnte, hielt ihm Kwen ein langes Messer an die Kehle, und die scharfe Klinge drückte gegen seine Haut. Mit eisiger Stimme befahl ihm Kwen, auf die Knie zu gehen.

Während der nächsten fünf Minuten tat Bashi alles, was Kwen ihm befahl. Er beschimpfte sich mit allen möglichen Namen, schlug sich selbst ins Gesicht und bat um Verzeihung. Kwen blickte lächelnd auf ihn hinunter. »Du bist ein Nichtsnutz, Bashi, weißt du das?«

»Ja, natürlich«, sagte Bashi. Da bemerkte er den verdächtigen Fleck in Kwens Schritt, neben dem Reißverschluss, hellgrau auf dem dunklen Blaumann aus Kordsamt. Bashi rutschte näher, als wollte er mit der Stirn Kwens Füße berühren, und warf verstohlen noch einen Blick darauf. Kwen hätte ihm tausend andere Erklärungen für den Fleck geben können, doch Bashi hätte ihm nicht geglaubt.

Es war dunkel, als Bashi und Nini wieder in der Stadt waren. Sie wirkte nervös und antwortete nicht, als er ein Treffen für den nächsten Tag vorschlug. Sie sei spät dran, sagte sie und beschleunigte mit verzweifelter Anstrengung den Schritt; ihre Eltern würden bestimmt wütend sein, dachte er, beschloss jedoch, sie nicht nach der Strafe zu fragen, die sie erwartete. Er hatte genug eigene Sorgen und zog es vor, sich nicht auch noch ihr Elend aufzubürden.

Einen Block weiter zerschmetterte Bashi noch eine Glühbirne. Den Rest der Birne kickte er in den Straßengraben. »Du Leichenschänder!« Nur der Himmel wusste, wozu so ein Mensch sonst noch in der Lage war, dachte Bashi; die Leute in der Stadt brauchten jemanden, der auf sie aufpasste. Er beschloss, zurückzukehren und herauszufinden, warum Kwen die Leiche so hartnäckig vor ihnen verborgen hatte, aber zuvor musste er herausfinden, wo Kwen sich aufhielt. Denke wie ein guter Detektiv, mahnte er sich. Er ging leise zu Kwens Hütte und näherte sich ihr gegen den Wind, damit der Hund seine Witterung nicht aufnahm. Aus zwanzig Metern Entfernung schleuderte er einen Stein in Richtung der Hütte. Der schwarze Hund begann zu bellen und gegen den Feind, den er nicht sah, anzuspringen. Bashi lief schnell in eine Gasse und hörte, wie Kwen in der Hütte etwas schrie. Nach ein paar Minuten kam Kwen heraus und machte sich auf den Weg zur Nachtschicht in das Elektrizitätswerk. Nun würde Bashi in Ruhe seine Nachforschungen anstellen können. Wer hätte gedacht, dass er, Bashi, den alle einen Idioten nannten, in dieser kalten dunklen Nacht für die

Sicherheit der Stadt unterwegs war? Er rieb sich die Ohren und wünschte, er hätte nicht vergessen, Nini seine Mütze wieder abzunehmen.

Bashi stolperte lange durch die Dunkelheit, bevor er die Stelle wiederfand. Er setzte im Geist eine Liste der zweckmäßigen Werkzeuge auf, die er am nächsten Tag kaufen wollte, ein gutes Messer, eine lange, dünne Taschenlampe, wie er sie bei einem Wachmann gesehen hatte, ein kleines Notizbuch und einen Stift in der gleichen Farbe, ein Paar Handschuhe, eine Lupe und noch ein paar andere Dinge, von denen er glaubte, dass ein Detektiv sie brauchte. Jetzt war es zu spät, um die Sachen zu kaufen, doch zumindest erleichterten das Mondlicht auf dem Schnee und ein paar matt funkelnde Sterne die Suche. Bashi kramte in der Tasche und fand ein Streichholzbriefchen. Er entfachte ein Streichholz, um sich zu vergewissern, dass er am richtigen Ort war, und dann machte er sich an die Arbeit. Die Steine waren schwer, und er musste hin und wieder eine Pause einlegen. Das zumindest musste er dem Dreckskerl Kwen lassen, für sein Alter war er ein starker Mann.

Bashi entfernte alle Steine und versuchte dann, die Schnüre aufzuknoten, mit denen die Säcke zusammengebunden waren, aber mit den eiskalten Fingern schaffte er es nicht. Er beugte sich vor und zerbiss die Schnüre mit den Zähnen. Als er die Säcke wegzog, berührten seine Hände etwas Hartes, Kaltes, nicht die zerrissene Uniform der Toten, sondern die nackte, gefrorene Leiche der Frau. Bashi stieß erschrocken einen leisen Schrei aus und lachte dann über sich selbst. »Daran gewöhnst du dich besser«, sagte er leise.

Die vollkommen unbedeckte Leiche sah im Halbdunkel unheimlich aus. Kwens altes Tuch war noch um den Kopf der Frau gewickelt, und Bashi wollte es lieber nicht entfernen. »Tut mir leid, Fräulein, ich will Sie nicht zum zweitenmal stören«, sagte er. »Ich tue nur meine Arbeit. Auch zu Ihrem Wohl.«

Er entfachte noch ein Streichholz und ging in die Hocke, um sich die Leiche genau anzuschauen, und es dauerte lange, bis er registrierte, was er sah. Seine Hand zitterte heftig, und das Zündholz fiel in den Schnee und zischte, bevor es erlosch. Bashi setzte sich keuchend hin, seine Beine zu schwach, um das Gewicht seines Wissens zu tragen. Nach einer Weile zündete er ein weiteres Streichholz an, um es sich noch einmal anzuschauen. Er hatte sich nicht getäuscht: Die Brüste der Frau waren abgeschnitten, und ihr Oberkörper war entsetzlich zugerichtet: Da war die klaffende Wunde, wo die Organe entnommen worden waren, und tiefe Schnitte, die Kwen der Leiche beigebracht hatte, zogen sich bis zwischen ihre Beine. Das nackte Fleisch war dunkelrot, grau und weiß.

Das Streichholz verbrannte Bashis Finger, und er warf es weg. Er begann zu würgen. Es war ein langer Tag gewesen, und in seinem Magen befand sich nichts mehr, was er hätte erbrechen können. Doch er würgte und kotzte, bis sein Gesicht von Tränen verschmiert war und ihm Galle übers Kinn lief. Nach einer Weile beruhigte er sich und säuberte sich das Gesicht mit Schnee. Er wickelte die Leiche wieder in die Säcke und wollte die Steine darauf legen, aber seine Arme und Beine zitterten zu heftig. Er bedeckte die Leiche mit toten Ästen und trockenem Gestrüpp, und als er überzeugt war, dass sie gut genug verborgen war, setzte er sich keuchend hin und weinte.

Der Heimweg war anstrengend. Ein paar Straßen von seinem Haus entfernt lief der Hund Ohr an ihm vorbei. Er schrie ihn an und trat unter Aufbietung seiner letzten Kräfte nach ihm. Der Hund jaulte und rannte davon, dabei ließ er etwas am Straßenrand fallen.

Bashi hob es auf. Es war ein Frauenschuh mit abgelaufener Sohle und einem Loch. Bashi zielte damit auf eine Mülltonne, verfehlte sie jedoch. »Die Welt wird zu einem beschissenen Ort«, sagte er.

DER WIND HEULTE den ganzen Abend, rüttelte an den Fenstern, riss lockere Schindeln von den Dächern und schleuderte sie über leere Höfe und Gassen. Kwens schwarzer Hund, der an seinen Pfosten gebunden war, winselte und bibberte, aber sein Leiden bedeutete der Welt nichts, ganz zu schweigen von seinem Herrn, der in der kleinen Hausmeisterhütte vor sich hin döste, einen leeren Flachmann auf dem Boden neben seinen Füßen.

Woanders nippte Frau Hua an der angeschlagenen Tasse mit Reisschnaps, den ihr Mann ihr zuvor eingeschenkt hatte, um den pochenden Schmerz in ihrer Handfläche zu betäuben, und horchte auf das Pfeifen des Windes im Wald. Der alte Hua und Frau Hua hatten den ganzen Nachmittag und Abend Papier und Flaschen sortiert, und gegen Ende, als sie mit den Gedanken abwesend war, hatte sie sich mit einer zerbrochenen Flasche in die Hand geschnitten. Es blutete nicht sehr, ihr alter Körper hatte nicht mehr viel zu bieten. Ihr Mann hatte die Wunde mit Salzwasser gewaschen und ihr dann den Reisschnaps eingegossen. Der alte Hua und Frau Hua tranken nur selten Alkohol, aber eine Flasche Schnaps hatten sie immer, sie bewahrten sie zusammen mit dem Jod und den Lumpen auf, die sie in kochendem Wasser gewaschen hatten; es war die beste Medizin, die sie bekommen konnten, und als der alte Hua einmal Wundbrand von seinem Bein hatte entfernen müssen, trank er eine halbe Flasche und goss dann die andere Hälfte auf den Schnitt.

Der alte Hua erkundigte sich nach ihrer Hand und setzte sich auf seinen Stuhl. Die Kerosinlampe zündeten sie nur an, wenn es absolut nötig war, und sie erwiderte in der Dunkelheit, dass er sich deswegen keine Sorgen machen solle. Er nickte und schwieg eine Weile, und sie spürte, wie der Schnaps ihren Körper langsam wärmte. Purpurwinde, sagte Frau Hua. So hatte ihre erste Tochter geheißen; wollte er über Purpurwinde reden? Sie hatten das Baby eines Sommermorgens gefunden, als rosa, blaue, weiße und lila Winden in der Wildnis nah bei dem Bergdorf blühten, durch das die Huas als Bettler gezogen waren. Der Tau hatte die Lumpen getränkt, in die das kleine Geschöpf gewickelt war, ihr bläulich graues Gesicht war kalt, als sie es berührten. Einen Augenblick lang glaubte Frau Hua, auch dieses Baby sei gestorben, bevor es auch nur einen einzigen Tag gelebt hatte, doch ihr Mann bemerkte, dass die winzigen Lippen saugten.

Der alte Hua zündete seine Pfeife an und inhalierte. Die bernsteinfarbene Glut flackerte, das einzige Licht im Raum. Was gebe es da zu reden? fragte er, eher resigniert als abweisend. Am Nachmittag, während sie sortierten, hatte sie zum alten Hua gesagt, es sei an der Zeit, dass sie sich die Geschichten ihrer sieben Töchter erzählten, bevor das Alter die Erinnerung an sie löschte. Weder der alte Hua noch Frau Hua konnten lesen und schreiben, und es bedrückte Frau Hua, wenn sie in ihren Träumen die Gesichter der Mädchen nicht mehr auseinanderhalten konnte.

Sie könnten mit Purpurwinde anfangen, sagte Frau Hua jetzt, war jedoch einen Augenblick lang verwirrt. Wo sollten sie anfangen? Als sie das Bündel aus dem Gras hoben oder in dem Moment, als ihre hilflose Mutter vor Tagesanbruch aus dem Dorf schlich und sie aussetzte? Frau Hua und ihr Mann suchten nach irgend etwas, was ihre Eltern zurückgelassen haben könnten – ein Name, ein Geburtsdatum oder eine Botschaft, die ihnen später irgend jemand vorlesen könnte –, doch die Lumpen, in die das Baby gewikkelt war, zerrissene Laken und abgetragene Unterhemden, sagten genug über den Grund, warum sie ausgesetzt worden war.

Sie war die Hübscheste, sagte der alte Hua. Er war so voreingenommen, wie ein Vater nur sein konnte, dachte Frau Hua, wies ihn aber nicht darauf hin. Purpurwinde war siebzehn, als Herr und Frau Hua gezwungen waren, die Mädchen wegzugeben. Siebzehn war alt genug, um eine Ehefrau zu werden; dennoch, als sie eine Familie fanden, die willens war, Purpurwinde als Kinderbraut für einen ihrer erwachsenen Söhne aufzunehmen, ließen sie sie schwören zu warten, bis das Mädchen achtzehn war, bevor ihr Mann sie anfassen durfte. Frau Hua fragte sich laut, ob die Eltern ihr Versprechen gehalten hatten; sie hatten selbst Töchter gehabt, sagte sie, und als Eltern von Töchtern mussten sie Verständnis dafür aufgebracht haben.

Der alte Hua nickte. Er hätte einwenden können, dass es jetzt gleichgültig sei, und sie war froh, dass er sich darauf beschränkte, schweigend zu rauchen und zuzuhören.

»Sie hat gern Essig getrunken«, sagte Frau Hua.

Der alte Hua schüttelte den Kopf, als würde er ihrer Erinnerung nicht trauen, aber sie wusste, dass sie sich nicht täuschte. Als einmal eins der jüngeren Mädchen die Essigflasche umwarf, weinte Purpurwinde; sie war damals sieben oder acht, alt genug, wegen so etwas keine Tränen zu vergießen, und Frau Hua erinnerte sich, dass sie das Mädchen später dabei erwischte, wie sie wegen des säuerlichen Safts Kleestengel kaute, und dachte, dass das etwas war, was nur ihre leiblichen Eltern hätten verstehen können. Frau Hua fragte sich, ob Purpurwinde während ihrer Schwangerschaften spezielle Gelüste gehabt hatte. Frau Hua hatte selbst keine Kinder bekommen können und war immer neugierig, etwas über die Wünsche einer schwangeren Frau zu erfahren.

»Wie alt ist Purpurwinde jetzt?« fragte Frau Hua unvermittelt.

Der alte Hua dachte einen Augenblick nach und erwiderte, sie müsse einundvierzig oder zweiundvierzig sein.

Frau Hua zählte die Jahre, aber der Schnaps machte es schwer, die Zahlen nicht durcheinanderzubringen. Eine Frau mittleren Alters, dachte sie, mit einer Schar eigener Kinder. Frau Hua fragte sich, wie Purpurwinde wohl als Mutter war. Sie war liebevoll mit streunenden Katzen und verletzten Vögeln umgegangen, und Frau Hua erinnerte sich, dass ihr Mann einmal gesagt hatte, dass Purpurwinde von den sieben Mädchen diejenige sei, die das Herz eines Buddhas habe; es war schwer für ein Mädchen, mit so einem Herzen zu leben, hatte Frau Hua damals erwidert, aber vielleicht hatte ein Haus voller Kinder, die zu ernähren waren, und voller Schwiegerleute, denen sie es nicht recht machen konnte, ihr Herz längst in einen Stein verwandelt.

Es wurde Nacht, und Frau Hua schenkte ihrem Mann und sich eine weitere Tasse Schnaps ein. Der Schnaps sei die beste Medizin, wenn sie ihn sich nur leisten könnten, sagte der alte Hua. Aber er half wenig, um die Wunde zu heilen, die geschlagen wurde, als man ihnen ihre Töchter wegnahm, dachte Frau Hua, und bevor sie sich's versah, war ihr Gesicht nass von Tränen. Alles in Ordnung? fragte der alte Hua, als er sie schniefen hörte, und sie sagte, es liege am Schnaps und am Heulen des Windes.

AUCH ANDERE SEELEN waren verwirrt. Eine Gefängniswärterin, die die nächsten beiden Tage keinen Dienst hatte, weil sie behauptete, erkältet zu sein, erwachte aus einem unruhigen Schlaf und rang nach Atem; ihr Mann fragte sie verschlafen, ob sie sich unwohl fühle. Ein lächerlicher Alptraum, sagte sie, wohl wissend, dass sie ihm nicht erzählen konnte, wie sie in der Arbeit am Morgen ohnmächtig geworden war, als der Gefängnisdirektor befahl, Gu Shans Stimmbänder zu durchtrennen, damit sie im letzten Moment keine konterrevolutionären Sprüche schreien konnte. Die Frau gehörte zu den vier Wärtern, die dazu ausersehen waren, die Gefangene während der Prozedur festzuhalten, aber es lief nicht so glatt, wie der Direktor und der Arzt versprochen hatten; die Gefangene hatte sich mit einer Kraft gewehrt, die man einer so mageren Person nicht zugetraut hätte, und die Wärterin, die normalerweise ihrer Arbeit gewachsen war, war gestürzt und mit dem Kopf hart auf dem Boden aufgeschlagen, bevor der Arzt mit der Operation fertig war.

In einem anderen Haus fand ein alter Sanitäter keinen Schlaf. Ich sage dir, fing er an, und seine Frau antwortete, dass sie nicht noch einmal an den Eimer Blut erinnert werden wollte, den er in dem Polizeijeep aufgewischt hatte, in dem die Gefangene transportiert worden war. Aber es war ungewöhnlich, sagte er; ich sage dir, es war schrecklich, soviel Blut wegzuwaschen. Was haben sie ihr getan? Warum konnten sie nicht warten, bis sie sie auf die Insel geschafft hatten, um sie zu erledigen? Er stellte eine Frage nach der anderen, doch seine Frau hörte nicht mehr zu. Er wurde alt, dachte der Mann traurig, nachdem er auf die Antworten gewartet hatte, die seine Frau ihm nicht gab; er hatte als Junge im Krieg gegen die Japaner gekämpft und genügend Leichen gesehen, aber jetzt konnte er nicht schlafen wegen des Eimers Blut von einer Frau, die nicht mehr lebte. Die Geschichte brächte seine alten Soldatenfreunde bei ihrem nächsten Treffen zum Lachen, dachte der alte Mann, und dann fiel ihm ein, dass er der einzige war, der sich noch nicht auf der anderen Seite zur Stelle gemeldet hatte.

Sie musste sowieso sterben, sagte sich zum wiederholten Mal einer der beiden Chirurgen, die Gu Shan operiert hatten – es war also letztlich gleichgültig, dass sie das Protokoll änderten, weil der Patient keine Organe von einer Leiche wollte und darauf bestand, dass die Gefangene am Leben blieb, während die Nieren entfernt wurden. Es war nicht seine schwierigste Operation, doch sie würde ihn zum Chefarzt der Chirurgie und seine Frau zur Oberschwester in der Inneren Medizin machen, auch wenn sie von ihrer Beförderung noch nichts wusste und sich über die Maßen freuen würde, wenn sie es erführe. Sie würde auch seinen Zwillingstöchtern helfen, die vierzehneinhalb waren und zu jungen Schönheiten heranwuchsen, das erforderliche Empfehlungsschreiben von der Stadtverwaltung zu erhalten, damit sie eine Eliteschule in der Provinzhauptstadt besuchen konnten. Der Mann dachte an seine Frau und seine Töchter – sie schliefen fest und träumten unschuldige Träume, nicht heimgesucht von Gedanken an Tod und Blut; die Last lag auf seinen Schultern, er war der Haushaltsvorstand, und es fiel ihm schwer, nicht über den Tag nachzusinnen, an dem er vor allem seine beiden rosenknospengleichen Töchter nicht mehr vor der Hässlichkeit der Welt beschützen könnte, in die sie jetzt verliebt waren. Was dann? fragte er sich und war sich schmerzlich seiner Grenzen bewusst; er war ein Mann, der hin und her gerissen wurde zwischen praktischen Erwägungen und seinem Gewissen. Doch letztlich überzeugte er sich selbst davon, dass er sich für das Wohl seiner Familie entschieden hatte. Der ersehnte Schlaf rollte über ihn wie eine Woge und trieb ihn hinaus aufs Meer.

In einem Armeekrankenhaus hundert Meilen entfernt tropfte Medizin in die Vene eines alten Mannes, der umgeben war von Leuten, die sich zu der geglückten Transplantation gratulierten. Und in Hun Jiang, in einem Krankenhaus, in dem wesentlich mehr Patienten lagen und weniger Ärzte und Schwestern arbeiteten, saß Frau Gu und döste, während Salzlösung in den Arm ihres Mannes lief. Hin und wieder erwachte sie und schaute auf das Gesicht ihres Mannes, das eingefallen und auf einmal so alt war, dass sie es nicht wiedererkannte.

ZWEITER TEIL

7

Das Mädchen stand in der Tür zum Kinderzimmer und beobachtete Kai und Ming-Ming mit kühler Geduld. Der Abschied am Morgen war nie einfach, aber unter dem Blick des Mädchens fiel er Kai noch schwerer als sonst. Das Kindermädchen war jung, fünfzehneinhalb, aber ihr Ausdruck zeugte von Resignation, und sie sah aus, als steckte eine alte Frau in ihr, die bereits erlebt hatte, was ihr im Leben noch bevorstand.

»Jetzt komm«, sagte das Mädchen schließlich, als es Kai nicht gelang, seine kleinen Finger von ihrer Hand zu lösen. Ming-Ming schrie, als er Kai vom Arm genommen wurde, und das Mädchen griff nach seinem kleinen Handgelenk und schüttelte es sachte. »Ming-Ming wird ein braver Junge sein. Wink Mama und lass Mama zur Arbeit gehen. Ohne Arbeit verdient Mama kein Geld. Ohne Geld gibt's nichts zu essen. Ohne Essen wird Ming-Ming der Magen knurren. Und wenn Ming-Ming der Magen knurrt, ist Mama zu traurig, um zur Arbeit zu gehen.«

Das Mädchen hatte eine Art, tonlos und ohne Hast im Kreis zu reden, als würde sie ein altes Märchen erzählen, das für die Zuhörer nicht mehr spannend war, und das beruhigte Ming-Ming stets. In diesen Augenblicken hatte Kai das Gefühl, das Mädchen sei unschuldig und rätselhaft zugleich, ein Kind und eine alte Frau, die sich den Platz in ihrem mageren Körper teilten, ohne dass die eine von der Existenz der anderen wusste.

Han kam aus dem Bad und knöpfte den letzten Knopf seiner Mao-Jacke zu. »Ja, lass Mama zur Arbeit gehen«, sagte er und kitzelte Ming-Ming unter dem Kinn. »Aber dein Baba verdient mehr als genug Geld, auch wenn Mama nicht arbeitet. Bist du nicht ein Glückspilz?«

Ming-Ming wandte sich ab und schlang die Arme um den Hals des Mädchens, schon waren die Eltern aus seiner Welt verbannt, bevor sie ihn tagsüber allein ließen. Sowohl die totale Anhänglichkeit des Kindes als auch seine totale Gleichgültigkeit waren Kai ein Rätsel. Sie erinnerte sich nicht, ihrer Mutter je nahegestanden zu haben, einer unglücklichen Frau, die im Leben von allem schnell enttäuscht war: vom mangelnden sozialen Status ihres Mannes, von den drei Kindern, die ihren Vater liebten, aber mit ihrer Zuneigung für sie knauserten, die neidisch war, wenn ihre Kolleginnen befördert wurden, gelangweilt vom Leben jahrein, jahraus in einer Provinzstadt. Hans Mutter, eine gerissene Frau, der sowohl die politische Karriere ihres Mannes als auch die eigene zugeschrieben wurde – sie war während des Bürgerkriegs Krankenschwester gewesen und hatte mehrere hochrangige Kader gepflegt –, achtete auf Hans Bedürfnisse und war vielleicht eine bessere Mutter als ihre eigene, aber Kai war nie in den Sinn gekommen, bei ihrer Schwiegermutter in die Lehre zu gehen. Bis zur Geburt von Ming-Ming hatte Kai immer jemanden gehabt, den sie um Rat fragen konnte, Lehrer in der Theaterschule, eine ältere Schauspielerin als Mentorin in der Truppe, ihren Vater. Als junge Mutter fühlte sie sich nicht viel anders als ein Kind in einem Fischerdorf – ihr Vater hatte ihr und ihren Geschwistern einst von einem Brauch in seiner Heimatstadt am Ostchinesischen Meer erzählt: Sobald ein Junge drei Jahre alt war, wurde er ohne Vorwarnung ins Meer geworfen; er sollte seinem Instinkt vertrauen und sich über Wasser halten, und die, die sich nicht retten konnten, wurden von den Fischerbooten verbannt und mussten unter Frauen ein demütigendes Leben an Land führen, Netze flicken und luftgetrockneten Fisch und Tang von der Leine nehmen. Das Leben ist ein Krieg, und man ruht sich erst aus, wenn der Tod einen holen kommt, hatte ihr Vater gesagt. Sie schaute auf Ming-Mings kleine Gliedmaßen; in einem anderen Leben würde bald von ihm erwartet, dass er seine erste Schlacht schlug.

Kai wiederholte, wann das Kind zu füttern war und wann es schlafen sollte. Das Mädchen schaute sie geduldig an, und Kai fragte sich, ob sie darauf wartete, dass sie endlich zur Arbeit ging, damit sie das Kind besser bemuttern konnte als Kai selbst. Die Eltern des Mädchens hatten erzählt, dass sie als älteste Tochter der Familie mitgeholfen hatte, sechs Geschwister großzuziehen, das jüngste nicht viel älter als Ming-Ming. Sie war zur Mutter geworden, bevor sie erwachsen war, dachte Kai, und Ming-Mings pummelige Arme, die vertrauensvoll um den Hals des Mädchens geschlungen waren, erinnerten sie daran, wie leicht eine Mutter im Leben eines kleinen Kindes durch eine andere Person zu ersetzen war, die es ebenfalls liebte.

Han bestand darauf, Kai zum Studio zu begleiten. Die gut orchestrierte Denunziationszeremonie am Tag zuvor und mehr noch die erfolgreiche Transplantation – Han sah jetzt keine Notwendigkeit mehr, vor Kai geheimzuhalten, dass ein Topkader Gu Shans Nieren erhalten hatte und er dies in die Wege geleitet hatte – machten Han gesprächiger als sonst.

»Wurde deswegen ihr Verfahren beschleunigt?« fragte Kai.

Han lächelte und sagte, sie sollten sich nicht um unbedeutende Details kümmern; sie konnten sich jetzt auf wichtigere Dinge freuen, und als sie, schärfer als beabsichtigt, fragte, was er damit meine, nannte er die Möglichkeit, ein zweites Kind zu bekommen.

Aber Ming-Ming war doch noch ein Baby, wandte Kai ein. Han schaute ihr ins Gesicht und meinte, es bestehe kein Grund zur Nervosität. Wenn seine kleine Schwester geboren würde, wäre er alt genug, ein großer Bruder zu sein. Vor Ming-Mings Geburt hatte Han auf eine Tochter gehofft, obwohl er wusste, dass sich seine Eltern über einen Jungen als Erstgeborenen mehr freuen würden.

Sie könnten wieder einen Jungen bekommen, sagte Kai.

»Dann kriegen wir eben noch ein Baby. Ich werde erst aufhören, wenn ich eine Tochter habe, die so schön ist wie ihre Mutter.«

Kai schwieg einen Moment und meinte dann, sie sei keine

Zuchtsau. Han lachte. Er hatte keine Mühe, in allem, was sie sagte, etwas Lustiges zu entdecken, und sie dachte, er wäre als Schauspieler gescheitert, weil er die Feinheiten eines Textes weder hätte erkennen noch zum Ausdruck bringen können.

Es sei an der Zeit, an ein zweites Kind zu denken und bald an ein drittes, sagte Han jetzt ernsthaft. Ming-Ming war für seine Eltern, erklärte Han, denn das erste Enkelkind wurde dafür geboren, seine Großeltern zu beglücken und zu unterhalten. Ihre Mutter natürlich auch, fügte Han hastig hinzu, als er sah, dass Kai ihn anblickte, allerdings ohne Groll – sie fand, er habe, ohne es zu wollen, etwas Wahres ausgesprochen: Kais Mutter liebte Ming-Ming auf zurückhaltende Weise, als hätte sie weniger Anrecht auf ihn als Hans Eltern.

Das zweite Baby wäre für Ming-Ming, da er jemanden zur Gesellschaft brauchte, mehr als sie ein weiteres Baby brauchten, das ihnen den Schlaf raubte, fuhr Han fort. Erst das dritte Kind wäre für sie selbst. »Ich bin kein Egoist, aber ich möchte auch etwas für uns«, sagte Han.

Kai ging weiter, ohne etwas zu erwidern. Sie hatte sich immer eingeredet, dass die Entscheidung zu heiraten vergleichbar war mit der Entscheidung, für einen Tisch voller Leute ein Essen zu kochen; es war immer auf unterschiedliche Personen Rücksicht zu nehmen: ihre Eltern, die sich freuten, von Leuten ernster genommen zu werden, die sie zuvor nicht gerade respektvoll behandelt hatten, ihre jüngeren Geschwister und deren Zukunft – ein Bruder, der dank Han die Ausbildung zum Lehrer in der Provinzhauptstadt machen konnte, und eine Schwester, die begeistert war, dass sie als Verwandte einer wichtigen Person in der Stadtverwaltung hofiert wurde. Die Heldinnen, die Kai einst auf der Bühne gespielt hatte, opferten ihr Leben für eine höhere Berufung, aber sie hatte Han nicht wegen eines großartigen Traums geheiratet, sondern wegen eines komfortablen Lebens mit allen Annehmlichkeiten.

Als sie vor dem Studio ankamen, versicherte ihr Han, dass er sie nicht unter Druck setzen wollte. Er reichte ihr den Becher mit dem Kräutertee, den er für sie getragen hatte. »Wenn er träumt, redet ein Mann manchmal wie ein Dummkopf.«

Kai lächelte und sagte, sie sei nur müde. Sie hatte kein Recht, einen Mann davon abzuhalten, sich eine Zukunft mit seiner Frau zu erträumen. Sie fragte sich, ob Verstellung die Grundlage jeder Ehe bildete und ob sich die getäuschte Person blindes Vertrauen oder die Bereitschaft, die unangenehme Wahrheit nicht zu sehen, bewahren musste, um zu verhindern, dass die Ehe in die Brüche ging. Im letzten Jahr seines Lebens hatte Kais Vater in einem der wenigen intimen Gespräche mit Kai gestanden, dass der Entschluss, Kais Mutter zu heiraten, die unglückseligste Entscheidung war, die er je getroffen hatte, und dass er die Ehe nur wegen der drei Kinder aufrechterhalten hatte; von diesem Geständnis durfte Kais Mutter nichts erfahren, das war Vater und Tochter klar, ohne dass sie es sich gegenseitig versprechen mussten.

»Ich weiß, dass ich vielleicht nicht der perfekte Mann für dich bin«, sagte Han. »Aber ich weiß auch, dass du vermutlich niemand anders finden wirst, der soviel für dich tun will oder tun kann wie ich.«

»Warum reden wir wie ein frischverheiratetes Paar, das sich seine Liebe beweisen muss?« fragte Kai und versuchte, unbeschwert zu klingen. »Ist Ming-Ming nicht genug für das, was wir einander bedeuten?«

Han sah Kai mit einem merkwürdigen Lächeln an. »Was glaubst du, wie viele Kinder brauchst du, um zur Ruhe zu kommen?«

Sie sei nie ruhelos gewesen, sagte Kai.

Sie war nicht das einzige Mädchen gewesen, sagte Han. Kai hatte ihn nie nach weiteren geeigneten Kandidatinnen gefragt, und er hatte sich kaum nach ihrer Vergangenheit erkundigt, obwohl er Verbindungen hatte, um Nachforschungen anzustellen, wenn er gewollt hätte. Es war kein Geheimnis gewesen, was die anderen Mädchen wollten, erklärte Han, und es bestand kaum Zweifel, dass er ihnen mühelos zu allem verhelfen hätte können, was sie wollten. »Aber du warst anders. Ich wusste es in dem Augenblick, als ich dich das erstemal sah. Du warst ehrgeiziger als alle anderen Mädchen, und ich dachte, dass vielleicht nicht einmal ich dir geben könnte, was du willst.«

Kai hatte Han nie mit solcher Offenheit sprechen hören, ebensowenig hatte sie diese Einsicht von ihm erwartet, und das beunruhigte sie. Sie hatte ihn für wenig mehr als einen verwöhnten Jungen gehalten, und sie hatte es beklemmend gefunden, sich sowohl als Mutter als auch als Gespielin um diesen Jungen kümmern zu müssen. Jetzt wünschte sie, er wäre nur das – sonst nichts. Sie blickte auf die Uhr. Sie müsse sich jetzt fertig machen, sagte sie, und Han nickte. Leichthin sagte er, sie solle das Gespräch vergessen, er leide an fiebrigen Frühlingsgefühlen. Und er versprach, sich bis zu ihrem Wiedersehen beim Mittagessen von der Krankheit erholt zu haben.

BASHI BRAUCHTE EIN PAAR SEKUNDEN, um zu merken, dass die Nacht längst vorbei war. Der Flecken Himmel im hohen Schlafzimmerfenster war blau und wolkenlos, und durch die halbgeöffnete Tür sah er, dass das Wohnzimmer von hellem Sonnenlicht erfüllt war. Er hatte den besten Zeitpunkt, Nini zu treffen, verschlafen. Er fragte sich, ob sie ihn gesucht hatte. Es war eine ruhelose Nacht gewesen. Bashi hatte über die verschiedenen Möglichkeiten nachgedacht, Kwens Verbrechen in der Stadt bekanntzumachen, doch keine erschien ihm richtig. Währenddessen hatte er das Gefühl, der Geist der Frau würde am Fußende seines Bettes kauern, und wenn er die Augen schloss und sich weigerte, ihre Anwesenheit anzuerkennen, sah er sie auf seinen Augenlidern. Nachdem er sich eine Stunde hin und her gewälzt hatte, masturbierte er. Der Geist der Frau zog sich zurück und nahm die gewohnte Freude an dieser Aktivität mit sich. Schließlich kam er zum Höhepunkt und empfand dabei mehr Schmerz als Genuss. Dann träumte er einen Traum nach dem anderen; in einem fand eine Doppelhochzeit statt, Nini und er selbst das eine Paar, die erschossene Konterrevolutionärin und Kwen das andere. Was für ein grässlicher Traum, dachte Bashi jetzt, aber vielleicht war er ein

Zeichen dafür, dass die Gerechtigkeit Kwen zu seiner toten Braut schicken würde.

Seine Großmutter antwortete nicht, als Bashi sie nach der Uhrzeit fragte. Er schob den Vorhang zwischen ihnen beiseite und sah, dass sie noch im Bett lag. Was für Träume hatten sie im Bett festgehalten? fragte er sie. Hatte sein Großvater einen Besuch abgestattet? wollte er scherzhaft fragen, aber bevor er die Worte herausbrachte, fiel ihm etwas Merkwürdiges an seiner Großmutter auf. Ihre Wangen waren aschfahl.

Nach fünf Minuten war Bashi überzeugt, dass sie tot war, obwohl sich ihre Haut noch warm anfühlte. Er setzte sich neben sie aufs Bett, unsicher, was er als nächstes tun sollte. Zu ihren Lebzeiten war sie weit weniger eine Belastung gewesen als jede andere Frau ihres Alters, doch sie hatte sich den unpassendsten Moment zum Sterben ausgesucht. Es war der Beginn eines neuen Lebens für Bashi, er musste sich mit Nini anfreunden und gegen Kwen kämpfen, und seine Großmutter hätte noch eine Weile länger leben und sich um ihn kümmern sollen. Während der nächsten halben Stunde kontrollierte Bashi sie noch mehrmals, aber sie war jedesmal kälter.

Seine Großmutter hatte sich seit geraumer Zeit auf ihr Ende vorbereitet. Ein paar Jahre zuvor hatte sie sich von zwei Zimmerleuten und einem Maler einen Sarg machen lassen und die Arbeit überwacht, um sich zu vergewissern, dass keine Mühe gescheut wurde und der Sarg genau ihren Wünschen entsprach. Sie hatte stapelweise bestickte Kleidungsstücke für das Begräbnis angesammelt – schwarzseidene Gewänder mit blühenden Chrysanthemen in Gold und Rosa, elfenbeinfarbene Schuhe und Schlafmützen aus feinem Satin, dutzendfach bestickt in einem komplizierten Muster mit dem Schriftzeichen *shou* – langes Leben. Eine Schachtel mit billigen Kopien ihres Schmucks würde sie in die nächste Welt begleiten; der echte Schmuck – Gold und Silber, Jade und Smaragde – war gegen Bargeld verkauft worden, als Bashi nach dem Abschluss der Oberschule keine Arbeit fand. »Ich habe alles für dich arrangiert«, sagte sie zu ihm, wenn sie ihr Inventar für die nächste Welt durchging, ein- oder zweimal im Monat. »Ich werde dir nicht zur Last fallen.«

Wie konnte sie sich eine Last nennen, wenn sie der liebste Mensch war, den er auf der Welt hatte? sagte Bashi oft zu ihr, aber statt dass diese Worte sie glücklich machten, trieben sie ihr Tränen in die Augen. »In was für ein bitteres Leben du geboren wurdest. Du hast deine eigenen Eltern nicht gekannt! Dem Himmel sei Dank, dass mir ein langes Leben beschieden war, damit ich sehen konnte, wie du groß wurdest«, sagte Bashis Großmutter und gab wieder einmal Geschichten aus verschiedenen Zeiten ihres Lebens zum besten.

Dieses Gerede brachte Bashi zum Lachen. Wozu brauchte er eine alte Frau, wenn er sich problemlos um sich selbst kümmern konnte? Doch jetzt wünschte er, sie wäre hier, um ihm zu helfen. Sie hatte gesagt, sie sei bereit zu gehen, aber was musste er jetzt tun, damit sie wirklich ging, aus dem Haus und in die Erde? Bashi saß eine Weile auf dem Bett und beschloss, Hilfe zu suchen. Nicht bei den Nachbarn – sie waren zwar freundlich zu seiner Großmutter gewesen, doch ihn hassten sie; wenn er die Sache in ihre Hände legte, würden sie noch mehr über ihn herziehen. Nini verstand von nichts etwas außer ihren Körben mit Kohlen und verfaultem Gemüse. Kwen schien ein Mann von Welt und war von der anderen Familie beauftragt worden, ihre Tochter zu begraben, doch da er nun von Kwens dunklem Geheimnis wusste, wollte ihn Bashi keinesfalls in die Nähe seiner Großmutter lassen. Die einzigen, die übrigblieben, waren der alte Hua und seine Frau. Sie nahmen sich der Babys an, die wie Lumpen weggeworfen wurden, und wären bestimmt behilflich, eine ehrbare alte Frau unter die Erde zu bringen.

Die Straße sah genauso aus wie am Tag zuvor, doch die Leute, die unterwegs zu ihren Arbeitseinheiten waren, schauten Bashi nicht an und hatten keine Ahnung von seinem Verlust. Er ging nach Süden zum Flussufer und von dort den Fluss entlang Richtung Westen. Als er außer Sichtweite war, setzte er sich auf einen Felsen und weinte.

»Warum weinst du hier als erstes am Morgen?« fragte jemand und trat ihm leicht gegen den Fuß.

Bashi fuhr sich mit dem Handrücken übers Gesicht. Es war Kwen, einen dicken Baumwollmantel über den Schultern und eine Tüte in der Hand. Er kam wohl gerade von der Nachtschicht zurück. »Lassen Sie mich in Ruhe«, sagte Bashi.

»Das ist nicht die richtige Antwort auf eine freundliche Begrüßung. Möchtest du ein Stück vom Schweinskopf?«

Bashi schüttelte den Kopf. »Meine Großmutter ist gestorben«, sagte er, obwohl er beschlossen hatte, Kwen weiterhin als Feind zu betrachten.

»Wann?«

»Letzte Nacht. Heute morgen. Ich weiß es nicht. Sie ist einfach gestorben.«

»Tut mir leid«, sagte Kwen. »Wie alt war sie?«

»Einundachtzig.«

»Alt genug, um es einen glücklichen Tod zu nennen«, sagte Kwen. »Nicht nötig, Tränen zu vergießen. Freu dich für sie.«

Bashis Augen röteten sich. Das waren die ersten Beileidsworte, die er hörte, und er meinte fast, Kwen verzeihen zu müssen. »Ich überlege, mit was für einem Begräbnis ich ihr die letzte Ehre erweisen soll. Sie war Mutter und Vater und Großmutter für mich«, sagte Bashi. Bei dem Gedanken, jetzt Waise zu sein, fühlte er sich wieder so klein wie an dem Tag, als seine Mutter ihn Jahre zuvor bei seiner Großmutter abgegeben hatte. Er versuchte in die Hand zu husten, doch heraus kam ein Schluchzen.

»He, wir wissen, dass du traurig bist, aber wenn du ihr einen Gefallen tun willst, dann verschwende deine Zeit jetzt nicht mit Tränen.«

»Was soll ich tun? Ich habe noch nie eine Tote beerdigt«, sagte er.

Kwen blickte zum Himmel. Der Wind vom Vorabend hatte sich gelegt, und der Wetterbericht kündigte eine Warmfront an. Die Sonne, die über den Bergen aufstieg, versprach einen schönen Vorfrühlingstag. »In zwei Wochen wird es tauen«, sagte Kwen. »Ich würde einen Ort suchen, an dem man sie bis dahin aufbewahren kann. Geh ins Stadtkrankenhaus und miete einen Platz für sie.«

»Warum hat das die Familie gestern nicht getan?« fragte Bashi, doch kaum hatte er die Frage ausgesprochen, bereute er sie schon.

»Das Leichenschauhaus nimmt nur Personen an, die eines natürlichen Todes gestorben sind.«

»Was ist ein natürlicher Tod?«

»So, wie deine Großmutter gestorben ist.«

Bashi hatte wieder das Bild der toten Frau vor Augen. Er atmete schwer und versuchte, eine plötzliche Übelkeit zu unterdrücken. »Danke für den Tip«, sagte er. »Ich gehe gleich hin.«

»Aber du gehst in die falsche Richtung«, sagte Kwen.

Bashi blickte auf die Straße, die in westlicher Richtung in den Wald führte, wo der massakrierte Leichnam der Frau unter einem Busch lag. Er fragte sich, ob Kwen ihn durchschaut hatte. Er wollte erst dem alten Hua und seiner Frau vom Tod seiner Großmutter berichten, sagte Bashi, weil sie alte Freunde von ihr gewesen waren.

Kwen musterte Bashi, und er spürte, wie sich unter dem Blick des Mannes seine Kopfhaut spannte. »Ich gehe jetzt«, sagte Bashi und hob zögernd die Hand.

Kwen zündete sich eine Zigarette an. »Du weißt doch, dass ich es nicht mag, wenn jemand frech wird?«

»Warum sollte ich? Ich muss mich um meine Großmutter kümmern.«

Kwen nickte. »Wollte dich nur dran erinnern.«

Bashi versprach, dass er sich benehmen würde, und ging hastig davon. Er hätte nachts die großen Steine wieder an ihren Platz legen sollen. Ein guter Detektiv hinterließ bei seinen Ermittlungen keine Spuren. Er fragte sich, ob es zu spät war, den Fehler wiedergutzumachen.

Die Hütte der Huas war mit einem Vorhängeschloss gesichert. Bashi hob ein kleines Stückchen Kohle auf und schrieb mit großen Zeichen an die Tür: »Meine Großmutter ist tot – Bashi.« Er betrachtete das Gekritzel, wischte das Wort »tot« weg und schrieb »verschieden«. Nicht nötig, zwei alte Menschen mit der harten

Realität zu verstören, dachte Bashi, und dann fiel ihm ein, dass die Huas vielleicht nicht lesen konnten.

Der Besuch im Leichenschauhaus war enttäuschend, ein weiteres Anzeichen dafür, dass die Welt immer schlechter wurde. Die Frau am Empfangstisch schob ihm einen Block mit Formularen zu, bevor Bashi ihr irgend etwas erklären konnte. Als er etwas sagen wollte, deutete sie auf die Papiere. »Ausfüllen, bevor Sie den Mund aufmachen.«

Bashi brauchte eine Weile, bis er wusste, wie die Fragen zu beantworten waren. Er hatte vergessen, die Karte mit der Registrierung des Haushalts mitzubringen; die Frau wäre nicht erfreut darüber, doch sie würde dieses Versäumnis eines trauernden Enkelsohns bestimmt verstehen. Vielleicht sähen ihn die Leute jetzt, da seine Großmutter tot war, mit anderen Augen; vielleicht würden sie ihm vergeben und ihn lieben, weil er Waise war. Er tauchte die Feder in das Tintenfass, und während er schrieb, sagte er zu der Frau: »Wissen Sie, sie ist die einzige Person, die ich habe, und ich bin auch der einzige für sie.«

Die Frau zog eine Augenbraue in die Höhe und blickte Bashi an, ohne etwas zu erwidern. Vielleicht wusste sie nicht, wer er war. »Meine Großmutter hat mich heute verlassen«, erklärte er. »Ich habe keine Eltern. Seitdem ich mich erinnern kann, habe ich keine Eltern.«

»Habe ich nicht gesagt, dass Sie den Mund erst aufmachen sollen, wenn Sie die Formulare fertig ausgefüllt haben?«

»Doch, aber ich will nur freundlich sein«, sagte Bashi. »Es gibt hier nicht viele Leute, mit denen Sie reden können, oder?«

Die Frau seufzte und hielt sich eine Zeitschrift vors Gesicht. Er schaute auf die Titelseite: *Beliebte Filme*. Ein junges Paar lehnte an einem Baum und sah Bashi in glückseliger Vorfreude an. Bashi zog eine Grimasse, bevor er sich wieder den Formularen zuwandte. Das letzte Papier war die Genehmigung zur Verbrennung. Bashi las es zweimal durch, bevor er es verstand. »Genossin«, sagte er mit heiserer, leiser Stimme, um das Mitgefühl einzuheimsen, das er verdiente.

»Fertig?«

»Ich habe eine Frage. Meine Großmutter – sie war einundachtzig und hat mich von klein auf großgezogen –, sie hat sich bereits einen Sarg zimmern lassen. Sie wollte nicht verbrannt werden«, sagte Bashi. »Ich weiß nicht, wie es Ihnen geht, aber ich möchte auch nicht verbrannt werden, weder tot noch lebendig.«

Die Frau starrte Bashi einen langen Augenblick an und nahm ihm schließlich die Formulare aus der Hand. »Warum verschwenden Sie dann meine Zeit?« sagte sie, riss die Blätter vom Block, zerknüllte sie zu einem Ball und wollte ihn in den Papierkorb neben dem Eingang werfen. Sie verfehlte ihn, und Bashi ging und hob den Ball auf. »Ich verstehe nicht, Genossin«, sagte er und versuchte, demütig zu klingen. »Sie haben mich gebeten, die Formulare auszufüllen und erst danach den Mund aufzumachen, und das habe ich getan.« Die meisten Frauen waren Bashis Erfahrung nach bei der Arbeit schlechtgelaunt; zu Hause bedienten sie ihre griesgrämigen Männer, deswegen mussten sie in der Arbeit beweisen, dass sie alles unter Kontrolle hatten. Bashi war gewillt, diese Frau trotz ihres Aussehens bei Laune zu halten – sie war nicht mehr jung, und mit den dunklen Tränensäcken unter den Augen sah sie aus wie ein Panda.

Die Fau deutete auf ein Plakat an der Wand. »Lesen Sie das«, sagte sie und wandte sich wieder der Zeitschrift zu.

»Natürlich, Genossin, was immer Sie wünschen«, sagte Bashi. Er las das Plakat: Die Stadtverwaltung hatte beschlossen gemäß den neuen, für die gesamte Provinz geltenden Richtlinien, den alten, überholten Brauch der Erdbestattung abzuschaffen; er erforderte zu viel Platz, den man besser dazu nutzte, um Lebensmittel für die ständig wachsende Bevölkerung zu produzieren. Verbrennung war nunmehr die einzig gesetzlich erlaubte Art der Bestattung; diese Vorschrift sollte in zweieinhalb Monaten in Kraft treten.

»Wie es scheint, ist noch Zeit, bis die Maßnahme gilt«, sagte Bashi zu der Frau. »Genug Zeit, um eine kleine alte Frau zu beerdigen, nicht wahr?«

»Das ist Ihre Sache«, sagte die Frau hinter der Zeitschrift. »Nicht unsere.«

»Aber kann ich nicht ein Kühlfach mieten, bis es anfängt zu tauen?«

»Wir nehmen nur Leichen auf, die verbrannt werden.«

»Aber die Vorschrift besagt –«

»Vergessen Sie die Vorschrift. Wir haben hier nicht Platz für alle, und wir nehmen jetzt nur noch Leichen auf, die verbrannt werden«, sagte die Frau. Sie stand auf und ging nach hinten in ein Büro.

Bashi verließ das Leichenschauhaus mit einem weniger schweren Herzen. Seine Großmutter, eine weise Frau, hatte den richtigen Zeitpunkt zum Sterben gewählt. Hätte sie zwei Monate länger gelebt, wäre sie in einem Ofen gelandet; es war, wie sie immer gesagt hatte – der Himmel bestrafte jede Form von Gier. Der Tod seiner Großmutter war nicht länger eine Tragödie, sondern etwas, was sich zu feiern lohnte. Man musste immer das Gute an den Dingen sehen, erinnerte sich Bashi. Seine gewohnte Energie war wiederhergestellt. Die Sonne schien ihm warm ins Gesicht, es war ein schöner Frühlingsmorgen.

»Bashi«, sagte eine leise Stimme von einer Gasse her. Bashi wandte sich zur Seite und sah Nini, seine Mütze in der guten Hand, stand sie im Schatten der Mauer. Sie war nicht so hässlich, wie er sich erinnerte.

»Nini!« sagte Bashi, glücklich, ein freundliches Gesicht zu sehen. »Was tust du hier?«

»Ich habe dich gesucht. Heute morgen habe ich dich nicht gesehen«, sagte Nini. »Gestern hast du gesagt, dass du mir Kohlen gibst, wenn ich mit dir rede.«

Bashi schlug sich heftiger an den Kopf, als er beabsichtigt hatte, und zuckte zusammen. »Natürlich, mein Fehler«, sagte er und trat zu ihr. »Aber nur weil ich heute morgen etwas Wichtiges zu erledigen hatte. Möchtest du wissen, was?«

Nini machte die Augen weit auf, und zum erstenmal bemerkte Bashi ihre schönen, dichten Wimpern und die dunkelbraune Iris.

Er blies auf ihre Wimpern, und sie blinzelte. Er lachte und rieb sich dann fest die Augen, um traurig dreinzublicken. »Meine Großmutter ist letzte Nacht gestorben«, sagte er.

Nini verschlug es die Sprache.

»Ja, meine Großmutter, die mich allein aufgezogen und niemand geliebt hat außer mir«, sagte Bashi.

»Wie ist es passiert?«

»Ich weiß es nicht. Sie ist im Schlaf gestorben.«

»Warum bist du dann traurig?« sagte Nini. »Du solltest glücklich sein. Ich habe Leute sagen hören, wenn eine Frau im Schlaf stirbt, heißt das, dass sie für ihre guten Taten belohnt wird.«

»Ich bin auch glücklich!« sagte Bashi. »Aber niemand will mir mit dem Begräbnis helfen.«

»Wo ist sie jetzt?« fragte Nini. »Hast du sie gewaschen und frisch angezogen? Willst du, dass sie ungewaschen und in alten Kleidern geht?«

»Woher soll ich das alles wissen?« sagte Bashi. »Bis jetzt ist noch nie jemand gestorben. Du weißt viel. Willst du nicht mitkommen und mir helfen?«

Nini zögerte. »Ich muss zum Marktplatz.«

»Wir haben genug Gemüse für dich und deine Märchenschwestern. Kohlen auch. Du kannst haben, soviel du willst. Aber komm mit und hilf einer guten alten Frau«, sagte Bashi. »Komm, lass einen Freund nicht warten.«

NINI ZÄHLTE DIE LAMPENPFOSTEN, ein paar Schritte hinter Bashi. Es war seine Idee gewesen, nicht nebeneinander zu gehen, damit die Leute keinen Verdacht schöpften. Auf dem Marktplatz wandten sie sich nach Norden und gingen die Straße bis auf halbe Höhe des Berges hinauf. Auch hier waren alle Häuser gleich, aber Bashis Haus war ungewöhnlich groß. Er schaute sich in der Gasse um, die menschenleer war, bevor er das Tor aufschloss und Nini eintreten ließ. Sie betrachtete das Haus und war beeindruckt. Der Hof war doppelt so groß wie üblich mit einer Vorratskammer aus Holz, die so groß war wie das vordere Zimmer im Haus ihrer Familie, und einer Ziegelmauer, die ihn von den Nachbarhöfen trennte. Sein Vater war ein Kriegsheld gewesen, erklärte Bashi, deswegen wurde ihnen zum Wohnen mehr Platz zugestanden; doch die Bauarbeiter, fügte er hinzu, hätten sich nicht die Mühe gemacht, es präsentabel zu gestalten, und ein Zweizimmerhaus wie alle anderen in der Straße gebaut, nur doppelt so groß.

»Du brauchst bestimmt viel Kohle, um das Haus zu heizen«, sagte Nini, als sie das vordere Zimmer betrat. Es wurde von einem hohen Regal in eine Küche – mit einer Spüle und einem Wasserhahn, einem Herd und mehreren mit Blumen bemalten Schränkchen – und ein Wohnzimmer geteilt, das mit einem eigenen Ofen geheizt wurde. Die Wände des Wohnzimmers waren mit Plakaten bedeckt, auf denen Szenen mit Helden und Heldinnen aus revolutionären Filmen und Opern abgebildet waren. Nini berührte den Tisch in der Mitte des Zimmers, der massiv wirkte und auf allen vier Seiten mit altmodischen Schnitzereien verziert war. Auf zwei dunkelroten Sesseln mit aufwendig geschnitzten Rückenlehnen lagen weiche, einladende Kissen. »Wo ist deine Mutter?« fragte Nini.

»Weiß der Himmel. Sie hat wieder geheiratet und mich hier gelassen.«

Eine dumme Frau, dachte Nini. Niemand würde sie je dazu bringen, solchen Luxus aufzugeben. Bevor sie ihre Meinung laut aussprach, hörte sie ein vertrautes Geraschel. »Mäuse«, sagte sie und ging in die Hocke, um sich nach der Quelle des Geräuschs umzusehen. Ihr eigenes Haus wurde von Mäusen heimgesucht, und ihr Geknabber ließ sie nachts nicht schlafen. Sie fraßen alte Stoffe und manchmal die Kartons, aus denen ihre Familie die Streichholzschachteln faltete. Abgesehen vom Baby wussten alle Mädchen in ihrer Familie, wie man Mäuse fing und sie mit einer einzigen Drehung des Genicks tötete.

»Keine Sorge, ich habe ein Mittel dagegen«, sagte Bashi. Er ging in die Küche und kam gleich darauf mit einer mit feinem roten Satin bezogenen Schachtel zurück. Darin lagen ein paar trokkene Wurzelstückchen, verschrumpelt und erdfarben. »Ginsengwurzeln«, sagte Bashi und reichte Nini die Schachtel.

Sie berührte den roten Satin mit dem Finger. Sie wusste nicht, wieviel die Ginsengwurzeln kosteten; die Schachtel selbst sah teuer und edler aus als alles, was ihre Familie besaß.

»Mein Großvater hat Ginseng gesammelt, und meine Großmutter liebte Ginseng. Die beste Medizin der Welt«, sagte Bashi. »Aber trotzdem lebt man natürlich nicht ewig.«

»Wo ist sie jetzt?«

Bashi deutete auf das Schlafzimmer. »Gleich gehen wir zu ihr, aber zuerst kümmern wir uns um die Mäuse.« Er brach ein kleines Stück Wurzel ab und hielt es Nini vor den Mund. »Willst du probieren? Süß wie Honig.«

Nini öffnete den Mund, doch Bashi zog die Ginsengwurzel zurück, bevor sie abbeißen konnte. »Ha, ich habe nur Spaß gemacht, dummes Ding. Nur Leute, die älter als siebzig sind, können Ginseng essen. Da ist zuviel Feuer drin. Davon kriegst du Nasenbluten, und deine Haut und dein Fleisch brennen und verfaulen.«

Nini presste ein wenig verärgert die Lippen zusammen. Sie wusste nicht, warum sie sich bereit erklärt hatte, Bashi zu helfen. Sie überlegte, ob sie ihn mit seiner Großmutter allein lassen und zu ihrem eigenen Leben zurückkehren, ein paar welke Kohlblätter suchen und nach Hause gehen sollte, wo sie zusehen konnte, wie ihre Schwestern mit dem Baby spielten, und sie würde ihnen schreckliche Geschichten erzählen, wenn sie die Kleine Sechste zum Weinen brachten, und damit drohen, dass sie Ginsengwurzeln essen müssten, wenn sie es wagten, sich zu beschweren. Doch Nini fiel es schwer, sich in Bewegung zu setzen. Bashi hatte ihr viele Dinge versprochen, Kohlen und auch Gemüse, Freundschaft und etwas anderes, was Nini nicht in Worte fassen konnte.

Bashi holte ein Glas mit Honig und tauchte die Ginsengwurzel hinein. Als er sie wieder herauszog, sah sie saftig und köstlich aus. Nini hatte nur einmal Honig gegessen, im Haus von Lehrer Gu. Ihr Magen knurrte.

»Hier.« Bashi reichte Nini einen Löffel und das Glas. »Iss das ganze Glas auf, wenn du willst. Mir liegt nichts an Honig.« Er ließ den Honig von der Ginsengwurzel abtropfen. Nini schob sich einen großen Löffel Honig in den Mund. Er war doch ein guter Mensch, großzügig und nett, auch wenn sie seine Scherze manchmal nicht verstand. »Was tust du da?« murmelte sie zwischen klebrigsüßen Lippen.

»Das ist das Mäusegift, das ich erfunden habe«, sagte Bashi. »Mäuse lieben Honig, so wie du. Sie fressen die Ginsengwurzel, ohne nachzudenken, und dann haben sie so ein Feuer im Bauch, dass sie sich krümmen und winden, bis sie tot sind und bedauern, in die süße gestohlene Wurzel gebissen zu haben.«

Nini schauderte. Sie blickte auf das Glas in ihren Händen. »Hast du Gift in den Honig getan?«

»Warum sollte ich?« sagte Bashi. »Hast du geglaubt, ich wollte dich vergiften? Was für eine komische Idee. Du bist doch keine Maus. Du bist meine Freundin.«

Nini schaute Bashi ins grinsende Gesicht und fühlte sich etwas unbehaglich. »Hast du viele Freunde?« fragte sie.

»Natürlich«, sagte Bashi. »Die Hälfte der Bewohner von Hun Jiang sind meine Freunde.«

»Hast du auch noch andere Freundinnen?«

»Ja. Männer und Frauen. Junge und Alte. Hunde, Katzen, Hühner, Enten.«

Nini wusste nicht, ob Bashi sie wieder auf den Arm nahm. Aber wenn er andere Freundinnen hatte, kamen sie zu ihm ins Haus? Die Art, wie er sich auf dem Weg hierher verhalten und dafür gesorgt hatte, dass die Leute sie nicht zusammen sahen, hatte sie misstrauisch gemacht. »Bringst du oft Mädchen mit nach Hause?« fragte sie.

Bashi wedelte mit der Hand, und sein Gesicht nahm einen ernsten Ausdruck an.

»Geht es dir nicht gut?« fragte Nini.

Bashi hob mahnend den Finger. »Sag nichts«, flüsterte er. »Lass mich nachdenken.«

Nini betrachtete Bashi. Mit den geschürzten Lippen und den zusammengezogenen Augenbrauen sah er aus wie ein kleines Kind, das vorgab, erwachsen zu sein. Er war ein komischer Mensch. Sie wusste nie im voraus, was er als nächstes tun würde. Sie hatte gehört, wie ihre Nachbarn ihre Töchter warnten, nicht mit Fremden zu sprechen; ihre Eltern hatten auch ihre Schwestern gewarnt, aber nie sie, vermutlich weil sie nicht glaubten, dass sie je in Gefahr geraten könnte. Wenn Bashi etwas Schlimmes tun würde, konnte sie immer noch nach den Nachbarn rufen. Doch vielleicht sorgte sie sich umsonst. Er war kein Fremder. Er war ein neuer Freund, und Nini beschloss, dass sie ihn mochte, auf andere Art, als sie Lehrer Gu und Frau Gu gemocht hatte. Bei ihnen hatte sie den Wunsch verspürt, ein besserer Mensch, hübscher und liebenswerter zu sein, aber was bedeutete das jetzt noch? Sie hassten sie und würden sie nicht mehr in ihr Haus lassen. Bei Bashi vergaß sie, dass sie ein Ungeheuer war. Vielleicht war sie gar keins.

»Ja.« Bashi klatschte in die Hände und lächelte. »Ich habe den Plan fertig.«

»Was für einen Plan?«

Bashi bedeutete Nini, ihm ins Schlafzimmer zu folgen. Der Vorhang zwischen den beiden Betten war nicht zurückgezogen. Er setzte sich auf sein ungemachtes Bett. »Kannst du ein Geheimnis für dich behalten?« fragte Bashi.

Nini nickte.

»Du darfst es niemand erzählen«, sagte er. »Schaffst du das?«

»Ich habe keine Freunde außer dir«, sagte Nini.

Bashi lächelte. Er schob den Vorhang beiseite, und Nini sah die alte Frau, die Augen geschlossen, als würde sie schlafen, die Decke bis unter das Kinn gezogen. Ihr dünnes graues Haar war zu einem Altfrauenknoten hochgebunden, doch ein paar Strähnen waren dem Haarnetz entkommen. Sie sah aus wie eine alte Frau, die Nini gemocht haben könnte, aber vielleicht ließ der Tod die Menschen freundlich aussehen, denn keine der alten Frauen auf dem Marktplatz war nett zu ihr.

Bashi hielt einen Augenblick lang den Finger unter die Nase seiner Großmutter und sagte: »Ja, sie ist mausetot. Jetzt musst du vor ihr schwören.«

»Warum?«

»Weil man vor toten Menschen keine Späße macht«, sagte Bashi. »Sprich mir nach: Ich schwöre, dass ich keiner Menschenseele Bashis Geheimnis verraten werde. Wenn doch, wird der Geist seiner Großmutter mich keinen friedlichen Tod sterben lassen.«

Nini dachte darüber nach. Sie konnte nichts Schlimmes daran entdecken, da ihre Eltern ihr oft mit einem schrecklichen Tod drohten, weil sie soviel Leid und Sorgen über ihre Familie brachte. Nini fand auch nichts Gutes an ihrem Leben, weshalb sollte sie sich also vor einem schlimmen Tod fürchten? Sie schwor, und Bashi schien zufrieden. Er setzte sich neben Nini und sagte: »Ich werde Kwens Hund umbringen.«

»Weil Kwen dich gestern geschlagen hat?« fragte Nini. Sie war enttäuscht. Ein toter Hund schien nicht zu einem feierlichen Schwur vor der Leiche einer Großmutter zu passen.

»Nicht nur deshalb. Er ist ein Teufel, und ich werde dafür sorgen, dass die ganze Stadt es erfährt. Es gibt noch viel mehr, was ich dir später erzählen werde. Jetzt musst du nur wissen, dass ich seinen schwarzen Hund umbringen werde, bevor ich den Rest meines Plans ausführen kann.«

Nini nickte. Sie wusste nicht, ob sie noch mehr von Bashis Plan hören wollte. Die alte Frau, die keine zwei Meter entfernt lag, lenkte sie ab.

»So wird es funktionieren. Hunde sind keine alten Frauen, und sie mögen keine Ginsengwurzeln, stimmt's? Was ist für einen Hund, was eine Ginsengwurzel für eine alte Frau ist?«

Nini sah Bashi verblüfft an.

»Denk nach, Mädchen. Eine Wurst oder ein Schinken, nein? Hunde mögen Fleisch, du und ich, wir mögen auch Fleisch, aber wir sind schlauer als Hunde«, sagte Bashi. »Das werde ich tun: Ich werde dem Hund jeden Tag eine Wurst geben, bis er mit dem Schwanz wedelt, wenn er mich sieht, und dann, peng, eine Wurst mit Pestiziden. Der arme Hund wird nicht glauben, dass ihn sein einziger Freund auf der Welt umgebracht hat. Wie klingt das?«

Nini wurde unruhig. Offenbar konnte Bashi hier den ganzen Morgen sitzen und sich mit ihr oder sich selbst unterhalten. Wenn sie nicht gekocht hätte, bevor ihre Eltern zum Mittagessen nach Hause kämen, würde ihre Mutter – so wie gestern abend – wieder den Besenstiel aus Bambus auf ihren Rücken niedersausen lassen.

Bashi sah sie an. »Gefällt dir mein Plan nicht?«

»Es ist nicht gut, an andere Dinge zu denken, bevor du dich um deine Großmutter gekümmert hast«, sagte sie. »Ich habe nicht den ganzen Tag Zeit, um mit dir zu reden.«

»Zuerst kommen die Lebenden, dann die Toten«, sagte Bashi. »Aber du hast recht. Ich brauche deine Hilfe, um sie in den Sarg zu legen, bevor du gehst.«

»Willst du das nicht einen Bestattungsunternehmer machen lassen?«

»Dafür müsste ich sie verbrennen lassen«, sagte Bashi. »Das geht schon. Zu zweit schaffen wir es.« Er zog eine Truhe aus der Ecke des Schlafzimmers. »Ich glaube, da drin hat sie alles vorbereitet. Such die Sachen zusammen und zieh sie schön an. Ich hole den Sarg.«

Bevor Nini etwas erwidern konnte, war Bashi in die Vorratskammer gegangen. Sie öffnete die Truhe, wo Kleidungsstücke aus Satin und Seide ordentlich aufeinandergeschichtet lagen: Jacken, Westen, Blusen und Hosen, Schuhe und Mützen. Sie berührte das oberste mit ihrer guten Hand, und ein Faden verfing sich in ihrer rauhen Handfläche. Was für eine Verschwendung, so schöne Kleider mit einer toten Frau zu begraben, dachte Nini. Sie rieb sich heftig die Hand an der Hose, bevor sie die Kleider erneut anfasste. Eins nach dem anderen nahm sie sie heraus und legte sie neben der alten Frau aufs Bett. Als sie bis auf den Boden der Truhe vorgedrungen war, sah sie mehrere mit einer Nummer versehene Umschläge. Sie öffnete den ersten und sah ein Bündel Geldscheine, hauptsächlich Zehn- oder Fünf-Yuan-Scheine. Nini hatte nie zuvor so viel Geld gesehen. Sie biss sich auf die Lippen und schaute sich um. Als sie sich vergewissert hatte, dass Bashi nicht in Sichtweite war, steckte sie das Geld wieder in den Umschlag, faltete ihn in der Mitte und schob ihn in ihre Tasche.

»Der Sarg ist zu schwer für mich«, sagte Bashi einen Augenblick später. »Vielleicht haben die Zimmerleute Blei hineingetan. Darum kümmern wir uns später.«

Ninis Stimme zitterte, als sie ihn auf die Umschläge aufmerksam machte. Er überprüfte den Inhalt und stieß einen Pfiff aus. »Ich habe gedacht, sie hätte alles auf unser Konto eingezahlt«, sagte er. Er zog zwei Zehn-Yuan-Scheine heraus und reichte sie Nini.

Nini schüttelte den Kopf und wollte das Geld nicht nehmen.

»Warum nicht? Freunde halten zusammen, warum sollten wir unser Glück nicht teilen?«

Nini nahm das Geld. Sie fragte sich, ob der Geist der alten Frau im Zimmer war und aufpasste, was nach ihrem Tod mit ihren Dingen geschah, wie die alten Leute sagten, und wenn ja, ob er erzürnt wäre über den Umschlag in Ninis Tasche. Aber warum sollte sie sich wegen eines Geistes sorgen? Nichts konnte ihr Leben schlimmer machen, als es jetzt war, da Frau Gu und Lehrer Gu ihr den Rücken gekehrt hatten. Nini schlug die Decke zurück und zog der alten Frau den Schlafanzug aus. Sie roch merkwürdig, nicht beißend, sondern ölig süß, und Nini wurde leicht übel. Die Haut der alten Frau fühlte sich ledrig und kalt an, als sie sie berührte. So wäre es also, wenn ihre Eltern sterben würden. Bei diesem Gedanken hatte Nini weniger Angst. Schließlich wäre es ihre Aufgabe, sich um ihre Eltern zu kümmern, wenn sie alt waren, und sie vor der Bestattung zu waschen. Sie fragte sich, wer die Aufgabe bei Lehrer Gu und Frau Gu übernähme. Es fiel ihr schwerer, sich die beiden tot und nackt vorzustellen als ihre eigenen Eltern. Sie wünschte, die Lage wäre anders für die Gus – vielleicht könnte der Wind sie forttragen wie Rauch, bevor eine Hand sie berührte –, doch warum sollte sie sie so leicht davonkommen lassen, wenn sie sie ohne zu zögern hinausgeworfen hatten?

Bashi hielt sich auf der anderen Seite des Vorhangs auf, ohne ihr zu helfen. Sie fand es seltsam, bis ihr einfiel, dass es vielleicht nicht richtig war, wenn ein Junge den nackten Leichnam seiner Großmutter sah. Er war schließlich trotz seiner Grillen ein guter und anständiger Mensch.

Als es darum ging, die Leiche zu waschen, schlug Bashi vor, sie sollten das kalte Wasser aus dem Hahn benutzen, um sich nicht unnötig Mühe zu machen. Nini war anderer Meinung. Der gefaltete Umschlag drohte aus ihrer Tasche zu fallen, so dass Bashi ihn sehen könnte – sie wünschte, ihr wäre ein besseres Versteck eingefallen, in ihrem Schuh, wo sie fest hätte darauf treten können. Aus schlechtem Gewissen bestand sie darauf, ein Feuer zu entzünden, um die alte Frau noch einmal mit warmem Wasser zu waschen. Bashi folgte ihr in die Küche, lehnte sich gegen den Schrank und sah zu, wie sie Feuer machte. »Was für eine gute angeheiratete Enkeltochter du wärst!« sagte er bewundernd.

Nini wurde rot und tat so, als hätte sie ihn nicht gehört. Bashi stellte einen Stuhl neben den Ofen, setzte sich rittlings darauf und schlang die Arme um die Lehne. »Haben deine Eltern schon eine Ehe für dich arrangiert?« fragte er.

Was für eine komische Frage. Nini schüttelte den Kopf.

»Kennst du das Sprichwort, dass der Vogel mit den schwächsten Flügeln zuerst aus dem Nest fliegen muss?«

»Nein.«

»Du solltest darüber nachdenken. Du solltest nicht zu lange warten, bevor du dich nach einem Ehemann umsiehst.«

Nini schwieg und fragte sich, ob Bashi recht hatte. Ihre Eltern wollten sie nicht verheiraten; sie hatten sonst niemand, der sie nach ihrem Tod waschen würde. Wäre sie die Tochter von Frau Gu und Lehrer Gu gewesen, würden sie sich bereits jetzt Gedanken über ihre Verheiratung machen, damit sie nicht allein zurückbliebe, wenn sie diese Welt verließen?

»Wenn du willst, werde ich nach möglichen Kandidaten Ausschau halten«, sagte Bashi.

Nini blickte ins Feuer, ohne zu antworten. Das Wasser kochte. Als er nachfragte, sagte sie: »Wir sollten deine Großmutter nicht so lange warten lassen.«

Bashi lachte. »Das merkt sie doch jetzt nicht mehr«, sagte er. Er half Nini den Kessel ins Schlafzimmer tragen und setzte sich dann auf sein Bett auf der anderen Seite des Vorhangs. Nini wusch die alte Frau behutsam, versuchte, die trockene, faltige Haut, die unheimlich langen, schlaffen Brüste, die knorrigen Gelenke nicht allzu genau anzusehen. Wäre der gestohlene Umschlag in ihrer Tasche nicht gewesen, hätte sie ein, zwei Minuten gebraucht. Als sie es endlich geschafft hatte, wollte sie der Leiche die seidenen Kleider anziehen, aber die alte Frau war vollkommen reglos und steif und half nicht mit. Nini zog einen Arm aus dem Ärmel, als sie einen kleinen Knacks spürte. Sie musste der alten Frau den Arm gebrochen haben, dachte Nini, doch es war ihr jetzt gleichgültig. Sie brauchte lange mit ihrer einen guten Hand, um die Knöpfe durch die Schlaufen zu stecken. Nachdem sie ihr die Schlafmütze und die seidenen Schuhe angezogen hatte, sagte sie zu Bashi: »Jetzt kannst du kommen und sie anschauen.«

Die beiden standen nebeneinander. Die alte Frau sah in der schönen Kleidung für die nächste Welt heiter und zufrieden aus. Nach einer Weile legte Bashi den Arm um Ninis Schulter und zog sie näher zu sich. »Was für ein nettes Mädchen du bist«, sagte er.

»Ich muss jetzt nach Hause gehen«, sagte sie.

»Wir holen dir alles, was du brauchst, aus der Vorratskammer.«

»Nicht zuviel«, sagte Nini, als Bashi ihr mehrere Kohlköpfe in den Korb legte. »Sonst stellen meine Eltern Fragen.«

»Ich begleite dich nach Hause.«

Nini zog es vor, allein zu gehen.

»Natürlich«, sagte Bashi. »Was immer du möchtest. Aber wann sehe ich dich wieder? Kannst du heute nachmittag kommen?«

Nini zögerte. Sie würde liebend gern wieder in dieses Haus kommen, in dem sie Essen und Kohle und ein Freund erwarteten, aber es war unmöglich. Schließlich fand Bashi die Lösung – Nini konnte jeden Morgen ein, zwei Stunden in seinem Haus verbringen und Kohlen aus seiner Vorratskammer mitnehmen; später am Tag konnte sie noch einmal kommen mit der Ausrede, sie müsse zum Marktplatz gehen.

Nini war traurig, als sie sich verabschiedeten. Auf dem Heimweg ging sie in eine Seitengasse und nahm den Umschlag aus der Tasche. Bis zum Abend hätten ihre Eltern sicherlich das Geld entdeckt. Sie fragte sich, ob sie sie zur Polizei schicken würden, weil sie eine Diebin war, oder das Geld zufrieden konfiszieren würden. Beide Möglichkeiten gefielen ihr nicht, deswegen schlug sie eine andere Richtung ein und ging zum Haus der Gus. Als sie vor dem Tor stand, hoffte sie inständig, dass sie es öffnen und sie willkommen heißen würden.

Ein Mann ging an Nini vorbei und sprach sie an. »Willst du zu Lehrer Gu und Frau Gu?«

Nini nickte, und Hoffnung keimte in ihr auf – vielleicht hatten sie geahnt, dass sie kommen würde, und einen Nachbarn gebeten, nach ihr Ausschau zu halten.

»Lehrer Gu ist krank, und Frau Gu pflegt ihn im Krankenhaus. Sie werden nicht so bald zurückkommen.«

Nini wollte ihn nach Einzelheiten fragen, aber der Mann ging weiter, bevor sie etwas sagen konnte. Sie wartete, bis er außer Sichtweite war, dann schob sie den Umschlag unter dem Tor durch. Sie würden nie erraten, dass das Geld von ihr war, aber vielleicht machten sie ihre Entscheidung rückgängig, wenn sie merkten, dass die Welt sie gut behandelte, während sie Nini schlecht behandelt hatten; vielleicht würden sie nach ihr suchen, wenn Lehrer Gu aus dem Krankenhaus entlassen war.

NACH DEM MITTAGESSEN verließ Tong das Haus. Seine Eltern hielten ihren Mittagsschlaf, und Ohr lief irgendwo in der Stadt herum. Tongs Vater mochte Ohr nicht und hielt es für Zeitverschwendung, dass sein Sohn mit dem Hund spielte. Tong war froh, dass Ohr bis zum Sonnenuntergang irgendwo herumstreunte; nach Einbruch der Dunkelheit regte sich Tongs Vater, der dann mit dem allabendlichen Trinken angefangen hatte, nicht mehr so über ihn auf.

Er war früh dran für den Nachmittagsunterricht, und so ging er auf einem Umweg zur Schule. Während des letzten halben Jahres hatte er die Straßen und Gassen von Hun Jiang erkundet, und er wurde es nie müde, die Leute und ihr Leben zu beobachten. Der Marktplatz, auf dem viele Menschen gleichzeitig sprachen, ohne jemand anders die Gelegenheit zu einer Antwort zu geben, war ein aufregender Ort, und in den Gassen, in denen Männer und Frauen sich in Gruppen unterhielten, bekam er zahllose Geschichten aus dem Leben anderer mit. Nur ein alter Mann, der über nichts nachsann, oder eine streunende Katze, die wie hypnotisiert vom Sonnenlicht an einer Straßenecke saß, gaben Tong das Gefühl, er hätte sich verlaufen, als gehörten sie einer anderen Welt an, zu der er keinen Zugang hatte.

Nach dem Ereignis vom Vortag schien das Leben unverändert. Alle diese Leute mussten bei der Denunziationszeremonie gewesen sein, aber keinem Gesicht war die Erinnerung daran anzusehen. Die Bekanntmachungen, die abgerissen oder zerfetzt waren und nur noch als Fragmente an den Mauern klebten, wurden von den Passanten nicht mehr wahrgenommen. Auf dem Marktplatz feilschten die Hausfrauen mit lauten, vorwurfsvollen Stimmen, als wären die Händler allesamt schamlose Lügner. An einem staatlichen Gemüsestand formte der Verkäufer, der sich langweilte und nichts zu tun hatte, eine Pistole mit der Hand und zielte auf den Busen einer Kollegin. Die mondgesichtige junge Frau machte eine Handbewegung, als wollte sie eine lästige Fliege verscheuchen, doch jedesmal, wenn der Mann auf sie zielte, lachte sie. Tong lächelte, aber als sie ihn sah, nannte sie ihn einen kleinen Schlingel. »Was gibt's da zu schauen? Pass auf, oder ich kratz dir die Augen aus.«

Tong wurde rot und wandte sich ab. In seinem Rücken fragte der Verkäufer, warum er kein Recht auf diesen Luxus habe. Die Frau erwiderte, sie würde ihm sofort die Augen auskratzen, wenn er wirklich blind sein wollte; der Mann drängte sie, es zu tun, und meinte, er brauche seine Augen nicht mehr, nachdem er ihre himmlische Schönheit erblickt habe. Tong ging weiter. Wieder einmal wurde ihm klar, dass es in der Welt der Erwachsenen einen geheimen Code gab, und solange er die Regeln nicht kannte, erregte er Anstoß aus Gründen, die er nicht verstand.

Ein paar Hühner spazierten in der nächsten Gasse. Tong fixierte ein Bantamhuhn und wünschte, es würde aufhören zu picken, doch es suchte weiterhin aufmerksam nach etwas Essbarem und ignorierte ihn. Eine streunende Katze, die unter einem dreibeinigen Stuhl saß, schlich sich leise an die Hühner an, aber sie war nicht weit gekommen, als eine alte Frau, die auf einem Holzstuhl vor einem Hof saß, mit ihrem Stock auf den Boden schlug und laut kreischte. Die Hühner liefen davon, flatterten mit den Flügeln und gackerten aufgeregt. Erschrocken atmete Tong mehrmals tief durch, um sich zu beruhigen, bevor er die Frau fragte, ob alles in Ordnung sei.

»Wenn ich nicht aufgepasst hätte, hätte etwas Schlimmes passieren können«, erwiderte die alte Frau.

Tong drehte sich zu der Katze um, die sie aus sicherer Entfernung musterte. »Die Katze wollte wahrscheinlich nur spielen«, sagte er.

»Ich rede nicht von der Katze«, sagte die alte Frau. Tong blickte verblüfft zu der Frau. »Ich rede von dir, Junge. Du hast geglaubt, du könntest in einem unbeobachteten Augenblick ein Huhn stehlen, was?«

Tong stammelte, dass er nie auf den Gedanken gekommen wäre, ein Huhn zu stehlen.

»Glaub bloß nicht, ich hätte den kleinen Abakus in deinem Bauch nicht klicken gehört, als du meine Hühner gesehen hast«, sagte die alte Frau. »Ein Junge aus dem Dorf wie du!«

Tong zog sich aus der Gasse zurück. Er wusste nichts zu seiner Verteidigung zu sagen.

NACH DEM MITTAGESSEN GING KAI in das Krankenzimmer im ersten Stock des Verwaltungsgebäudes und erklärte dem Arzt, dass sie sich nicht wohl fühlte. Der Arzt, ein Mann Mitte Sechzig, durfte nur Medikamente gegen Erkältung abgeben und Krankschreibungen ausstellen – für alles, was über Husten und eine laufende Nase hinausging, suchten Kader und Verwaltungsangestellte das städtische Krankenhaus auf der anderen Straßenseite auf.

Drei Tage? fragte der Arzt, während er Kais Namen sauber oben auf das Blatt schrieb.

Ein Nachmittag sei genug, antwortete Kai. Der Arzt notierte eine Erkältung, die einen halben Tag Ruhe erforderte, und betrachtete dann zufrieden seine altmodische Schrift, bevor er unterschrieb. Könnte er die Krankschreibung in die Propagandaabteilung bringen lassen? fragte Kai; sie wollte nicht, dass ihre Kollegen wegen einer kleinen Unpässlichkeit ein Theater machten, und der Arzt nickte verständnisvoll und sagte, er werde sie persönlich abgeben.

Kai kehrte über die Hintertreppe ins Studio zurück und schloss die unterste Schublade ihres Schreibtischs auf. Darin befand sich eine alte braungraue Baumwolljacke mit nicht zusammenpassenden Knöpfen und Flicken auf den Ellbogen. In einer Tasche steckte ein Tuch, in der anderen ein Mundschutz aus weißer Baumwolle. Die Jacke und das Tuch hatten dem früheren Kindermädchen gehört, und Kai hatte sie gegen eine Jacke und ein Tuch von sich getauscht. Für eventuelle Termine außerhalb der Stadt, hatte Kai zu dem Kindermädchen gesagt, und obwohl sie die Erklärung möglichst vage formulierte, hatte das Kindermädchen erwidert, dass Kai ihre Wolljacke und ihr Seidentuch selbstverständlich nicht an den schmutzigen Orten tragen wollte, an denen die niederen Kreaturen ihr Dasein fristeten.

Kai zog die Sachen an. Bevor sie die Schublade wieder verschloss, fiel ihr Blick auf den Stapel Briefe von Jialin, die alle in unbeschrifteten Umschlägen steckten, und sie zog wahllos einen heraus. Es war ein langer Brief über das Wesen totalitärer Systeme, und Kai, die ihn viele Male gelesen hatte und den Inhalt auswendig kannte, überflog die Seite; es war mehr eine Meditation als ein Brief, und nicht zum erstenmal fragte sie sich, ob der gleiche Brief auch von anderen Freunden Jialins gelesen wurde. Auf einem separaten Blatt befand sich eine Notiz, ein kurzer Absatz über eine neue Sendung aus Großbritannien, ausgestrahlt in Mandarin, das Jialin vor kurzem auf seinem Transistorradio entdeckt hatte. Wieder einmal fragte sich Kai, ob sie es sich bloß eingebildet hatte, dass er bestrebt gewesen war, ihr diese Neuigkeit mitzuteilen; es waren die kurzen Mitteilungen, kleine Details seines ihr weitgehend unbekannten Lebens betreffend, die sie daran hinderten, seinen Instruktionen zu folgen und die Briefe zu verbrennen.

Jialin und Kai sahen sich nicht oft, und manchmal vergingen ein, zwei Wochen, ohne dass sie eine Ausrede finden konnte, um in die Stadtbibliothek zu gehen. Sie sprachen nicht miteinander, sondern tauschten wortlos ihre in Zeitschriften gesteckten Briefe aus. Manchmal befanden sich in seinem Umschlag mehrere Briefe, und sie wollte sich lieber nicht vorstellen, dass er Tag für Tag im Lesesaal auf sie wartete und enttäuscht war, wenn sie nicht kam. Die Bibliothekarin war eine Freundin, hatte ihr Jialin erzählt, und erlaubte ihm, im Lesesaal zu sitzen, solange er Handschuhe und Mundschutz trug. Kai redete sich ein, dass die Bibliothekarin, eine stille Frau Ende Vierzig, Jialin freundschaftlich verbunden und sein Gang in die Bibliothek nicht vergeblich war.

Jialin und Kai verabredeten sich nie, und in ihren Briefen hielten sie sich kaum mit der Welt auf, in der sie Ausreden finden mussten, um sich für fünf oder zehn Minuten zu sehen; sie schrieben vielmehr über die Themen, über die sie persönlich nicht sprechen konnten. Sie hob jeden seiner Briefe auf. Sie wünschte, sie könnte es über sich bringen, sie zu verbrennen, so wie er ganz bestimmt pflichtbewusst ihre Briefe verbrannte, aber eines Tages würde sie nur noch seine Worte haben, geschrieben auf einen Schulblock, seine elegante Handschrift leicht nach rechts geneigt. Manchmal ging die Tinte in seinem Füller zu Ende, und die dunkelblauen Wörter wurden mitten in einem langen Absatz heller; erst wenn sie so hell waren wie das Papier, mehr eingraviert als geschrieben, fiel ihm ein, Tinte nachzufüllen.

Kai schob die Blätter wieder in den Umschlag und schloss ihn mit den anderen ein. Ein paar Minuten später verließ sie das Gebäude, das alte Tuch um den Kopf gewickelt, ihr Gesicht von dem Mundschutz bedeckt. Nur wenige würden sie jetzt noch als die Starsprecherin erkennen, und einen Augenblick lang fühlte sie sich frei.

Die Bibliothek, die einzige in der Stadt, die der Öffentlichkeit zugänglich war, befand sich in einem Haus, das einst das Hauptquartier der örtlichen Roten Garden gewesen war. Davor hatte das Haus einem alten Mann gehört, der sich kurz nach Beginn der Kulturrevolution mit Rattengift umgebracht hatte. Seine Tat stellte die Stadt vor ein Rätsel. Der Mann war angeblich Waise gewesen und von einem Arzt und seiner Frau adoptiert worden. Er wuchs halb als Sohn, halb als Lehrling des Arztes auf, der wiederum der einzige Arzt der Stadt gewesen war, als Hun Jiang nichts weiter als ein Handelsposten war; als das alte Paar starb, erbte der Mann ihr Geld und das Haus im alten Stil, ein Viereck, errichtet um einen kleinen, gepflegten Innenhof nahe dem Stadtzentrum. Der Mann praktizierte gelegentlich Akupunktur, doch nur bei älteren Patienten mit Rückenschmerzen oder Arthritis; er sah aus wie ein Weiser, war höflich und freundlich, und es schien keinen Grund zu geben, warum er sich vor dem aufkommenden revolutionären Sturm hätte fürchten müssen. Doch da es für jeden Todesfall eine Erklärung geben musste – vor allem für Selbstmord, da jeder Freitod interpretiert werden konnte als frevelhafte Tat, um der kommunistischen Gerechtigkeit zu entgehen –, waren bald Gerüchte im Umlauf, der Mann sei ein mandschurischer Prinz gewesen, der auf den richtigen Zeitpunkt gewartet habe, um die letzte Dynastie wieder an die Macht zu bringen. Wie ein berühmter General einmal gesagt hatte: Eine tausendmal wiederholte Lüge wird zur Wahrheit. Und so galt nach einer Weile der alte Mann als politischer Feind, der sich mit einem bequemen Tod der Gerechtigkeit entzogen hatte. Die Roten Garden besetzten bald das Haus, druckten dort Propagandaflugblätter und lagerten Munition; monatelang dienten die hinteren Zimmer den jugendlichen Revolutionären als Verhörraum und Haftzelle.

Die Bibliothek war erst eineinhalb Jahre zuvor in den beiden vorderen Zimmern des Hauses eingerichtet worden. Ein paar Tische und Stühle standen auf der einen Seite des Lesesaals, und auf der anderen befand sich eine Art Theke, auf der ein Dutzend Zeitschriften auslagen. Die Bibliothekarin saß am Eingang, und wenn jemand nach einem Buch aus der Sammlung fragte, schloss sie das zweite Zimmer auf, in dem ungefähr zehn Reihen Bücher standen. Es gab weder Karteikästen noch Kataloge; wenn man an einem bestimmten Thema interessiert war, ging die Bibliothekarin in diesen zweiten Raum und kehrte mit einem oder zwei Büchern zurück, die sie für das Thema für relevant hielt.

Nur wenige Leute in der Stadt nutzten die Bibliothek, und Kai war nicht überrascht gewesen, dass Jialin diesen Ort wählte, um sich mit ihr zu treffen. Die Bibliothekarin nickte Kai nach ihrer Ankunft kurz zu und wandte sich wieder ihrer Lektüre zu. Kai fragte sich, ob die Frau sie als Nachrichtensprecherin wiedererkannte, aber wahrscheinlicher war, dass sie sie für die Frau hielt, die hin und wieder vorbeikam und sich im Lesezimmer ein paar Zeitschriften ansah. Kai sagte nichts, damit die Bibliothekarin ihre Stimme nicht hörte. Die Frau war Witwe, und ihr verstorbener Mann, ein Angestellter in der Stadtverwaltung, war in den Schlammigen Fluss gesprungen, als zwei kleine Jungen um Hilfe riefen; der Mann konnte selbst kaum schwimmen und weder das Leben der beiden Jungen noch sein eigenes retten. Die Stadtverwaltung sprach dem Toten den Titel Held zu, und als seine Frau, eine Lehrerin, um eine weniger anstrengende Arbeit bat, besetzte die Stadt die neu eingerichtete Stelle der Stadtbibliothekarin mit ihr, eine Stelle, wo sie jede Menge Zeit hatte, um in aller Stille zu trauern.

Außer Jialin war niemand im Lesesaal. Er saß in einer Ecke mit dem Gesicht zur Tür und blickte über den Mundschutz aus Baumwolle zu Kai, bevor er fortfuhr, in ein dickes Notizbuch zu schreiben. Sie hielt stets Ausschau nach einer Veränderung seines Ausdrucks, aber es erfolgte keine, und sie fragte sich, ob ihre Augen über dem Mundschutz genauso ausdruckslos blickten wie seine. Sie ging zu den Zeitschriften und griff eine heraus, auf dem Titelblatt das große Foto des neuen Führers des Landes.

Kai las ein paar Worte und blätterte dann um. Die Bibliothekarin schien die beiden Personen nicht zu beachten. Kai nahm einen kleinen Zettel heraus und schrieb ein paar Worte, bevor sie an Jialin vorbeiging, um sich eine andere Zeitschrift zu holen. *Wir müssen miteinander sprechen*, stand auf dem Zettel, den sie auf seinen

Tisch legte. Sie fragte sich, ob er die Dringlichkeit der Bemerkung spürte. Sie hatte nie zuvor etwas von ihm verlangt; normalerweise schob sie ihm einen mehrmals überarbeiteten Brief zu.

Jialin steckte das Notizbuch in eine Tasche und machte sich fertig, um zu gehen. *Wir treffen uns bei mir*, stand auf dem Zettel, den er unauffällig neben die Zeitschrift legte, für die Kai Interesse heuchelte.

Nach einer Weile ging sie ebenfalls, entfernte sich vom Zentrum der Stadt und gelangte in eine dichter bevölkerte Welt, in der Katzen, Hunde und Hühner sich die Gassen und den nachmittäglichen Sonnenschein mit dösenden alten Männern teilten. Es war eine Welt, mit der Kai einst vertraut gewesen war – bevor sie in die Provinzhauptstadt zog, hatte sie mit ihren Eltern und Geschwistern in einer dieser Gassen gelebt. Das schäbige Haus war einer der Gründe für die Unzufriedenheit ihrer Mutter gewesen, die glaubte, dass Kais Vater die Karriereleiter nicht schnell genug hinaufgestiegen war, um in eins der modernen Gebäude zu ziehen, und erst nachdem Kai Han geheiratet hatte, bekamen ihre Eltern die Wohnung, von der ihre Mutter ihr Leben lang geträumt hatte. Damals feierten Kai und ihre Familie den Abschied von der Gasse, doch jetzt wünschte sie, sie hätte diese Welt nie verlassen.

Kai fand Jialins Haus und öffnete das Lattentor. Der Hof in der Standardgröße von viereinhalb mal fünf Meter war mit allem möglichen Schrott vollgestellt: schlampig übereinandergestapelte, unbenutzte Weckgläser; verdrehte Schläuche, die vom Lenker eines verrosteten Fahrrads hingen, das keine Reifen mehr hatte; plattgedrückte, zu hohen Stapeln aufeinandergetürmte Kartons; drei auffällig als Dreieck im Hof positionierte Sperrketten aus Eisen, in dem drei Bajonette standen. Sie gehörten seinen drei jüngeren Brüdern, hatte Jialin Kai erklärt, als sie ihn zum erstenmal besuchte; damals hatte er sie zum Tor gebracht und die kurze Bemerkung über seine Brüder war wie der Schrott eine Tatsache aus dem Leben von Fremden gewesen. Aber als sie sie jetzt, ein halbes Jahr später, wiedersah, wusste Kai, dass sie eines Tages an diese Dinge als Teil der Welt denken würde, in der Jialin gelebt hatte;

sie würde sie benutzen, um ihn in ihrer Erinnerung weiterleben zu lassen.

Die Haustür wurde geöffnet. »Brauchen Sie Hilfe?« fragte eine ältere Frau, die eine lange Baumwolljacke trug.

Kai deutete auf die Hütte und sagte leise, sie suche Jialin. Die Frau, die zweifelsohne Jialins Mutter war, da Spuren von Jialin in ihrem Gesicht erkennbar waren, nickte und winkte, bevor sie die Tür wieder schloss.

Seine Mutter hatte gelernt, keine Fragen zu seinem Leben zu stellen, erklärte Jialin, als er sah, dass sie zu der geschlossenen Haustür zurückblickte. Er führte Kai in seine Hütte und deutete auf den einzigen Stuhl.

»Deine Mutter – arbeitet sie heute nicht?« fragte Kai.

»Sie ist erkältet.«

»Und deine Brüder – sind sie in der Schule?«

Jialin schien überrascht, weil sie normalerweise nicht über solche banalen Dinge redeten. Er hoffte, dass sie in der Schule waren, aber es hieß, sie gehörten einer Straßenbande an und schwänzten deswegen die Schule.

»Wissen deine Eltern davon?«

»Eltern erfahren schlechte Neuigkeiten immer als letzte.«

»Willst du nicht mit deinen Brüdern sprechen oder es zumindest deinen Eltern sagen?«

Sie wollten nicht, dass er sich in ihr Leben einmischte, sagte Jialin; im Gegenzug ließen sie ihn in seiner Welt leben. Außerdem waren es bloß seine Halbbrüder, und es gab keinen Grund, warum er sich vor ihren leiblichen Vater stellen und irgendeine Verantwortung übernehmen sollte. Sprach er mit seinen anderen Freunden über diese Dinge? fragte sich Kai und dachte an all die Fragen, die sie ihm nicht stellen konnte.

Jialin wartete einen Augenblick, und als Kai schwieg, fragte er, worüber sie mit ihm sprechen wollte. Die gleiche Sache, über die sie schon mit ihm geredet hatte, erwiderte Kai, ein Protest, nicht mehr, um Shans Leben zu retten, sondern für ihr Recht, als zu unrecht hingerichtete Person anerkannt zu werden. Kai erzählte von dem verdächtig beschleunigten Verfahren und der Nierentransplantation; sie erzählte von Frau Gus aufsässiger Aktion auf der Kreuzung und erinnerte sich an ihren geraden Rücken, als sie von dem schwelenden Feuer weggezerrt worden war. Es war an der Zeit, die Stadt auf die Ungeheuerlichkeit und Ungerechtigkeit aufmerksam zu machen, die einer Tochter und einer Mutter widerfahren waren.

Nachdem Kai geendet hatte, schwiegen beide. Dann winkte Jialin Kai in eine Ecke der Hütte und entfernte eine Plastikplane. Darunter befanden sich ein Vervielfältigungsapparat und ein Stapel frischgedruckter Flugblätter. Kai nahm eins in die Hand und erkannte Jialins Handschrift. Es war ein an die Bewohner gerichteter Brief, datiert am Tag der Exekution. Kai blickte verblüfft auf. »Waren die gestern schon fertig?«

»Ja.«

»Ich wusste nicht, dass du alles ganz allein gemacht hast.«

Jialin schüttelte den Kopf und sagte, mehrere Freunde hätten ihm geholfen.

»Aber warum haben wir gewartet, wenn die Flugblätter fertig waren?« fragte Kai.

»Die Lage ändert sich jeden Tag«, sagte Jialin. Er fragte sie, ob sie von der Mauer der Demokratie in Beijing gehört habe. Kai schüttelte den Kopf, und Jialin schien überrascht. Er hatte gedacht, sie wisse davon, auch wenn sie nicht davon berichten dürfe, sagte Jialin, und sie erwiderte, sie sei nur die Stimme der Verwaltung und sei vor allem auf ihn angewiesen, wenn es sich um wichtige Neuigkeiten aus der Welt handelte.

In der Hauptstadt war eine Mauer errichtet worden, auf der Menschen ihre Meinung offen äußern konnten, erklärte Jialin; während der letzten Wochen waren viele Kommentare angeschlagen worden, die eine offenere und demokratischere Regierung forderten. Während er sprach, empfand Kai ein merkwürdiges Gefühl des Verlustes. Sie hatte keine Ahnung, wie lange Jialin davon wusste, aber in seinen Briefen hatte er ihr nichts davon mitgeteilt. Sie stellte sich vor, wie sich in der Hauptstadt junge Leute in

Gruppen versammelten und gemeinsam über ihre Träume sprachen. Gewiss verbrachten seine anderen Freunde manchmal lange Abende vor dem Kurzwellensender in Jialins Hütte und hofften auf gute Nachrichten. Und was tat sie an diesen Abenden? Sie spielte die Rolle der pflichtbewussten Ehefrau und guten Mutter.

Konnte sie Jialins Freunde kennenlernen? fragte Kai.

Jialin nahm die Brille ab. Er rieb sich die Augen, putzte die Gläser an seinem Ärmel und setzte die Brille wieder auf. »Dir ist doch klar, dass du nicht so frei bist wie die meisten von uns, oder?« fragte er leise. »Ich hoffe, dass du an dieser Sache nicht teilnehmen wirst. Zumindest noch nicht.«

»Warum? Vertraust du mir nicht?«

Jialin schüttelte den Kopf. Wenn die Flugblätter einmal verteilt waren, sagte er und deutete auf den Stapel, gab es für sie alle kein Zurück mehr, und er sei nicht nur für sein eigenes Leben, sondern auch für das seiner Freunde verantwortlich.

»Bin ich anders als deine Freunde?« fragte Kai.

»Ich würde lügen, wenn ich nein sagen würde.« Und Jialin erklärte, dass es unter seinen Freunden Meinungsverschiedenheiten gab, und obwohl seine Erklärung vage war, begriff Kai sofort, dass nicht Jialin, sondern seine Freunde, wer immer sie waren, ihr nicht vertrauten. Sie fragte sich, ob er sich für sie stark gemacht hatte und ob sie ihn gefragt hatten, wie gut er sie kannte, um sie zu verteidigen. Ihre Briefe, die er gelesen und verbrannt hatte, wären keine Hilfe. Und selbst wenn er sie aufgehoben hätte, konnte sie sich nicht vorstellen, dass er sie seinen Freunden zeigen würde. »Sie kennen dich nicht so gut wie ich«, sagte Jialin und sah sie bedauernd an.

»Und du wirst ihnen nicht helfen, mich besser kennenzulernen?«

Er musste alle schützen, sagte Jialin, und mehr als seine Worte gab ihr sein abgewandter Blick zu verstehen, dass er mehr als die schlichte Unfreundlichkeit seiner Gefolgsleute vor ihr verbarg.

»Wenn ich zur Polizei ginge, um dich anzuzeigen, würden deine Freunde verschont, weil ich nicht weiß, wer sie sind?« fragte Kai.

»Ich schütze auch dich«, sagte Jialin. »Jeder von uns könnte unsere Freunde verraten.«

»Haben alle deine Freunde der Entscheidung zugestimmt, mir zu schreiben?« fragte Kai. »Oder gab es von Anfang an Differenzen?«

Das sei jetzt nicht mehr wichtig, sagte Jialin, da er sie enttäuscht habe. Sie wolle es wissen, beharrte Kai. Sie hatten überlegt, jemand in der Stadtverwaltung zu suchen, sagte Jialin, doch dann war der Plan als unausgegoren verworfen worden.

»Und dann hast du mir aus eigenem Entschluss geschrieben?«

Jialin wandte den Blick von ihr, ohne zu antworten.

»Warum?« fragte Kai.

Jahre zuvor hatte er sie bei einem Auftritt als Herbstjade gesehen, erklärte Jialin schließlich, und sich seitdem gefragt, was für ein Mensch sie war, ob sie auf der Bühne so agieren konnte, ohne die Reinheit und den Edelmut einer Märtyrerin zu besitzen. »Du hättest ein anderer Mensch sein können, und dann säße ich jetzt meine Strafe ab. Man könnte sagen, dass ich mit mir selbst gewettet habe, indem ich dir schrieb, weil ich es wissen wollte, doch wie es möglich war, dass ich die Wette nicht verloren habe, weiß ich nicht. Vielleicht war es reiner Zufall. Es hätte mich nicht überrascht, wenn es anders ausgegangen wäre«, sagte Jialin und versuchte, den Hustenanfall zu unterdrücken, der ihn zu ersticken drohte.

Das war also die Geschichte, die sie bislang ausgespart hatten, dachte Kai und stellte sich Jialin als Zuschauer vor, vielleicht bevor er krank wurde, bevor sie heiratete. Dass das eigene Leben sich weiter erstreckte, als man selbst ahnte, war nichts Neues; in der Theatertruppe hatte Kai viele Briefe von ihren Fans erhalten, manche unter dem richtigen Namen geschrieben, andere unter erfundenen, wieder andere ohne Unterschrift. Aber dass sich ihre Wege zum falschen Zeitpunkt kreuzten – zu früh oder zu spät, was Jialin betraf, Kai konnte es nicht mehr sagen –, war nicht zu verstehen. Wie alles, worüber man keine Kontrolle hatte, musste es hingenommen werden. Hätte sie Jialin nicht als junge Mutter kennengelernt, sondern als ältere Frau, dachte Kai und stellte sich Ming-Ming als jungen Mann vor, wäre sie für diese Begegnung vielleicht dankbar gewesen; sie wäre sogar frei gewesen, sich neu zu entscheiden. Doch bevor es soweit wäre, hätte der Tod Jialin hinweggerafft; ihre Wege würden sich bald trennen.

»Du musst wissen, dass ich dich als Freundin nicht ablehne«, sagte Jialin sanft.

Er habe jetzt genug zu tun, und sie werde den Wunsch seiner Freunde respektieren und sie in Ruhe lassen, sagte sie; er müsse sich keine Sorgen machen, wie sie sich fühle. Sie wisse, wo er zu finden sei, so wie er wisse, wo sie zu finden sei. Einen Augenblick lang stockte ihre Stimme, und sie verließ ihn abrupt, bevor sie schwach würden und alles sagten, was besser unausgesprochen blieb.

DIE ANDEREN PATIENTEN auf der Station mussten von seiner Tochter gehört haben. Sie blickten zu Lehrer Gu, wenn sie glaubten, dass er es nicht merkte. Wenn er zu ihnen hinschaute, wandten sie den Blick ab und senkten den Kopf. Lehrer Gu sah ihnen an, dass sie sich bemühten, nicht über den Fall zu sprechen. Ein bedauernswerter Mann, mussten sie denken, nicht in der Lage, aufrecht zu stehen, rasch bereit, sich geschlagen zu geben. Lehrer Gu sprach nicht mit den anderen Patienten. Wenn ihre Frauen und Kinder während der Besuchszeit auf die Station schwärmten, versteckte er sich unter der gestreiften Decke und gab vor zu schlafen. Auch seine Frau redete nicht mit den anderen Patienten und ihren Familien. Sie kam mit einer Thermosflasche mit Hühnersuppe und setzte sich auf den Stuhl neben seinem Bett; eine halbe Stunde später, wenn er sich noch immer weigerte, ihre Anwesenheit wahrzunehmen, schüttelte sie ihn sanft und bat ihn, die Suppe zu essen, bevor sie wieder gehen musste. Er ließ zu, dass sie ihn aufrichtete und gegen das Kissen lehnte; mit dem Löffel in der Hand setzte sie sich vom Stuhl aufs Bett. Er gehorchte und aß widerspruchslos die Suppe und wartete drei Tage, bevor er fragte, warum sie ihre zwei Hühner für einen Mann geschlachtet hatte, der zu nichts mehr zu gebrauchen war; sie waren jetzt ihre einzigen Kinder, wollte er sagen, doch er verzichtete auf die grausame Bemerkung. Sie habe ihre eigenen Hühner nicht angerührt, antwortete sie, bot jedoch keine weitere Erklärung an, wie sie sich die Hühner hatte leisten können. Sie kaufte in dem teuren Laden neben dem Krankenhaus auch anderes Essen – Obst in Dosen, Milchpulver, mit Honig glasierte Datteln, Orangensaftkonzentrat, von dem Lehrer Gu annahm, dass es ausschließlich aus Zucker und Farbstoff bestand. Nach einem weiteren Tag konnte er nicht anders und fragte, woher das Geld für den unnötigen Luxus stamme. Sie zögerte und sagte dann, ein warmherziger und mitfühlender Mensch habe Geld unter dem Hoftor durchgeschoben. Er vermutete, dass sie das Geld von ihren mageren Ersparnissen in der Bank abgehoben und ängstlich überlegt hatte, wie sie die Ausgaben erklären sollte, und menschenfreundliche Fremde erfand, an die er nicht mehr glaubte. Er nahm sie nicht ins Kreuzverhör. Die Welt war kalt genug; wenn sie ein kleines Feuer der Hoffnung entfachen wollte, dann würde er sie nicht daran hindern, aber er lehnte es ab, sich an ihren Phantasien zu beteiligen.

Lehrer Gu war nach dem Schlaganfall linksseitig gelähmt, wenn auch nicht so schlimm wie einige der anderen alten Männer auf der Station, und er konnte damit rechnen, dass er seine Bewegungsfähigkeit zumindest teilweise wiedererlangen würde. Dr. Fan, eine Frau in den Vierzigern, gab den Patienten harsche Anweisungen, wenn sie die Krankengymnastik überwachte; die anderen Patienten und ihre Familien, die sich ihr gegenüber durchaus ehrfurchtsvoll verhielten, hatten ihr insgeheim den Spitznamen Tigerin gegeben.

Am fünften Tag seines Krankenhausaufenthalts kam Dr. Fan zu spät zu ihrer morgendlichen Visite, und als sie erschien, trug sie nicht wie üblich die weiße Kopfbedeckung der Ärzte. Lehrer Gu sah, dass ihr kurzes Haar in kleine, wirblige Locken gelegt war. Sie wollte offenbar ihre neue Dauerwelle nicht zerdrücken – es war ihre erste Dauerwelle, da ihre Generation in einer Zeit aufgewachsen war, als eine Dauerwelle als ungesetzliche bourgeoise Hinterlassenschaft betrachtet wurde. Nachdem sie ihm befohlen hatte, den linken Arm und das linke Bein zu heben, was ihm nicht möglich war, machte Lehrer Gu Dr. Fan ein Kompliment über ihre neue Frisur.

Erschrocken errötete Dr. Fan und sagte kein Wort mehr. Sie ging rasch weiter und erlangte ihre Selbstkontrolle zurück, indem sie den Mann im nächsten Bett tadelte. Ihre nervöse Reaktion betrübte Lehrer Gu. Dr. Fan und ihre Generation taten ihm leid. Diese Frauen hatten ihre besten Jahre in dunklen, sackartigen Sachen und mit kurzgeschnittenem Haar verbracht, ihrer weiblichen Schönheit beraubt, und versuchten jetzt, da ihre Jugend schon vorüber war, femininer auszusehen. Doch welches Recht hatte er, diese Frauen zu bedauern, da er selbst, alt und invalide, Objekt des Mitleids war?

Auf der Station standen achtzehn Betten, fünfzehn davon waren belegt, überwiegend von alten Männern, die einen Schlaganfall oder Gehirnblutungen erlitten hatten. Ein Mann jedoch befand sich in einem Zustand, der alle faszinierte. Ohne es sich anmerken zu lassen, hörte auch Lehrer Gu zu, wenn Patienten, Familien und Krankenschwestern über ihn sprachen. Soweit er es mitbekam, war Dafu, Ende Vierzig und seit einem Jahr verwitwet, ein gesunder Mann gewesen, bevor er sich für eine Operation gemeldet hatte, um sich die Gallenblase entfernen zu lassen – er hatte Gallensteine, die ihm keine großen Beschwerden verursachten, insofern bestand keine medizinische Notwendigkeit für diese Operation. Es hatte sich jedoch herumgesprochen, dass das Armeekrankenhaus in der Provinzhauptstadt nach einem Patienten suchte, um eine neue Anästhesiemethode ohne Medikamente zu testen. Durch Beziehungen wurde Dafu für diese politische Aufgabe ausgewählt, und als Gegenleistung sollten seine beiden Töchter Arbeit in Fabriken erhalten. Die beiden gut ausgebildeten Töchter waren jahrelang auf dem Land gewesen und gerade in die Stadt zurückgekehrt, konnten aber keine Arbeit finden. Der Vater ließ sich ohne Anästhesie operieren, abgesehen von fünf Akupunkturnadeln in der Hand. Da er gefilmt wurde, musste er stillhalten. Dafu litt während der Operation solche Schmerzen, dass danach aus keinem eindeutigen medizinischen Grund seine Beine gelähmt waren und seine Fähigkeit zu urinieren dauerhaft beeinträchtigt war. Nachdem sie ihn ein paar Tage beobachtet hatten, entschieden die ratlosen Armeeärzte, dass die Probleme psychologischer Natur waren, und schickten Dafu nach Hun Jiang zurück.

Lehrer Gu staunte, dass ein Mann sich so stoisch für seine Töchter geopfert hatte. Dafu selbst hielt sich, im Gegensatz zu den anderen Patienten auf der Station, nicht für einen Helden. Er war ein kleiner Angestellter und sofort verlegen, wenn seine Selbstlosigkeit erwähnt wurde. Er entschuldigte sich, wenn es ihm nicht gelang zu urinieren. »Entspannen Sie sich«, drängte ihn Schwester Shi, die älter war als die anderen Schwestern und sanftere Hände hatte. Die Ärzte hatten Dafu erläutert, dass er während der Operation so große Selbstkontrolle ausgeübt hatte, um die Schmerzen zu ertragen, dass seine Muskeln dauerhaft verkrampft waren, was wiederum seine Symptome erklärte. »Entspannen Sie sich«, sagte Schwester Shi. »Benutzen Sie Ihre Phantasie. Stellen Sie sich vor, Sie wären wieder ein kleines Kind und könnten Ihre Blase nicht kontrollieren. Haben Sie als kleiner Junge ins Bett gemacht?«

»Ja«, sagte Dafu.

»Schließen Sie die Augen und denken Sie an die Zeit, als Sie ins Bett gemacht haben. Sie wollen es zurückhalten, aber es geht nicht, weil es einfach herausfließt. Es fließt einfach heraus.« Schwester Shis Stimme wurde sanft und drängend, und in diesen Momenten wagte kein Patient ein Geräusch zu machen, nicht einmal die vier alten Männer, die gern die Aufmerksamkeit auf sich zogen, indem sie stöhnten und über eingebildete Probleme jammerten. Um seine Phantasie weiter anzuregen, befahl Schwester Shi einer jüngeren Schwester, den Hahn am Waschbecken aufzudrehen und das Wasser in das leere Becken tropfen zu lassen. Dafu saß verlegen auf der Bettkante, gestützt von Schwester Shi und einer weiteren Schwester, die Hose bis zu den Knöcheln heruntergezogen und eine weiße Bettpfanne aus Email zwischen den Beinen. Das Wasser tropfte, Schwester Shi murmelte aufmunternd, und alle anderen im Raum hielten die Luft an, bis schließlich einer der vier alten Männer am anderen Ende der Station das Schweigen brach und rief, dass er den Urin nicht mehr zurückhalten könne, und um eine Bettpfanne bat. Eine junge Lernschwester versuchte, das Lachen zu unterdrücken, als sie der Bitte des alten Mannes nachkam; Schwester Shi tröstete Dafu und sagte, dass er es schon besser mache und es das nächstemal bestimmt klappen würde. Mit hochrotem Gesicht entschuldigte sich Dafu für die Umstände, die er den Schwestern und allen anderen im Raum bereitete. Er entschuldigte sich ständig, auch bei seinen beiden Töchtern, die ihn besuchten und ihm die weißen Laborkittel zeigten, die sie bei der Arbeit in der pharmazeutischen Fabrik trugen. Die Kittel waren nicht wie üblich blau, sondern weiß, und jemand, der von ihrer Arbeit nichts wusste, konnte sie für Krankenschwestern oder womöglich sogar Ärztinnen halten. Die Töchter erwähnten nicht, dass sie mit den Kitteln das Interesse geeigneter Heiratskandidaten erregen wollten, doch der Vater sah die Hoffnung in ihren Augen; sie waren sechsundzwanzig und siebenundzwanzig Jahre alt, ein Alter, in dem die meisten längst verheiratet waren. Nachts übte er heimlich im Dunkeln, versuchte, seine Beine zu bewegen, damit er nicht eine Last für seine Töchter würde; die Aussicht, eine Frau mit einem bettlägrigen Vater zu heiraten, könnte mögliche Kandidaten abschrecken, und Dafu stellte sich vor, dass seine Frau missbilligend vom Himmel zu ihm herabblickte. Am Morgen des Tages, an dem sie von einem Lastwagen überfahren worden war, hatten sie wegen einer kleinen Haushaltsangelegenheit gestritten; sie habe den schlimmsten Mann auf der Welt geheiratet, der seiner Frau und seinen Töchtern nur im Weg stehe, hatte sie sich beklagt, es waren die letzten Worte, die sie zu ihm sagte. Seitdem fragte er sich, ob sie das tatsächlich geglaubt hatte, doch wenn ihr Temperament mit ihr durchging, hatte sie nie die richtigen Worte gefunden, und vielleicht war die Bemerkung nicht ernstgemeint gewesen. Er konnte es jetzt nicht mehr herausfinden, dachte Dafu; er konnte sich nur das Gegenteil beweisen.

Während Dafu in sein Kissen weinte, quälten elterliche Sorgen auch viele Gemüter außerhalb des Krankenhauses. Eine Mutter, die ihrer von Panik erfüllten Tochter gerade bei ihrer ersten Periode beigestanden hatte, fand neben ihrem schnarchenden Mann keinen Schlaf. Sie erinnerte sich an ihre eigene Mutter, die ständig die Unterhosen ihrer Töchter kontrolliert hatte aus Angst, sie wären von Fremden vergewaltigt oder verführt worden. Die Tochter, die dem traurigen Schicksal, das sich ihre Mutter für sie ausgemalt hatte, entgangen war, war jetzt selbst Mutter und fürchtete, dass sich der mütterliche Geist der Angst in ihrem eigenen Herzen eingenistet hatte.

In einem anderen Bett im gleichen Block erinnerte ein Mann seine Frau daran, sie möge ihre beiden halbwüchsigen Töchter ermahnen, sich nicht in bunten Farben zu kleiden. Aber es war doch nicht länger verboten, sich hübsch zu machen, meinte seine Frau und nahm ihre Töchter in Schutz; sie dachte an ihre eigenen Jugendjahre, die vorübergegangen waren, ohne dass sie sie je genossen hätte. Die Leute würden es bemerken und klatschen, sagte der Vater, der das peinliche Thema nicht selbst mit seinen Töchtern besprechen wollte; er musste den Blick von ihren schwellenden Brüsten und vollen Lippen abwenden und ließ ihn statt dessen über die Körper anderer junger Mädchen auf der Straße schweifen.

Ninis Eltern schliefen nicht; die Hand des Vaters lag auf dem Bauch der Mutter, den man jetzt schon deutlich sah. Sie sprachen hoffnungsvoll von einem Sohn und vermieden es, ihre Angst vor einem weiteren Mädchen zu äußern. Auf der anderen Seite des gemauerten Betts lauschte Nini und betete zu unbekannten Göttern und Göttinnen, dass sie noch ein Mädchen bekämen.

Jialins Mutter dachte an die Zeit, die Jialin noch bleiben würde, aber vor allem sorgte sie sich wegen seiner drei jüngeren Brüder, die ihr Geld gestohlen hatten, um sich drei Sonnenbrillen zu kaufen. Als sie mit den glänzenden schwarzen Dingern im Gesicht nach Hause gekommen waren, sah sie sechs Duplikate ihrer selbst, das Gesicht müde und das Haar grau. Sie fragte sich, ob sie dabei waren, die neuesten Bandenmitglieder zu werden, doch als sie ihren Mann darauf ansprach, erwiderte er, dass es nur natürlich war, wenn aus Jungen Männer wurden.

In der Hütte der Huas träumte Frau Hua von ihren sieben Töchtern. Die Älteren erzählten ihr manchmal von einem neugeborenen Mädchen, das der Familie des Mannes nicht passte, oder von der Geburt eines lange ersehnten Sohnes, die dafür sorgte, dass der Mann endlich aufhörte, seine Frau zu schlagen; die Jüngeren erzählten von den Waisenhäusern, in denen sie froren, zu wenig zu essen bekamen und zu viel arbeiten mussten. In dieser Nacht kam ihre jüngste Tochter, die mit einer Gaumenspalte geboren und von ihren älteren Schwestern Häschen genannt worden war. Sie sagte zu Frau Hua, sie habe beschlossen, nach Hause zu gehen; sie war gekommen, um sich von ihren Eltern zu verabschieden, weil die Jahre mit ihnen die glücklichsten in ihrem Leben gewesen waren. Einen Augenblick lang spürte Frau Hua ihren Atem auf den Wangen, und dann war das Mädchen verschwunden, und Frau Hua war in kalten Schweiß gebadet. Sie biss sich in den Finger; der Schmerz war real, sie träumte also nicht. Sie lag in der Dunkelheit und begann zu weinen. Häschens Geist war gekommen, um sich ein letztesmal zu verabschieden, sagte Frau Hua zu ihrem Mann, als er erwachte; irgend etwas war passiert, und das arme Kind war jetzt auf dem Weg in die andere Welt. Der alte Mann hielt Frau Huas Hand; nach einer Weile beruhigte sie sich wieder. Sie würden nie erfahren, was oder wer ihr kleines Mädchen umgebracht hatte, sagte sie, und er erwiderte, der Himmel habe vielleicht gewusst, dass es für das Mädchen schlimmer gewesen wäre, weiterzuleben.

8

Ein Zimmermann mittleren Alters und sein Lehrling, beide im Unterhemd und mit Schweiß und Sägemehl bedeckt, schoben die Sägeböcke beiseite, damit Kai ihre Wohnung betreten konnte. Der Flur, der zu den vier Wohnungen des Stockwerks führte, war vorübergehend zu einer Werkstatt umfunktioniert worden, und aus Neugier fragte Kai, für welche Familie sie arbeiteten. Die harmlose Frage schien die beiden Männer zu verwirren; sie blickten einander an, und als der ältere Mann den Kopf senkte, erwiderte der junge Lehrling, die Stadtverwaltung habe sie mit einem politischen Auftrag betraut.

Kai runzelte die Stirn. Bevor sie die Männer weiter befragen konnte, wurde die Tür zu ihrer Wohnung geöffnet, und Han lächelte sie geheimnisvoll an. Er habe eine Überraschung für sie, sagte er und bat sie, die Augen zu schließen. Der junge Zimmermann sah Kai und Han mit furchtsamer Neugier an, und Han wies den Jungen an, weiterzuarbeiten, bevor er Kai in die Wohnung zog. Han bestand darauf, dass sie die Augen schloss. Kai seufzte und ließ sich von ihm an der Hand ins Wohnzimmer führen. Als sie die Augen wieder öffnen durfte, sah sie mitten im Zimmer einen riesigen Karton, auf den ein blauer Fernsehapparat gedruckt war.

»Wann hast du die Stadt verlassen?« fragte Kai. Fernsehgeräte waren nur in der Provinzhauptstadt und mit einer Sondererlaubnis erhältlich. Zwar sprach Han seit Tagen davon, einen Fernseher zu kaufen, aber Kai hatte gedacht, es würde Wochen dauern, bis die Erlaubnis erteilt wäre.

»Ich habe heute mein Büro überhaupt nicht verlassen«, sagte Han. »Und ich musste keinen Pfennig dafür ausgeben.«

Kai nickte, mit den Gedanken woanders. Han schien von ihrer lauen Reaktion enttäuscht. »Es ist ein Geschenk«, sagte er. »Und nur drei Familien in Hun Jiang haben einen bekommen. Rate wer?«

»Deine Eltern, der Bürgermeister und wir?«

»Dir entgeht nichts«, sagte er. »Wer sonst verdient so einen Preis?«

»Für die Nierentransplantation?«

Han lächelte und erklärte, der Bürgermeister und seine Frau hätten die Zimmerleute empfohlen, da sie zwei Tage zuvor einen Fernsehtisch in Topqualität für sie gebaut hatten. Er hatte die Männer darum gebeten, mit der Arbeit am nächsten Tag fertig zu sein. Sollte nicht das Einverständnis der Nachbarn eingeholt werden, bevor die Zimmerleute den gemeinsamen Flur benutzten? fragte Kai, doch Han tat die Frage ab und meinte, dass die Nachbarn nichts dagegen hätten – die Männer der drei anderen Familien standen in der Rangordnung nur etwas unter Han, aber sie hatten ihre Grenzen erreicht, wie Han es ausdrückte; er war der einzige im Stockwerk, der aufsteigen konnte.

Kai nickte und fragte, ob es noch andere Neuigkeiten gebe.

»Ich muss mit dir über etwas sprechen«, sagte Han, als die Tür zum Kinderzimmer geöffnet wurde. Ming-Ming kam auf Zehenspitzen heraus, an den Händen gehalten vom Kindermädchen. Er schaute zu seinen Eltern, doch dann führte er das Mädchen zum Sofa. Han hatte die Möbel im Wohnzimmer umgestellt, um Platz für den Fernseher zu schaffen, und nachdem Ming-Ming auf das Sofa geklettert war, das jetzt neben dem Lichtschalter stand, streckte er die Hand und schaltete das Licht ein und aus, ein und aus. Kai und Han, beide in Gedanken versunken, sahen dem Kind im blinkenden Licht zu.

Schließlich winkte Han dem Kindermädchen. Kai hob Ming-Ming hoch und küsste ihn, doch er entwand sich ihren Armen und wollte aufs Sofa zurück. Kai fragte das Mädchen, ob das Kind zu

Mittag gegessen habe, und wies sie dann an, es warm anzuziehen und mit ihm einen Spaziergang zu machen. Einen Spaziergang vor dem Mittagsschlaf? fragte das Kindermädchen überrascht, und Kai entgegnete, dass es ein warmer Tag sei und ihm frische Luft nicht schaden würde.

Han stand am Fenster und schaute hinunter auf die Straße. »Du hast bestimmt von der Sache gehört«, sagte er, nachdem das Mädchen die Wohnungstür hinter sich geschlossen hatte.

Fünfzehnhundert Kopien des ersten Flugblatts waren drei Nächte zuvor angeklebt worden, doch bis zum Mittag des nächsten Tages hatte die städtische Reinigung sie wieder entfernt, und niemand hatte sie seitdem mehr erwähnt. Zwei Nächte später war ein zweites Flugblatt aufgetaucht, diesmal nicht über Gu Shans Exekution, sondern über die Mauer-der-Demokratie-Bewegung in Beijing. Kai hielt es für verdächtig, so zu tun, als wüsste sie nichts davon. »Die Flugblätter«, sagte sie und spürte, dass ihre Worte bitter klangen, was freilich nur sie selbst hören konnte. Sie wünschte, sie hätte teilgenommen an dem, was in Hun Jiang passierte.

»Dieser Unsinn über die Mauer der Demokratie und das Gerede über die tote Frau, beides wäre nicht schlimm, wenn sie nicht miteinander in Verbindung gebracht würden.«

»Warum?«

Han winkte ab. Das Mittagessen sei fertig, sagte er, und sie sollten sich die gute, zu Hause gekochte Mahlzeit schmecken lassen.

Nur selten erkundigte sich Kai nach Hans Arbeit, doch er hatte die Gewohnheit, abends, wenn sie im Bett lagen, zu erzählen, was er tagsüber getan hatte. Kai beschloss zu warten, bevor sie weitere Fragen stellte. Sie setzten sich und aßen zu Mittag, eine Weile schwiegen beide, und dann lenkte Han sich ab, indem er von dem neuen Fernseher sprach. Es war ein 14-Zoll Schwarzweißgerät, importiert aus Japan, größer und von besserer Qualität als dasjenige, das er ursprünglich ins Auge gefasst hatte; die drei Fernseher waren überraschend am Morgen eingetroffen, zweifellos eine Dankesbezeugung ihres mächtigen Freundes in der Provinzhauptstadt.

Es schien Kai eine perfekte Gelegenheit, Fragen zu stellen. »Wer ist dieser geheimnisvolle Freund, von dem du immer sprichst?«

Han dachte kurz nach, dann schüttelte er den Kopf. »Ich werde es dir sagen, sobald wir wissen, von wem diese Flugblätter stammen.«

»Stimmt etwas nicht?«

»Nicht, soweit ich weiß«, sagte Han und langte über die Teller, um Kais Hand zu tätscheln. »Es gibt Dinge, um die du dich nicht kümmern solltest. Politik ist nichts für Frauen. Du sollst auf keinen Fall so werden wie meine Mutter«, sagte Han und grinste. Bevor Kai etwas erwidern konnte, setzte er eine ernste Miene auf und ahmte die Rede nach, die seine Mutter im Jahr zuvor am ersten Mai gehalten hatte; Kais Schwiegermutter wurde hinter ihrem Rücken von ihren Untergebenen die »Eiserne Frau« genannt.

Kai hatte nicht geglaubt, dass Han davon wusste, da er und sein Vater bekannt waren als Bewunderer der Frau, die zu ihnen gehörte. »Du solltest dankbar sein für deine Mutter«, sagte Kai. »Wenn sie nicht wäre, hättest du nicht so viel Glück gehabt.«

»Oh, ich liebe sie von ganzem Herzen. Aber du wolltest doch auch nicht, dass unser Sohn eine Mutter wie sie hat, oder?« sagte Han augenzwinkernd. Bevor Kai etwas erwidern konnte, wurde an die Tür geklopft. Kai, die damit rechnete, dass das Kindermädchen mit dem schlafenden Ming-Ming in den Armen zurückkehrte, öffnete die Tür, doch es waren Hans Eltern, die mit ernster Miene darauf warteten, eingelassen zu werden. Sie begrüßte sie, und sie nickten und betraten wortlos die Wohnung. Mit leiser, strenger Stimme wiesen sie Han an, der bereits zwei Tassen Tee für sie aus der Küche geholt hatte, sofort in ihre Wohnung mitzukommen.

Kai stand an der Tür und verabschiedete sich von ihren Schwiegereltern. Keiner von beiden gab ihr eine Erklärung, und Han legte ihr eine Hand auf die Schulter und sagte, sie solle sich entspannen, bevor er loslief, um seine Eltern einzuholen. Der Lehrling des Zimmermanns hielt in der Arbeit inne und blickte zu Kai. Als der ältere Mann hustete und ihn ermahnte, sich um seine eigenen Angelegenheiten zu kümmern, lächelte er Kai scheu an und begann erneut, das Holz zu schmirgeln.

Han wartete nicht, bis die Handwerker mit der Arbeit fertig waren, sondern brach am Nachmittag in die Provinzhauptstadt auf. Ein spezieller Auftrag des Bürgermeisters, erklärte er, als er aus der Wohnung seiner Eltern zurückkehrte; der Bürgermeister und seine Eltern wollten, dass er in der Provinzhauptstadt Informationen aus erster Hand sammelte, wie Beijing auf die Mauer der Demokratie reagierte, bevor sie selbst eine Entscheidung bezüglich der Flugblätter trafen. Er wisse nicht, wie lange er dort bleiben werde, sagte Han und wirkte ungewöhnlich bedrückt. Kai vermutete, dass er ermahnt worden war, ihr nichts zu erzählen, doch als sie nachhakte, gab er zu, dass die Situation für die Verwaltung schwierig war, da die Regierung in Beijing keine klare Position zur Mauer der Demokratie bezogen hatte. Hieß das, dass sich die Politik der Zentralregierung irgendwie verändern würde? fragte Kai. Das wäre das Ende seiner Karriere, antwortete Han. Er blickte mutlos drein. Ein Junge, der von seinen Eltern auf die Stelle eines Mannes gesetzt worden war. Er tat Kai nahezu leid. Sie berührte seine Wange mit der Hand, doch noch bevor sie ein paar nichtssagende, tröstliche Worte gefunden hatte, griff Han nach ihrer Hand und fragte sie, ob sie ihn auch noch lieben würde, wenn er das Spiel verlöre.

Was hatte er zu verlieren, fragte sie sich, doch als sie ihm die Frage stellte, seufzte Han nur und sagte, dass sie recht habe, es sei zu früh, um zu resignieren, er wolle die Hoffnung nicht aufgeben.

Kai bat den Arzt um eine weitere Krankschreibung für den Nachmittag. Sie wusste die Adresse von Lehrer Gu nicht, aber als sie in ihrem Viertel nach ihnen suchte, führte sie die erste Hausfrau, die Kai nach den Gus fragte, in die richtige Gasse. Nummer elf, sagte die Frau und fügte noch kurz hinzu, wie elend Frau Gus Leben jetzt war, da sie keine Kinder hatte, die die Last eines invaliden Mannes mit ihr trugen.

Kai klopfte, und es dauerte eine Weile, bis Frau Gu ans Tor kam, ein gackerndes Huhn unter dem Arm. Sie müsse sich in der Adresse geirrt haben, sagte Frau Gu, bevor Kai ein Wort herausbrachte.

»Ich habe gehört, dass es Lehrer Gu nicht gutgeht«, sagte Kai. »Ich wollte Sie beide besuchen.«

»Wir kennen Sie nicht«, sagte Frau Gu. Sie betrachtete Kai einen Augenblick lang, dann wurde ihre strenge Miene milder. »Haben Sie den Umschlag mit Geld hiergelassen?«

Geld? sagte Kai, und als sie ihre Verwirrung sah, schien Frau Gu enttäuscht. Wer konnte es dann gewesen sein? murmelte sie.

Kai schaute sich in der nachmittäglichen Gasse um, die verlassen war bis auf einen alten Mann, der in der Sonne döste. Konnte sie in den Hof kommen und ein paar Minuten mit Frau Gu sprechen, fragte Kai, und Frau Gu blickte argwöhnisch drein, ließ sie aber eintreten. Das Huhn gackerte, und Frau Gu ließ es los und sagte beiläufig, es solle in der Sonne bleiben, um sich keine Erkältung zu holen. Das Huhn spazierte davon und pickte nach seinem eigenen Schatten.

Kai nahm die beiden Exemplare des Flugblatts heraus, die sie hatte retten können. »Ich bin gekommen, um mit Ihnen und Lehrer Gu darüber zu reden«, sagte sie.

Frau Gu schaute auf die entfalteten Blätter, ohne sie zu lesen. »Mein Mann ist im Krankenhaus«, sagte sie. »Er kann nicht mit Ihnen sprechen.«

Es waren Flugblätter, die für Gu Shan angeschlagen worden waren, erklärte Kai, nicht alle Menschen in Hun Jiang waren mit dem Urteil des Gerichts einverstanden. Frau Gu sah Kai einen Augenblick an und fragte dann streng, ob sie die Nachrichtensprecherin war.

»Ja«, sagte Kai.

»Haben Sie meine Tochter gekannt?«

Kai erzählte, dass sie nach Hun Jiang gezogen war, nachdem sie die Theaterschule in der Provinzhauptstadt absolviert hatte. Sie habe Shan immer bewundert, sagte Kai, doch was bedeuteten ihre Worte jetzt noch?

»Meine Tochter hätte ihre Arbeit nicht schlechter gemacht als

Sie. Sie war eine gute Sängerin. Sie war immer die Beste«, sagte Frau Gu und schaute auf die Flugblätter. »Haben Sie das geschrieben?« fragte sie.

Sie wünschte, es wäre so, sagte Kai, doch nein, sie habe eigentlich nicht viel damit zu tun.

»Aber Sie wissen, wer es war? Freunde von Ihnen?«

Kai zögerte und sagte, ja, ein paar von ihnen seien ihre Freunde.

»Sagen Sie Ihren Freunden, dass sie sehr freundlich sind. Aber wir brauchen ihre Hilfe nicht«, sagte Frau Gu und fügte hinzu, sie sei froh, dass ihr Mann im Krankenhaus sei. Er hätte sich sehr aufgeregt, hätte er die Flugblätter gesehen.

»Aber wir – sie – wollen nur helfen«, sagte Kai. »Der Fehler muss richtiggestellt werden. Shan war eine Pionierin. Und es würde sie trösten, zu wissen, dass ihre Freunde und Genossen kämpfen, wofür sie gekämpft hat.«

Frau Gu schaute Kai einen langen Augenblick an und seufzte. Sie war dankbar, sagte Frau Gu, dass Kai und ihre Freunde Shan nicht vergessen hatten. Auch sie hatte sie nicht vergessen, fuhr sie fort, aber sie musste sich um einen kranken Mann kümmern und konnte wenig für sie tun und erwartete umgekehrt nichts von ihnen. Sie wollte um nichts bitten, versicherte ihr Kai, sie war nur gekommen, damit sie und Lehrer Gu wussten, dass sie nicht allein auf der Welt waren, in der die Erinnerung an ihre Tochter als Inspiration weiterlebte.

»Sie können sehr gut Reden halten«, sagte Frau Gu. Kai wurde rot, doch Frau Gu schien es nicht böse zu meinen. »Shan war wie Sie. Sie war ein so wortgewandtes Kind«, sagte Frau Gu milde. »Wie alt sind Sie?«

»Achtundzwanzig.«

»Und sind Sie verheiratet? Haben Sie Kinder?«

Kai antwortete, sie und ihr Mann hätten einen kleinen Jungen.

»Und geht es Ihren Eltern gut?«

Ihr Vater sei gestorben, sagte Kai. Frau Gu nickte, ohne ihr Mitgefühl auszudrücken. »Es ist freundlich von Ihnen, dass Sie gekommen sind, um uns zu besuchen und wissen zu lassen, dass

Sie Shan nicht vergessen haben. Ich kenne Ihre Freunde und ihre Geschichte nicht, aber Sie sind eine Mutter und eine Tochter. Haben Sie daran gedacht, was Ihre Mutter davon hält, dass Sie das tun? Haben Sie dabei jemals an sie gedacht?«

Kai wusste nicht, was sie darauf antworten sollte. Sie war seit ein paar Wochen nicht mehr bei ihrer Mutter gewesen, obwohl sie nur fünf Minuten zu Fuß voneinander entfernt wohnten.

»Sie haben überhaupt nicht an sie gedacht, nicht wahr?« sagte Frau Gu. »Töchter sind alle gleich. Ihre Eltern spielen bei ihren Entscheidungen kaum eine Rolle, und ich nehme es Ihnen nicht übel. Haben Sie an Ihren Sohn gedacht?«

Ja, sagte Kai; sie tat das, damit ihr Sohn in einer besseren Welt leben konnte. Aber alle Eltern wollten das, entgegnete Frau Gu; sie wollten, dass ihre Kinder es besser hätten, aber in Wahrheit taten sie letztlich Dinge, die das Leben ihrer Kinder schlimmer machten.

»Das verstehe ich nicht, Frau Gu.«

»Denken Sie an Shan«, sagte Frau Gu jetzt heftiger, das Gesicht gerötet. »Wir haben geglaubt, dass wir ihr die beste Ausbildung geben könnten, weil mein Mann einer der gebildetsten Männer der Stadt ist. Aber was haben wir anderes getan, als sie in eine Fremde zu verwandeln? Ihre Eltern müssen hart gearbeitet haben, damit Sie eine gute Stelle bekommen, doch Sie bringen sich in Gefahr, ohne an sie zu denken. Sie glauben, Sie tun etwas für Ihren Sohn, doch das letzte, was er braucht, ist eine Mutter, die herumläuft und mit Fremden über heimlich produzierte Flugblätter reden.«

Sie sei nicht nur für ihre Familie verantwortlich, entgegnete Kai. Frau Gu starrte Kai an; sie bedaure Kais Mutter, sagte Frau Gu, und ihre Augen waren einen Moment lang erfüllt von einer leisen Trauer, bevor ihr Blick kalt wurde. Kai müsse jetzt gehen, sagte Frau Gu, da ihr Mann im Krankenhaus auf sie warte.

FÜR TONG hatte der Frühling in diesem Jahr am 21. März begonnen, als er die erste Schwalbe aus dem Süden zurückkehren sah und es in seinem Naturtagebuch notierte. Schwalben waren Frühlingsboten, sagte der alte Hua; sie waren die treuesten Vögel, die Jahr für Jahr zu ihren alten Nestern zurückflogen. Aber das hieß, dass nie eine Schwalbenfamilie unter ihrem Dach nisten würde, sorgte sich Tong, weil sich dort kein Nest befand. In diesem Fall, sagte der alte Hua, müssten sie auf ein junges Paar warten, das sich ein eigenes Nest baute.

Am nächsten Tag sah Tong einen Schwarm Gänse über den sonnigen Nachmittagshimmel nach Norden fliegen. Wie Schwalben flogen auch Gänse nie in die falsche Richtung, sagte der alte Hua, doch als Tong fragte, warum sie sich nie verirrten, wusste der alte Hua nur zu antworten, dass sie so geboren wurden.

Jeden Nachmittag ging Tong nach der Schule zu dem großen Platz, wo in Glaskästen die aktuellen Zeitungen aushingen. Über ein Dutzend Zeitungen stand zur Auswahl, Zeitungen, die in Beijing und in der Provinzhauptstadt gedruckt wurden, doch am wichtigsten für Tong war die Tageszeitung von Hun Jiang, aus der er die Temperaturen des örtlichen Wetterberichts in sein Tagebuch übertrug. Ein paar Wochen zuvor hatte der alte Hua eine alte Ausgabe der *Vierteljahresschrift für Kinder* gefunden, und darin war von einem Jungen die Rede gewesen, der jahrelang dreimal am Tag die Temperatur in sein Naturtagebuch notierte. In dem Jahr, als der Junge dreizehn wurde, stellte er eine Veränderung im Temperaturmuster fest, sagte erfolgreich ein Erdbeben voraus und verdiente sich damit den Titel »Held der Wissenschaft«, da er Menschenleben gerettet hatte. In der Geschichte stand nicht, was für Veränderungen dem Jungen aufgefallen waren, und Tong blieb nichts anderes übrig, als diesbezüglich eine eigene Theorie zu entwickeln, doch der Artikel zeigte ihm eine neue Möglichkeit, wie man ein Held werden konnte. Seine Eltern würden natürlich sagen, dass sie kein überflüssiges Geld für ein Thermometer hatten, deshalb fragte Tong sie erst gar nicht. Statt dessen beschloss er, die örtliche Tageszeitung zu nutzen. Als der alte Hua von dem Naturtagebuch erfuhr, fragte er, warum sich überhaupt jemand auf Zahlen verlassen wollte, wenn doch die eigene Haut die geringsten Temperaturschwankungen registrierte. Tong erzählte dem alten

Mann nichts von seinem Plan, sondern behielt sein Geheimnis für sich und hoffte, dass ihm die Stadt eines Tages für seine Wachsamkeit danken würde.

Laut Wetterbericht stieg die Temperatur am 22. März, dem Tag nach der Denunziationszeremonie, über den Gefrierpunkt, und der Wind am Nachmittag fühlte sich im Gesicht nicht mehr wie eine Rasierklinge an. Die Kinder liefen mit bloßem Kopf aus der Schule, manche warfen ihre Mützen hoch in die Luft und fingen sie wieder auf. Am Abend kam Ohr mit dem rosa Fäustling eines Mädchens nach Hause; in der Daumenspitze befand sich ein Loch. Tong probierte ihn an, er hatte die richtige Größe für seine Hand, und er schob den Daumen durch das Loch und tat so, als wäre der Finger eine Handpuppe. Zu Ohr sagte er, sie würden den Fäustling am nächsten Tag neben die Statue des Vorsitzenden Mao legen für den Fall, dass das Mädchen wie er selbst gern auf den großen Platz ging.

Als Tong am nächsten Morgen in die Gasse hinausging, sah er an die Mauer geklebte Flugblätter, an die er heranreichte, wenn er sich auf einen Stapel Ziegel stellte. Er zog eins von der Mauer ab und las es. Es standen Dinge darin, die Tong nicht verstand, und zwei Tage später fand ein weiteres Flugblatt den Weg in ihre Gasse. Dass die Flugblätter so heimlich auftauchten, beunruhigte Tong. Es erinnerte ihn an Geschichten, die er in der Schule gehört hatte, über Mitglieder der Kommunistischen Partei, die im Untergrund ihr Leben riskiert hatten, um die Wahrheit unters Volk zu bringen. Aber wozu brauchten sie Flugblätter im neuen China, wo alle glücklich und zufrieden lebten wie in einem Glas Honig, wie es in dem neuen Lied hieß, das sie gerade in der Schule gelernt hatten?

Tong fragte sich, mit wem er darüber sprechen konnte. Seine Eltern hatten kein Interesse daran, ihm zuzuhören, und die Lehrerin in der Schule erwähnte nichts von den Vorkommnissen. Er tätschelte Ohr und sagte, dass sie sich zusammentun und das Rätsel gemeinsam lösen sollten. »Zeig mir alles, was verdächtig ist«, sagte Tong. »Nichts ist zu unwichtig.«

Ohr sprang aufgeregt um Tong herum. Tong wusste nicht, dass

Ohr in den vergangenen Nächten leise Schritte in der Gasse gehört hatte, die plötzlich verstummten und dann wieder einsetzten. Ohr war so hoch wie möglich gesprungen und hatte die Vorderpfoten auf den Zaun gelegt und geschnüffelt, aber keinen Alarm geschlagen, weil man ihm das ausgetrieben hatte. In beiden Nächten war es dieselbe Person gewesen, deren Geruch nach Erde, Pferdemist, winterlichen Heumieten und abgeerntetem Weizen ihn an sein Heimatdorf erinnerte. Wie Tong und Ohr kam der nächtliche Fremde vom Land, wo Ohr einst ein quietschendes Ferkel verfolgt hatte, bis er gegen den gewaltigen Körper einer Sau gestoßen war, die sich vom Dilemma ihres Sprösslings nicht aus der Ruhe hatte bringen lassen, und wo er oft den Pferdewagen angebellt hatte, auf dem ein fahrender Händler saß und schnell und geschickt die Affentrommel schlug, deren Plimp-Plump, Plimp-Plump nie übertönt wurde vom Gebell Ohrs und seiner Gefährten. Während des letzten halben Jahrs hatte sich Ohr an die Dörfler aus den Bergen gewöhnt, die den Geruch nach altem Schnee und Kiefern, nach frischgehäuteten Hasen und gerade erst gesammelten Pilzen mit sich brachten, aber er war anders als der Geruch seiner Heimat auf der Hochebene. Der nächtliche Fremde machte Ohr nervös.

Nervös waren auch die Mitglieder des Stadtrats, die Kommunistische Partei von Hun Jiang und andere Kader. Das erste Flugblatt, das Gu Shans Verfahren in Frage stellte, hatte sie nicht sonderlich alarmiert; es hatte sie höchstens irritiert, weil Leute, die aus irgendeinem Grund mit ihrem Leben unzufrieden waren, die Leiche der Frau als Ausrede benutzten, um Unruhe zu stiften. Besser warten, hatte der Bürgermeister entschieden und eine strengere nächtliche Überwachung angeordnet. Doch die zusätzlichen Wachmänner, die auf ihrer nächtlichen Patrouille froren und hungerten, waren nicht in der Lage, die Leute zu erwischen, die das zweite Flugblatt anklebten. Die Mauer-der-Demokratie-Bewegung in Beijing hatte eine neue Seite in der Geschichte des Landes aufgeschlagen, informierten die Flugblätter die Bewohner der Stadt; warum hatten sie keine Möglichkeit, die Nachrichten zu hören, zu erfahren, was in der Hauptstadt des Landes vor sich ging;

warum konnten sie nicht ihre Meinung äußern, ohne wie Gu Shan zum Tode verurteilt zu werden?

Die Nachricht von der Protestbewegung war nur wenigen hochrangigen Kadern zugänglich gewesen, und die zwischen Gu Shans Exekution und der Lage in Beijing gezogene Verbindung deutete auf eine finstere Verschwörung, vor allem, da Unsicherheit herrschte, wie auf diese Protestbewegung zu reagieren war, und zwar nicht nur in der Hauptstadt der Provinz, sondern auch in Beijing. Tagtäglich lasen die Veteranen der Lokalpolitik mehrmals die streng geheimen Dossiers über die Entwicklung in Beijing. Es gab eindeutig zwei Lager, beide mit bedeutenden Vertretern in der Regierung und unter den Führern der Partei. Waren die Flugblätter in Hun Jiang eine Folge der Mauer der Demokratie, tausend Kilometer entfernt? Und was sollten sie tun, auf welche Seite sollten sie sich schlagen? Solche Fragen verwirrten diese Leute, die sich nie im Leben um eine Mahlzeit, ein Bett, eine Stelle hatten sorgen müssen. Büros wurden zu Minenfeldern, wo man auf der Hut sein musste, ständig Freunde und Feinde definieren und neu definieren und Chamäleons ausfindig machen musste, die sich von Freunden zu Feinden und wieder zu Freunden verwandeln konnten. Das eigene Schicksal und die Zukunft ihrer Familien in Händen, schlafwandelten diese Menschen tagsüber und schauderten des Nachts. Was sollten sie hinsichtlich der Flugblätter unternehmen, die nur Ärger bedeuten konnten?

In dieser Phase der Unentschlossenheit und Unsicherheit begann der alte, wintermüde Schnee zu tauen. Der Boden war weniger hart, die schwarze Erde schimmerte in der Sonne vor Feuchtigkeit. Die Weiden, die zu beiden Seiten die Hauptstraße säumten, nahmen für ein, zwei Tage eine gelbe Färbung an, bis die Triebe grün wurden. Es war das beste Grün des Jahres – sauber, frisch, glänzend. Jungen aus der Mittelschule schnitten die zarten Triebe der Weiden ab, holten das weiche Mark heraus und benutzten sie als Flöten. Die paar Musikalischen unter ihnen spielten einfache Melodien auf den Flöten und entlockten gleichaltrigen Mädchen ein Lächeln.

Nachts rumpelte das Eis im Fluss und leistete dem Frühling Widerstand, aber tagsüber schmolz seine Entschlossenheit an der Sonne. Die Jungen aus der Mittelschule ließen sich trotz wiederholter Warnungen von Lehrern und Eltern auf den Eisschollen flussabwärts treiben, die Füße so fest wie möglich auf das Eis gestellt; wenn sich die Schollen einander näherten, versuchten sie sich gegenseitig ins Wasser zu stoßen. Manchmal verlor ein Junge das Gleichgewicht und fiel in den Fluss, und alle anderen Jungen stampften mit den Füßen auf und schrien wie am Spieß. Der Junge wich den Eisschollen aus, kletterte ans Ufer und rannte nach Hause, lachend, weil ihn dieses Missgeschick nicht bekümmerte. Es konnte jedem passieren; am nächsten Tag wäre er einer der siegreichen Jungen und würde über irgendeinen anderen lachen, der ins Wasser fiele. Es war ein Spiel, und sein Ausgang garantierte weder einen unvergänglichen Sieg noch eine Niederlage, die die Nacht überdauerte.

Aus den Bergen kamen die Dörfler über die Brücke mit Bambuskörben voll frisch geschlüpften Küken und Enten, den ersten essbaren Farnen, gepflückt von den kleinen Händen von Kindern, die noch kleinere Kinder auf dem Rücken trugen, Wild, das den Schrotflinten der Jäger nicht entkommen war und in einzelnen Teilen gebracht wurde: Geweih, Haut, Trockenfleisch, Bockpenisse, die Wildpeitschen genannt wurden und angeblich die Leistungen von Männern im Schlafzimmer verbesserten.

Es wurde April, und damit rückte Ching Ming näher, das erste lang ersehnte Fest, der Tag, an dem die Leute ihren Vorfahren und kürzlich verstorbenen Verwandten gedämpfte, mit Frühlingsgräsern bemalte Brötchen, frisch gekelterten Reiswein und andere Opfergaben darbrachten. Als Bewohner einer jungen Stadt hatten die Menschen in Hun Jiang keine Familiengräber und keine Gedenkstätten für ihre Vorfahren, und deshalb war Ching Ming hier sowohl ein Festtag für die Toten wie für die Lebenden. Drogisten und Händler boten bündelweise Kerzen und Räucherstäbchen sowie grüne Lebensmittelfarbe feil, da das erste echte Gras erst nach dem Feiertag sprießen würde. Frauen kauften das beste Fleisch, um kalten Braten für das feiertägliche Picknick zuzubereiten; die Männer ölten und putzten ihre Fahrräder für den jährlichen Frühjahrsausflug. Obwohl die Stadtverwaltung beschlossen hatte, Ching Ming als öffentlichen Feiertag abzuschaffen – jede Art von Kontaktaufnahme mit den Toten war Aberglaube, unpassend für die neue Ära, in der sich das Land nach der Kulturrevolution befand –, fiel der Tag in diesem Jahr auf einen Sonntag, so dass die neue Maßnahme kaum Auswirkungen auf die Bewohner hatte.

NINIS ELTERN beschlossen, dass Ching Ming in diesem Jahr besonders gefeiert werden sollte. Mehr denn je brauchten sie den Segen ihrer Vorfahren. Diese toten Verwandten, an die sie in den letzten Jahren kaum gedacht hatten, wurden von frömmeren Familienmitgliedern in ihrer alten Heimat zweifellos angemessen geehrt; doch niemand würde zusätzliche Opfergaben zurückweisen. Abends berechneten und besprachen sie das Menu der Opfergaben für ihre Vorfahren, die mit Sicherheit ihren Segen für einen männlichen Nachfahren geben würden, wenn sie zufrieden wären.

Nini konnte sich nicht erinnern, dass für die Geburt einer ihrer Schwestern ähnliche Vorkehrungen getroffen wurden. Seit Gu Shans Exekution hatten ihre Eltern eine positivere Einstellung zum Leben. Ninis Mutter bewegte sich überaus vorsichtig, umschloss mit beiden Händen ihren Bauch. Ihr Vater legte häufig die Hand auf den Bauch ihrer Mutter auf eine Weise, die Nini vor Widerwillen erschaudern ließ, doch sie konnte den Blick von der grobknochigen Hand auf dem Körper ihrer Mutter nicht abwenden. Sie starrte darauf, bis einer von beiden, meist ihre Mutter, sie dabei ertappte und ihr eine Aufgabe im Haushalt zuwies. Der Vater hatte der Mutter jegliche Hausarbeit verboten, auch das Herstellen von Streichholzschachteln, das sogar einem kleinen Kind keine Mühe machte. Statt dessen musste Nini alle Pflichten ihrer Mutter übernehmen und jetzt nicht nur Kohlen beschaffen, weggeworfenes Gemüse sammeln und einkaufen, sondern auch dreimal am Tag kochen und die Wäsche der gesamten Familie waschen. Nini wies darauf hin, dass sie zu spät zur Arbeit und in die

Schule kämen, wenn sie mit dem Frühstück warteten, bis sie mit den Kohlen vom Bahnhof zurück war; ihre Eltern waren schockiert, dass sie es wagte, ihre Entscheidung in Frage zu stellen, doch was Nini sagte, stimmte, und so mussten sie die Aufgabe der zweiten Tochter zuteilen, woraufhin diese Nini noch mehr hasste.

Abgesehen vom Baby spürten alle Mädchen die Bedeutung dieser Schwangerschaft. Zweimal am Tag, morgens und abends, würgte die Mutter und erbrach sich in den Nachttopf, den Nini säubern musste. Die zweite und dritte Tochter reichten ihrer Mutter rasch warmes Wasser und ein sauberes Handtuch. Nini sah zu, angewidert davon, wie gründlich der säuerliche, bittere Geruch der Schwangerschaft ihr Leben durchdrang – obwohl es jetzt warm genug war, dass man die Fenster öffnen konnte, schien der Geruch allen Dingen im Zimmer anzuhaften, den Decken und Kissen auf dem gemauerten Bett, den Mahlzeiten, die Nini kochte, der Wäsche, die an einer Leine im Zimmer hing, sogar Ninis Haut. Die beiden jüngeren Mädchen rümpften aber nicht die Nase, wenn sie sich um ihre Mutter kümmerten, und dafür wurden sie vom Vater gelobt; wenigstens hatte die Schule sie zu vernünftigen und brauchbaren Menschen gemacht. Nini war zwar die Älteste, meinte ihre Mutter, aber sie war ein nutzloser Dummkopf geblieben. Nini hörte mit steinerner Miene zu, biss sich auf die Innenseite der Backen und fixierte einen Riss im Boden. Daraufhin verlor ihre Mutter die Geduld, doch als sie sich nach etwas umschaute, womit sie Nini hätte schlagen können, einem Besenstiel oder einem Lineal, hielt ihr Mann sie davon ab. Es sei die Mühe nicht wert, Vernunft in Nini zu prügeln, sagte er. Sie müsse jetzt auf das Baby achten; ihr Zorn sei womöglich schädlich für das Kind.

Ninis Mutter stimmte zu und sagte Nini, sie solle ihr hässliches Gesicht verstecken, damit ihr der schmerzliche Anblick erspart bleibe. Statt sich dumm zu stellen, schaute sich Nini angestrengt in dem kleinen, vollgestopften Zimmer nach einem Versteck um, dann nahm sie die Kleine Sechste in die Arme und vergrub ihr Gesicht am weichen Bauch des Babys.

Eines Abends hörte Nini ihre Eltern auf der anderen Seite des gemauerten Bettes darüber sprechen, ob sie Nini für ein paar Monate fortschicken sollten, da allgemein angenommen wurde, dass eine Schwangere Züge der Menschen in ihrer Umgebung an das Ungeborene weitergab. Ninis Mutter wollte nicht, dass das Baby aus Versehen etwas von Nini erbte; gab es einen Ort, an den sie sie für ein paar Monate schicken konnten? fragte sie.

So einen Ort gab es nicht, entgegnete der Vater. Nach einer Weile sagte die Mutter: »Wenn wir sie nur gleich nach der Geburt beiseite geschafft hätten.«

Ninis Vater seufzte. »Das ist leicht gesagt, aber schwer getan. Ein Leben ist ein Leben, und wir sind keine Mörder.«

Ninis Augen wurden warm und feucht. Dafür würde sie, wenn es an der Zeit wäre, ihre Eltern zu bestatten, ihren Vater mit warmem Wasser statt mit kaltem waschen. Er hatte noch nie mehr als drei Sätze am Tag zu ihr gesagt, doch er war ein stiller Mensch, und sie verzieh ihm. Der Augenblick der Milde dauerte jedoch nicht lange. »Außerdem«, sagte er, »ist Nini wie ein Dienstmädchen, das wir nicht bezahlen müssen.«

In Gedanken löschte Nini das Feuer und füllte die Schüssel mit eiskaltem Wasser.

Die Kleine Vierte und die Kleine Fünfte, die sich vor kurzem miteinander verbündet hatten und kaum Anteil nahmen am Leben außerhalb ihrer geheimen Welt, hielten sich bei der Hand und sahen zu, wann immer ihre Mutter morgens und abends ein großes Theater machte und sich übergab. Sie waren Nini weniger lästig, weil sie nicht um die Aufmerksamkeit ihrer Eltern buhlten – sie waren noch nicht alt genug oder bekamen vielleicht voneinander alles, was sie brauchten. Ein paarmal überlegte sich Nini, ob sie mit ihnen Freundschaft schließen sollte, aber sie zeigten keinerlei Interesse. Ihre forschenden Blicke erinnerten Nini stets daran, dass sie nie so schön sein würde wie die beiden – mittlerweile bestand kein Zweifel mehr, dass die beiden Mädchen die hübschesten in der Familie waren.

Aber all das – die Ungehaltenheit ihrer Eltern, ihre beiden älteren Schwestern, die darauf hinarbeiteten, dass sie bestraft wurde, die Gleichgültigkeit der Kleinen Vierten und der Kleinen Fünften – bekümmerte Nini jetzt weniger, da sie Bashi kannte. Sie erkundete ihre Macht mit heimlicher Freude. Sie tat eine Prise Salz zuviel in den Eintopf oder eine halbe Tasse zuviel Wasser in den Reis; sie weichte die Unterwäsche ihrer Eltern in Lauge ein und wrang sie aus, ohne sie zu spülen; sie spuckte auf die roten Jungpionier-Tücher der beiden älteren Schwestern und rieb die vollgepinkelten Stoffwindeln des Babys an den Blusen ihrer Mutter ab. Niemandem waren diese Sabotageakte bislang aufgefallen, doch in ihren verwegensten Momenten hoffte Nini, entdeckt zu werden. Wenn ihre Eltern sie aus dem Haus warfen, würde sie in Bashis Haus auf der anderen Seite der Stadt ziehen, keine halbe Stunde Fußweg und doch eine ganze Welt entfernt, befreit von ihrem Gefangenendasein.

Wegen der zusätzlichen Arbeiten im Haushalt war es nicht einfach, tagsüber viel Zeit mit Bashi zu verbringen. Bashi versorgte sie mit Kohlen und Gemüse, aber er konnte nicht zaubern, so dass sich die Mahlzeiten von selbst kochten, die Wäsche sich von allein wusch, der Ofen und ihre Schwestern auf sich selbst aufpassten. Er schlug vor, zu Nini zu kommen, wenn ihre Eltern in der Arbeit waren. Sie dachte über den verlockenden und aufregenden Vorschlag nach und lehnte das Angebot schließlich ab. Ihre Eltern würden sofort von Bashis Anwesenheit erfahren, wenn nicht von den Nachbarn, dann von ihren Schwestern; sie würden sie mit Sicherheit aus dem Haus werfen, und wäre Bashi in diesem Fall eine verlässliche Stütze? Nini beschloss, ihm noch mehr Zeit zu geben.

Die kurze Stunde am Morgen wurde zu ihrer glücklichsten Zeit am Tag. Wenn sie um sechs Uhr kam, hatte Bashi bereits ein Festessen vorbereitet – Würstchen, gebratener Tofu, geröstete Erdnüsse, Schweinsblut in Aspik, all das hatte er am Tag zuvor auf dem Marktplatz gekauft, mehr als sie essen konnten. Nini machte Feuer – Bashi schien unfähig, diese einfache Aufgabe selbst zu erledigen, doch schließlich war er ein Mann, seine Unzulänglichkeit verzeihlich–, und wenn sie auf dem Ofen Reisbrei für das Frühstück kochte, schälte Bashi neben ihr gefrorene Birnen. Das Fleisch der Birnen war von einer unappetitlichen braunen Farbe, doch wenn Bashi es in dünne Scheiben schnitt und sie Nini in den Mund schob, war sie überrascht, dass es knusprig und süß schmeckte; angesichts der Kälte in ihrem Mund und der Hitze des Ofens schauderte sie vor einer seltsamen Freude. Manchmal verharrte sein Finger auf ihren Lippen, nachdem die Birnenscheibe verschwunden war. Dann öffnete sie den Mund weit und tat so, als wollte sie zubeißen; und er lachte und zog die Hand zurück.

Am Morgen vor Ching Ming sagte Bashi, während er sie mit gefrorenen Birnenscheiben fütterte: »Der alte Hua sagt, dass ich meine Großmutter jetzt beerdigen soll.«

»Wann?«

»Morgen. Sie meinen, es wäre gut, sie am Feiertag zu beerdigen.«

Es schien, als hätte jeder an Ching Ming etwas Wichtiges vor. Ninis Vater hatte ein Fahrradtaxi bestellt, ein Luxus, den sie sich kaum leisten konnten. Ihre Mutter, die Kleine Vierte und die Kleine Fünfte sowie ein großer Korb mit Opfergaben sollten mit dem Taxi fahren, während ihr Vater und die beiden älteren Mädchen zu Fuß gehen würden. Nini und das Baby sollten zu Hause bleiben, weil beide nicht mit den anderen mithalten konnten. Nini fiel es schwer, nicht enttäuscht zu sein; es war das erste Picknick, das ihre Familie seit ewigen Zeiten plante, und sie sehnte sich danach, in die Berge zu gehen, wo sie noch nie gewesen war, auch wenn es bedeutet hätte, ihre Familie den ganzen Tag ertragen zu müssen.

»Wo wirst du sie begraben?« fragte sie Bashi.

»Neben meinem Großvater und meinem Baba. Der alte Hua hat gesagt, dass er heute hingeht und alles vorbereitet.«

»Ich habe nicht gewusst, dass Hun Jiang deine Heimatstadt ist.«

»Ich komme aus der Nähe. Mein Großvater hat Ginseng gesammelt. Er hat gesagt, die besten sind die, die in Form eines Frauenkörpers wachsen.«

»Unsinn.«

»Psst. Sag so etwas nicht über einen Toten«, sagte Bashi. »Die Geister können dich hören.«

Nini schauderte.

»Und es stimmt. Manche Ginsengwurzeln wachsen in Form von Frauen«, sagte Bashi. Er schob Nini die letzte Birnenscheibe in den Mund und hieß sie warten. Kurz darauf kam er aus dem Schlafzimmer mit einer mit roter Seide bezogenen Schachtel zurück. Darin lag auf elfenbeinfarbener Seide eine Ginsengwurzel. »Schau nur, der Kopf, Arme und Beine. Das lange Haar«, sagte Bashi und fuhr mit dem Finger über die Ginsengwurzel, die zu Ninis Erstaunen tatsächlich aussah wie eine unbekleidete Frau. »Schön, nicht wahr?« sagte Bashi. »Es ist die Schönste, die mein Großvater gefunden hat. Wenn er sie verkauft hätte, hätte er sich leicht sieben Konkubinen leisten können, aber er wollte sich nicht davon trennen. Er hat sie für eine Ginsenggöttin gehalten. Als das Militär kam, haben er und meine Großmutter zu der Göttin gebetet, dass sie meinen Vater nicht mitnehmen, aber natürlich hat es nichts genützt.«

»Hast du nicht gesagt, dass er ein Kriegsheld war?«

»Das ist Unsinn. Weißt du, wie er rekrutiert wurde? Sie kamen ins Dorf meines Vaters und sagten, dass sie alle jungen Männer zum Abendessen in ein Haus einladen wollten. Wenn du mit einer Pistole am Kopf zum Essen eingeladen wirst, gehst du natürlich hin. Mein Vater ging also zusammen mit den anderen jungen Männern. Und es gab ein sehr gutes Essen, und dann wurden sie aufgefordert, sich auf ein großes gemauertes Bett zu setzen. Ein junger Soldat hielt das Feuer im Bett am Brennen, legte immer wieder Holz nach, und in kurzer Zeit war das Bett sehr heiß. Wie eine Bratpfanne, verstehst du? Und der Offizier sagte: ›Junge Männer, wir sind die Volksbefreiungsarmee und kämpfen für das Volk. Denkt drüber nach. Wenn ihr euch für unsere Sache interessiert, steht auf und werdet ruhmreiche Mitglieder unserer Armee.‹ Niemand stand auf. Die Eltern hatten sie natürlich gewarnt, nicht zur Armee zu gehen; es hieß, die kommunistische Armee würde nicht wie die Armee der Nationalisten mit vorgehaltener Pistole rekrutieren. Und wirklich, der Offizier war sehr höflich. Er sagte dem jungen Soldaten, er solle für die Gäste das Bett gut einheizen, und ein anderer Soldat brachte ihnen heißen Tee und Tabak für ihre Pfeifen. Jetzt sag mal, was würdest du tun? Aufstehen oder auf dem Bett sitzenbleiben und dir den Arsch verbrennen? Nach langer Zeit konnte mein Vater die Hitze nicht mehr ertragen und stand auf. Er war der erste, deswegen bekam er einen höheren Rang als seine Freunde und wurde später Kampfpilot. Die anderen wurden einfache Soldaten und Sanitäter.«

»Sind alle aufgestanden?«

»Alle bis auf einen. Der beste Freund meines Vaters. Sein Hintern war so schlimm verbrannt, dass er für den Rest seines Lebens ›Hitziger Hintern‹ genannt wurde.«

Nini lächelte. Bashi erzählte oft Geschichten, und sie wusste nie, was davon der Wahrheit entsprach und was erfunden war.

»Was? Du glaubst mir nicht? Frag die Leute im Dorf meines Vaters! Sie sagen, dass mein Vater schlau war, weil er als erster vom Bett aufgestanden ist und die größte Beförderung bekommen hat, aber was hat es ihm genützt? Andererseits ist es dem Hitzigen Hintern auch nicht besser ergangen. Er wurde 1959 wegen Sabotage hingerichtet. Er und mein Vater sind innerhalb eines Monats gestorben. Es heißt, der Geist seines Freundes hat meinen Vater gerufen. Was sagt uns das?«

Nini schüttelte den Kopf.

»Dass wir alle am selben Ort enden.«

Nini versuchte sich Bashis Großmutter vorzustellen, ihren wie eine Ginsengwurzel verschrumpelten Körper und ihren in der Luft schwebenden Geist, der sie belauschte. Sie löffelte Reisbrei in eine Schale. »Da, du solltest mehr essen und weniger reden«, sagte sie zu Bashi. Es konnte nicht schaden, wenn der Geist der alten Frau sah, dass ihr Enkelsohn gut versorgt wurde.

Sie setzten sich und aßen. Nach einem Moment des Schweigens sagte Nini: »Meine Familie wird morgen in die Berge gehen.«

»Warum? Die Vorfahren deines Vaters sind nicht hier begraben«, sagte Bashi. »In den Bergen gibt es keinen Telegraphendienst, der ihnen die Opfergaben schickt.«

»Sie brauchen einfach eine Ausrede, um Geld zu verschwenden und einen netten Ausflug zu machen.«

»Wie alle anderen Familien. Gehst du mit?«

»Ich? Da muss die Sonne schon im Westen aufgehen, dass sie mich mitnehmen.«

Bashi nickte, hielt dann im Essen inne und sah Nini mit einem bedeutungsvollen Lächeln an. »Du wirst also zu Hause sein und ... allein.«

»Mit dem Baby.«

»Sie kann doch überall schlafen, oder?« sagte Bashi.

Ninis Herz setzte für einen Schlag aus. »Aber du musst deine Großmutter beerdigen.«

»Meinst du, dass es ihr was ausmacht, wenn ich nicht hingehe?«

»Ja«, sagte Nini. »Du solltest sie nicht enttäuschen.«

»Aber ich könnte krank werden, und dann kann ich nicht zur Beerdigung gehen.«

Nini lächelte. Es freute sie, dass der Geist der alten Frau es nicht mit ihr aufnehmen konnte. Aus Bescheidenheit und Vorsicht schlug sie vor, Bashi sollte eine große Menge Papiergeld für den Geist der alten Frau kaufen, um sie zu beschwichtigen, falls sie gekränkt war, und er fand, das sei eine gute Idee. Je weiter sie planten, dachte Nini, umso mehr schien es die perfekte Gelegenheit für sie zu sein, eine Kette um sein Herz zu legen, damit es nicht zu einem anderen Mädchen flatterte. »Wie kommst du mit dem Hund des alten Kwen voran?« fragte sie. Sie glaubte kein Wort, das er über den Hund erzählte, aber es machte ihn glücklich, wenn sie davon sprach, als wäre es eine ernste Angelegenheit.

Er komme gut voran, erwiderte Bashi. Er hatte ihn mit in Schnaps eingelegten Schinken- und Fleischstücken gefüttert und jetzt war er sein Freund; was sollte ein Hund mit einem Herrn wie Kwen sonst fressen? Bashi fügte lächelnd hinzu, dass er bald einen

Test mit dem Gift durchführen würde. Nini hörte nur mit halbem Ohr zu und aß konzentriert.

»Harte Arbeit zahlt sich natürlich aus«, sagte Bashi. »Als ich mich mit Kwens Hund beschäftigt habe, habe ich noch etwas anderes Interessantes herausgefunden. Du weißt doch noch, die tote Frau, deren Leiche du nicht gesehen hast? Ein paar Leute in der Stadt versuchen, einen Protest für sie zu organisieren.«

Eine Scheibe Schweineblut in Aspik fiel von Ninis Stäbchen in ihren Reisbrei. »Warum? Sie ist doch schon tot!«

»Wenn du mich fragst, brauchen die Leute keinen Grund, um verrückt zu werden«, sagte Bashi. »Hast du die Flugblätter in der Stadt gesehen?«

Nini sagte, sie habe nichts bemerkt, und erinnerte sich dann an leise Unterhaltungen ihrer Eltern im Bett. Einmal hatte ihr Vater gesagt, es sei ein altbekannter Trick, eine tote Person als Waffe zu benutzen, aber das würde die Unruhestifter nicht weiterbringen; ein anderes Mal sagte er, dass ihnen endlich Gerechtigkeit widerfahren sei. Ihre Mutter hatte beide Male das übliche Gift verspritzt.

»Wer sind diese Leute?« fragte Nini.

»Sie gehören zu einer geheimen Gruppe, und sie kommen nachts und tragen weiße Totenschädel um den Hals.«

Nini schauderte, obwohl sie wusste, dass Bashi wie üblich übertrieb. »Was kümmert sie diese Frau?«

Bashi zuckte die Achseln. »Vielleicht ist der Geist der toten Frau zurückgekommen und hat sie verhext, und jetzt stehen diese Leute unter ihrem Einfluss und arbeiten für sie.«

»Das ist Unsinn«, sagte Nini mit zitternder Stimme.

»Warum sonst sollten sich diese Leute wie Dummköpfe verhalten?«

Nini dachte an Frau Gu, an ihre frühere Sanftmut und ihren plötzlichen Gesinnungswandel. Während der letzten Woche war Nini mehrmals vor dem Tor der Gus stehengeblieben, aber weder Frau Gu noch Lehrer Gu waren herausgekommen. Vielleicht stand auch Frau Gu unter dem Bann des Geistes ihrer toten Tochter und war völlig verrückt geworden. »Diese alte Frau«, sagte Nini missmutig. »Sie hasst mich.«

»Wer?«

»Die Mutter der erschossenen Frau.«

»Was hast du mit ihr zu schaffen?«

»Woher soll ich das wissen?« sagte Nini. »Alle Leute hassen mich.«

»Ich nicht«, sagte Bashi. »Ich mag dich.«

»Das sagst du jetzt«, sagte Nini. »Wer weiß, wann du es dir anders überlegen wirst?«

Bashi schwor, das würde niemals geschehen, doch Nini war nicht mehr in der Stimmung, ihm zuzuhören. Sie erklärte unvermittelt, dass sie gehen musste, und bevor Bashi widersprechen konnte, holte sie sich in der Küche Kohlen. Bashi kratzte sich am Kopf und bat sie, ihm zu sagen, womit er sie gekränkt hatte. Sie hielt seinen Eifer, sie bei Laune zu halten, für lächerlich. Wenn er ein Lächeln von ihr wollte, würde sie ihm eins schenken, doch die Art, wie er sich sorgte wie eine Ameise auf dem heißen Herd, machte sie glücklich. Sie sagte, sie werde am nächsten Tag wiederkommen, nachdem ihre Eltern und ihre Schwestern das Haus verlassen hatten. »Dann kannst du mir beweisen, dass du mich magst«, sagte sie und ging, ohne Bashi Gelegenheit zu geben, sich zu rechtfertigen.

LEHRER GU VERBRACHTE ZWEI WOCHEN im Krankenhaus und wurde am Tag vor Ching Ming entlassen zusammen mit anderen Patienten, die wegen des Feiertags nach Hause wollten. Lehrer Gus linke Hand war fast wieder in Ordnung, das linke Bein konnte er etwas bewegen und mit einem Stock langsam gehen. Frau Gu nahm ein Fahrradtaxi, und auf der kurzen Fahrt nach Hause sah Lehrer Gu mehrere Leute stehenbleiben und ihnen nachblicken, manche nickten ihnen zu, und einer hob sogar die Hand, um zu winken, bevor er sich am Kopf kratzte, als wäre ihm die Geste peinlich. Frau Gu nickte ebenfalls, und auch sie tat es verstohlen, was Lehrer Gu nicht entging. Er zog die Decke hoch, die ihm von den Beinen rutschte, und als wäre sie aus einem Traum aufgeschreckt, beugte sich seine Frau vor und breitete die Decke über seine Knie. »Ohne die Stiefel frierst du bestimmt«, sagte sie. Sie zog die Fäustlinge aus, schob die Hände unter die Decke und hielt sie an seine Füße. Durch die Baumwollsocken spürte er die Wärme ihrer Handflächen. »Die Ärztin hat gesagt, dass du die Stiefel nicht anziehen sollst, damit das Blut zirkulieren kann«, sagte sie, als wollte sie ein Kind besänftigen. »Wir sind gleich zu Hause.«

Lehrer Gu blickte auf seine Beine, eingewickelt in die alte Wolldecke mit den beiden Phönixen; die roten und goldenen Farben waren inzwischen verblasst. Seine erste Frau hatte sie ihm geschenkt an dem Tag, als er nach Hun Jiang gezogen war, damals eine kleine, noch nicht erschlossene Stadt, perfekt für sein Exil. Die Decke, grellbunt und kitschig gemustert, war eine Beleidigung für sein ästhetisches Empfinden, und er warf sie der Frau zu, die beschlossen hatte, nicht mehr seine Frau sein zu wollen. Sie hob sie auf und steckte sie erneut in seinen Koffer. Es war an der Zeit, dass sie beide an weniger intellektuelle Dinge glaubten, sagte sie; es war ein Fehler, in blinder Intellektualität zu verharren.

Geh und mach doch deinem analphabetischen Proletarier den Hof, schrie er sie an, voller Zorn und Selbstmitleid. Doch später, nachdem er sich beruhigt hatte, dachte er über die Worte seiner ersten Frau nach. Sie war immer die Kluge gewesen, hatte sich für die Gewinner entschieden, noch bevor abzusehen war, wer im Bürgerkrieg der Sieger sein würde. Er dagegen war ein unverbesserlicher Träumer und lebte so lange in seinem Elfenbeinturm, bis ihm die Räumungsklage ins Gesicht geklatscht wurde.

Es war Zeit, die Intellektualität hinter sich zu lassen. Als sich Lehrer Gu in Hun Jiang niederließ, erinnerte er sich an ihre Worte und beschloss, abends des Lesens und Schreibens unkundige Frauen zu unterrichten. Ihren Fortschritt betrachtete er als seinen Verdienst, nicht als Intellektueller, sondern als Arbeiterameise, indem er winzige Sandkörner von dem Berg abtrug, der zwischen seinem Volk und einer aufgeklärten, zivilisierten Gesellschaft aufragte. In der Hochzeitsnacht mit seiner zweiten Frau holte er die Decke hervor; ein Geschenk eines alten Freundes, sagte er zu seiner jungen Braut. Es war ein teures Geschenk, eine Wolldecke war in provinziellen Kleinstädten eine Rarität. Seine Frau verliebte sich in sie, und während der ersten Jahre hütete sie sie wie einen Schatz und benutzte sie nur zu besonderen Anlässen, an Feiertagen und Jahrestagen und im ersten Monat jeden Jahres. Aber wie alles andere, was in einer jungen Ehe geschätzt wird, verlor die Decke im Lauf der Jahre ihre ursprüngliche Bedeutung und wurde nun aus praktischen Gründen benutzt – es war eine Decke von einwandfreier Qualität, gut geeignet für den strengen, halbjährigen Winter in Hun Jiang.

Als sie in ihrer Gasse ankamen, musste das Fahrradtaxi anhalten, es war zu breit, um bis vor Lehrer Gus Tor zu fahren. Langsam humpelte er nach Hause, während seine Frau die Geldscheine für den Fahrer abzählte. Ein paar Hühner sprangen zur Seite und sahen ihm nach, und er erkannte seine zwei alten Hennen. Er drückte das Tor auf und sah einen Stapel Holz, in ordentliche Scheite gehackt. Eine junge Frau hörte seine Schritte und trat aus dem Haus. Sie seien gerade rechtzeitig zum Mittagessen zurückgekommen, sagte sie.

Lehrer Gu betrachtete die Frau. Sie war Ende Zwanzig, ihr glattes Haar war mittellang, bedeckte ihren Nacken, war auf einer Seite gescheitelt und wurde von einer Spange gehalten; sie trug eine graue Mao-Jacke und eine Hose von dunklerem Grau. Auf den ersten Blick wirkte sie wie eine normale, junge verheiratete Frau, so unauffällig, wie es von einer Ehefrau erwartet wurde, die gegenüber Fremden ihre Weiblichkeit und Schönheit nicht mehr betonen sollte. Doch der Zipfel eines hauchdünnen, pfirsichfarbenen Schals hing über den Kragen der Mao-Jacke, vielleicht mit Absicht. Lehrer Gu blickte auf den Schal; in ihrer Hochzeitsnacht hatte seine erste Frau ein seidenes Nachthemd im gleichen Ton getragen, Pfirsich war ihre Lieblingsfarbe gewesen.

Die Frau lächelte mit weißen, ebenmäßigen Zähnen. »Wie geht es Ihnen, Lehrer Gu?«

Er antwortete nicht. Ihm wurde klar, dass die Frau hübscher war, als sie erscheinen wollte. »Wer sind Sie?« fragte er unfreundlich.

»Das ist Kai«, sagte Frau Gu, die durch das Tor trat. »Sie spricht die Nachrichten.«

»Ah, natürlich, Sie sind es«, sagte Lehrer Gu. Es war unmöglich, ihre Stimme zu vergessen, die mit einem sonnigen Herbsthimmel, einem klaren Bach im Frühling oder ähnlich nichtssagenden Bildern beschrieben wurde. Im ganzen Land wurden die Stimmen der Nachrichtensprecherinnen so charakterisiert, alle sorgfältig ausgewählt aufgrund des Mangels individueller stimmlicher Besonderheiten. Wie traurig es sein musste, jemand zu sein, der so leicht von einer anderen perfekten, nahezu identischen Stimme ersetzt werden konnte, dachte Lehrer Gu. Wie langweilig, tagaus, tagein Worte zu sprechen, die nicht die eigenen waren. Doch andererseits hatte er kein Recht, sie zu verachten; vielleicht genoss sie ja den Ruhm, den ihr die Stelle einbrachte. »Sie haben eine schöne Stimme«, sagte Lehrer Gu. »Sie eignet sich gut dazu, das Sprachrohr der Partei zu sein.«

Kai zögerte kurz, bevor sie nickte. Frau Gu sah beide nervös an und legte Lehrer Gu eine Hand auf den Arm. »Du musst müde sein. Warum isst du nicht etwas und machst dann ein Schläfchen?« Sie stützte ihn und zog ihn ins Haus, doch er befreite seinen Arm, heftiger, als er beabsichtigt hatte.

Kai brachte einen Topf mit Hühnereintopf und fragte Lehrer Gu, wie die Fahrt nach Hause gewesen war. Er antwortete nicht. Ihm war nicht nach belanglosem Geplauder, weder mit seiner Frau noch mit einer Fremden. Während der zwei Wochen im Krankenhaus hatte er viele Gespräche mit seiner ersten Frau geführt, manchmal hatte er mit ihr gestritten, manchmal war er mit ihr einer Meinung gewesen; er wollte nicht, dass sie unterbrochen wurden.

Frau Gu entschuldigte sich leise bei Kai und meinte, die Heimfahrt habe ihn angestrengt. Kai erklärte, sie wolle sowieso gehen, um ein paar Dinge zu erledigen. Lehrer Gu wollte sich wieder seiner Lieblingsbeschäftigung zuwenden, aber die junge Frau lenkte ihn ab. Er blickte auf und musterte ihr Gesicht. »Sie waren meine Schülerin, nicht wahr?« sagte er plötzlich und überraschte damit sowohl Kai als auch Frau Gu.

»Kai ist nicht in Hun Jiang aufgewachsen«, sagte Frau Gu und erklärte, dass Kai Nachrichtensprecherin geworden war, nachdem sie die Theatertruppe in der Provinzhauptstadt verlassen hatte.

Lehrer Gu starrte Kai an. Sie würde sein Bett richten, wenn er vor dem Essen ruhen wollte, sagte Frau Gu.

Er hatte während der letzten dreißig Jahre Hunderte von Schülern unterrichtet; erst seit kurzem begann er, die Namen und Gesichter seiner Schüler zu verwechseln, doch wie alle älteren Menschen erinnerte er sich um so präziser an frühere Dinge, je mehr er kurz zurückliegende Ereignisse vergaß. »Sie waren meine Schülerin«, wiederholte Lehrer Gu.

Kai blickte unbehaglich drein. »Ich war zwei Monate in Ihrer ersten Klasse, bevor ich weggezogen bin«, sagte sie.

»Wann war das?«

»1960.«

Lehrer Gu blinzelte und überlegte. »Nein, es war 1959. Sie waren in derselben Klasse wie Shan.«

Frau Gu schaute zu Kai, die geknickt dreinblickte, und einen Augenblick lang sagte niemand etwas. Lehrer Gu versuchte, sich genauer an Kai zu erinnern, doch er sah nur Shan vor sich, in seiner ersten Klasse 1959, ein mageres Mädchen mit zwei dünnen Zöpfen, die Enden gelblich wie versengtes Gras, ein schlecht ernährtes Kind unter unterernährten Kindern während der Hungersnot, die drei Jahre lang das Land heimsuchen sollte.

Frau Gu erholte sich als erste. Sie löffelte Suppe in eine Schale. »Kai hat das Huhn und die Kastanien mitgebracht«, sagte sie.

»Warum haben Sie die Schule gewechselt?« fragte Lehrer Gu.

»Ich wurde ausgewählt, auf die Theaterschule für Kinder zu gehen«, sagte Kai.

Lehrer Gu schnaubte höhnisch. »Dann waren Sie damals ein gutgenährter Star«, sagte er. Etwas an dieser jungen Frau ärgerte ihn, ihre Stimme, die Tatsache, dass sie genauso alt war wie Shan, doch eine bessere Stelle und ein leichtes Leben hatte, dass sie in sein Zuhause eingedrungen war und dass sie seine Frau angelogen und behauptet hatte, sie würde Shan nicht kennen. Seine eigene Tochter, damals sieben Jahre alt, hatte mit flehenden Augen zu ihm aufgeblickt, als er das wenige, was er sich von seiner eigenen Ration abgespart hatte, unter den Kindern verteilte, die aus größeren Familien stammten und hungriger waren als seine Tochter. Aus diesen Kindern wurden später die gefährlichsten jungen Leute, ihre Köpfe so leer und aufnahmebereit wie ihre Münder, und sie verschlangen alles, was man ihnen vorsetzte, das Gute, das Schlechte und das Böse. »Haben Sie jemals gehungert?« fragte Lehrer Gu Kai, ohne seine Feindseligkeit zu verhehlen.

»*Wer in deinem Haus ist, ist ein Gast*«, sagte Frau Gu missbilligend. »Du benimmst dich heute nicht wie ein guter Gastgeber.«

»Lehrer Gu muss müde sein«, sagte Kai. »Ich komme später wieder, um mit ihm zu sprechen.«

Er antwortete beiden Frauen nicht, sondern stand auf und taumelte ins Schlafzimmer. Der Ofen brannte, und plötzlich fühlte er sich müde von der Wärme. Er hörte, wie seine Frau sich bei Kai entschuldigte und Kai erwiderte, natürlich verstehe sie es, und nein, es mache ihr überhaupt nichts aus. Bald waren sie außer Hörweite. Lehrer Gu schaute zur Uhr an der Wand. Er fragte sich, wie lange es dauern würde, bis sich seine Frau an ihren kranken Mann erinnerte, dem heiß und unbehaglich war, weil mitten an einem Frühlingstag der Ofen brannte.

Lehrer Gu hatte sieben Minuten gezählt, als Frau Gu mit der unberührten Schale Suppe hereinkam. »Du solltest wirklich ein bisschen was essen«, sagte sie.

»Wo ist diese Frau?« fragte er.

»Sie heißt Kai«, sagte Frau Gu.

Lehrer Gu setzte sich mühsam auf. Es überraschte ihn, dass ihm seine Frau nicht zu Hilfe eilte.

»Du warst so unfreundlich zu ihr, als wäre sie dir etwas schuldig«, sagte Frau Gu.

»Sie hat uns angelogen. Warum war sie hier?« wollte Lehrer Gu wissen. »Sie ist ein politisches Werkzeug der Stadtverwaltung. Was will sie von uns?«

Seine Frau warf ihm einen spöttischen Blick zu, der ihn an seine rebellische Tochter von vor zehn Jahren erinnerte. »Hast du deinen Schülern nicht beigebracht, ihren Kopf zu gebrauchen und nicht einfach vorschnelle Schlussfolgerungen zu ziehen?«

Dafür war er also nach Hause gekommen, dachte Lehrer Gu, damit eine unfreundliche Frau jedes seiner Worte in Frage stellte. »Wie lange hast du vor, diese Person zu sein, die zu kennen ich nicht das Privileg hatte, bevor ich ins Krankenhaus musste? Verdiene ich eine Erklärung?« sagte er mit erhobener Stimme.

»Die Ärzte haben gesagt, dass du dich nicht aufregen sollst«, sagte sie.

»Es gibt keine unaufgeregtere Person als einen Toten.«

Seine Frau stellte die Schale auf den Stuhl neben dem Bett. Er hatte erwartet, dass sie sich auf den Stuhl setzen und ihn füttern würde. Als sie das nicht tat, griff er unter Mühen nach dem Löffel, obwohl er keinen Appetit hatte.

»Es gibt etwas, was du wissen solltest – wir haben es dir nicht früher gesagt, weil wir es für wichtiger hielten, dass du erst einmal gesund wirst«, sagte Frau Gu.

»Wer sind ›wir‹?«

»Kai und ich und ihre Freunde. Wir mobilisieren die Leute in der Stadt wegen einer Petition für Shan.«

Die Veränderung, die mit seiner Frau vorgegangen war – der Blick, den sie nicht länger niederschlug, wenn sie sprach, die deutliche Aussprache von Wörtern, die sie ihrem Vokabular neu hinzugefügt hatte –, beunruhigte Lehrer Gu. In den nahezu dreißig Jahren, die sie Bürger zweiter Klasse waren, und vor allem in den zehn Jahren seit Shans Verhaftung hatten sie sich, als Paar, in einen selbstgesponnenen Kokon zurückgezogen, in eine fadenscheinige und klaustrophobische Hülle, und nur da hatten sie ein bisschen Wärme erfahren; manchmal war es schwer gewesen zu bestimmen, wo das eigene Selbst endete und das andere begann; sie waren die beiden Fische, die beschlossen hatten, den Rest ihres Lebens in derselben vom Austrocknen bedrohten Pfütze zu verbringen – war all das eine Illusion gewesen? Wer war diese Frau, die fremden jungen Leuten vertraute, Fremden mit der verrückten und sinnlosen Idee, einen Protest zu organisieren, der das Schicksal seiner Tochter nicht mehr ändern konnte? Das Gefühl zu stürzen, nicht fähig sich an etwas festzuhalten – das gleiche Gefühl, das er erlebt hatte, als er krank wurde –, erschwerte ihm das Atmen.

»Ich dachte, ich sollte es dir nicht länger verheimlichen«, sagte Frau Gu. »Es ist zur wichtigsten Neuigkeit geworden.«

»Und du bist zu einem neuen Star geworden.«

Sie ignorierte ihn. »Du kannst dir nicht vorstellen, wie viele Menschen mit uns sympathisieren. Die Leute haben Angst, aber das heißt nicht, dass sie hartherzig sind. Wir müssen sie nur finden.«

Lehrer Gu betrachtete seine Frau. Ihre Wangen waren gerötet, und ihre Augen, die zwei tiefen Brunnen, in denen im Lauf der Jahre das Wasser ausgetrocknet war, blickten mit ungewohntem Glanz auf einen Punkt hinter seinem Kopf. Trotz des warmen Ofens kroch Kälte in seinen Körper. Es war eine Krankheit, diese Leidenschaft für Politik, dafür, die Massen zu *mobilisieren*, als wären die Menschen Sandkörner, die sich mit Hilfe eines Zauberspruchs sammeln und zu einem Turm erheben könnten – es war eine tödliche Krankheit. Sie hatte seine Tochter das Leben gekostet, und jetzt hatte sie die Person befallen, der es am allerwenigsten zuzutrauen gewesen war, seine Frau, eine gehorsame und demütige alte Frau. »Was willst du?« fragte er schließlich. »Shan ist tot.«

»Wir möchten, dass die Verwaltung ihren Fehler zugibt. Shan war unschuldig. Niemand sollte für das bestraft werden, was er denkt. Das ist falsch, und es ist Zeit, diesen Fehler richtigzustellen.«

Diese Worte waren seiner Frau eingeflüstert worden, wahrscheinlich von Kai, dieser jungen Frau, deren Aufgabe es war, all die wohltönenden, nichtssagenden Sätze vorzulesen, die allen leidenden Seelen eine Fata Morgana vorgaukeln sollten. »Shan ist tot«, sagte Lehrer Gu. »Was immer du tust, du wirst sie nicht wieder lebendig machen.«

»Wir kämpfen nicht um ihr Leben, sondern um die Gerechtigkeit, die sie verdient«, sagte Frau Gu.

Diese dumme, dumme Frau, die sprach wie ein Papagei und die Leiche ihrer Tochter als öffentliches Opfer darbrachte im Tausch für ein leeres Versprechen. Diese Frauen mit ihrer fadenscheinigen Logik und ihren nimmersatten Gedanken, diese Frauen, die sich von großartigen Worten den Kopf verdrehen und ihr Gehirn von anderen Leuten waschen und neu füllen ließen. War es sein Schicksal, dass er sein Leben lang so einem Feind gegenübertreten musste, zuerst einer Frau, die sich dem Kommunismus so sehr verschrieb, dass eine Ehe aufgelöst werden musste, dann einer Tochter und jetzt der einzigen Frau, die ihm geblieben und die meiste Zeit ihres Lebens gegen diese Krankheit immun gewesen war? Er starrte seine Frau an. »Wie lange haben sie gebraucht, um eine Heldin aus dir zu machen?« fragte er kühl. »Fünf Sekunden vermutlich.«

Wie er habe auch sie gezweifelt, sagte Frau Gu ruhig, aber sie durften die Hoffnung auf eine Veränderung nicht aufgeben. Sie konnten nicht zulassen, dass das Leben ihrer Tochter umsonst geopfert worden war.

Ihre Tochter war aus Dummheit gestorben, weil sie ihr Leben lang den falschen Leuten vertraut hatte, wollte Lehrer Gu seine Frau erinnern, doch dann sagte er nur, sie solle sich nicht mehr mit der Sache beschäftigen. »Ich werde es nicht zulassen«, sagte Lehrer Gu. »Ich verbiete dir und allen anderen, Shans Namen als Ausrede zu benutzen, um irgend etwas zu gewinnen.«

Frau Gu blickte erschrocken auf. Nach einem langen Augenblick lächelte sie ihn an. »Lehrer Gu, warst nicht du es, der mir vor vielen Jahren beigebracht hat, dass Frauen nicht mehr die Sklavinnen und Gefolgsleute der Männer sind? Und dass wir für das, was die Männer uns nicht geben können, mit eigenen Händen kämpfen müssen?«

Lehrer Gu sah seine Frau an. Er zitterte am ganzen Leib. Die

Lügen, die er vor vielen Jahren gezwungenermaßen hatte lehren müssen, fielen jetzt auf ihn zurück, machten einen Clown aus ihm. Er wollte die Hühnersuppe gegen die Wand oder auf den harten Zementboden schleudern; er wollte überall Suppe verspritzen, heiß und fettig, und zusehen, wie die Porzellanschale in Scherben zerbrach. Doch was hätte er davon, außer dass es ihn als ungebildeten, unvernünftigen Mann brandmarkte? Sein Zorn, der vor einem Moment noch überwältigend gewesen war, machte Enttäuschung und Erschöpfung Platz. Er schaute seine Frau an und lächelte leise. »Natürlich, wir leben jetzt in der kommunistischen Ära«, sagte er. »Vergib einem alten Mann, dass er gerade ein wenig verwirrt war, Genossin.«

WER HÄTTE GEDACHT, dass Nini einen kindischen Koller haben und einen Beweis der Loyalität von ihm verlangen würde? Eine Rose mit einem dornigen Stiel lohnte Risiko und Schmerz, aber was, wenn es sich um eine wilde Blume am Straßenrand handelte, die sich für eine Rose hielt und unangenehme Stacheln entwickelte? Bashi kicherte vor sich hin. Vielleicht musste er ein Auge auf Ninis Temperament haben und dafür sorgen, dass sie nicht so wie die mürrischen alten Weiber auf dem Marktplatz wurde. Er beobachtete eine junge Krankenschwester, die vor einem Schaufenster stand, unzufrieden mit ihrem Scheitel war und angestrengt versuchte, das Problem mit den Fingern zu lösen. Er ging zu ihr und holte die Tüte Bonbons heraus, die er immer dabeihatte für den Fall, dass es ein junges Mädchen zu ködern galt. »Ihr Haar sieht toll aus«, sagte er. »Möchten Sie ein Bonbon?«

Die junge Frau musterte Bashi kühl. »Gehen Sie nach Hause und schauen Sie in den Spiegel«, sagte sie.

»Warum? Ich brauche keinen Spiegel, um zu wissen, wie ich aussehe«, sagte Bashi. »Sie sind es, die sich auf der Straße die Federn putzt.«

»Was für ein elendes Pech, am Morgen einer Kröte zu begegnen«, sagte die Frau zu einer streunenden Katze und eilte davon, wobei sie sich noch immer mit der Hand durchs Haar fuhr.

Für was hielt sie sich eigentlich – einen verkleideten Schwan? Bashi betrachtete sein Spiegelbild im Schaufenster: ein präsentabler junger Mann mit einer neuen Jacke. Drei Jugendliche, die Köpfe kahl geschoren und mit Sonnenbrille, blieben neben ihm stehen. »He, Bashi, wozu brauchst du so eine Jacke?«

Bashi schaute auf ihre Augen, sah aber nur sechs Abbilder seiner selbst in den dunklen Gläsern. Er kannte die Jungen nicht, doch dank ein paar unerfreulichen Begegnungen mit den neu entstandenen Banden hatte er gelernt, die Aufmerksamkeit nicht auf sich zu ziehen. »Schöne Sonnenbrillen«, sagte er, befühlte seine Tasche und holte die Schachtel Zigaretten heraus, die er immer dabeihatte. Die Jungen nahmen die Zigaretten, rührten sich jedoch nicht von der Stelle. »Können wir uns für einen Tag deine Jacke leihen?« fragte der Jüngste grinsend.

»Ja«, sagte Bashi. »Es gibt nichts, was ich mit meinen Brüdern nicht teile.« Er zog die Jacke aus und zitterte in der morgendlichen Brise. Die Jungen nickten und gingen weiter, der Jüngste probierte die Jacke an, damit seine älteren Brüder ihren Sitz beurteilen konnten.

Was für eine gefährliche Meute diese Stadt ausbrütete, dachte Bashi. Er betastete ein Bündel Geldscheine in seiner Hosentasche – es war klug gewesen, das Geld nicht in die Jackentaschen zu stecken. Er betrat einen nahen Laden und kaufte eine kleine Tüte Sonnenblumenkerne, nahm ein paar Kerne in den Mund, zerkaute sie zu Brei und stellte sich dabei vor, er würde feindselige Menschen zwischen den Zähnen zermalmen. Nur Nini brachte ihm den Respekt entgegen, den er verdiente. Doch was gab er Nini abgesehen von ein paar Körben Kohle und Gemüse? Sie hatte recht, er musste ihr einen Beweis liefern. »Nenn mir die Leute, die dich unglücklich machen«, wollte er am nächsten Morgen als erstes zu Nini sagen. »Nenn sie mir alle, und sie sind auch Lu Bashis Feinde. Ich werde dafür sorgen, dass sie keinen ruhigen Augenblick mehr haben.« Anfangen würde er mit der Mutter dieser hingerichteten Frau, die Nini hasste.

Am Eingang zu einer Gasse entdeckte Bashi Ohr. »Hallo, mein

Freund«, sagte er und steckte die Hand in die Tasche. Ohr wedelte mit dem Schwanz. »Komm her«, säuselte Bashi. »Wie geht's dir? Hast du mich gesucht? Ich habe gerade an dich gedacht.«

Der Hund kam näher und rieb den Kopf an Bashis Bein. Was für ein dummer Hund, dachte Bashi; er zog die Hand aus der Tasche und klatschte. »Tut mir leid, heute hab ich kein Fleisch für dich. Weißt du, heute habe ich was anderes vor.«

Der Hund lief ein paarmal um ihn herum und dann davon. Bashi war zufrieden. Die neue Freundschaft mit Ohr war ein Nebenprodukt seines Plans bezüglich Kwens Hund – man brauchte nicht lange und auch nicht viel Schinken, um Ohrs Herz zu gewinnen, und welcher Hund konnte schon ein Stück Fleisch zurückweisen? Hunde waren schließlich Hunde und nicht in der Lage, es mit dem Intellekt des Menschen aufzunehmen.

Bashi betrat einen Laden mit einem schwarzen hölzernen Schild, auf dem in Gold die Worte *Langes Leben* geschrieben waren. Eine alte Frau stand an der Theke und legte etliche zerknitterte Geldscheine vor die Ladenbesitzerin. »Oma, was kaufen Sie da?« fragte Bashi.

Hatte er nicht von der Medizinfrau aus dem Östlichen Dorf gehört, die neue Wege gefunden habe, um mit den Toten in Verbindung zu treten? fragte die alte Frau. Sie war gerade bei der Medizinfrau gewesen, die ihr mitgeteilt hatte, dass ihr Mann in der nächsten Welt nicht über genug Geld für Schnaps verfügte.

»Ha, und das haben Sie ihm geglaubt?« sagte Bashi. Er schaute auf das Geld auf dem Ladentisch; von der kleinen Summe würde der Mann bestimmt nicht betrunken werden. »Vielleicht kauft er sich mit Ihrem Geld dort drüben eine Frau?«

Die alte Frau murmelte, dass ihr Mann nie hinter Frauen her gewesen sei; er habe für das Trinken gelebt und sei daran gestorben. Bashi schüttelte ungläubig den Kopf angesichts dieses Dummkopfs, der gestorben war, bevor er die wahre Freude des Lebens kennengelernt hatte. »Wie schade«, sagte er. »Was ist so toll am Trinken?«

»Das fragen Sie nur, weil Sie keine Erfahrung haben«, sagte die

Ladenbesitzerin, eine Frau mittleren Alters mit einer frischen Dauerwelle. »Die Leute werfen Frauen und Schnaps immer in einen Topf, und wissen Sie warum, kleiner Bruder? Weil Trinken und Frauen das Beste für die Männer sind.«

Bashi schnaubte verächtlich. Was wusste eine Ladenbesitzerin schon über Männer? Er nahm stapelweise Papiergeld, ein Miniaturhaus, von vier Pferden gezogene Wagen, eine Truhe und anderen Krimskrams aus weißem Reispapier, der zu Asche verbrannt würde und seine Großmutter in die andere Welt begleiten sollte. Er fragte auch nach Rattengift, und die Ladenbesitzerin war schokkiert. »Mein Geschäft dient denjenigen, die in den immerwährenden Garten eingegangen sind«, sagte sie. Wie alle Menschen in Hun Jiang suchte die Frau Zuflucht bei allen möglichen Euphemismen, um das Wort Tod zu vermeiden, und Bashi lächelte. Er zahlte für seine Sachen und erklärte, er habe nach Rattengift gefragt, weil er nicht wollte, dass Ratten die Leiche seiner Großmutter belästigten. Die blass gewordene Frau verneigte sich ängstlich vor einem Buddha, der hinter brennenden Räucherstäbchen in einer Ecke des Ladens stand. Bitte verzeih die Unwissenheit des Jungen, sagte die Frau, und Bashi lachte und beschloss, der Händlerin weitere Alpträume zu ersparen. Ein paar Häuser weiter kaufte er in einer Drogerie ein Päckchen Rattengift.

Nachdem er zu Hause angekommen war, legte er die papierenen Opfergaben neben den Sarg seiner Großmutter. »Nana, morgen werden dich der alte Hua und seine Frau zu Großvater und Baba schicken«, sagte er zu der alten Frau; er hatte es sich angewöhnt, mit ihr zu sprechen, wenn er allein war. Er schnitt eine dicke Scheibe Schinken ab, bohrte mit dem Finger ein paar Löcher hinein und legte sie in Schnaps. »Wenn du dort bist, erzähl Großvater und Baba von mir. Sag ihnen, dass es mir gutgeht und dass ich ihrem Namen keine Schande machen werde. Weißt du, ich kann morgen nicht mitkommen, weil ich Wichtigeres zu tun habe.« Er packte das Rattengift aus und gab ein paar Kügelchen davon in den Mörser, in dem seine Großmutter getrocknete Chilischoten zerrieben hatte. Die Kügelchen waren von einer widerlichen, dunklen graubraunen Farbe. Was für eine Ratte würde je etwas so Ekelhaftes anrühren? fragte sich Bashi laut, während er die Kügelchen zu Pulver zerstieß. Er wusste nicht, wie stark das Gift war, doch das bisschen Pulver überzeugte ihn nicht, deswegen tat er eine weitere Handvoll Kügelchen in den Mörser. »Ich sage dir, Nana, heutzutage machen nicht viele Leute von ihrem Hirn Gebrauch. Es ist schwer, jetzt jemand zu finden, der so schlau ist wie mein Baba, oder?« Bashi glaubte, dass Geister ebenso versessen waren auf Komplimente wie die Lebenden. Alten Frauen konnte man leicht eine Freude machen, wenn man ihre Söhne und Enkelsöhne lobte; vielleicht würde ihm seine Großmutter vergeben, dass er morgen nicht zu ihrem Begräbnis mitkäme. Nachdem er mit dem Zerstoßen fertig war, hob er den Mörser hoch und roch an dem Pulver – es roch abgestanden und teigig, aber nicht gefährlich. Er nahm die Scheibe Schinken und bedeckte sie auf beiden Seiten mit dem Pulver; mit einem kleinen Löffel versuchte er, Pulver in die Löcher zu füllen. »Du wirst dich fragen, was das soll«, sagte er. »Pass auf mich auf und bete dafür, dass es klappt, und wenn ich diese große Tat vollbracht habe, werde ich für euch alle ganz viel Papiergeld verbrennen.«

Als seine Großmutter zum letztenmal mit ihm die Gräber seines Großvaters und seines Vaters besucht hatte, war Bashi zwölf gewesen. Das nächstemal, dachte er, würde er Nini mitnehmen, damit sie wüssten, dass sie sich keine Sorgen um ihre Nachkommen machen müssten. Er betrachtete einen Augenblick den Schinken, bepinselte ihn gewissenhaft auf beiden Seiten mit Honig und achtete darauf, dass nichts von dem giftigen Pulver unbedeckt blieb. »Na also«, sagte er. »Schön, nicht wahr?«

Bashi ging durch die halbe Stadt, bevor er Ohr fand. Mit einem kleinen Stück Fleisch gelang es ihm, den Hund dazu zu bringen, ihm zu folgen. Sie gingen über die Brücke und stiegen auf den Südlichen Berg. Es war ein schöner Tag, die Sonne schien ihm warm ins Gesicht, Frühling lag in der Luft. Bashi blieb neben einem Baum frühblühender Wildpflaumen stehen. »Ich hab was wirklich Gutes für dich«, sagte er und legte den Schinken neben den Baum.

Ohr schnüffelte neugierig an dem Schinken, war jedoch nicht daran interessiert, ihn sofort zu fressen. Bashi redete ihm gut zu, doch Ohr kratzte nur mit der Pfote daran und schnüffelte. Bashi wurde ungeduldig. Er hob den Schinken auf und tat so, als wollte er selbst ihn essen. Das schien Erfolg zu haben; als Bashi den Schinken dem Hund erneut zuwarf, fing er ihn in der Luft auf und trottete davon.

Bashi blieb zurück, wollte ein paar Minuten warten, bevor er dem Hund nachging, um die Wirkung des Gifts zu beobachten. Wenn das Rattengift bei dem kleinen Hund nicht wirkte, würde es bei Kwens schwarzem Hund erst recht nicht wirken. In diesem Fall müsste er noch einmal zur Drogerie gehen und sich beschweren. Er würde etwas Stärkeres verlangen und behaupten, die Ratten in seinem Haus wären so stark wie Eber. Seine Gedanken schweiften ziellos umher, bis er das gequälte Winseln des Hundes hörte. »Na also«, sagte er, und dann hörte er ein langes, gepeinigtes Jaulen.

Bashi fand den Hund am Boden liegend, keuchend, mit unkontrolliert zuckenden Beinen. Zwischen seinen Augen steckte eine kleine Axt, und klebriges rotes Blut sickerte heraus. Es war offensichtlich, dass der Hund in seinen letzten Zügen lag. Neben dem Hund stand ein Junge in einer zerlumpten grauen Baumwolljacke; seine linke Hand blutete – der Hund hatte ihn gebissen –, und in der rechten hielt er den Schinken. Bashi blickte von dem Hund zu dem Jungen und wieder zum Hund. »Hast du deswegen den Hund umgebracht?«

Der Junge schaute den Mann an. Er wollte erklären, dass er den Hund nicht hatte töten wollen, doch wer würde ihm glauben, da das Blut des Hundes an seiner Axt klebte? Der Junge, der aussah, als wäre er kaum älter als Zehn, war in die Stadt gekommen, um seine kümmerlichen, unterentwickelten Muskeln zu verkaufen. Manchmal heuerte ihn eine Hausfrau an, damit er Holz hackte, ein Huhn schlachtete oder Kohlen ablud, kleine Arbeiten, die sie selbst oder ihre Söhne oder ihr Mann genausogut tun konnten, doch indem sie den Jungen beschäftigte, verschaffte sie sich ein gutes Gefühl. Frauen waren alle gleich, hatte der Junge nach ein paar Wochen gefolgert; sie sprachen von ihrem Herzen, passten aber argwöhnisch auf ihre Geldbörse auf. Sie bezahlten ihn mit Essen, nicht mit Geld, und der Junge, halb Bettler, halb Beruhigungsmittel für das Gewissen der Frauen, war klug genug, nicht mehr zu fordern, als ihm zugestanden wurde.

»Hast du den Hund umgebracht?« fragte Bashi noch einmal.

Der Junge trat einen Schritt zurück und sagte: »Er hat mich zuerst gebissen.«

»Natürlich hat er das. Du hast sein Fleisch gestohlen. Ich würde dich auch beißen.« Bashi fasste den Jungen am Ärmel und zerrte ihn zu dem Hund, der flach und schnell atmete und mit den Pfoten im frischgetauten Boden scharrte. »Schau, was du getan hast. Was für ein Mensch bist du, dass du mit einem kleinen Hund ums Essen streitest?«

Der Junge wägte seine Chancen ab. Wenn er davonlief, würde ihn der Mann sofort einholen. Er konnte sich wehren, aber auch damit würde er nicht weit kommen. Es war besser, sich gegen eine Tracht Prügel zu wappnen, doch abgesehen davon konnte der Mann ihm nichts tun. Der Junge entspannte sich.

»Was hast du vor?« sagte Bashi. »Was für einen Streich willst du mir spielen?«

Der Junge ging auf die Knie und begann zu weinen. »Onkel«, sagte er. »Onkel, es ist allein meine Schuld. Ich habe gedacht, dass es eine Verschwendung ist, wenn ein Hund soviel Fleisch isst. Ich wollte es meiner Mutter bringen. Meine Mutter und meine Schwester haben seit drei Monaten kein Fleisch mehr gegessen.«

»Du hast also eine Schwester«, sagte Bashi. »Wie alt ist sie?«

»Neun«, sagte der Junge. »Mein Vater ist vor sechs Jahren gestorben, und meine Mutter ist krank.« Um seine Geschichte zu beweisen, öffnete er eine kleine Stofftasche und zeigte Bashi den Inhalt – ein paar ganze und halbe Brötchen, die bereits steinhart waren. Seine Schwester hatte eine Möglichkeit gefunden, aus den alten Brötchen einen neuen Teig zu machen, erklärte er.

Bashi nickte. Der Junge musste die Geschichte tausendmal erzählt haben, um das Mitgefühl der alten Weiber in der Stadt zu gewinnen. Er holte ein paar Geldscheine heraus. »Du bist eindeutig ein Junge, der weiß, wie man sich um seine Familie kümmert. Wenn dem nicht so wäre«, sagte Bashi und fletschte die Zähne, »wenn deine Mutter und deine Schwester nicht wären, würde ich die Polizei holen. Jetzt nimm das Geld und kauf ein paar gute Kleidungsstücke für deine Schwester.«

Der Junge blickte auf das Geld und schluckte. »Ich habe Ihren Hund aus Versehen getötet, Onkel«, sagte er. »Wie kann ich Ihr Geld annehmen?«

Bashi lachte. Der Junge wusste mit Sicherheit, dass Bashi nicht viel älter war als er selbst, aber er wusste auch, wie man sich angemessen verhielt, und das gefiel Bashi. »Es ist nicht mein Hund«, sagte er. »Wenn du meinen Hund umgebracht hättest, würde ich dir deinen dünnen Hals umdrehen.«

»Sind Sie sicher, dass Sie mich nicht zur Polizei bringen wollen?«

Bashi klopfte dem Jungen mit den Fingerknöcheln auf den Kopf. »Sei nicht albern. Der Polizei ist es egal, auch wenn du zehn Hunde in Stücke hackst.«

Der Junge nahm das Geld und dankte Bashi überschwenglich. Bashi brachte ihn mit hochgehaltener Hand zum Schweigen. Sie traten beide zu dem Hund; er rührte sich nicht mehr, sondern lag still auf dem Boden, die Pfoten halb mit Erde bedeckt. Es war schwer zu glauben, dass ein magerer Junge einen Hund mit einem Schlag töten konnte.

Der Junge kniete sich hin, zog die Axt aus dem Schädel des Hundes und wischte sie an seiner Jacke ab. Bashi befahl ihm, den Schinken wegzuwerfen. Der Junge zögerte und sagte: »Aber ist das nicht Verschwendung?«

»Warum stellst du so viele dumme Fragen?«

Der Junge sah zu, wie Bashi den Schinken mit aller Kraft weit wegschleuderte. Er flog in einem perfekten Boden durch den nachmittäglichen Himmel und landete irgendwo außer Sichtweite.

»Jetzt lauf nach Hause, bevor mir der Geduldsfaden reißt«, sagte Bashi.

Der Junge nickte, rührte sich jedoch nicht von der Stelle und blickte auf den Hund. Als Bashi ihn noch einmal zum Gehen drängte, fragte er: »Onkel, was glauben Sie, was mit dem Hund hier passiert?«

»Woher soll ich das wissen? Ich habe dir doch gesagt, es ist nicht mein Hund.«

»Möchten Sie nicht eine Mütze oder einen Schal aus Hundefell?« fragte der Junge.

Bashi lächelte. »Ha, du gerissener kleiner Gauner. Wenn ich was brauche, habe ich Geld genug, um es zu kaufen. Nimm den Hund und mach was für deine Schwester draus, wenn du unbedingt willst.«

Der Junge lächelte ebenfalls. »Onkel, wenn unsere Hütte nicht so schäbig wäre, würde ich Ihnen am Feiertag eine gute Suppe mit Hundefleisch vorsetzen.«

»Schmier mir keinen Honig ums Maul«, sagte Bashi. »Ich muss mich jetzt wieder um meine Angelegenheiten kümmern. Grüß deine Schwester von mir.«

Der Junge sah Bashi nach, bevor er sich hinsetzte und an die Arbeit machte. Er warf die alten Brötchen weg und riss die Stofftasche in Streifen. Dann zog er seine Jacke aus, wickelte sie um den Hund und band sich den Hundekadaver auf den Rücken. Er war schwerer, als er gedacht hatte, und noch warm, was ihn an den Tag erinnerte, als er seine Schwester hinter dem Sarg seines Vaters Huckepack zum Friedhof getragen hatte. Kurz bevor er starb, hatte der Vater die Hände des Jungen gehalten und zu ihm gesagt, von nun an sei er der Mann im Haus und müsse seine Mutter und seine Schwester ernähren.

Der Junge dachte an das Grab seines Vaters, das seit sechs Jahren nicht gepflegt wurde. Er blickte zu dem noch immer strahlendblauen Himmel empor; wenn er sich beeilte, wäre er vor Einbruch der Dunkelheit zu Hause und könnte das Grab für Ching Ming in Ordnung bringen. Seine Mutter, die seit fünf Jahren bettlägrig war, könnte nicht mitkommen, doch er würde mit seiner Schwester hingehen. Er war jetzt ein Mann und verantwortlich für die Lebenden wie für die Toten. Der Junge setzte sich eilig in Bewegung; nach einem Augenblick kehrte er wieder um. Er musste eine Weile suchen, bis er den Schinken fand, der ein wenig mit Erde verschmutzt war, doch wenn er ihn gründlich schrubbte, würde ein hervorragendes Festtagsessen daraus.

KAI ERKLÄRTE IHREN KOLLEGEN in der Propagandaabteilung, dass ihr Studio einen Frühjahrsputz nötig hatte. Ein Redakteur zog die Augenbrauen hoch, sagte jedoch nichts, und Kai wurde klar, dass ein Frühjahrsputz am Tag vor Ching Ming als Feier des suspekten Festtags interpretiert werden konnte, aber sie beschloss, nicht darauf einzugehen. Seitdem die Flugblätter aufgetaucht waren, behandelten sich die Kollegen untereinander ausgesprochen höflich, doch niemand wagte, die Lage anzusprechen; sie alle waren erfahrene Barometer, eingestimmt darauf, die winzigsten Veränderungen der politischen Atmosphäre zu registrieren.

Eine Sekretärin bot an, ihr zu helfen, doch Kai lehnte höflich ab mit der Begründung, das Studio sei zu klein, als dass sich zwei Personen darin bewegen könnten. Es war zwei Uhr nachmittags, die ruhigste Zeit des Tages, und als Kai zu ihrem Studio ging, sah sie, dass viele Büros im Verwaltungsgebäude geschlossen waren. Wegen des Feiertags am nächsten Tag hatten viele den Nachmittag freigenommen, obwohl es ihnen als Angestellte der Stadtverwaltung nicht erlaubt war, Ching Ming öffentlich zu begehen. Am Morgen hatte Kai bei ihrer Mutter vorbeigeschaut, und ihre Mutter hatte erzählt, dass sie Kais Vater Papiergeld und andere Opfergaben von einem vertrauenswürdigen Helfer bringen ließ; Kai wusste nicht, ob ihre Schwiegereltern ähnliche Pläne hatten, da Han noch nicht aus der Provinzhauptstadt zurück war. Er war jetzt zwei Wochen weg, und abgesehen davon, dass er ein paarmal in ihrem Büro angerufen hatte – trotz ihres Status hatten sie zu Hause kein Telefon, doch Han hatte versprochen, dass sich das bald ändern würde –, hatten sie nicht miteinander gesprochen.

Das Büro war kein guter Ort, um Informationen auszutauschen, und Kai vermutete, dass Han in der Provinzhauptstadt auch nicht viele Freiheiten besaß. Sie sprachen nur über Ming-Ming, der Han die ersten beiden Tage vermisst hatte, sich seitdem jedoch verhielt, als wäre alles so wie immer.

Kai schloss sich im Studio ein. Sie hatte durchaus erwartet, dass sich Lehrer Gu zunächst feindselig verhalten würde, so wie sie auf Widerstand gestoßen war, als sie zum erstenmal Frau Gu aufgesucht hatte – Misstrauen gegenüber einer Fremden, erst recht in ihrem Fall, da sie die Stimme der Partei repräsentierte. Kai musste mehrmals hingehen, bis Frau Gu das Obst und das Milchpulver nicht mehr zurückwies, die Kai für Lehrer Gu mitbrachte, und nach einer Weile begannen sie, miteinander zu sprechen, weder über Gu Shan noch über den Protest, sondern ganz harmlos über den Wechsel der Jahreszeiten. Langsam taute Frau Gu auf. Als Kai einmal von ihrem vor Jahren verstorbenen Vater sprach, dachte Frau Gu einen Augenblick darüber nach und sagte dann, dass eine Tochter Glück habe, wenn sie ihre Eltern verabschieden könne. Frau Gu zitierte ein altes Sprichwort über die schlimmsten drei Unglücksfälle, die einem im Leben zustoßen konnten – die Eltern in der Kindheit, den Ehepartner in mittleren Jahren und ein Kind im Alter zu verlieren. Von den drei Unglücksfällen habe sie bereits zwei erlebt, sagte Frau Gu, und Kai musste den Blick abwenden, weil sie keine tröstlichen Worte fand. Es sei an der Zeit, dass sich eine alte Frau wie sie irgendwie nützlich mache, sagte Frau Gu und sah Kai in die Augen, ohne Selbstmitleid oder Trauer.

Nie hätte Kai gedacht, dass Lehrer Gu sie als frühere Schülerin wiedererkennen würde. Seine Feindseligkeit machte ihr bewusst, wie sehr sie gegen ihren Willen noch immer an ihre Vergangenheit, ihre Familie und ihren sozialen Status gebunden war. Wenn sie wollte, konnte sie in ihr früheres Leben zurückkehren; abgesehen davon, dass sie Frau Gu mit Jialin bekannt gemacht hatte, war sie an der Planung der Proteste nicht weiter beteiligt, hatte auch kaum Kontakt zu Jialins Freunden, die gemeinsam mit ihm die Flugblätter klebten und die Kundgebung an Ching Ming vorbereiteten. Die Tatsache, dass sie umkehren konnte, beunruhigte sie. Sie brauchte keine Alternative, und sie wollte, dass vor allem Lehrer Gu sie verstand und akzeptierte.

Jemand schlug gegen die Tür, und Kais Herz pochte heftig. Als sie die Tür öffnete, zwängte sich Han herein und schloss hinter sich ab.

»Du hast mir einen Schrecken eingejagt«, sagte Kai. Das Blut schoss ihr in die Wangen, da er sie ertappt hatte, als sie sich ganz ihren eigenen Gedanken hingegeben hatte, aber Han schien ihr Unbehagen nicht zu bemerken. Auch er schien verlegen. »Was ist los?« fragte Kai. »Ist mit Ming-Ming alles in Ordnung?«

»Ich war noch nicht zu Hause«, sagte Han. »Ich muss in zehn Minuten wieder weg.«

»Warum?«

Han blickte Kai an und schwieg. War es möglich, dass er von dem Protest gehört hatte, der für den nächsten Tag geplant war? Sie fragte sich, wer die Informationen weitergegeben haben könnte, aber sie kannte Jialins Freunde nicht. Die Dinge waren unter Kontrolle, lagen in vertrauenswürdigen Händen, hatte Jialin ihr mitgeteilt, für Ching Ming war die Bühne vorbereitet für Kai und Frau Gu. Aber vielleicht war sein Vertrauen fehl am Platz. Sie wünschte, sie würde seine Freunde kennen.

»Wenn ich zu einem Niemand würde«, sagte Han und setzte sich auf den einzigen Stuhl im Studio, »oder zu Schlimmerem als einem Niemand – wenn ich zu einem Verbrecher würde und dir nie wieder etwas bieten könnte, würdest du mich immer noch lieben?«

Kai sah ihn an, sah, dass sein Blick erfüllt war von einer Seelenqual, die sie gern mit ihm geteilt hätte. Die Heldinnen, die sie auf der Bühne dargestellt hatte, sahen sich nie einem Mann gegenüber, der ihnen seine Liebe erklärte: Es waren Jungfrauen, die ihr Leben für eine höhere Berufung hingaben, Mütter, die ein besticktes Tuch in den Sachen des Babys zurückließen, bevor sie die Reise antraten, die sie nicht zu ihren Kindern zurückführen würde, oder es waren Ehefrauen von Revolutionären; im Fall von Herbstjade war ihr Mann der Bösewicht, der Herbstjade nicht geliebt und auch nicht das Recht hatte, irgend jemanden zu lieben.

Han trat zu Kai und umarmte sie. Sie zwang sich, still zu stehen; nach einem Augenblick, als er zusammenbrach und in ihr Haar weinte, fuhr sie ihm mit der Hand über den Kopf. Er habe in der Provinzhauptstadt Spekulationen gehört, dass die Fraktion, die hinter der Mauer-der-Demokratie-Bewegung in Beijing stehe, gewinnen werde, sagte Han, nachdem er sich beruhigt hatte; der Mann, dem sie die Niere besorgt hatten, würde den Machtkampf verlieren, wenn sich das Gerücht bewahrheitete.

»Wissen deine Eltern davon?«

»Ich habe sie und den Bürgermeister vor einer Stunde getroffen«, sagte Han. »Meine Eltern befürchten, dass der Bürgermeister mich fallenlassen könnte, um seine eigene Haut zu retten.«

Kai betrachtete Han; sein glattes, nahezu babyhaftes Gesicht war mit Bartstoppeln bedeckt, seine Augen waren blutunterlaufen. »Wie können sie dich dafür verantwortlich machen?« fragte sie.

»Die Nieren«, sagte Han und erklärte, dass ihr Feind in der Provinzhauptstadt, der im Moment den Sieg davonzutragen schien, die Transplantation und Gu Shans Exekution untersuchen ließ, von der er behauptete, dass sie nicht legal gewesen sei.

»Stimmt das?«

»Wenn nicht, wird er eine andere Ausrede finden, um uns anzugreifen«, sagte Han. »Es ist die alte Geschichte – *wer erfolgreich stiehlt, wird König, wer vergeblich zu stehlen versucht, wird Verbrecher genannt.*«

Kai hielt sich an der Kante des Tisches fest, an dem sie lehnte, und versuchte die Fassung zu bewahren. Als Han endlich aufschaute, weinte er nicht mehr, sondern blickte, was selten vorkam – entschlossen drein. »Versprichst du mir eins?« sagte Han. »Setz einen Antrag auf Scheidung auf und unterschreibe ihn, mit dem heutigen Datum, nur für den Fall. Ich möchte nicht, dass dir etwas Schreckliches passiert.«

Sie werde ihre Familie nicht aufgrund von Gerüchten verlassen, sagte Kai halblaut.

»Jetzt ist nicht die Zeit für Gefühle«, sagte Han. »Ich weiß, dass du mich liebst, aber ich will deine Zukunft nicht aufs Spiel setzen. Schreib den Antrag. Schreib, dass du mich nicht mehr liebst und unser Kind allein aufziehen willst. Tu so, als wüsstest du von nichts, und hoffen wir, dass sie dich nicht zurückstufen. Zieh jetzt einen Schlusstrich und lass nicht zu, dass ich deine und Ming-Mings Zukunft zerstöre.«

Kai schüttelte bedächtig den Kopf.

»Soll ich einen Entwurf für dich aufsetzen? Du brauchst nur zu unterschreiben.«

Kai liebte den Mann, der vor ihr stand, schon lange nicht mehr; vielleicht hatte sie ihn nie geliebt. Doch nun verspürte sie das Bedürfnis, ihn wie eine Mutter in die Arme zu nehmen, das Kind zu trösten, das sich wirklich bemüht hatte, wie ein tapferer Mann zu handeln.

Han brach noch einmal in ihren Armen in Tränen aus, und sie ließ zu, dass er das Gesicht in ihrem Haar vergrub, und spürte, wie ihr Kragen feucht wurde. Niemand würde sie je so lieben wie er, hatte er in der Hochzeitsnacht gesagt; sie hatte aufgeblickt zum Plakat des Vorsitzenden Mao an der Hotelwand, als er dieses Geheimnis in ihr dunkles Haar flüsterte, das lang war wie das eines jungen Mädchens.

»4. APRIL 1979.«, schrieb Tong in sein Naturtagebuch, und dann las er den Wetterbericht auf der rechten Seite der Tageszeitung. *Sonnig. Leichter Wind. Temperatur zwischen –1° und 12°C.* Er notierte die Zahlen und ging dann auf die Suche nach Ohr. Samstags endete die Schule mittags, und er wunderte sich, dass Ohr das vergessen hatte; er hatte Ohr am Morgen befohlen, gegen Mittag nach Hause zu kommen, und Ohr hatte sich bislang immer daran gehalten. Tong fragte sich, was in den Hund gefahren war. Er war kein Hündchen mehr und hatte Geheimnisse. Abends schaute Ohr manchmal gleichgültig auf das Futter, das Tong ihm hinaustrug.

Womöglich war Ohr ungezogen und stahl sein Futter bei anderen Hunden oder auf dem Marktplatz.

Er ging von Gasse zu Gasse und rief nach Ohr. Er sah mehrere Hunde, alle an diesem Frühlingsnachmittag mit ihrem eigenen Leben beschäftigt, doch keiner davon war Ohr. Vielleicht sollte er es Ohr nicht verübeln, dachte Tong; wer würde nach dem langen Winter nicht ein bisschen herumrennen wollen? Er ließ die Stadt hinter sich und ging flussaufwärts.

Die Eisschollen, auf denen sich vor kurzem noch die Jugendlichen vergnügt hatten, waren geschmolzen, und die Jungen spielten jetzt ein aufregenderes Spiel in den Gassen, bildeten Banden, die nach wilden Tieren benannt waren, und kämpften dafür, dass der Name ihrer Bande überdauerte. Die Kämpfe begannen harmlos, mit Faustschlägen und Tritten, doch bald schlossen sich kleine Gruppen zu größeren zusammen, und alle möglichen Waffen wurden besorgt durch Diebstahl, Wetzen, Schärfen und Phantasie. Die Autoritäten kümmerten sich nicht darum – Eltern, Lehrer und Stadtverwaltung waren damit beschäftigt, ihre Familien zu ernähren und eine Beförderung zu ergattern, und in diesem Frühjahr hatte zudem ein weiteres Problem in Form unerwünschter, vervielfältigter Flugblätter ihr Leben erschwert. Eine Grenze war überschritten worden. Auf welche Seite sollten sie sich schlagen? überlegten sie sich insgeheim in der Arbeit und fragten sie zu Hause ihre Ehepartner.

Die Sorgen und Unschlüssigkeiten der Erwachsenenwelt berührten jedoch nicht die vielen Welten, die von anderen, weniger furchtsamen Geschöpfen bevölkert wurden. Wie jedes Jahr begeisterten sich die Kinder in der Grundschule für etwas Neues. Die Mädchen sammelten in diesem Frühjahr das Zellophanpapier, in das Süßigkeiten eingewickelt waren, statt Plastikperlen wie im letzten Jahr, und die Jungen spielten mit Kampfkunstfiguren statt mit aus Papier gefalteten Dreiecken. Die Mädchen in der Mittelschule interessierten sich nicht für die Raufereien auf den Straßen, obwohl manche davon um ihrer Aufmerksamkeit willen ausgefochten wurden. Sie ahnten nicht, worauf die Jungen es abgesehen hatten, und lebten ihre ganze Leidenschaft bei ihren Busenfreundinnen aus. Sie saßen am Flussufer oder im Hof hinter dem Haus, hielten sich bei den Händen, verschränkten die Finger; sie sprachen über die Zukunft im Flüsterton, aus Angst, sie könnten sich selbst aus dem Traum von einer Welt aufschrecken, die sich demnächst öffnen würde wie eine geheimnisvolle Blüte.

Tong ging an zwei Mädchen vorbei, die am Fluss saßen und ein Liebeslied sangen, aber keine von beiden bemerkte seinen Kummer. Bald kam er in den Birkenwald, und ein junger Mann, der vor einer kleinen Höhle in die Hocke gegangen war, richtete sich auf, als er ihn kommen hörte. Tong trat näher und sah auf dem Boden einen mit Pfeilen gespickten grauen Ball. »Was ist das?« fragte er.

Der Mann wandte sich zu Tong und zischte: »Weck meinen Igel nicht auf.«

Tong erkannte den jungen Mann, wusste jedoch seinen Namen nicht. »Keine Sorge«, sagte Tong. »Er hält seinen Winterschlaf und wacht nicht auf, wenn man spricht.«

»Es ist schon Frühling«, sagte der Mann.

»Aber für den Igel ist es noch nicht warm genug«, sagte Tong. Er hatte in einem Almanach für Kinder, den der alte Hua aus einer Mülltonne gezogen hatte, gelesen, dass Igel erst dann aus dem Winterschlaf erwachten, wenn die Temperatur tagsüber über fünfzehn Grad stieg. Das erklärte er dem jungen Mann und zeigte ihm die Aufzeichnung in seinem Naturtagebuch. Auch Schlangen erwachten zur gleichen Zeit, sagte Tong, Schildkröten dagegen schliefen länger, weil es länger dauerte, bis sich der Fluss erwärmte. Der Mann zuckte die Achseln und sagte, er habe keine Verwendung für diese Informationen. »Bei mir zu Hause ist es jedenfalls wärmer«, sagte er. Er zog seine Handschuhe an und hob den stachligen Ball hoch.

»Warum wollen Sie ihn mit nach Hause nehmen?« Der Igel sah in den Armen des jungen Mannes tot aus, doch Tong machte sich keine Sorgen.

»Weil ich ein Haustier brauche. Du hast einen Hund, der Ohr heißt, stimmt's?«

»Haben Sie ihn gesehen? Ich bin auf der Suche nach ihm«, sagte Tong.

Bashi sah Tong mit einem merkwürdigen Lächeln an. Er fragte sich, wie schnell der Junge, der Ohr getötet hatte, wohl gegangen war. Mittlerweile musste er jenseits der Stadtgrenze sein. »Vielleicht läuft er irgendwo mit seiner Freundin herum«, sagte Bashi.

»Er hat keine Freundin«, sagte Tong.

»Woher willst du das wissen?« sagte Bashi mit einem Grinsen, das Tong unangenehm berührte. Tong beschloss, nicht länger mit dem Mann zu sprechen. Er wandte sich um und ging davon, doch Bashi holte ihn ein, den Igel in den Händen. »Ich erteile dir jetzt eine Lektion. Manchmal glaubst du, dein Hund ist dein bester Freund, aber du kannst dich täuschen. Zum Beispiel kann er ganz plötzlich beschließen, mit jemand anders nach Hause zu gehen.«

»Das tut er nicht«, sagte Tong ein bisschen verärgert.

»Woher willst du das wissen?«

»Natürlich weiß ich das. Er ist mein Hund.«

Bashi pfiff vor sich hin. Nach einer Weile sagte Tong: »Warum folgen Sie mir?«

»Du gehst zurück in die Stadt und ich auch. Genausogut könntest du mir folgen, oder?«

Tong blieb stehen und der Mann ebenfalls. Tong machte kehrt und ging zurück zum Fluss, und Bashi drehte sich um und schlenderte neben dem Jungen her.

»Jetzt folgen Sie mir«, sagte Tong.

»Zufällig habe ich es mir anders überlegt und beschlossen, in dieselbe Richtung zu gehen wie du«, sagte Bashi und zwinkerte.

Tong wurde rot vor Zorn. Was für ein schamloser Erwachsener; sogar ein fünfjähriges Kind kannte die Regeln der Welt besser. »Ich will nicht mit Ihnen gehen«, sagte Tong. »Hören Sie auf, mir zu folgen.«

»Ich möchte mit dir gehen«, sagte Bashi und äffte eine Kinderstimme nach. »Es gibt kein Gesetz, das es mir verbietet.«

»Aber man läuft anderen nicht nach, wenn sie nicht mit einem spielen wollen«, sagte Tong erzürnt.

»Von wem ist denn diese Regel? Die Straße gehört doch nicht dir, oder? Auf dieser Straße kann ich meine Füße hinsetzen, wo ich will, oder etwa nicht? Wenn ich will, kann ich dir überallhin nachgehen, nur in dein Haus darf ich nicht.«

Tong fing an zu weinen, sprachlos. Nie zuvor hatte er jemanden gekannt wie diesen Mann, und er wusste nicht, wie er mit ihm argumentieren sollte. Bashi blickte interessiert auf Tongs Tränen, dann lächelte er. »Okay, jetzt will ich nicht mehr mit dir spielen«, sagte er, noch immer mit dieser Kinderstimme. Er ging davon, warf den Igel in die Luft wie einen Ball und fing ihn mit den behandschuhten Händen auf. Ein paarmal griff er daneben, so dass der Igel über die Straße rollte, und dann musste er lachen.

Zur Abendessenszeit war Ohr noch immer nicht zurück. Als er seine Abwesenheit gegenüber seinen Eltern erwähnte, starrte sein Vater, der zusammengesunken im einzigen Sessel saß, an die Wand, an der es nichts zu sehen gab, und sagte schleppend: »Er wird nach Hause kommen, wenn er will.«

Es war sinnlos, vor dem Abendessen mit seinem Vater zu sprechen – es war die wichtigste Mahlzeit für ihn, und nichts, nicht einmal der Einsturz des Himmels, konnte ihn während des Wartens aus der Ruhe bringen. Tongs Mutter warf ihm einen mitfühlenden Blick zu, sagte aber nichts. Sie stellte das Abendessen auf den Tisch und holte eine Flasche Reisschnaps. Tong nahm ihr die Flasche ab und goß etwas Schnaps in eine Porzellantasse. Wenn sein Vater betrunken war und schlief, würde er seine Mutter um Hilfe bitten.

Tong trug die Tasse in beiden Händen zu seinem Vater. »Das Essen ist fertig, Baba.«

Tongs Vater nahm die Tasse und klopfte Tong mit den Fingerknöcheln auf den Kopf. Es tat weh, doch Tong ließ sich nichts anmerken. »Es ist besser einen Jungen aufzuziehen als einen Hund«, sagte sein Vater und zeigte ihm auf diese Weise, dass er mit ihm zufrieden war. Er ging zum Tisch und trank die Tasse aus. »Jetzt gieß mir noch mal was ein, mein Sohn.«

Tong gehorchte, und sein Vater fragte, ob er den Schnaps probieren wollte. Seine Mutter protestierte halbherzig, doch sein Vater hörte nicht auf sie. »Probier«, drängte er Tong. »Du bist alt genug. Als ich so alt war wie du, habe ich jeden Abend mit meinem Vater geraucht und getrunken«, sagte er und schlug mit der Faust auf den Tisch. »War mein Vater – dein Großvater – etwa kein richtiger Mann? Ich sage dir, Sohn, ihn musst du dir zum Vorbild nehmen.«

Laut den Geschichten, die sein Vater in betrunkenem Zustand erzählte, war Tongs Großvater väterlicherseits eine lokale Legende. Er explodierte so leicht wie eine Feuerwerksrakete und war stets bereit, sich bei der kleinsten Ungerechtigkeit mit jedem zu schlagen. Er war 1951 mit Ende Vierzig gestorben. Die Geschichte ging so: Er hatte die Leute aus seinem Dorf gegen einen Parteikader verteidigt, der überwachen sollte, wie privates Land in Kollektiveigentum überführt wurde. Er hatte den Kader halb totgeschlagen; am nächsten Tag war er verhaftet und als Feind der neuen kommunistischen Gesellschaft auf der Stelle exekutiert worden.

Tongs Mutter löffelte dem Vater geröstete Erdnüsse auf den Teller. »Trink nicht auf leeren Magen«, sagte sie.

Tongs Vater ignorierte sie. Er goß sich noch eine Tasse ein und deutete mit seinen Stäbchen auf Tong. »Hör mal, dein Großvater war ein richtiger Mann. Das gleiche gilt für deinen Vater. Enttäusch uns nicht. Setz dich neben mich.«

Tong zögerte. Er mochte den Atem und die Vertraulichkeiten seines Vaters nicht, wenn er betrunken war, doch seine Mutter verrückte den Stuhl, auf dem er saß, bevor er widersprechen konnte. Sein Vater legte Tong eine Hand auf die Schulter und sagte: »Ich will dir eine Geschichte erzählen, und du wirst erfahren, wie man ein Mann wird. Hast du von Liu Bang gehört, dem ersten Kaiser der Han-Dynastie? Bevor er Kaiser wurde, musste er viele Jahre gegen Xiang Yu kämpfen, seinen größten Feind. Einmal nahm Xiang Yu Liu Bangs Großeltern, seine Mutter und seine Frau gefangen. Er führte sie auf das Schlachtfeld und ließ Liu Bang eine Botschaft überbringen. *Wenn du dich nicht auf der Stelle ergibst, werde ich ein Fleischgericht aus ihnen kochen, und meine Soldaten werden heute abend ein Gelage feiern.* Und jetzt rate mal, was Liu Bang geantwortet hat? Ah, er war der Held aller Helden! Er schrieb an Xiang Yu: *Danke, dass du mich von dem Bankett in Kenntnis gesetzt hast. Würdest du so gütig und großzügig sein und mir, deinem hungrigen Feind, eine Schale des Fleischgerichts bringen lassen?* Denk drüber nach, mein Sohn. Wenn dein Herz hart genug ist, dass du deine eigene Mutter und deine Frau isst, kann dich nichts mehr im Leben umwerfen.«

Tong blickte zu seiner Mutter auf der anderen Seite des Tisches. Sie lächelte ihm zu, und er versuchte, ebenfalls zu lächeln. Wie es schien, stand ihnen wieder einmal ein Abend bevor, an dem er und seine Mutter würden dasitzen und zuhören müssen, wie sein Vater die immergleichen alten Geschichten erzählte; das Essen und der Reis würden ein paarmal aufgewärmt, bis sein Vater schließlich zu betrunken wäre, um weiter zu erzählen, und dann endlich dürften Tong und seine Mutter essen.

Tong dachte an Ohr; sein Vater behauptete, dass die Liebe zu einem Hund etwas Minderwertiges sei, und was Tong anbelangte, schien seine einzige Sorge zu sein, einen richtigen Mann aus ihm zu machen. Tong fragte sich, ob er seinen Vater enttäuschen würde. Sollte ein Feind ihm damit drohen, seine Großeltern und seine Mutter zu töten, würde er weinen und flehen und alles versprechen, um ihnen das Leben zu retten.

Nach mehreren weiteren Runden Schnaps schob Tongs Vater seinen Stuhl zurück und wies seine Mutter an, einen Ziegelstein zu holen – sie lagerte einen Stapel in der Küche, damit er seine Kung-Fu-Fähigkeiten vorführen konnte, und sie füllte den Vorrat pflichtbewusst wieder auf, wenn er zur Neige ging. Als sie mit einem roten Ziegel zurückkam, schüttelte er den Kopf und sagte, damit sei es zu einfach; er brauche heute abend einen größeren, härteren Ziegel. Hörst du? sagte er und streckte die Finger, dass die Knöchel knackten. Sie entgegnete, sie hätten nur solche Ziegel und konnte er nicht zwei übereinanderlegen? Tongs Vater verlor die Beherrschung, nannte sie eine dumme Gans und befahl ihr, zu den Nachbarn zu gehen und einen Ziegel zu leihen; die Nachbarn bauten in ihrem Hof eine Hütte für einen Großonkel, der zu Besuch gekommen war und beschlossen hatte zu bleiben.

Als sie mit einem sechsmal größeren Ziegel zurückkehrte, nahm ihn Tongs Vater und legte ihr die andere Hand in den Nacken. »Ich könnte dir mit zwei Fingern das Genick brechen. Glaubst du das?« fragte er. Sie kicherte und sagte, natürlich, sie zweifle nicht daran. Er schnaubte zufrieden und legte den Ziegel mitten in den Hof.

Tong sah zu, wie sein Vater sang und herumtänzelte, bevor er in die Hocke ging und unter Gebrüll mit der Handkante auf den Ziegelstein schlug. Ohr hätte heute abend seinen Spaß gehabt, wenn er nur rechtzeitig nach Hause gekommen wäre – er war immer das aufgeregteste Familienmitglied, wenn Tongs Vater im Suff seine Schau abzog. Der Ziegel zerbrach nicht, und die Hand seines Vater wurde rot und schwoll an. Tong versteckte beide Hände in den Taschen. Hin und wieder gelang es Tongs Vater, einen Stein zu zerschlagen, durch reines Glück wahrscheinlich, doch er probierte es immer von neuem.

Er versuchte es noch einmal mit beiden Händen, doch der Stein zerbrach nicht. Dann inspizierte er seine Hände und sah, dass beide Handkanten bluteten. Unbeirrt sagte er zu Tongs Mutter, die ein sauberes weiches Tuch für ihn brachte, sie solle kein Theater machen. Er probierte es noch zweimal, und als der Ziegel einfach nicht entzweibrechen wollte, trat er dagegen, was seine Zehen mehr zu schmerzen schien als zuvor seine Hände. Er fluchte und hüpfte auf dem guten Fuß zur Vorratshütte, und bevor Tongs Mutter protestieren konnte, schlug sein Vater mit einem Hammer auf den Ziegelstein. Der Stein zerbrach in viele Teile; er ging in die Hocke, um ihn genau anzuschauen, und begann, schallend zu lachen. Als Tong und seine Mutter näher traten, sahen sie drei rostige Eisenstäbe in der Mitte des Ziegelsteins, die ihn zusammenhielten. »Wo haben sie diese Ziegel gestohlen?« sagte Tongs Vater. Er wischte sich die blutenden Hände sorglos an der Hose ab und trank noch mehr Schnaps, zufrieden, weil er das Gesicht nicht verloren hatte. Als ihn Tongs Mutter noch einmal drängte, ins Bett zu gehen, zog er sich mit einer letzten Tasse ins Schlafzimmer zurück, und bald hörten sie durch die geschlossene Tür sein lautes Schnarchen.

Tong und seine Mutter setzten sich an den Tisch, und sie lächelte ihn an. »Was für ein komischer Mann er ist«, sagte sie leise und schüttelte bewundernd den Kopf. Das Essen war inzwischen kalt, und sie stocherte im Feuer, um es für Tong aufzuwärmen, aber er hatte keinen Appetit »Mama, glaubst du, dass Ohr etwas passiert ist?« fragte er.

Er solle sich keine Sorgen machen, sagte Tongs Mutter. Bevor er etwas erwidern konnte, hörte er ein Geräusch. Er lief in den Hof und war enttäuscht, weil es nicht Ohr war, der ans Tor kratzte, sondern jemand, der klopfte. Er öffnete das Tor. Im gelben Straßenlicht sah Tong das Gesicht einer unbekannten Frau mittleren Alters mit einem Schal um den Kopf. Sie fragte leise nach seinen Eltern. Auf dem Boden neben ihr stand eine große Nylontasche.

»Kommen Sie wegen meinem Hund? Ist Ohr etwas passiert?« fragte Tong.

»Warum, ist dein Hund verschwunden?«

»Er war noch nie so lange weg«, sagte er.

»Das tut mir leid. Aber mach dir keine Sorgen«, sagte die Frau.

Die Erwachsenen sagten alle das gleiche, und keiner bot an, ihm zu helfen. Tong trat zur Seite, doch bevor er die Frau in den Hof bitten konnte, kam seine Mutter zum Tor und fragte die Frau nach dem Grund ihres Kommens.

»Genossin, Sie haben bestimmt von Gu Shans Fall gehört«, sagte die Frau. »Ich bin gekommen, um mit Ihnen über eine Kundgebung für Gu Shan zu reden.«

Tongs Mutter schaute sich um, bevor sie sich leise entschuldigte und sagte, sie und ihr Mann gehörten nicht zu den Leuten, die sich dafür interessierten.

»Denken Sie an die entsetzlichen Dinge, die einem Kind einer anderen Mutter zugestoßen sind«, sagte die Frau. »Ich habe drei Kinder. Und auch Sie sind Mutter. Wie viele Geschwister hast du, Junge?«

»Drei«, sagte Tong.

Seine Mutter zog ihn näher zu sich. »Tut mir leid. Dieser Haushalt interessiert sich nicht für Politik.«

»Wir können der Politik nicht entkommen. Sie holt uns immer wieder ein.«

»Es ist nicht so, dass ich dafür kein Verständnis habe«, sagte Tongs Mutter. »Aber was können wir verändern? Die Toten sind tot.«

»Aber wenn wir uns jetzt nicht wehren, wird es ein nächstes Mal geben, und wieder wird ein Kind sterben. *Tausend Sandkörner ergeben einen Turm.* Jeder von uns muss tun, was er kann, nicht wahr?«

Tong sah zu seiner Mutter, die den Blick von der Frau abwandte und sich noch einmal entschuldigte. Hin und wieder zogen Bettler von außerhalb der Stadt durch ihre Gasse und baten um Geld und Essen. Tongs Vater ließ sie nie in den Hof, doch seiner Mutter war es immer peinlich, wenn er die armen hungrigen Fremden anschrie, er sei ein ehrlicher Arbeiter und nicht verpflichtet, sein mit Blut und Schweiß verdientes Geld zu teilen. Wenn Tongs Vater seinen Rausch ausschlief, packte seine Mutter manchmal ein paar übriggebliebene Brötchen ein und legte sie vors Tor. Sie waren immer verschwunden, wenn Tong am nächsten Morgen aufstand. Kehrten die Bettler zurück, um die Brötchen zu holen? fragte er seine Mutter, wenn sein Vater nicht da war, doch sie schüttelte nur den Kopf und lächelte, als würde sie die Frage nicht verstehen.

»Genossin, bitte hören Sie mir nur dieses eine Mal zu«, sagte die Frau. »Wir halten morgen auf dem großen Platz eine Gedenkveranstaltung für Gu Shan ab. Kommen Sie und lernen Sie ihre Mutter kennen. Vielleicht überlegen Sie es sich dann anders und unterschreiben unsere Petition.«

Tongs Mutter schien verwirrt. »Ich kann nicht kommen … ich … mein Mann wäre nicht damit einverstanden.« Sie schaute sich um, als wollte sie sich vergewissern, dass er nicht in der Nähe war.

»Ich wende mich an Ihr eigenes Herz und Gewissen«, sagte die Frau. »Sie können nicht immer Ihren Mann für sich entscheiden lassen.«

Tongs Mutter schüttelte langsam den Kopf, als wäre sie über diesen Vorwurf enttäuscht. Die Frau öffnete die Nylontasche und holte eine weiße Blume heraus. »Auch wenn Sie die Petition nicht unterschreiben wollen, kommen Sie mit dieser weißen Blume und zollen Sie der heldenhaften Frau und ihrer Mutter Respekt«, sagte sie.

Tong schaute auf die Blüte, die aus einem weißen Papiertaschentuch gemacht und auf einem langen Stengel aus weißem Papier befestigt war. Seine Mutter seufzte und rührte sich nicht. Tong nahm die Blume, und die Frau lächelte. »Du willst deiner Mama helfen«, sagte die Frau zu Tong, dann wandte sie sich wieder an seine Mutter. »Heute nacht bekommt jede Familie eine weiße Blume. Sie bringen sich nicht in Gefahr, wenn Sie die Blume für uns morgen früh in einen Korb legen. Wir kommen vor Sonnenaufgang.«

Tongs Mutter schloss leise das Tor. Sie und Tong standen in der Dunkelheit und hörten, wie die Frau ans Tor der Nachbarn klopfte. Tong stieß seine Mutter an und reichte ihr die Papierblume. Sie nahm sie, riss die Blüte vom Stengel und zerdrückte beides zu einem kleinen Ball. Als Tong sie laut nach dem Grund fragte, legte sie ihm eine warme, weiche Hand auf den Mund. »Wir können die Blume nicht behalten. Baba würde sie finden und sich ärgern.«

Tong wollte protestieren, aber sie fasste ihn am Arm, und er folgte ihr in das vordere Zimmer. Sein Vater schnarchte noch immer im Schlafzimmer. Das Essen war erneut kalt geworden, doch sie schien jetzt zu müde, um es noch einmal aufzuwärmen. Sie setzten sich einander gegenüber an den Tisch. »Du hast bestimmt großen Hunger«, sagte sie.

»Nein.«

»Willst du nichts essen? Das ist deine liebste Kartoffelsuppe.«

»Nein.«

»Sei mir nicht böse«, sagte sie. »Du wirst es verstehen, wenn du älter bist.«

»Warum willst du die Blume morgen nicht zurückgeben? Die Tante hat gesagt, dass nichts passieren wird.«

»Wir können ihr nicht vertrauen.«

»Aber warum nicht?« fragte Tong.

»Wir wollen nichts mit diesen Leuten zu tun haben«, sagte seine Mutter. »Baba sagt, dass sie verrückt sind.«

»Aber Baba täuscht sich, sie sind nicht verrückt«, sagte Tong.

Seine Mutter sah ihn scharf an. »Wie kommst du darauf?«

Tong schwieg. Er dachte an die Flugblätter, die er behalten und zu einem Übungsheft umfunktioniert hatte. Er hatte den Text gelesen; das, was er verstand, klang vernünftig – die Menschen sollten das Recht haben zu sagen, was sie dachten; die Rechte eines jeden, und sei seine Stellung noch so bescheiden, sollten respektiert werden. Tong wusste, was es hieß, als Junge aus dem Dorf von oben herab behandelt zu werden.

»Widersprich deinen Eltern nicht«, sagte Tongs Mutter. »Unsere Entscheidungen sind in unserem besten Interesse.

»Mama, ist die Tante ein schlechter Mensch?« fragte Tong.

»Wer? Die mit den Blumen? Ich weiß es nicht. Sie ist vielleicht nicht schlecht, aber sie tut das Falsche.«

»Warum?«

»Weil die Regierung niemand zu Unrecht umbringt.«

»War mein Großvater ein schlechter Mensch?«

Tongs Mutter schwieg eine Weile, dann stand sie auf und schloss die Schlafzimmertür. »Vielleicht sollte ich dir das nicht erzählen«, sagte sie. »Aber du musst wissen, dass die Geschichte, die Baba erzählt, nicht ganz stimmt. Dein Großvater hat einen Regierungsfunktionär verprügelt, aber wegen einer Witwe, die er heiraten wollte, nachdem deine Großmutter gestorben war. Der andere Mann wollte die Witwe auch heiraten, und nach einem Streit in einem Imbiss haben sie sich geschlagen. Der Funktionär hat den Kampf verloren und verkündet, dass dein Großvater ein Konterrevolutionär ist, und dann hat er ihn erschießen lassen. An der Geschichte ist nichts Großartiges, und das weiß dein Baba auch.«

»Dann wurde meinem Großvater also Unrecht getan?«

Tongs Mutter schüttelte den Kopf. »Deine Lektion lautet: Unternimm nie etwas gegen Leute von der Regierung. Glaub nur nicht, dass Baba einfach nur ein Trunkenbold ist. Er kennt jede Regel auswendig, und er macht keine Fehler. Sonst hätte er nicht bis jetzt überlebt, obwohl sein Vater ein Konterrevolutionär war.«

»Aber was, wenn die Regierung einen Fehler gemacht hat? Unsere Lehrerin sagt, dass niemand immer recht hat.«

»Soll anderen Leuten Unrecht geschehen – es geht uns nichts an. Erinnerst du dich an Babas Geschichte vom Kaiser? Du musst dein Herz stählen, um ein Mann zu werden, hast du verstanden?«

Tong nickte, obwohl er nicht wusste, was er davon halten sollte. Nie zuvor hatte sie mit ihm über diese Dinge gesprochen, und sie sah fremd aus, nahezu furchterregend. Sie betrachtete ihn noch einen Moment, dann lächelte sie. »Wie ernst du bist«, sagte sie. »Du bist noch ein kleiner Junge und solltest dir keine Sorge machen wegen der Angelegenheiten von Erwachsenen.«

Tong erwiderte nichts. Seine Mutter drängte ihn erneut, etwas zu essen. Er schaufelte sich das Essen in den Mund, ohne etwas zu schmecken. Dann hörte er wieder ein Geräusch und lief zum Tor, aber es war nur der Wind, der durch die Gasse wehte. Er ging zurück und fragte seine Mutter, ob sie Ohr suchen sollten.

Sie seufzte und zog ihren Mantel an. »Noch ein Junge, der ständig will, dass man sich um ihn kümmert«, sagte sie müde. »Warum wäschst du dich nicht und gehst ins Bett. Ich suche nach ihm.«

»Kann ich nicht mitkommen?« fragte Tong.

»Nein«, sagte sie, und ihre Stimme, die strenger als sonst klang, hielt ihn davon ab, sie noch einmal darum zu bitten.

Tongs Mutter ging zwei Straßenzüge weiter zum Haus einer Freundin und klopfte an die Tür. Sie sei gekommen, um ein bisschen zu plaudern, sagte sie, weil sie nicht frierend durch die windige Nacht gehen und vergeblich nach einem vermissten Hund suchen wollte. Die Freundin – eine Arbeitskollegin – bat sie ins Haus, und sie tranken heißen Tee und unterhielten sich über die Pläne für den nächsten Tag. Die Familie der Freundin wollte ein Picknick machen und wie jedes Jahr an Ching Ming in die Berge gehen; Tongs Mutter sagte, sie hätten nichts vor, doch während sie den Kindern der Freundin zusah, wie sie aufgeregt Essen einpackten, wünschte sie um Tongs willen, auch sie würden einen Ausflug machen.

An anderen Orten der Stadt wurden weiße Blumen in Nylontaschen von Haus zu Haus getragen. Die Leute öffneten das Tor und sahen sich einem Arzt aus dem Arbeiterkrankenhaus gegenüber, einem Angestellten der optischen Fabrik, einer pensionierten Mittelschullehrerin, einem Kaufhausbuchhalter, einer Apothekerin oder ein paar gebildeteten jungen Leuten, die vor kurzem vom Land zurückgekehrt waren. Manche weiße Blumen landeten in Mülleimern oder Spielzeugkisten und in anderen Winkeln, wo man sie bald vergaß; andere wurden bedächtig irgendwo abgelegt und warteten auf den nächsten Tag.

Tong schlief nicht gut in dieser Nacht. Er erwachte mehrmals und ging in den Hof, um in Ohrs Hütte aus Pappkarton nachzuschauen, obwohl er wusste, dass Ohr nicht durch das abgeschlossene Tor hereinkommen konnte. Ohr musste in großen Schwierigkeiten stecken. Tong weinte leise, und seine Mutter erwachte einmal und flüsterte, Ohr komme vielleicht am Morgen zurück. Tong schniefte; er wusste, dass sie nicht glaubte, was sie sagte. Nach einer Weile, als er immer noch nicht aufhören konnte zu weinen, zog sie ihn an sich und wiegte ihn, bevor sie sagte, dass Ohr vielleicht nie wieder nach Hause zurückkehren würde. War ihm etwas zugestoßen? fragte Tong. Sie wusste es nicht, antwortete seine Mutter, aber es konnte nicht schaden, sich auf das Schlimmste vorzubereiten.

SIE HATTEN SIE PFINGSTROSE GENANNT nach dem Tuch, in das sie gewickelt war, ein Quadrat aus Seide, auf das eine einzelne Pfingstrose gestickt war. Das Rosa der Blüte und das Grün der Blätter waren verblasst, der weiße Untergrund war gelblich verfärbt, und Frau Hua, das Neugeborene in den Armen, hatte sich gefragt, ob das Kind aus einer vornehmen alten Familie stammte. Wie auch immer, eine Prinzessin, der das Schicksal einer Dienstbotin zuteil wird, hatte der alte Hua gemeint, sich hinuntergebeugt und zu Purpurwinde, die damals dreieinhalb war, gesagt, dass der Himmel ihre Bitte erhört und ihr eine kleine Schwester geschenkt hatte.

Das Tuch, sagte Frau Hua jetzt zum alten Hua, hatten sie es Pfingstrose gegeben?

Das mussten sie wohl, erwiderte der alte Hua; warum hätten sie es ihr nicht überlassen sollen? Pfingstrose hatte immer gewusst, dass es ihr gehörte.

Frau Hua sah zu, wie der alte Hua die Axt bearbeitete, deren Blatt locker war; Bashi hatte angeboten, ihnen neues Werkzeug zu kaufen, doch Frau Hua, die sich sorgte, dass der Junge seine Ersparnisse vergeudete, hatte ihm erklärt, sie wollten lieber ihre eigenen Äxte und Schaufeln benutzen, an die sie sich gewöhnt hatten.

Sie frage sich, ob Pfingstroses Mutter sie jemals gefunden habe, sagte Frau Hua. Es war eine Frage, die sie sich oft stellte. Der alte Hua hämmerte auf der Axt herum und entgegnete, sie wüssten ja nicht einmal, ob die Mutter noch lebte oder ob sie Pfingstrose überhaupt gesucht hatte. Es wäre ein Jammer, wenn sie sich nicht gefunden hätten, sagte Frau Hua, und der alte Hua hämmerte wortlos weiter.

Das Mädchen war verträumter als ihre Adoptiveltern und ihre ältere Schwester, verträumter auch als die jüngeren Mädchen, die eins nach dem anderen hinzugekommen waren. Sie war die Langsamste beim Sortieren des Mülls, aber die erste, die glaubte, dass eine weggeworfene Brieftasche, die sie in einer Abfalltonne fanden, genug Geld enthielt, damit die ganze Familie für den Rest ihres Lebens glücklich und zufrieden leben konnte, und sie war enttäuscht, weil die Fotos darin so methodisch zerschnitten waren, dass auf den Fragmenten nichts zu erkennen war. Sie weinte, wann immer sie ein Baby am Straßenrand fanden, und es war ihr wichtig, sich die Namen der Städte einzuprägen, in denen sie ihre jüngeren Schwestern zu sich nahmen, und sie verhehlte die Hoffnung nicht, ihre leiblichen Eltern zu finden, auch ihre eigenen und die von Purpurwinde.

Frau Hua und ihr Mann wunderten sich nicht darüber, denn

auch sie träumten von Pfingstroses Rückkehr zu ihren leiblichen Eltern. Das Tuch, ein vorsätzlicher Hinweis, zurückgelassen von einer Mutter in einer aussichtslosen Situation, wäre vielleicht eines Tages nützlich. Was für eine Geschichte steckte hinter der Frau? fragte sich Frau Hua öfter, als sie über die Mütter der anderen Mädchen nachdachte. Der Himmel hatte Pfingstrose in ihre Obhut gegeben, und es oblag dem Himmel, sie auch wieder zurückzunehmen, glaubten die Huas, aber letztlich mussten sie ihr Herz stählen und sie mit dreizehneinhalb als junge Braut für einen zehn Jahre älteren Mann zurücklassen. Er war der einzige Sohn von Eltern, die ihn erst mit Ende Vierzig bekommen hatten, als sie die Hoffnung auf ein Kind nahezu aufgegeben hatten. Sie wollten Pfingstrose wie eine eigene Tochter behandeln, versprach das Paar, und die Huas waren erleichtert, weil sie das Mädchen offensichtlich mochten.

Frau Hua fragte sich, ob Pfingstroses leibliche Mutter, hätte sie das Mädchen gefunden, die Ehevereinbarung gutgeheißen und eingehalten hätte. In ihrer Phantasie spielte sie oft unterschiedliche Szenarien durch. Manchmal waren der Junge und seine Eltern überaus bekümmert, als Pfingstrose beschloss, sie zu verlassen, um ein Leben zu führen, von dem sie immer geträumt hatte; dann wieder reagierte ihre leibliche Mutter gekränkt, als Pfingstrose ihr den Rücken kehrte, um sie dafür zu bestrafen, dass sie sie ausgesetzt hatte. Frau Hua erzählte jetzt ihrem Mann von diesen Sorgen, und er hörte kurz auf zu hämmern. Einmal Mutter, immer Mutter, sagte er vorwurfsvoll, doch Frau Hua, die wusste, dass das auch für ihn als Vater galt, seufzte nur zustimmend. Ein Kind, das seine Eltern verlor, wurde Waise, eine Frau, die ihren Mann verlor, wurde Witwe, aber es gab kein Wort für Eltern, die ihre Kinder verloren. Einmal Eltern, blieben sie Eltern für den Rest ihres Lebens.

Beide schwiegen einen Augenblick. Der alte Hua legte die Axt beiseite und begann das stumpfe Blatt einer Schaufel zu schärfen.

Frau Hua brach das Schweigen und sagte, sie sollten am nächsten Morgen zum großen Platz gehen.

Der alte Hua blickte zu ihr auf und erwiderte nichts.

Sie fühle sich verantwortlich für Lehrer Gu, sagte Frau Hua. Seitdem sie erfahren hatte, dass Lehrer Gu krank war, musste sie immer wieder an ihn denken. Sie sollten hingehen und sich bei Frau Gu entschuldigen.

Der alte Hua wandte ein, dass sie jemanden beerdigen mussten.

Sie könnten früh gehen, vor dem Begräbnis, sagte Frau Hua. Bashi hatte am Abend vorbeigeschaut und behauptet, er habe eine schlimme Erkältung. Er bat sie, seine Großmutter allein zu beerdigen. Weder der alte Hua noch Frau Hua hatten den Jungen der Lüge bezichtigt; er hatte sie großzügig entlohnt.

Der alte Hua nickte. Sie würden gehen, sagte er, so wie sie es vorausgesehen hatte.

9

Am Morgen von Ching Ming tat Lehrer Gu so, als würde er schlafen, während seine Frau im Schlafzimmer ein und aus ging. Er ignorierte die leisen Geräusche und versuchte, sich auf einen anderen Morgen zu konzentrieren, auf seine weit zurückliegenden ersten Flitterwochen, als seine Frau aus dem Hochzeitsbett geschlüpft war, um für ihn Tee zu kochen. Er hatte sich bemüht, das Klappern von Tellern und Tassen zu überhören, doch als er, Überraschung heuchelnd, die Augen aufschlug, lächelte sie und schalt ihn liebevoll wegen seiner Schauspielerei. Wusste er denn nicht, dass ihn seine zitternden Wimpern verraten hatten, fragte sie, und er antwortete, nein, denn er hatte noch nie zuvor Schlaf vorgetäuscht.

»Ich gehe für ein paar Stunden weg«, sagte Frau Gu neben seinem Bett. »Hier ist dein Frühstück, in der Thermoskanne. Ich bin bald zurück.«

Lehrer Gu erwiderte nichts. Er wollte, dass sie ging, damit er in Gedanken zu dem anderen Morgen zurückkehren konnte.

»Falls du den Nachttopf brauchst, ich habe ihn hinter den Stuhl gestellt.«

Lehrer Gu dachte an die Dinge, die er an jenem Morgen nach der Hochzeit noch nicht gewusst hatte, an die intimen Dinge, die man mit niemandem zu teilen wünschte, die Verletzlichkeit, die einem das Alter aufzwang. Er dachte auch an Geheimnisse, wie es war, in einem Bett neben einer Frau zu schlafen und an eine andere zu denken, an seine Frau, die manche Aktivitäten verheimlicht hatte vor ihrem kranken Mann, der halbtot im Krankenhaus lag. Täuschungen dieser Art fanden bestimmt unter jedem Dach statt, manche schmerzlicher als andere. Seine erste Frau hatte während ihrer Flitterwochen mit Sicherheit auch an andere Männer gedacht, an namenlose Fremde, die sie zwar nicht auf romantische Weise begehrte, die sie aber dennoch beschäftigten; sie hatte die Flitterwochen in diesem Badeort am Meer geplant, so dass sie, gedeckt von einem Mann, der für die Nationalisten arbeitete, heimlich als Botin für die im Untergrund befindliche Kommunistische Partei arbeiten konnte. Diese Geschichten, von denen er während ihrer Ehe keine Ahnung hatte, erfuhr er erst, nachdem sie die Scheidungsunterlagen unterschrieben hatten. Damals hatte er an ihrer Liebe nicht gezweifelt, auch nicht, nachdem sie ihm den Antrag auf Scheidung gezeigt hatte, aber jetzt, dreißig Jahre später, nach dem Tod seiner Tochter, fragte er sich, ob er zu naiv gewesen war, um die Wahrheit zu erkennen. Vielleicht hatte seine erste Ehe von Anfang an auf der Tatsache beruht, dass er für die Regierung arbeitete, die sie und ihre Genossen stürzen wollten. Er bot ihr Deckung und brachte Dokumente mit nach Hause, die nicht für ihre Augen bestimmt waren; hatte sie auch geplant, ihn als Ausweg zu benutzen für den Fall, dass ihre Seite scheiterte?

Lehrer Gu kämpfte sich aus dem Bett. Frau Gu betrat das Schlafzimmer, bereits zum Ausgehen angezogen, eine schwarze Trauerbinde um den Arm. »Brauchst du etwas?« fragte sie und half ihm, die Schuhe anzuziehen. »Ich habe nicht gehört, was du gesagt hast.«

»Ich habe nichts gesagt. Das hast du dir eingebildet.«

»Alles in Ordnung? Soll ich jemand holen, der sich zu dir setzt, während ich weg bin?«

»Wozu sollte jemand bei einem halbtoten Mann sitzen?«

»Lass uns nicht streiten.«

»Hör zu, Frau, ich streite weder mit dir noch mit sonst jemand. Du kümmerst dich um deine Angelegenheiten und ich mich um meine.« Er stieß ihre Hand weg und humpelte in das vordere Zimmer. Neben der Tür entdeckte er ein auf Plakatgröße vergrößertes Foto von Shan, eingefasst mit schwarzem Papier und weißem Seidenband. »Wie ich sehe, machen deine Genossen und du sie zur Marionette«, sagte Lehrer Gu. Bevor seine Frau etwas erwidern konnte, schlurfte er zu dem alten Tisch in der Küche und setzte sich. Er schob zwei Gläser und einen Teller mit Essensresten beiseite.

»Sie ist eine Märtyrerin«, sagte Frau Gu.

»Eine Märtyrerin steht im Dienst einer Sache, so wie eine Marionette im Dienst einer Vorführung steht. Wenn du dir die Geschichte ansiehst, was niemand in diesem Land mehr tut, dann hat ein Märtyrer immer dazu gedient, die Menschen in großem Maßstab hinters Licht zu führen, sei es für eine Religion oder eine Ideologie«, sagte Lehrer Gu, überrascht von seiner Eloquenz und seinem geduldigen Tonfall. Während der letzten Tage hatte er dieses Gespräch mehrmals in Gedanken mit seiner ersten Frau geführt. Frau Gu sagte etwas, doch Lehrer Gu hörte sie nicht. Er dachte bereits wieder an die andere Frau, die ihn drei Jahre lang vorsätzlich getäuscht hatte – oder auch nicht, wenn ihm in seinem glücklosen Leben noch ein bisschen Glück geblieben war. Er wollte ihr einen Brief schreiben und sie auffordern, die Wahrheit zu sagen.

Frau Gu ging mit dem Bild, ohne sich zu verabschieden. Lehrer Gu überlegte einen Augenblick, bis ihm wieder einfiel, dass er seinen Füller suchen wollte. Er schaute in zwei Tischschubladen und war entsetzt, dort allen möglichen Krimskrams zu finden, als hätte er vergessen, dass diese Dinge seit Jahren dort lagen. Nachdem er eine Weile gekramt hatte, wurde ihm klar, dass seine Frau den jahrzehntealten Parker irgendwo in Sicherheit gebracht haben musste, nachdem er krank geworden war. Hatte sie damit gerechnet, dass er starb, um dann den Füller mit ihm zu verbrennen? Oder hatte sie den Füller im Trödelladen verkauft, um ein paar Hühner zu kaufen? Angesichts dieser neuen Angst brach Lehrer Gu kalter Schweiß aus. Der Füller war ein Geschenk seines Universitätsprofessors gewesen, als Lehrer Gu die erste Jungenschule in einer Provinz gründete, die damals zu den unterentwickeltesten im ganzen Land gehörte; die goldene Feder war zweimal so dünn geworden, dass er sie hatte ersetzen müssen, doch der Füller – glatt, dunkelblau und glänzend dank jahrelanger gewissenhafter Pflege – fühlte sich noch immer aristokratisch an. Selbst Shan, die zu ihren fanatischsten Zeiten als junge Revolutionärin alles, was aus dem Westen kam, als kapitalistisch denunzierte, hatte Lehrer Gus Füller, den seine Frau in eine wattierte Decke eingenäht hatte, verschont und so getan, als würde sie sein Versteck nicht kennen.

Lehrer Gu stützte sich auf den Tisch und stand auf. Es gab nicht viele Orte im Haus, um etwas sicher aufzubewahren, und er fand den Füller im Schlafzimmer in einer hölzernen Schachtel, in der seine Frau die paar Schmuckstücke, die die Kulturrevolution überlebt hatten, und einen Schnappschuss von der Familie mit Shan als kleinem Kind aufhob. Lehrer Gu betrachtete blinzelnd das Foto, aufgenommen von einem Freund, der sie im Frühjahr 1954 besucht hatte; Shan schaute in die Kamera, während ihre Eltern auf sie blickten. Damals war der Fotoapparat eine Neuheit in Hun Jiang gewesen, und eine Gruppe Kinder und ein paar Erwachsene hatten sich eingefunden und den schwarzen Kasten bestaunt, der seinem Freund um den Hals hing. Er fotografierte großzügig sowohl Lehrer Gus Familie als auch die Kinder, hatte aber nur dieses eine Foto geschickt. Lehrer Gu fragte sich, was aus den anderen Fotos geworden war; noch ein Brief, den er schreiben musste, dachte Lehrer Gu, bevor ihm einfiel, dass sich sein Freund, ein antikommunistischer Intellektueller, 1957 das Leben genommen hatte.

Lehrer Gu schlurfte zurück in das vordere Zimmer. Er nahm den Füller aus dem samtenen Etui, schraubte vorsichtig die Kappe ab und wischte die getrocknete Tinte auf der goldenen Feder mit einem kleinen Stück Seide ab, das er zu diesem Zweck in dem Etui aufbewahrte.

Sehr verehrte Genossin Cheng, begann er den Brief und empfand die Anrede in ihrer revolutionären Hässlichkeit als lächerlich, obwohl er sie während der letzten dreißig Jahre in seinen ein, zwei Briefen pro Jahr so angesprochen hatte. Er riss das Blatt aus seinem Notizbuch und fing von vorne an. *Meine einst beste Freundin,*

Kollegin und geliebte Frau, schrieb er unter großen Mühen. »Meine einst beste Freundin, Kollegin und geliebte Frau«, las er laut und entschied, dass diese Worte seiner Stimmung entsprachen.

Erinnerst Du Dich an den Regenschirm, den mein Vater meiner Mutter an einer Straßenecke in Paris lieh, der Beginn ihrer lebenslangen Liebe? Das war im Herbst 1916, falls Du Dich noch erinnerst. Als ich Dir die Geschichte zum erstenmal erzählte, sagtest Du, wie romantisch; ich schreibe Dir, damit Du weißt, dass das Emblem dieser großen Liebe nicht mehr existiert. Der Regenschirm hat den Tod meiner Tochter nicht überlebt, weil ihre Mutter, meine jetzige Frau, meinte, dass unsere Tochter im Himmel einen Regenschirm braucht. Sollte es einen Himmel geben, so frage ich mich, ob meine Eltern mit meiner Tochter um den Regenschirm streiten. Im Leben haben die Großeltern ihre Enkelin nicht gekannt; ich hoffe, dass sie im Tod nicht lange in Gesellschaft des Mädchens verbringen müssen. Meine Eltern besaßen, wie Du Dich vielleicht erinnerst, die Eleganz und die Klugheit der Intellektuellen ihrer Generation; meine Tochter jedoch war mehr das Produkt dieser revolutionären Zeit als des vornehmen Mandschu-Blutes ihrer Großeltern. Sie starb an dem Gift, das sie mitgeholfen hatte zu mischen. Trotz Kunst und Philosophie und Deiner geliebten Mathematik und meinem Glauben an die Aufklärung: was letztlich unsere Ära ausmacht – vielleicht können wir uns die Freiheit gestatten und glauben, dass diese Ära, soweit wir wissen, die nächsten hundert Jahre dauert? –, ist das Knirschen unserer Knochen, die von dem Gewicht leerer Worte zermalmt werden. Daran ist nichts Schönes, und für uns gibt es leider kein Entkommen, weder jetzt noch später.

Lehrer Gu hielt im Schreiben inne und las den Brief. Seine Handschrift war die eines zittrigen alten Mannes, aber es hatte keinen Sinn, sich für den Verlust seiner Fähigkeiten als Kalligraph zu schämen. Er faltete den Brief auf die Art, wie vierzig Jahre zuvor junge Liebende Briefe gefaltet hatten, und steckte ihn in einen Umschlag. Erst da fiel ihm ein, dass er vergessen hatte, die Frage zu stellen. Er hatte Zeit und Papier für einen unnötig deprimierten Brief verschwendet. Er schlug sein Notizbuch auf.

> Sehr geehrte Genossin Cheng, bitte sage mir ganz ehrlich, ob die Führer Deiner Partei Dir befohlen haben, mich um der kommunistischen Sache willen zu heiraten. Mein Tod rückt jeden Tag näher, und ich ziehe es vor, diese Welt nicht als getäuschter Mensch zu verlassen.

Lehrer Gu unterschrieb gewissenhaft und steckte den Brief in denselben Umschlag wie den ersten, ohne ihn noch einmal zu lesen. Er schob den Umschlag in die Jackentasche, humpelte durchs Zimmer und ließ sich in einen alten Sessel fallen. Das Schreiben hatte ihn ermüdet; er schloss die Augen und dachte wieder an das Gespräch, das er die ganze Nacht mit seiner ersten Frau geführt hatte. Sie stritten darum, ob der Marxismus eine Form von geistigem Opium war, wie Marx es von anderen Religionen behauptet hatte.

»Hochverehrte Bürger von Hun Jiang«, tönte es aus dem Lautsprecher. Lehrer Gu erkannte die Stimme, die seinen wortgewandten Streit unterbrach, als die Stimme der Starsprecherin wieder und dachte, dass die Frau an diesem Festtag der Geister unangebracht ernst klang. »Guten Morgen, Genossinnen und Genossen. Dies ist eine Sonderausstrahlung zu den derzeitigen Ereignissen in Hun Jiang«, sagte die Stimme. »Wie Sie vielleicht nicht wissen, findet in der Hauptstadt unseres Landes eine große historische Veränderung statt. Dort wurde eine Mauer, die sogenannte Mauer der Demokratie, errichtet, damit die Menschen ihre Vorstellungen, wie sich das Land entwickeln soll, kundtun können. Es ist ein kritischer Augenblick für unser Volk, doch die Nachricht von der Mauer der Demokratie wurde hier nicht verbreitet. Jahrelang wurde uns beigebracht, dass wir in unserem kommunistischen Staat unsere eigenen Herren und Meister unseres Schicksals sind.

Aber entspricht das der Wahrheit? Vor nicht langer Zeit wurde Gu Shan, eine Tochter unserer Stadt, zu Unrecht zum Tode verurteilt. Sie war keine Verbrecherin; sie war eine Frau, die eine ungeheure Verantwortung für die Zukunft unseres Landes empfand, die sich mit Mut und Einsicht gegen ein korruptes System aussprach. Aber was wurde aus dieser Heldin, die ihrer Zeit voraus war?«

Lehrer Gus Hände zitterten, als er versuchte, aus dem Sessel aufzustehen. Die Frau sprach weiter, aber er hörte sie nicht mehr. Unter Mühen schlug er sein Notizbuch auf, aber seine Hand zitterte so sehr, dass er mehrere Seiten zerriss, bevor er zu einer leeren Seite gelangte. »Ich bitte Dich nur um eines«, schrieb Lehrer Gu an seine erste Frau.

> Darf ich mich Dir anvertrauen, da ich der Frau, mit der ich seit dreißig Jahren verheiratet bin, nicht mehr vertrauen kann? Nur in unserer Gesellschaft kann ein Leichnam aus seinem Grab geholt und um der politischen Ambitionen anderer Leute willen zur Schau gestellt werden. Wärest Du bitte damit einverstanden, meine Verbrennung zu überwachen? Lass nicht zu, dass meine Überreste meiner Frau oder irgend jemand anders übergeben werden.

»Genossinnen und Genossen, die ihr ein Gewissen habt!« rief die Stimme aus dem Lautsprecher. »Bitte, kommt zum großen Platz und sprecht euch gegen unser korruptes System aus. Bitte, kommt und lernt eine heldenhafte Mutter kennen, die die Legende ihrer Tochter am Leben erhält, und unterstützt sie.«

Dumme Frauen, sagte Lehrer Gu laut. Er zog seinen Mantel über den Schlafanzug an und ging los, um die beiden Briefe abzuschicken.

IM HOF WAR ES UNHEIMLICH STILL, als Tong vor Tagesanbruch aufstand. Er öffnete das Tor in der Hoffnung, einen ungeduldigen Ohr vorzufinden, aber abgesehen von ein paar Frühaufstehern, die ihre Fahrräder mit Bambuskörben voller Opfergaben beluden, war die Gasse leer. Tong fragte die Männer nach Ohr, aber keiner von ihnen hatte den Hund gesehen.

Tong verließ die Gasse, und an der Kreuzung zweier größerer Straßen sah er die ersten Leute zum Platz gehen. Sie sprachen nicht; die Männer hatten die Kappen tief in die Stirn gezogen, die Gesichter der Frauen waren halb von Schals bedeckt. Tong stand am Straßenrand und sah zu, wie die Leute an ihm vorbeigingen, manchmal zu zweit, aber meistens einzeln, darauf bedacht, Abstand zu der Person vor ihnen zu halten. Tong erkannte einen Onkel aus der Arbeitseinheit seines Vaters und grüßte ihn, doch der Mann nickte nur kurz und beschleunigte den Schritt, als wollte er Tong unbedingt loswerden. Die Geschäfte in der Hauptstraße blieben heute geschlossen, es konnte demnach nur die öffentliche Veranstaltung sein, die die Menschen ins Stadtzentrum lockte. Vielleicht wäre auch Ohr, ein geselliger Hund, der geräuschvolle Ereignisse liebte, dort zu finden. Tong wartete auf eine Lücke und schloss sich der Prozession an.

Im Osten wurde es hell; es würde ein weiterer wolkenloser Frühlingstag. Auch auf der Hauptstraße war es still trotz der vielen Menschen, die aus Seitenstraßen und Gassen strömten. Niemand sprach ein Wort, Krähen und Elstern krächzten im fahlen Licht lauter als gewöhnlich. Die Leute nickten, wenn sie Bekannte entdeckten, doch meistens konzentrierten sie ihre Aufmerksamkeit auf das Stück Straße vor ihnen. Ein paar Männer standen vor den Ladentüren zu beiden Seiten der Hauptstraße, auch ihre Gesichter von Kappen oder hochgeschlagenen Krägen verborgen.

»Suchst du noch immer deinen Hund?« fragte jemand und klopfte Tong auf die Schulter. Er blickte auf und sah den jungen Mann vom Vortag, der grinste und seine gelben Zähne entblößte.

»Woher wissen Sie das?« fragte Tong.

»Weil er sonst bei dir wäre«, sagte Bashi. »Hör mal, ich bin Detektiv, und mir entgeht nichts.«

»Haben Sie meinen Hund gesehen?«

»Schaue ich aus wie jemand, der es nicht sagen würde, wenn ich ihn gesehen hätte? Aber ich habe einen Tip für dich. Du bist am falschen Ort. Niemand hier und niemand dort« – Bashi deutete in Richtung des Platzes – »interessiert sich für deinen Hund.«

Tong wusste, dass der Mann recht hatte. Wie konnte er die Leute nach einem kleinen Hund fragen, wenn sie Wichtigeres im Sinn hatten? Er dankte Bashi dennoch, ging weiter und wünschte, der Mann würde ihm nicht folgen.

»Ich weiß, dass du nicht auf mich hörst«, schalt ihn Bashi. Er zog Tong aus der Menschenschlange. »Du kannst nicht allein dorthin gehen.«

»Warum nicht?«

»Wie solltest du allein auf den Platz kommen? Hast du eine Eintrittskarte? Ohne Eintrittskarte lassen sie dich nicht hin.«

Tong war sich sicher, dass Bashi log, und wandte sich ab, um weiterzugehen, doch Bashi packte ihn an der Schulter. »Glaubst du mir nicht?« sagte er und zog etwas aus dem Ärmel. »Schau, hier ist die Eintrittskarte, von der ich rede. Hast du auch eine?«

Tong sah halb versteckt in Bashis Ärmel eine weiße Papierblume.

»Schau dir die Leute an. Alle haben eine weiße Blume im Ärmel oder unter der Jacke. Wenn du keine hast, lassen sie dich nicht auf den Platz, weil sie sicher sein müssen, dass du kein feindlicher Spion bist. Siehst du die Männer vor den Läden? Schau, dort. Warum gehen sie nicht zum Platz?« Bashi hielt inne und freute sich an Tongs fragendem Blick. »Ich sage es dir – in meinen Augen sind es Geheimpolizisten. Wie kannst du beweisen, dass du nicht für die Polizei arbeitest? Du könntest natürlich behaupten, dass du zu jung dafür bist, aber du bist auch zu jung, um zu einer Kundgebung zu gehen. Außer du bist in Begleitung einer älteren Person.«

Tong dachte über Bashis Worte nach. Sie leuchteten ihm nicht ganz ein, aber es fiel ihm schwer, etwas dagegenzusetzen. »Gehen Sie hin?« fragte Tong.

»Also das ist eine Frage, die ein schlauer Junge stellt. Ja und nein. Ich gehe hin, doch aus einem anderen Grund als diese Leute, aber wenn du jemand suchst, dem du dich anschließen kannst, hast du die richtige Person gefunden. Eins musst du mir allerdings versprechen – du musst auf mich hören. Ich möchte nicht, dass du verlorengehst oder von den Leuten niedergetrampelt wirst.«

In diesem Augenblick war die Stimme der Nachrichtensprecherin durch die Lautsprecher zu hören. Tong und Bashi blieben stehen und – hörten zu. Nachdem sie geendet hatte, sagte Bashi: »Ich wusste nicht, dass diese Zuckererbse hinter der Sache steckt. Das muss heißen, dass die Stadtverwaltung die Kundgebung angeordnet hat. Schlechte Nachrichten, was?«

»Was sind schlechte Nachrichten?«

»Nichts. Also, willst du mitkommen?«

Tong überlegte und bejahte.

»Ich bin alt genug, um dein Onkel zu sein«, sagte Bashi. »Aber diesmal kriegst du Rabatt und kannst Großer Bruder zu mir sagen.«

Tong sagte nichts und folgte Bashi. Als sie den Platz erreichten, sah Tong, dass Bashi gelogen hatte – niemand fragte nach der weißen Blume, und es herrschte auch kein wildes Chaos. Die Menschenschlange zog sich von der Mitte bis in die südwestliche Ecke des Platzes, dort wandte sie sich nach Osten und reichte bis in die südöstliche Ecke, wo sich noch mehr Leute einfanden. Tong stellte sich hinter den letzten Mann, doch Bashi zog ihn weiter und flüsterte, dass es woanders mehr zu sehen gab. Tong zögerte, doch aus Neugier folgte er ihm. Er sei ein schlauer und vernünftiger Junge, lobte ihn Bashi, als sie zur östlichen Seite der Statue des Vorsitzenden Mao gingen, wo weniger Menschen standen. Am Fuß des Sockels lagen ein paar Kränze aus weißen Blumen; davor stand ein vergrößertes Foto, gehalten von mehreren Bambusstöcken; das junge Mädchen auf dem Bild hatte den Kopf leicht nach hinten gelegt und lächelte übers ganze Gesicht, als hätte der Fotograf gerade einen Witz erzählt.

Bashi schnalzte mit der Zunge. »Das muss die Frau sein.«

»Welche Frau?«

»Die Konterrevolutionärin.«

Tong betrachtete das Bild. Sosehr er es auch versuchte, er konnte das selbstbewusste, schöne junge Mädchen nicht in Verbindung bringen mit der Frau, die er am Tag der Exekution gesehen hatte, ihr Gesicht aschfarben und ihr Hals mit einem blutgetränkten Verband umwickelt.

»He, he, hast du dein Herz an ein hübsches Gesicht verloren?« sagte Bashi zu Tong. »Schau dort.«

Tong holte tief Luft und stellte sich auf die Zehenspitzen. Aus mannshohen Kränzen war ein Kreis gebildet worden, und die Leute, die ihn durch eine Lücke betraten und durch eine andere wieder verließen, versperrten ihm die Sicht.

Bashi schaute eine Weile zu. »Hochinteressant. Aha, da ist sie. Und er ist auch da.«

Tong wollte nicht eingestehen, dass er zu klein war, um etwas zu sehen. Bashi blickte zu ihm hinunter und seufzte. »Na gut, ich habe dich mitgenommen, und deswegen bin ich auch für dein Vergnügen verantwortlich, oder?« Er ging in die Hocke und wies Tong an, auf seine Schultern zu steigen. Tong zögerte, doch als Bashi sagte, er solle keine Memme sein, tat er es. »Halt dich an meinem Kopf fest«, sagte Bashi und stand auf. »Uff. Du siehst aus wie ein Kohlkopf, aber du bist so schwer wie ein Buddha aus Stein«, beschwerte sich Bashi. Tong schwieg und richtete seine Aufmerksamkeit auf das Innere des Kreises. In der Mitte legte eine Frau vorsichtig eine weiße Blume in einen riesigen Korb, dessen Durchmesser mehr als zwei Armlängen betrug. Neben dem Korb stand ein Tisch, auf dem ein Stück weißer Stoff lag. Hinter dem Tisch deutete ein Mann auf den weißen Stoff und sagte etwas zu der Frau, doch sie schüttelte bedauernd den Kopf und verließ den Kreis, ohne ihn anzublicken. Tong erkannte den Mann als einen Lehrer aus seiner Schule.

»Siehst du, was ich sehe?« fragte Bashi und trat näher an den Kreis aus Kränzen. Tong schwankte und hielt sich an Bashis Hals fest. »He, erwürg mich nicht.«

Tong nahm die Hände weg. »Die Tante da ist die Nachrichtensprecherin«, sagte er ein bisschen zu laut.

Kai schaute auf, als sie die Stimme eines kleinen Jungen hörte, doch dann wandte sie sich sofort wieder der Frau zu, die den Kreis verlassen wollte. »Danke, Genossin«, sagte sie. »Das ist Gu Shans Mutter.«

»Danke für Ihre Unterstützung«, sagte Frau Gu.

Die Frau reagierte weder auf Kai noch auf Frau Gu, als sie ihr die Hand hinstreckten, um ihr zu danken. Sie ging rasch davon und dachte an ihren Mann und ihre zwei Kinder, die sich mittlerweile fragen mussten, warum ein kurzer Gang zu ihrer Arbeitseinheit so lange dauerte; sie hatte gelogen und gesagt, dass sie die Einstellung der Maschine justieren musste, die sie in der Nahrungsmittelfabrik bediente.

Die Menschenschlange bewegte sich lautlos vorwärts. Einer nach dem anderen legte eine weiße Blume in den Korb; manche unterschrieben auf dem weißen Tuch, andere entschuldigten sich und lehnten ab, als sie dazu aufgefordert wurden. Kai begrüßte jeden und erklärte, wie wichtig die Petition für das Wohl des Landes sei. Ihre weiche, klare Stimme klang beruhigend, schließlich war sie die offizielle Nachrichtensprecherin. Nachdem Kai mit ihnen geredet hatte, überlegten es sich manche Leute anders und unterschrieben die Petition.

»He, bist du taub?« sagte Bashi zu Tong. »Ich habe dich was gefragt.«

»Was haben Sie gesagt?«

»Wie lange ist die Schlange? Wegen dir kann ich nicht einmal mehr den Hals recken.«

»Noch immer sehr lang.«

»Wie viele Leute siehst du?«

Tong versuchte, sie zu zählen. »Sechzig, vielleicht achtzig. Sie sind schwer zu zählen. Sie kommen und gehen.«

»Siehst du jemand, den du kennst?«

»Die Tante neben dem Korb«, sagte Tong. »Das ist die Nachrichtensprecherin. Sie hat mich gerade angelächelt.«

»Das weiß doch jeder. Wen kennst du sonst noch?«

»Einen Lehrer aus meiner Schule.«

»Wen sonst?«

Tong betrachtete die wartenden Personen und erkannte ein paar Gesichter, noch einen Lehrer aus seiner Schule, der eine höhere Klasse unterrichtete, eine alte Verkäuferin aus der Apotheke, die den Kindern oft eingelegte Pflaumen schenkte, den Briefträger, der zweimal am Tag die Post in Tongs Viertel austrug und pfiff, wenn er mit seinem grünen Postfahrrad vorbeifuhr, den alten Hua und seine Frau, die einen Meter voneinander entfernt in der Schlange standen und die Leute um sie herum nicht ansahen. Tong berichtete Bashi, was er sah, und Bashi sagte, er solle so weitermachen. »Du würdest dich gut als mein Lehrling eignen«, sagte er. Er grüßte alle Passanten, als würde er sie kennen, doch nur wenige erwiderten seinen Gruß. Manche warfen einen Blick auf Tong, doch die meisten ignorierten ihn und seinen Gefährten. In ihren Augen, dachte Tong, war er wahrscheinlich nur ein kleines Kind, das sich hier auf unpassende Weise vergnügte. Er war traurig, dass er nicht das Gegenteil beweisen konnte, und fragte sich, ob sein Begleiter wirklich nur gekommen war, um sich zu amüsieren, aber es schien zu spät, ihn danach zu fragen.

Eine halbe Stunde verging, vielleicht mehr; der Korb, der bereits übervoll war, wurde beiseite gestellt und durch einen neuen ersetzt. Die Sonne war aufgegangen, und der Schatten des Vorsitzenden Mao fiel auf die Stelle, an der Tong und Bashi standen. Bashi trat mit Tong auf den Schultern aus dem Schatten. Nach einer Weile, als Tong erklärte, dass die Schlange jetzt kürzer sei, ließ Bashi Tong von seinen Schultern steigen. »Früher oder später brichst du mir das Genick«, sagte Bashi und massierte sich mit beiden Händen den Nacken.

»Wollen Sie Ihre weiße Blume jetzt in den Korb legen?« fragte Tong. Ihm waren die Beine eingeschlafen, und er musste fest aufstampfen, damit er sie wieder spürte.

»Nein«, sagte Bashi. »Warum sollte ich?«

»Ich habe gedacht, dass Sie deswegen gekommen sind.«

»Ich habe doch gesagt, dass ich andere Gründe habe«, sagte Bashi.

Enttäuscht humpelte Tong davon.

»Willst du nicht wissen, wo Ohr ist?«

Tong drehte sich um. »Haben Sie ihn gesehen?«

»Nicht in letzter Zeit«, sagte Bashi. »Aber vergiss nicht, ich bin Detektiv und kann alles für dich herausfinden.«

Tong schüttelte den Kopf und sagte: »Ich suche ihn selbst.«

»Soll ich dir meine Blume leihen?«

Tong dachte über das Angebot nach und nickte. Er wünschte, seine Mutter hätte ihre Blume nicht zerknüllt, dann müsste er jetzt nicht die dieses Mannes nehmen, den er nicht mochte. Bashi holte die Blume aus dem Ärmel und reichte sie Tong. »Sie gehört jetzt dir«, sagte er. »Unter der Bedingung, dass du mich noch nicht allein lässt.«

»Warum nicht?«

»Weil wir zusammen hier sind, weißt du das nicht mehr?« sagte Bashi augenzwinkernd, und Tong gab ihm widerwillig recht. Bashi stellte sich mit ihm ans Ende der Schlange. Als Tong an der Reihe war, begrüßte er die Nachrichtensprecherin und sagte, seine Mutter habe ihn geschickt. Bashi lächelte nur und schwieg.

»Bitte danke deiner Mutter in unser aller Namen«, sagte die Tante. Die alte Frau neben ihr beugte sich zu Tong hinunter und dankte ihm, als wäre er ein Erwachsener. Aus der Nähe erkannte er sie, es war die Frau, die am Tag der Exekution auf der Kreuzung Kleider verbrannt hatte.

»Frau Gu?« sagte Bashi und schüttelte der alten Frau die Hand. »Ich bin Lu Bashi. Ich hoffe, dass Ihre Tochter ein schönes erstes Ching Ming hat. Es ist auch das erste Ching Ming meiner Großmutter. Wir beerdigen sie heute. Sie wissen ja, man muss auf den Frühling warten. Wenn Sie mich fragen, ist es nicht die beste Zeit, um zu sterben. Haben Sie Ihre Tochter schon begraben?«

Kai tätschelte Bashis Arm. »Bitte, wir haben keine Zeit, um zu plaudern.«

»Aber ich will nicht plaudern«, sagte Bashi und ergriff Kais Hand. »Ich bin Lu Bashi. Schwester, mir gefällt Ihre Sendung. Wissen Sie, was für einen Spitznamen die Leute Ihnen gegeben haben? Zuckererbse. Knackig und lecker. Ja, ich weiß, ich gehe schon. Kein Problem, ich weiß, dass Sie zu tun haben. Ich bin nicht gekommen, um Ärger zu machen. Seine Eltern haben mich gebeten, ihn zu begleiten«, sagte Bashi und deutete auf Tong. »Er ist viel zu klein, um allein zu kommen, nicht wahr?«

Tong biss sich auf die Lippen. Er wollte nicht mit diesem Mann gesehen werden, doch Bashi hatte ihm die weiße Blume gegeben und geschwiegen, als er gelogen und behauptet hatte, seine Mutter habe ihn geschickt. Tong wartete verlegen, während Bashi Kai fragte, was sie von der zahlenmäßigen Größe der Kundgebung halte, was sie als nächstes plane. Sie versuchte, höflich zu sein, doch Tong sah ihr an, dass sie kein Interesse daran hatte, mit Bashi zu reden. »Ich weiß, dass Sie beschäftigt sind, aber kann ich kurz mit Ihnen unter vier Augen sprechen?« fragte Bashi. Sie habe keine Zeit, sagte Kai. Bashi schnalzte mit der Zunge. Wie schade, sagte er; in diesem Fall müsste er vielleicht mit Frau Gu über die Nieren ihrer Tochter sprechen.

Er hatte mit leiser Stimme gesprochen, doch Kai schien erschrocken. Sie blickte zu Frau Gu und bedeutete Bashi, zur Seite zu treten. Tong folgte ihnen; weder Kai noch Bashi schienen ihn zu bemerken.

»Was wissen Sie über die Nieren?« fragte Kai.

»Es ist kein Geheimnis«, sagte Bashi. »Oder doch?«

Tong sah, dass die Nachrichtensprecherin die Stirn runzelte. »Könnten Sie das bitte vor Frau Gu nicht erwähnen?«

»Ich werde tun, worum immer Sie mich bitten«, sagte Bashi noch leiser und erklärte, dass der Leiche noch mehr als nur die Nieren fehlten. Sie sollte jedoch wissen, dass er daran arbeitete. Die Sache war in guten Händen, sagte Bashi und versicherte Kai, dass er sie informieren werde, sobald er den Fall gelöst hatte. Tong sah, dass die Nachrichtensprecherin nicht verstand, wovon Bashi sprach, und sich um Geduld bemühte. Ein Mann in einer dicken Jacke näherte sich ihnen; er trug einen Mundschutz aus Baumwolle. »Alles in Ordnung?« fragte er. Hinter der Brille blickten seine Augen beunruhigt.

Bashi erwiderte, dass alles in Ordnung sei. Der Mann schaute zu

Kai, und sie schüttelte bedächtig den Kopf und schwieg. Ohne die Handschuhe auszuziehen, schüttelte der Mann Bashi die Hand und dankte ihm, dass er gekommen war, um die Kundgebung zu unterstützen. Bashi sagte, es sei im Interesse aller, gegen das Böse zu kämpfen, und als er begriff, dass der Mann ihn nicht mit Kai allein lassen würde, bedeutete er Tong, ihm zum Tisch zu folgen. »Haben Sie etwas dagegen, wenn ich einen Blick darauf werfe?« fragte Bashi und beugte sich über das Tuch.

Der Mann hinter dem Tisch, ein neuer Lehrer an Tongs Schule, der Tong jedoch nicht erkannte – entgegnete, dass es nicht zum Lesen gedacht war.

»Aber wir wollen doch auch unterschreiben, nicht wahr, kleiner Bruder?« sagte Bashi zu Tong. »Haben deine Eltern nicht gesagt, dass du sie hier vertreten sollst? Der Junge«, sagte er zu dem Mann, »ist übrigens ein Schüler von Ihnen.«

Der Mann wandte sich an Tong. »Gehst du in die Schule Roter Stern?«

Tong nickte.

»Und hast du mich nicht gerade gefragt, ob du herkommen und die Petition unterschreiben darfst?« sagte Bashi. Er wandte sich an den Mann. »Er ist ein schüchterner Junge, vor allem wenn ein Lehrer in der Nähe ist.«

Der Mann schaute zu Tong und meinte, er sei zu jung, um zu unterschreiben.

»Zu jung? Unsinn. Gan Luo wurde mit elf Jahren Anführer eines Volkes«, sagte Bashi. »Man ist nie zu jung. Es heißt doch, dass Helden in jungen Seelen geboren werden. Hier ist ein junger Held. Und brauchen Sie nicht alle Unterschriften, die Sie kriegen können?«

Der Mann zögerte und tauchte dann den Pinsel ins Tintenfass. »Bist du sicher, dass du die Petition verstehst?« fragte er Tong.

»Natürlich. Ich habe doch gerade gesagt, dass er ein junger Held ist«, sagte Bashi. Dann flüsterte er Tong zu: »Schau nur, dein Lehrer und die Tante Nachrichtensprecherin unterstützen die Petition.

Sie werden sehr zufrieden sein, wenn du deinen Namen darunter setzt. Kannst du deinen Namen schreiben?«

Tong war verlegen und hatte Bashi satt. Er nahm den Pinsel und suchte nach einer Stelle, an der er unterschreiben konnte. Der Lehrer wollte etwas einwenden, und Bashi meinte, er solle kein Theater mehr machen; der Junge wisse, was er tue, so wie eine Schwalbe wisse, wo ihr Nest sei. Tong holte tief Luft und schrieb auf den weißen Stoff, versuchte, jeden Strich gleichmäßig zu ziehen. Er hatte erst seinen Namen schreiben wollen, doch im letzten Moment überlegte er es sich anders und schrieb den Namen seines Vaters; schließlich war er zu jung, und vielleicht würde sein eigener Namen nicht zählen.

NINI VERSCHLOSS DAS HAUS, nachdem das Fahrradtaxi mit ihrer Familie um die Ecke verschwunden war. Sie musste Wäsche waschen, Töpfe und Pfannen schrubben, das Haus fegen und wischen, doch diese Aufgaben und die Erinnerung an das leise Kichern ihrer Schwestern, als ihre Eltern ihr auftrugen, diese Arbeiten vor ihrer Rückkehr zu erledigen, dämpften ihre Stimmung kaum. Ihr Vater hatte ihrer Mutter erklärt, dass er und der Fahrer des Taxis das Gefährt den Berg hinauf würden schieben müssen. Sie sollten so viel Zeit wie möglich dort oben verbringen, hatte Ninis Mutter erwidert, damit sich die Ausgabe für das Taxi lohnte. Es wäre ein langer Tag, bevor ihre Familie zurückkehrte, und auch wenn sie nicht alle Arbeiten schaffte, was machte es schon? Der Tag war auch für sie ein Festtag, ein besonderer Tag, den sie mit Bashi verbringen würde. Nini hielt die Kleine Sechste in ihrem guten Arm und sagte zu ihr, sie gingen aus, um sich ebenfalls zu amüsieren. Die Kleine Sechste sah sie aus klaren, vertrauensvollen Augen an; als Nini sie unter dem weichen Kinn kitzelte und fragte, ob sie bereit sei für den Ausflug, brach das Baby endlich in ein breites Lächeln aus und entblößte alle seine kleinen neuen Zähne.

Die Sonne stand am blauen, wolkenlosen Himmel, es war ein perfekter Tag für Ching Ming. Aus allen Gassen strömten Menschen zur Brücke, Frauen und Kinder, Männer schoben Fahrräder, die mit Opfergaben und Picknickkörben beladen waren. Nini ging nach Norden, gegen den Strom der Menschen, und sie musste hin und wieder stehenbleiben, um Leute vorbeizulassen, von denen manche sie anrempelten, ohne langsamer zu werden, als würde sie gar nicht existieren. Die Kleine Sechste saugte an ihrer Hand und deutete mit einem nassen Finger auf die Passanten. Miez, miez, plapperte sie vor sich hin.

Auf halbem Weg zu Bashis Haus bog Nini in die Gasse ein, in der die Gus lebten. Sie erwartete nicht, dass sie Festtagsleckerbissen für sie hätten. Und wenn sie sie in ihr Haus einluden und sie bäten, ein paar Minuten mit ihnen zu verbringen, würde sie kühl erwidern, dass sie beschäftigt sei und keine Zeit verschwenden könne. Oder vielleicht wäre sie auch großzügiger und würde ein paar freundliche Worte mit ihnen wechseln, sagen, dass sie von Lehrer Gus Krankheit gehört habe, und fragen, wie es ihm jetzt gehe, ob er etwas Besonderes vom Markt brauche, das sie ihm das nächstemal mitbringen könnte. Sie stellte sich vor, wie sie sprachlos vor ihr stünden, verblüfft von ihrer Anmut und Selbstsicherheit und ihrem erwachsenen Benehmen. Sie würde lächeln und sagen, dass sie, falls sie keine wichtigen Wünsche hätten, zurückkommen und sie besuchen würde, wenn sie mehr Zeit hätte. Sie würden nicken und nach Worten suchen, gepeinigt von dem geheimen Wunsch, sie noch einen Augenblick länger bei sich zu haben, aber dennoch würde sie gehen, so wie sich eine Tochter, die mit einem reichen Mann verheiratet war, von ihren einfachen Eltern verabschiedete, ihr Glück die einzige Freude in ihrem Leben.

Abgesehen von ein paar Spatzen, die zwischen den Hühnern herumhüpften, war die Gasse verlassen. Nini klopfte an das Tor, zuerst vorsichtig, dann etwas fester. Nach einer Weile hörte sie leise Geräusche im Hof. Einen Moment raste ihr Herz, und ihre Beine waren bereit, die Flucht zu ergreifen, bevor sie entdeckt wurde. Aber was wäre sie dann anders als ein nichtsnutziges Kind? Sie blieb stehen und klopfte noch einmal laut ans Tor.

Das Tor wurde geöffnet. Lehrer Gu, auf einen Stock gestützt, starrte Nini an. »Was willst du hier?« sagte er. »Weißt du nicht, dass die Leute wichtigere Dinge zu tun haben, als darauf zu warten, gestört zu werden?«

Die Kleine Sechste deutete auf Lehrer Gus Stock und kicherte aus Gründen, die nur sie kannte. Nini schaute Lehrer Gu entsetzt an. Sie hatte ihn sich von Krankheit geschwächt, deprimiert und trostbedürftig vorgestellt, und sie hatte das Gefühl, der alte Mann vor ihr, der ganz so wirkte wie die anderen alten Männer, die über den Marktplatz schlenderten oder am Straßenrand saßen und am liebsten auf die Welt schimpften, die sie in ihren Augen schlecht behandelt hatte, sei ein Fremder, der in Lehrer Gus Körper geschlüpft war. Sie holte tief Luft. »Ich habe gehört, dass Sie krank waren, Lehrer Gu«, sagte Nini und versuchte, ihr neuerworbenes Selbstbewusstsein beizubehalten. »Ich wollte fragen, ob es Ihnen besser geht und ob Sie etwas brauchen.«

»Was kümmert dich das?« sagte Lehrer Gu. »Erwarte nicht von mir, dass ich jemand einlasse, der zuviel Wohlwollen zu verteilen hat.« Bevor Nini antworten konnte, knallte er ihr das Tor vor der Nase zu.

Die Kleine Sechste erschrak, weinte und bekam Schluckauf. Nini starrte das Tor an. Sie hätte gern gespuckt und geflucht – ihre Weise, auf die Demütigungen im Leben zu reagieren –, doch sie wusste, dass ihr das nicht die gleiche Genugtuung verschaffen würde wie früher. Lehrer Gu, den sie einst geliebt und bewundert und sich als Vater gewünscht hatte, war zu einer geringeren Person geworden, als sie es war.

Bashi schien sehr darauf bedacht, alles recht zu machen, als Nini und die Kleine Sechste ankamen. Der ganze Tisch war mit Essen beladen, das er bei den Drei Freuden bestellt hatte. Er bot an, das Baby zu nehmen, und als die Kleine Sechste mit fuchtelnden Armen protestierte, grimassierte er und sang mit Fistelstimme ein Lied über eine Schnecke, woraufhin das Baby Angst bekam und zu plärren anfing. Nini hieß sie beide still sein und ging geradewegs ins Schlafzimmer. Bashis Bett war frisch bezogen, Laken und Kopfkissen gleich gemustert mit einem Schwalbenpaar, das in einer

Weide nistete. »Es ist ein Festtag für die Toten«, sagte Nini, die sich noch nicht vollständig von der Begegnung mit Lehrer Gu erholt hatte. »Hast du geglaubt, er ist für dich?«

Bashi lächelte geheimnisvoll. »Dein dummes Lächeln kannst du dir sparen«, sagte Nini. Sie trug das Baby zu dem zweiten Bett, das nach dem Tod der alten Frau nicht mehr bezogen war, und nahm ein Seil aus der Tasche. Das Bett war wesentlich kleiner als ihr gemauertes Bett zu Hause, und sie nahm das Seil doppelt und dreifach, bevor sie es dem Baby um den Bauch wand und an einem Bettpfosten an der Wand festband. Bashi schien besorgt, aber Nini versicherte ihm, dass die Kleine Sechste an das Seil gewöhnt war; es käme einem Wunder gleich, wenn sie sich selbst erdrosseln oder einen Knoten lösen und kopfüber aus dem Bett fallen würde.

Bashi sah zu, wie die Kleine Sechste das neue Territorium erkundete. »Was für ein nettes Baby«, sagte er. Er kniete sich neben das Bett, so dass er auf Augenhöhe mit ihr war. Er machte quietschende Geräusche und zog komische Grimassen, die die Kleine Sechste nicht zu schätzen wusste, und als sie wieder weinte, stand er resigniert auf. »Was, wenn sie sich langweilt?« fragte er.

»Warum sollte sie sich langweilen?« sagte Nini. »Sie verbringt jeden Tag so.«

Bashi war nicht überzeugt. Er ging in die Küche und holte eine Tüte Cracker. In jede Ecke des Bettes häufte er einen Stapel davon. Er kramte im Schrank und fand ein Paar alte Seidenschuhe, die seiner Großmutter gehört hatten. Ihre Füße waren gebunden gewesen, und die Schuhe waren nicht größer als eine Kinderhand. Faszinierter von den Schuhen als von den Crackern, griff die Kleine Sechste danach und kaute auf den gestickten Blumen herum.

Nini sah zu, wie sich Bashi bemühte, es der Kleinen Sechsten gemütlich zu machen. Was für ein merkwürdig guter Mensch er manchmal war, dachte Nini, dass er seine Zeit mit einem Baby verschwendete. Sie ging ins Wohnzimmer und ließ sich in einen großen gepolsterten Sessel fallen. Sie kam sich wichtig vor, weil Bashi sich so beflissen zeigte; sie konnte ohne weiteres die Herrin dieses Haushalts sein und Bashi ihr Dienstbote.

Nach ein paar Minuten kam Bashi und sagte: »Ich habe ein Geschenk für dich.«

Nini wandte sich ihm zu und betrachtete ihn. Wenn er sich nicht seltsam benahm, sah er nahezu gut aus.

»Willst du raten?«

»Woher soll ich es wissen? Keine Ahnung, welche Schraube in deinem Hirn locker ist«, sagte sie.

Er lachte. »Du hast recht. Du würdest eine Million Jahre brauchen, um es zu erraten.« Er ging hinaus zum Vorratsraum und kehrte gleich darauf mit einer Schachtel zurück. Es war keine große Schachtel, doch so vorsichtig, wie Bashi sie in beiden Händen trug, dachte Nini an etwas Teures oder Schweres oder beides. Sie fragte sich, ob es ein Geschenk war, das sie vor ihren Eltern und Schwestern verstecken konnte.

Bashi stellte die Schachtel auf den Tisch und öffnete sie; dann machte er einen Schritt zur Seite, verbeugte sich tief und bat sie, vorzutreten, als wäre er ein Zaubermeister. Sie setzte sich neben die Schachtel und schaute hinein. Sie fand weder teures Essen noch Schmuck; die Schachtel war angefüllt mit zerknülltem Zeitungspapier, und in der Mitte lag ein kleiner grauer Ball mit Stacheln. Sie schob ihn mit den Fingern auf die Seite, doch auch unter seinem kleinen Körper war nichts außer Papier.

»Na«, sagte Bashi. »Wie findest du ihn?«

»Was ist das?«

»Ein Igel.«

Bashi ließ Ninis Gesicht nicht aus den Augen, und sie wurde ungeduldig. »Was für ein Geschenk soll das sein? Hältst du mich für ein Stinktier, das einen Igel zu Mittag isst?«

Bashi brach in lautes Lachen aus, als hätte er gerade den lustigsten Witz der Welt gehört, und obwohl sie streng und wütend bleiben wollte, musste auch Nini lachen. Sie hob den Igel hoch und legte ihn auf den Tisch. Er blieb reglos liegen, versteckte seinen kleinen Kopf und weichen Bauch vor der Welt. »Er ist tot«, sagte Nini.

»Dummes Ding«, sagte Bashi. »Er sieht bloß so aus, weil ich

ihn letzte Nacht in den Vorratsraum gelegt habe.« Er holte eine Kehrichtschaufel und schob den Igel darauf. »Ich zeige dir einen Trick«, sagte er und trug den Igel in die Küche. Im Ofen prasselte das Feuer, und in der Küche war es heißer als im Rest des Hauses. Bashi zog seinen Pullover aus und rollte die Hemdsärmel auf. »Jetzt schau«, sagte er und legte die Schaufel neben dem Ofen auf den Boden. Nach einer Weile streckte sich der Igel langsam, und man sah sein Gesicht. Nini betrachtete seine blassrosa Nase und die kleinen Knopfaugen – der Igel schien verwirrt, seine Nase zuckte.

»Hat er Hunger?« fragte Nini.

»Abwarten«, sagte Bashi. Er stellte einen flachen Teller mit Wasser auf den Boden, und nach einer Weile kroch der Igel zum Wasser. Zu Ninis Erstaunen trank er es aus, ohne ein einziges Mal zu schnaufen.

»Woher hast du gewusst, dass er Durst hat?« fragte Nini.

»Weil ich diesen Trick ausprobiert habe, bevor du gekommen bist«, sagte Bashi. »Erst lässt man den Igel in der Kälte, dann holt man ihn ins Warme, und er glaubt, dass er aus dem Winterschlaf aufgewacht ist, und hat Durst.«

»Dummes Tier«, sagte Nini.

Bashi lächelte und wollte ihr einen weiteren Trick zeigen. Er nahm ein Glas mit Salz aus dem Schrank und bat um ihre Hand, und Nini hielt ihm die gute Hand hin, zur Faust geballt. Er fasste nach ihren Fingern und streckte sie, und sie spürte ein kleines prickelndes Gefühl, das nicht von ihrer Hand stammte, sondern von irgendwo in ihrem Bauch, und das sie noch nie empfunden hatte. Er schüttete etwas Salz auf ihre Handfläche. »Halt still«, sagte er und beugte sich vor, um es von ihrer Hand zu lecken. Sie zog sie zurück, bevor seine Zunge sie berührte, so dass das Salz auf der Küchentheke verstreut wurde. »Was tust du da?« sagte sie.

Bashi seufzte. »Ich will dir zeigen, wie der Trick geht«, sagte er. »Du musst still halten, sonst erschrickt der Igel.«

Nini sah Bashi argwöhnisch an, doch er war schon wieder mit seiner Vorführung beschäftigt. Er schüttete Salz auf seine Hand und mahnte Nini, still zu sein. Er kniete sich neben den Igel und hielt dem zögernden Tier die ausgestreckte Hand hin, ohne sich zu bewegen. Nach einem Augenblick kroch der Igel näher und leckte Bashis Hand. Seine Zunge war zu klein, als dass Nini sie hätte sehen können, aber Bashi blinzelte und grinste, als würde er gekitzelt. Bald war das kleine Häufchen Salz auf seiner Hand verschwunden. Der Igel zog sich langsam zurück. Nini blickte Bashi fragend an. Er lächelte und bedeutete ihr zu warten, und kurz darauf begann der Igel, heftig zu husten. Nini erschrak und schaute sich um, obwohl sie wusste, dass niemand ins Haus gekommen war – die Laute, die der Igel von sich gab, waren leise und klangen unheimlich menschlich, wie von einem alten Mann, der die Schwindsucht hatte. Nini starrte den Igel an; es gab keinen Zweifel, der Igel hustete. Bashi blickte zu Nini und lachte. Der Igel hustete noch eine Weile und rollte sich dann wieder ein, als hätte er Schmerzen. Nini stieß ihn ein paarmal an, und als sie sicher war, dass er nicht noch einmal husten würde, stand sie auf. »Wo hast du diesen Unfug gelernt?«

Bashi lächelte. »Ist unwichtig. Das Lustige ist, dass der Igel nie lernt, das Salz nicht anzurühren.«

»Warum nicht?«

Bashi dachte über die Frage nach. »Vielleicht werden sie gern ausgetrickst.«

»Dummes Tier«, sagte Nini. Sie nahm den zusammengerollten Igel und legte ihn zurück in die Schachtel. »Was kann er sonst noch außer husten?«

»Nicht viel.«

»Was willst du mit ihm tun?«

»Das liegt an dir«, sagte Bashi. »Er ist ein Geschenk für dich.«

Nini schüttelte den Kopf. Ihr fiel nichts ein, was sie mit dem Igel tun sollte, und plötzlich fühlte sie sich innerlich leer, obwohl sie gerade erst mit Bashi herzlich gelacht hatte. »Wozu sollte ich einen Igel brauchen?« fragte sie.

»Du könntest ihn als Haustier halten.«

»Warum behältst du ihn nicht?« sagte sie und ging ins Schlafzimmer, um nach der Kleinen Sechsten zu sehen. Das Baby hatte die Cracker entdeckt. Nini schaute zu, wie die Kleine Sechste daran knabberte. Sie hatte sich auf diesen Tag gefreut, doch jetzt war sie verstört aus Gründen, die sie nicht verstand.

Bashi folgte ihr ins Schlafzimmer und wollte dem Baby noch mehr Cracker geben. Nini nahm sie ihm aus der Hand, bevor die Kleine Sechste danach greifen konnte, und das Baby fing an zu weinen. »Willst du sie damit vollstopfen, bis sie platzt?« fuhr sie ihn an.

Bashi kratzte sich am Kopf. Er schien verwirrt von Ninis unerwartetem Stimmungswechsel. Dann sagte er vorsichtig: »Ich habe eine andere Idee.«

»Deine Ideen sind langweilig«, sagte Nini.

»Diese vielleicht nicht«, erwiderte Bashi. »Wir könnten den Igel essen. Igel soll eins der besten Stärkungsmittel sein.«

»Wir sind keine achtzig Jahre alt und brauchen weder Ginseng noch Igel, um am Leben zu bleiben«, sagte Nini. »Wer will schon dieses hässliche Ding mit den Stacheln essen?«

Bashi lächelte und forderte Nini auf, mitzukommen, damit er ihr einen weiteren Trick zeigen konnte, von dem er gehört hatte. Nini war nicht daran interessiert, aber alles war besser, als mit der Kleinen Sechsten im Schlafzimmer zu bleiben, die kurz ein bisschen geweint hatte und jetzt an ihrer Faust saugte. Sie würde demnächst einschlafen. Nini folgte Bashi in den Hof. Er schüttete mit einer Schaufel frisch getaute Erde auf einen Haufen, goss Wasser darüber und knetete die Erde geduldig, als wäre er ein erfahrener Bäcker.

»Willst du mit dem Igel eine Erdpastete kochen?« fragte Nini.

»Gut geraten«, sagte Bashi. Er ging ins Haus und holte die Schachtel. Der Igel war noch immer zu einem verängstigen kleinen Ball zusammengerollt. Bashi hob ihn aus der Schachtel und legte ihn auf den Teig aus Erde. »Weißt du, wie die Bettler die Hühner kochen, die sie stehlen? Sie bedecken sie mit Erde und legen sie dann in heiße Asche. Wenn sie gar sind, brechen sie die Erdhülle auf und essen das zarte Fleisch. Mit Igeln machen sie es angeblich genauso.« Bashi verrieb Erde auf dem Igel, bis er vollständig damit bedeckt war. Er rollte den Ball ein paarmal durch den Erdteig und strich ihn glatt, bis er vollkommen rund war.

Das Feuer im Ofen zischte. Bashi versuchte vergeblich, es auszublasen; Nini lachte ihn aus und schloss die Luftklappe. Bald war das Feuer erloschen und schwelte vor sich hin. Bashi stieß den Erdklumpen in die glühende Asche. Gemeinsam betrachteten sie den Erdklumpen im Bauch des Ofens, die äußere Schicht trocknete bereits zu einer Kruste. Nach einer Weile seufzte Nini und sagte: »Und was machen wir jetzt?«

Bashi wandte sich ihr zu, die schmutzigen Finger gespreizt wie Klauen. »Wir können Der-Adler-fängt-das-Huhn spielen«, sagte er und fletschte die gelben Zähne. »Ich komme!«

Nini stieß einen begeisterten Schrei aus und humpelte davon, Bashi folgte ihr, immer in zwei Schritten Abstand, knirschte mit den Zähnen und gab dabei ein merkwürdig quietschendes Geräusch von sich. Sie liefen durchs Wohnzimmer und dann ins Schlafzimmer. Nini warf sich keuchend auf Bashis Bett. »Dieses Spiel gefällt mir nicht«, sagte sie und vergrub das Gesicht im Kissen.

Bashi erwiderte nichts. Nini drehte sich um und war überrascht, als sie ihn mit einem merkwürdigen leichten Lächeln neben dem Bett stehen sah. »Steh nicht herum wie ein Hackstock«, sagte sie. »Lass dir was Besseres einfallen.«

»Willst du mich heiraten?« fragte Bashi.

Einen Augenblick dachte Nini, er würde einen Witz machen. »Nein«, sagte sie. »Ich will dich nicht heiraten.«

»Warum nicht?« Bashi blickte gekränkt und enttäuscht drein. »Du solltest es dir gut überlegen, bevor du dich entscheidest. Ich habe Geld. Ich habe dieses Haus ganz für mich allein. Ich bin dein Freund. Ich bringe dich zum Lachen. Ich werde gut zu dir sein – ich bin immer gut zu Frauen.«

Nini betrachtete Bashi. Sein Blick, der ihr Gesicht fixierte, war so ernst, wie sie ihn nie zuvor gesehen hatte, und sie wurde nervös. Sie fragte sich, ob ihr Gesicht besonders verzerrt war. Sie drehte sich auf die Seite und verbarg die hässliche Hälfte.

»Denk drüber nach«, sagte Bashi. »Es gibt nicht viele Männer, die dich heiraten würden.«

Es war nicht nötig, dass er sie daran erinnerte. Jeder, der Augen im Kopf hatte, konnte sehen, dass sie nie einen Heiratsantrag bekommen würde. Sie hatte entgegen jeder Vernunft gehofft, dass Bashi ihr missgestaltetes Gesicht nicht bemerken würde, aber natürlich war er wie alle anderen. »Warum willst du mich dann heiraten?« sagte sie. »Bist du nicht einer von ihnen?«

Bashi setzte sich neben Nini und fuhr ihr mit einem Finger durchs Haar. Obwohl er Erde an der Hand hatte, blieb sie still liegen. »Natürlich bin ich anders«, sagte Bashi. »Sonst wäre ich doch nicht dein Freund, oder?«

Nini wandte den Kopf, um Bashi anzusehen, der ernst nickte. Sie fragte sich, ob sie ihm glauben sollte. Vielleicht war er, wie er behauptete, anders als alle anderen Männer auf der Welt; vielleicht auch nicht. Aber was schadete es schon, wenn er log? Er war ihr einziger Freund, und auch wenn er sie als Ungeheuer betrachtete, schien es ihn nicht zu stören. Sie hatte keine andere Wahl; jedenfalls war er kein schlechter Mensch. »Wirst du mich heiraten, wenn ich ja sage?« fragte Nini.

»Selbstverständlich. Wozu brauche ich andere Frauen, wenn du mich heiraten willst?«

Nicht viele Frauen würden ihn heiraten wollen, dachte Nini. Sie fragte sich, ob auch er keine andere Wahl hatte, doch gleichgültig, was für ein seltsamer Mann er war, sie stand ganz unten auf der Leiter, wenn es ums Heiraten ging, und er ein paar Sprossen höher. »Was tun wir, wenn wir heiraten wollen? Wann ziehe ich bei meinen Eltern aus?« fragte sie.

Bashi fuhr mit seinem schmutzigen Finger um Ninis Augen und lehnte sich zurück, um den Effekt zu betrachten. »Schau in den Spiegel und sieh dir an, was für ein albernes Mädchen du bist«, sagte er. »Wenn die Leute dich hören würden, würden sie dich auslachen.«

Nini spürte, wie die Haut um ihre Augen zu spannen begann. »Warum sollten sie mich auslachen?«

»Kein Mädchen sollte so eifrig darauf erpicht sein, einen Mann zu heiraten, auch wenn sie es kaum mehr erwarten kann.«

»Ich kann es kaum mehr erwarten, bei meinen Eltern auszuziehen. Ich hasse meine ganze Familie«, sagte Nini. Und als wollte es ihr widersprechen, begann das Baby auf der anderen Seite des Vorhangs zu plappern. Nini stand auf und schaute nach der Kleinen Sechsten. Sie krabbelte zu einem halben Cracker, den sie zuvor übersehen hatte. Nachdem sie ihn gegessen hatte, saugte sie zufrieden an ihren Lippen und begann mit dem Seil zu spielen. Sie war ein braves Kind; wenn sie nicht hungrig war, konnte sie sich lange Zeit mit sich selbst beschäftigen. Nini ließ den Vorhang los und setzte sich neben Bashi. »Meinst du, dass ich die Kleine Sechste mitbringen kann, wenn ich dich heirate?« fragte sie.

»Zwei auf einmal? Das Glück muss es gut mit mir meinen«, sagte Bashi.

Wenn sie nicht mehr da wäre, um auf die Kleine Sechste aufzupassen, was sollte dann aus ihr werden, insbesondere wenn ihre Mutter bald einen Sohn zur Welt brächte? Wenn ihre Eltern etwas dagegen hätten, würde Nini einen Weg finden, sie heimlich aus dem Haus zu schaffen. Aber warum sollten sie nicht zufrieden sein, wenn sie problemlos zwei Töchter loswürden? Je länger Nini darüber nachdachte, um so mehr war sie davon überzeugt, dass die Kleine Sechste mehr zu ihr gehörte als zu ihren Eltern. Sie konnte einen guten Mann für sie finden, wenn es soweit wäre. Sie wandte sich zu Bashi und tätschelte sein Gesicht, damit er aufhörte zu grinsen. »Ich meine es ernst«, sagte sie. »Wann kann ich bei meinen Eltern ausziehen?«

»Einen Moment«, sagte Bashi. »Wie alt bist du?«

»Zwölf. Zwölfeinhalb.«

»Ehrlich, ich würde am liebsten sofort heiraten«, sagte er. »Aber es gibt ein Problem. Du bist vielleicht noch zu jung, um mich zu heiraten.«

»Warum?«

»Weil es Leute gibt, die nicht damit einverstanden sein werden.«

»Wer? Was haben die damit zu tun?«

Bashi drohte Nini mit dem Finger, und sie schwieg. Er schlug sich mit der Faust gegen die Stirn, und Nini sah ihm zu. Ein ungewöhnlicher Geruch hing im Zimmer, und Nini schnüffelte ein paarmal, um ihn zu identifizieren. »Der Igel«, sagte sie schließlich. »Er ist fertig.«

Bashi legte Nini die Hand auf den Mund. »Lenk mich nicht ab«, sagte er, und seine Handfläche berührte ihre Lippen. Die Erde an seinen Händen war getrocknet. Nini dachte an den Igel, der in der Asche geröstet wurde. Mit Bashi passierten immer unerwartete Dinge, und das freute sie. Nini begann zu glauben, dass es womöglich eine sehr gute Idee war, ihn zu heiraten.

»Ich hab's«, sagte Bashi nach einem Moment. »Hast du schon mal von Kinderbräuten gehört?«

»Nein.«

»Frag Frau Hua, und sie wird dir von ihnen erzählen. Manchmal schicken Leute ihre junge Tochter zur Familie ihres zukünftigen Mannes, und sie lebt bei ihnen, und wenn das Mädchen alt genug ist, heiraten sie. Vielleicht kannst du meine Kinderbraut werden.«

»Werden die Leute, von denen du geredet hast, einverstanden damit sein?«

»Warum nicht? Wir können auch Herrn und Frau Hua um Hilfe bitten, wenn deine Eltern nicht einverstanden sind. Du kannst bei den Huas wohnen, sie sind gute Freunde von mir. Sie werden nichts dagegen haben. Ich kann für ihre Ausgaben aufkommen. Wirst du dann glücklicher sein?«

Nini dachte über dieses Arrangement nach. Würden ihre Eltern sie, ein Dienstmädchen, das nichts kostete, so leicht gehen lassen? Aber was konnten sie tun, wenn sie darauf bestand, sie zu verlassen, um zu ihrem Ehemann zu ziehen? Die Leute auf dem Marktplatz sagten immer, das Herz einer heiratswilligen Tochter sei wie verspritztes Wasser – gleichgültig, wie sehr man es auch versuchte, man konnte das verspritzte Wasser nicht zurückbekommen. Das würden ihre Eltern bestimmt verstehen. Womöglich würden sie ihren Erfolg sogar feiern und ihr eine kleine Mitgift mitgeben. »Gehen wir zu den Huas und reden mit ihnen«, sagte Nini.

»Was für ein ungeduldiges Mädchen du bist«, sagte Bashi. »Sie sind gerade dabei, meine Großmutter zu begraben. Wir reden später mit ihnen. Jetzt müssen wir etwas Wichtigeres tun.«

»Der Igel?«

Bashi lächelte. »Etwas noch Wichtigeres. Hast du schon mal von der Brautprüfung gehört?«

»Nein.«

»Die Heiratsvermittlerin prüft den Körper der Braut, um sicher zu sein, dass sie eine gute Ehefrau abgibt«, sagte Bashi. »Im Fall einer *Liebesheirat* wie bei uns macht der Mann die Prüfung.«

Nini dachte an ihr verunstaltetes Gesicht, an ihre Hühnerklauenhand und ihren verkrüppelten Fuß. Konnte er sie immer noch zurückweisen, obwohl er versprochen hatte, sie als Kinderbraut zu sich zu nehmen?

»Kein Grund, nervös zu werden«, sagte Bashi und trat näher. Er zog Nini auf die Füße, und sie musste sich vor ihn hinstellen. Dann legte er ihr die Hände auf die Schultern und schob die Daumen unter Ninis alten Pullover. »Nur so«, sagte er und fuhr mit den Daumen über ihr Schlüsselbein. »Tut das weh?«

Nini blickte ihm ins Gesicht, sein Ausdruck war ernst und prüfend. Sie hielt die Luft an und schüttelte den Kopf. Seine Hände bewegten sich nach unten, und er umfasste mit den großen Händen ihren Brustkasten. Er kitzelte sie, und sie wand sich vor Lachen. Er sagte:. »Du sollst stillhalten. Der Pullover ist das Problem. Willst du ihn nicht ausziehen?«

Nini schaute Bashi argwöhnisch an, und er lächelte. »Du musst nicht«, sagte er und schob die Hände unter den Pullover und das Unterhemd, umfasste erneut ihren dünnen Körper. Seine Hände fühlten sich heiß an auf ihrer kühlen Haut, und sie schauderte. Er strich mit den Fingern auf und ab, als zählte er ihre Rippen. »Ein bisschen mager«, sagte er. »Aber das ist einfacher zu lösen, als wenn du eine fette Henne wärst.«

Nini schaute in Bashis Gesicht, ganz nahe an ihrem eigenen. Es war nicht richtig, dass ein Fremder ein Mädchen so berührte, das wusste sie, aber nach dem Gespräch übers Heiraten war Bashi kein Fremder mehr. Seine Hände fühlten sich gut an auf ihrer Haut. Sie war nicht mehr nervös, doch ihr Körper zitterte, als hätte er einen eigenen Willen. Als seine Hände abwärts glitten, protestierte sie nicht. Einen Augenblick lang ließ er sie auf ihrer Taille ruhen und sagte mit heiserer Stimme: »Ich muss dich auch dort unten überprüfen.«

»Meinst du, dass der Igel hart ist, bis wir fertig sind?« fragte Nini. Der Geruch nach verbranntem Fleisch aus der Küche wurde stärker, und sie wunderte sich, dass Bashi ihn nicht bemerkte.

Er erwiderte nichts, sondern hob Nini hoch und legte sie aufs Bett. Sie spürte, dass sich seine Hände an ihrem Gürtel zu schaffen machten, einem langen, fadenscheinigen Stück Stoff, das sie von einem alten Laken abgerissen hatte. Er solle sie es tun lassen, sagte sie, schob ihn leicht beiseite und fühlte sich zum erstenmal in seiner Gegenwart verlegen. Sie öffnete den Knoten, und er half ihr, Hose und Unterhose bis zu den Knien zu ziehen. Sie blickte zu Bashi auf, doch er schien heftiger zu zittern als sie. Ob er friere? fragte sie neugierig. Er antwortete nicht und bedeckte ihren nackten Körper mit einer Decke. Er brauche eine Taschenlampe, um darunter zu kriechen, damit sie sich nicht erkälte, sagte er leise und ging aus dem Schlafzimmer.

Nini wartete. Der Igel wäre bestimmt verbrannt, wenn sie fertig wären, dachte sie. Sie fragte sich, was Bashi mit ihr tun würde – die *Schlafzimmersache*, wie Männer und Frauen auf dem Marktplatz es nannten? Was immer es war, Nini glaubte, dass es etwas Gutes war, weil diese schamlosen Frauen ständig so taten, als würden sie sich nicht dafür interessieren, doch ihre geröteten Gesichter und ihr Kichern sprachen eine andere Sprache.

Nini fragte sich, warum Bashi so lange brauchte, um eine Taschenlampe zu holen. Auf der anderen Seite des Vorhangs fing die Kleine Sechste zu weinen an. »Ich bin da«, sagte Nini in ihrem sanftesten Tonfall, und als das Baby nicht aufhörte zu weinen, sang Nini das Lieblingsschlaflied der Kleinen Sechsten, ein Lied, das sie sich selbst ausgedacht hatte und der Kleinen vorsummte, wenn sie gutgelaunt war. Die Kleine Sechste hörte auf zu weinen und plapperte vor sich hin; Nini summte weiter, ganz vertieft in das Lied ohne Worte.

Als Bashi endlich zurückkam, schien er weniger aufgeregt.

»Wo warst du?« fragte Nini. »Du hast so lange gebraucht.«

»Ach, ich musste plötzlich aufs Klo«, sagte Bashi. Er leuchtete ihr mit der Taschenlampe ins Gesicht. »Die beste Taschenlampe, die sich ein Detektiv wünschen kann«, sagte er, kroch unter die Decke und ließ die Beine über die Bettkante baumeln. Nini spürte, wie er behutsam ihre Beine auseinanderschob. Sie wollte ihn gerade fragen, was er dort unten tat, als er sie vorsichtig mit dem Finger zwischen den Beinen berührte. Sie musste dringend pinkeln, aber sie nahm sich zusammen und wartete. Der Finger bewegte sich ein wenig, so sanft, dass sie ihn fast nicht spürte. Nach einer Weile tauchte Bashi wieder auf. »Du bist großartig«, sagte er.

»Bist du fertig?«

»Für den Augenblick ja.«

Nini war enttäuscht. Sie hatte einmal ihre Mutter und ihren Vater nachts lange stöhnen hören, und erst später war ihr klar geworden, dass sie mit der *Schlafzimmersache* beschäftigt waren. »Warum hat es nicht länger gedauert?« fragte sie.

»Was hat nicht länger gedauert?«

Nini stand auf und zog sich an. »Ich habe geglaubt, dass Mann und Frau mehr tun als nur hinschauen«, sagte sie.

Bashi sah Nini einen langen Augenblick an, dann trat er zu ihr und nahm sie in die Arme. »Ich wollte dir keine angst machen«, sagte er.

»Was sollte mir angst machen?« sagte Nini. »Wir sind jetzt Mann und Frau, oder?«

Bashi lächelte. »Ja, du bist eine perfekte Ehefrau, und natürlich werden wir bald verheiratet sein.«

»Warum nicht jetzt?«

Bashi schien verwirrt und nicht in der Lage, die Frage zu beantworten. »Man braucht eine Hochzeitszeremonie, um Mann und Frau zu werden«, sagte er schließlich.

Nini zuckte die Achseln. Ihr lag nichs an einer Zeremonie. Er hatte ihren Körper überprüft und gesagt, dass sie in Ordnung war. Alles andere war nicht mehr wichtig, jetzt, da sie einen Ort gefunden hatte, an den sie sich flüchten konnte. Sie wollte, dass es möglichst bald passierte. Nach einer Weile sagte sie: »Was ist jetzt mit deinem Igel?«

Bashi schreckte zusammen, als hätte er sich erst in diesem Augenblick an das Tier erinnert. Er lief in die Küche, Nini folgte ihm und war nicht überrascht, dass der Igel, nachdem Bashi die getrocknete Erde aufgeklopft hatte, nur noch ein verkohlter, ungenießbarer Klumpen war.

DRITTER TEIL

10

Kai ging allein zu dem großen Platz, von einer müden Traurigkeit überwältigt. Es dämmerte, und die Straße war grau und leer. Mittlerweile waren die meisten Menschen von dem Ausflug in die Berge nach Hause zurückgekehrt, Ching Ming war, wie alle Feiertage, zu rasch zu Ende gegangen.

Der zum Dienst eingeteilte Mitarbeiter des Gerichts hatte sie erwartet, als sie mittags eine Abschrift der Petition mit den übertragenen Unterschriften abgegeben und eine Untersuchung von Gu Shans Prozess und eine postume Rehabilitierung ihres Namens gefordert hatten; der Angestellte, ein Bekannter Kais, hatte so getan, als kenne er sie nicht, und kommentarlos eine offizielle Eingangsbestätigung der Petition ausgestellt.

Das vergrößerte Bild von Gu Shan stand noch immer auf dem Podest der Statue des Vorsitzenden Mao, die schwarzen Trauerbänder um den Rand flatterten im Abendwind. Aus den eingesammelten Papierblumen waren drei Kränze geflochten worden, und im matten Licht erblühten sie wie riesige blasse Chrysanthemen. Unter den Kränzen war das weiße Tuch mit den über dreihundert Unterschriften ausgebreitet, die vier Ecken mit Steinen beschwert. Darauf lagen Blumensträuße und frische Kiefernzweige, die Leute aus den Bergen mitgebracht hatten, manche von ihnen hatte Kai früher auf der Kundgebung gesehen, andere nicht. Kai betrachtete die improvisierte Gedenkstätte für Gu Shan; die Verwaltung hatte keinen Befehl ausgegeben, den Platz zu säubern, was eine weitere Rechtfertigung ihres Vorgehens zu sein schien.

Am Nachmittag hatte Kai in Jialins Hütte vorbeigeschaut. Seine

Freunde waren dagewesen und freuten sich über ihren Erfolg. Eine Frau, die Jialin als Dr. Fan vorstellte, bedankte sich bei Kai für ihre schöne Ansprache; ein Mann mittleren Alters nickte zustimmend. Die Bibliothekarin der Stadtbücherei erwies sich trotz ihrer Schweigsamkeit als freundliche Frau und goss Kai eine Tasse Tee aus der Thermosflasche ein, die sie mitgebracht hatte. Abgesehen von Kai und Jialin waren vier Männer und vier Frauen da; Frau Gu, die nach Hause gegangen war, um sich um ihren Mann zu kümmern, fehlte als einzige bei der Feier. Die Gruppe sprach von der Kundgebung und fragte sich, wie bald sie von der Stadtverwaltung hören würden. Sie müssten Geduld haben, mahnte Jialin, doch seine Augen verrieten eine unbezähmbare Aufregung. Die britischen und amerikanischen Radiosender sagten einhellig einen drastischen Wandel der Regierungspolitik voraus, erklärte er, ebenso der Sender aus Hongkong. Kai bestätigte die Neuigkeiten und erzählte, dass Gu Shans Exekution in der Provinzhauptstadt untersucht wurde. Überglücklich umarmte eine Frau Kai und dankte ihr dafür, dass sie sich ihnen angeschlossen hatte. Vielleicht gehörte sie zu denen, die ihr früher misstraut hatten, dachte Kai, doch jetzt empfingen sie sie als Freundin und Verbündete, und alles andere war unwichtig.

Jialin schaltete sein Kurzwellenradio ein und fand einen Sender, der einen Walzer übertrug, gespielt von Akkordeons. Die Musik erfüllte die Hütte mit einer festlichen Stimmung, und ein Ingenieur Ende Fünfzig trat in die Mitte des Zimmers und forderte zum Tanz auf. Drei der vier Frauen, eine Buchhalterin, eine Lehrerin und Dr. Fan, protestierten lachend. Warum nicht das Tanzbein schwingen? fragte der Ingenieur, als wäre er gekränkt. Kai überlegte, ob sie sich melden sollte, doch bevor sie es tun konnte, schüttelte Jialin kaum merklich den Kopf. Kai wandte sich um und sah die Bibliothekarin vortreten und ihre Hände in die des errötenden Ingenieurs legen. Der Mann zwinkerte Jialin zu und führte sie in dem begrenzten Raum der Hütte zum Tanz. Die Bibliothekarin errötete, als wäre sie ein junges Mädchen und zum erstenmal verliebt.

Kai hatte am Nachmittag nicht mit Jialin allein sprechen können. Sie fragte sich, ob er für die Ablenkungen, die die Kundgebung mit sich gebracht hatte, ebenso dankbar war wie sie selbst. Hätten sie andere Entscheidungen getroffen, wenn es eine Zukunft gegeben hätte, auf die sie sich freuen könnten? Er versuchte, seine Erschöpfung zu verbergen, während der Nachmittag voranschritt. Ob seine Krankheit seine Freunde so traurig machte wie sie, war ihnen nicht anzusehen.

Eine Frau, deren Bauch unter einer alten Jacke etwas hervorstand, kam jetzt auf den Platz. Kai nickte, aber die Frau, die die Unterschriften auf dem weißen Tuch las, nahm keine Notiz davon. Es sei nicht zu spät, um noch zu unterschreiben, sagte Kai und fragte sich, ob die Frau, wie so viele andere Frauen, es am Morgen nicht geschafft hatte, der Überwachung durch ihren Mann zu entkommen. Die Frau wandte sich Kai mit hasserfülltem Blick zu. »Ich wünsche jedem einzelnen von Ihnen einen schrecklichen Tod«, sagte sie giftig.

Kai sah zu, wie die Frau auf die Gedenkstätte spuckte, bevor sie davonwatschelte. Damit eine Welt vollständig ist, braucht es von allem etwas, Drachen und Phönixe, aber auch Schlangen und Ratten, erinnerte sich Kai an einen Ausspruch ihres Vaters, aber wie leicht konnte man nach einem Nachmittag mit Jialin und seinen Freunden vergessen, dass die Welt noch immer ein Ort der Kaltherzigkeit und Feindseligkeit war und dass das kleine Feuer der Freundschaft einen nur vorübergehend wärmte und mit Hoffnung erfüllte. Sie dachte an ihre Schwiegereltern, die mittlerweile vor Zorn kochen mussten. Ihre eigene Mutter, an die Kai während der letzten Stunden geflissentlich nicht gedacht hatte, musste sich in ihrer Wohnung eingesperrt und gegen die Wut der Schwiegerfamilie gewappnet haben. An Han wagte Kai gar nicht zu denken.

Die Wohnung war dunkel, als Kai sie betrat. Aus Gewohnheit rief sie Ming-Mings Namen, und das Mädchen kam leise aus dem Kinderzimmer, das ebenfalls dunkel war. Kai schaltete das Licht ein, und das Mädchen blinzelte, die Augen vom Weinen geschwollen. Wo war Ming-Ming? fragte Kai; das Mädchen antwortete nicht, sondern schaute ängstlich in Richtung Bad. Einen Augenblick später wurde die Tür geöffnet, und heraus kam Kais Mutter, das Gesicht gedunsen und rot. Kai bedeutete dem Mädchen, sie allein zu lassen, und nachdem sie die Tür zum Kinderzimmer hinter sich geschlossen hatte, fragte Kais Mutter: »Wo bist du gewesen?«

»Wo ist Ming-Ming?«

»Deine Schwiegereltern haben ihn zu sich nach Hause mitgenommen. Und lassen ausrichten, dass das Kindermädchen morgen gehen kann.«

»Durch wen lassen sie das ausrichten?«

Ihre Mutter schaute Kai einen langen Augenblick an, ihre Lippen zitterten. »Durch wen lassen sie es wohl ausrichten? Durch deine Mutter. Deine Mutter musste sich hier hinstellen und deine Schwiegereltern um Vergebung bitten, weil du den Verstand verloren hast. Sag mir, Kai, warum hast du mir das angetan? Ich bin eine alte Witwe. Verdiene ich nicht endlich Frieden?«

Kai sah zu, wie ihre Mutter weinte. Ihr wurde klar, dass sie ihr seit dem Tod ihres Vaters nicht mehr in die Augen geblickt hatte. Mit dem tränenüberströmten Gesicht wirkte sie mehr denn je wie eine Fremde. »Ich bin nur froh, dass dein Vater schon lange tot ist, damit er sich nicht so hat demütigen lassen müssen wie ich. Im Haus meiner eigenen Tochter habe ich mich alles mögliche nennen lassen müssen, vor meinem eigenen Enkelsohn und seinem Kindermädchen«, sagte Kais Mutter zwischen Schluchzern.

»Was haben sie noch gesagt?«

»Wozu sollte es gut sein, dass ich es vor dir wiederhole? Was gesagt worden ist, sollte besser mit mir begraben werden.«

Obwohl Kais Mutter zu Hause immer dominiert hatte, ließ sie sich von Höhergestellten leicht einschüchtern. Man konnte nicht erwarten, dass sie ihre Gefühle die ganze Zeit unterdrückte, hatte ihr Vater einmal das Verhalten von Kais Mutter erklärt; sie musste ihrem Zorn Luft verschaffen, und jetzt begriff Kai, dass ihre Mutter ihre ganze Verbitterung an ihrem Vater ausgelassen hatte, und das musste ihn umgebracht haben. »Steh für dich selber ein«, sagte Kai. »Ignoriere meine Schwiegereltern.«

»Wie leicht sich das sagt. Sie lassen ausrichten, dass wir, du und ich, Ming-Ming nicht mehr sehen dürfen. Sag mir, wie man so etwas ignoriert?«

Kai wandte den Blick von ihrer Mutter ab. Unter dem gerade fertiggestellten Fernsehtisch sah sie etwas Blaues. Sie bückte sich und hob es auf. Es war Ming-Mings Lieblingsrassel in Form eines Walfischs. Sie fragte sich, ob er sie verloren oder bei einem Versteckspiel dort hingelegt hatte. Einmal hatte sie in ihrem Stiefel einen Gummiball gefunden und drei Tage lang weitere Spielsachen, er hatte es also vorsätzlich getan. Würde er sich bald den Schuhen seiner Großeltern zuwenden?

»Warum hast du das getan? Was willst du, was du nicht hast?«

Diese Frage war Kai noch nie gestellt worden. Sie schüttelte den Kopf. Was sie wollte, spielte keine Rolle, sagte sie.

»Was tun wir jetzt?« fragte Kais Mutter. »Wie groß sind die Schwierigkeiten, in denen wir stecken?«

Kai war betroffen, dass ihre Mutter ihr Schicksal auch auf sich bezog. Sie wollte ihre Mutter trösten, aber die alte Frau hörte gar nicht zu. »Du warst immer so ein braves Kind«, jammerte sie. »Du hast immer das getan, was deine Eltern und Lehrer gesagt haben, und nie einen Fehler gemacht.«

Noch einmal erklärte Kai, die Mutter brauche sich keine Sorgen zu machen, wohl wissend, dass ihre Worte zu vage waren, um ihren Zweck zu erfüllen. So ein folgsames Kind, wiederholte ihre Mutter, als könnte sie das Geschehene nicht fassen; die Leute hätten immer zu ihr gesagt, dass sie sich glücklich schätzen konnte, eine Tochter zu haben, die sich nicht auf die falsche Seite schlug und ihren Geschwistern half, im Leben voranzukommen.

Kai ließ ihre Mutter stehen und ging ins Kinderzimmer. Als sie die Tür öffnete, trat das Kindermädchen, das hinter der Tür gelauscht hatte, erschrocken und verlegen einen Schritt zurück. Kai tat so, als hätte sie es nicht bemerkt; sie fragte das Mädchen, ob sie gewillt war, Extrageld anzunehmen und am nächsten Morgen nach Hause zurückzukehren.

Das Mädchen starrte Kai an, als hätte sie die Frage nicht verstanden. Kai seufzte und erklärte, dass es das Beste für sie sei, zu ihren Eltern zurückzugehen, zumindest im Augenblick. »Hast du Angst, dass deine Eltern böse auf dich sein werden? Ich kann einen Brief schreiben und sagen, dass es nicht deine Schuld ist«, sagte Kai.

»Meine Eltern können nicht lesen.«

»Kannst du es ihnen nicht erklären? Sag ihnen, dass wir jemand schicken werden, um dich zurückzuholen, sobald hier alles geklärt ist«, sagte Kai. Sie fragte sich, wieviel das Mädchen von der Situation verstand und ob diese Lüge ausreichte, um ihr und ihren Eltern ein bisschen Trost zu spenden und Hoffnung zu geben.

»Wer wird sich um Ming-Ming kümmern?« fragte das Mädchen.

»Im Augenblick bleibt er bei seinen Großeltern.«

»Aber jemand muss sich um ihn kümmern«, sagte das Mädchen. »Wissen sie, was Ming-Ming will, wenn er weint?«

»Es wird ihm nichts fehlen.«

»Aber sie haben sich nie um ihn gekümmert. Sie kennen ihn nicht«, sagte das Mädchen. »Er hat geweint und sie wollten ihn zwingen, Milch zu trinken, obwohl er nur in die Windel gemacht hatte.«

Durch die halboffene Tür hörte Kai, wie im Bad Wasser lief und ihre Mutter noch immer weinte. »Ming-Ming wird es dort gutgehen«, sagte Kai. »Du musst dir um ihn keine Sorgen machen.«

Das Mädchen blickte auf ihre Hände, ohne zu antworten. Irgendwie musste sie ihre Gefühle verletzt haben, dachte Kai, aber sie war zu müde, um darüber nachzudenken, was sie falsch gemacht hatte. Sie zählte das einem Monatslohn entsprechende Geld ab und hielt es dem Mädchen hin.

Das Mädchen nahm das Geld nicht. Sie knöpfte den Kragen ihrer Bluse auf und zog einen kleinen Anhänger aus Jade heraus. »Könnten Sie den Ming-Ming geben?« sagte sie. »Sonst habe ich nichts.«

»Ist er etwas Besonderes?« sagte Kai. »Schenk ihn nicht so leichtfertig einem kleinen Kind.«

Das Mädchen nahm den Anhänger ab und bestand darauf,

dass Ming-Ming nicht einschlafen würde, ohne ihn vorher zu berühren.

»Er wird es auch ohne schaffen«, sagte Kai. Sie steckte dem Mädchen das Geld in die Blusentasche, dankte ihr und entschuldigte sich für die Unannehmlichkeiten. Das Mädchen bat erneut, Ming-Ming den Anhänger schenken zu dürfen, damit er etwas habe, was ihn an sie erinnerte.

Kai nahm ihn schließlich an; das Mädchen verbeugte sich vor ihr und wischte sich dann die Tränen ab. Abgesehen von ihren Geschwistern war Ming-Ming das erste Kind, um das das Mädchen sich gekümmert hatte; Kai fragte sich, ob sie in den nächsten Jahren für andere Kinder zuständig sein würde und ob ihr der Abschied leichter fiele, wenn er zu einem regelmäßigen Bestandteil ihres Lebens geworden war.

»Und bitte sagen Sie seinen Großeltern, dass Ming-Ming es mag, wenn jemand seine Ohren berührt, bevor er einschläft«, sagte das Mädchen.

Kai blickte auf den Anhänger, ein aus Jade geschnitzter Fisch. Es war ein billiges Ding, grob und amateurhaft gearbeitet, etwas, was sich eine Bauernfamilie für ihre Tochter leisten konnte. Hans Eltern würden so etwas nicht in Ming-Mings Nähe dulden, doch Kai dankte dem Mädchen und sagte, sie würde eine silberne Kette für den Anhänger kaufen, damit der Junge ihn um das Handgelenk tragen konnte. Sie sollte sie besuchen, fuhr Kai fort und versprach, dass das Mädchen wieder eingestellt würde, sobald sich die Lage beruhigt hätte. Die Lüge wurde ohne Überzeugung ausgesprochen und aufgenommen; dann hatte Kai dem Mädchen nichts mehr zu sagen, außer ihr viel Glück für ihren Lebensweg zu wünschen.

HAN KEHRTE AM ABEND von Ching Ming nach Hun Jiang zurück, nachdem er den Bürgermeister angerufen und von dem Sieg informiert hatte, auf den sie alle gewartet hatten. In Beijing hatte sich die Lage in der Regierung nach einer nächtlichen Sitzung drastisch verändert, und die Mauer der Demokratie wurde jetzt als antikommunistische Bewegung eingestuft; der Mann, den sie mit der neuen Niere versorgt hatten, begann die Provinzregierung von den Unterstützern und Sympathisanten der Mauer der Demokratie zu säubern, und Gerüchte wollten, dass er entweder der Führer der Provinz oder in die Zentralregierung nach Beijing befördert werden sollte. Doch der Bürgermeister hatte Hans Arbeit nur halbherzig gelobt, und erst als er mit seinen Eltern telefonierte, begriff Han den Grund für die lauwarme Reaktion. Hatte er gewusst, was seine Frau vorhatte? schrie ihn seine Mutter an, und ohne eine Antwort abzuwarten, befahl sie Han, sofort nach Hause zu kommen.

Auf der Heimreise übte Han seine Verteidigungsrede. Er wollte anführen, dass er fortgewesen war und keine Ahnung hatte, was Kai während der letzten Wochen getan hatte. In diesem imaginären Gespräch bat er seine Eltern und den Bürgermeister, Kai aus dem Schlamassel zu helfen, und als er vor der Tür zu seiner Wohnung stand, glaubte er an seine Phantasien. Obwohl ihn seine Eltern aufgefordert hatten, zuerst zu ihnen zu kommen, ging er geradewegs in seine Wohnung. Es war mitten in der Nacht, und da er seine Frau nicht in ihrem gemeinsamen Bett vorfand, weckte er das Kindermädchen. Frau Wu, Kais Mutter, war am Abend gekommen, und Kai war mit ihr in ihre Wohnung gegangen, erzählte das Mädchen verängstigt, weil Han sie fest am Arm gepackt hatte; seine Eltern hatten das Kind zu sich geholt. Han fixierte das zitternde Mädchen, als würde sie lügen, doch als er sah, dass sie gleich in Tränen ausbrechen würde, sagte er ihr, sie solle schleunigst wieder ins Bett gehen, da er am Morgen als erstes Ming-Ming zurückholen würde. Das Mädchen murmelte, sie müsse am Morgen nach Hause zurück, seine Eltern hätten sie hinausgeworfen. Was für ein Unsinn, sagte Han; er und Kai würden am Morgen mit Ming-Ming zurückkommen.

Han überlegte, ob er zu seiner Schwiegermutter gehen sollte, aber dann klopfte er doch an die Tür seiner Eltern. Sie saßen rauchend im Wohnzimmer und hatten anscheinend nicht geschlafen. »Deine Frau«, sagte Hans Vater, kaum hatte er ihn erblickt. »Sie hat unseren Sieg kaputtgemacht.«

Han schaute in die ausdruckslosen Gesichter seiner Eltern. Obwohl er sich hatte verteidigen wollen, nahm er nun die Schuld auf sich, da er nicht früh genug bemerkt hatte, was Kai im Schilde führte. Nachdem es nun einmal geschehen war, fiel ihnen nicht eine Möglichkeit ein, sie zu schützen, bevor es zu spät war?

»Sie zu schützen? Wir müssen uns überlegen, wie wir uns selbst schützen«, sagte Hans Mutter. »Das einzige, was wir jetzt tun können, ist, uns deutlich von ihr zu distanzieren und zu beten.«

»Aber sie ist meine Frau«, sagte Han.

»Das wird sie nach dem morgigen Tag nicht mehr sein«, sagte Hans Mutter. Sie bedeutete Hans Vater fortzufahren, und er erklärte den Plan, den offenbar Hans Mutter entworfen hatte: Han sollte noch vor Tagesanbruch einen Scheidungsantrag schreiben und ihn am Morgen einreichen. »Fang mit dem Scheidungsantrag an«, sagte sein Vater. »Schreib, dass du und sie in den fundamentalsten ideologischen Fragen geteilter Meinung seid – benutz dein Gehirn, um das auszuarbeiten –, schreib, dass dich die Rolle, die deine Frau bei der Aktion gegen die Regierung gespielt hat, schokkiert hat – erkläre, ›schockiert‹ bedeutet, dass du keine Ahnung hattest, bis dir jemand gesagt hat, nicht wir natürlich, sondern jemand, der unwichtig und bedeutungslos ist, dass sie eine Organisatorin der Kundgebung war – und als du davon erfahren hast, war es zu spät, ihr Fehlverhalten zu korrigieren. Außerdem musst du aufrichtige Selbstkritik üben. Ich meine aufrichtig bis in die Knochen, bis ins Mark. Grab bis in die tiefsten Tiefen und kehre dein Innerstes nach außen, damit sie sehen, dass du deinen Mangel an politischer Wachsamkeit bereust. Bitte um Bestrafung – dabei musst du geschickt vorgehen –, bitte um eine Strafe, mach aber klar, dass es nicht deine Schuld war, außer dass du die falsche Person geheiratet hast – und dann bitte um eine Gelegenheit, dein Vergehen wiedergutzumachen. Weißt du, was das heißt? Schreibe, dass du dein Leben in die Hände der Partei legst, damit du beweisen kannst, dass es ein würdiges Leben ist.«

»Was wird aus Kai?«

»Was aus Kai wird, geht uns nichts mehr an«, sagte Hans Mutter. »Hast du nicht gehört, was dein Vater gesagt hat? Du musst sofort handeln. Wenn du diese Chance verschenkst, wird uns ihre Dummheit alle in den Abgrund reißen.«

Könnten sie ihre Strategie nicht noch einmal überdenken? bat er seine Eltern; wollten sie, dass ihr Enkel ein mutterloses Waisenkind wurde? Irgendwann begann Han zu weinen.

Wortlos holte ihm seine Mutter ein Handtuch. Er vergrub das Gesicht in seiner feuchten Wärme und weinte. Seine Eltern sahen ihm zu, warteten geduldig, dass er sich fasste, und als er schließlich aufhörte zu schluchzen, bat ihn seine Mutter, an die Karriere seiner Eltern und seine eigene politische Zukunft zu denken; ihre Stimme war ungewöhnlich sanft und mitfühlend, und einen kurzen Augenblick kam Han in den Sinn, dass er seine Frau aufgeben musste, um sich die Liebe seiner Mutter zu verdienen. Er müsse auch an Ming-Mings Zukunft denken, sagte sie und fragte ihn, ob er wolle, dass sein Sohn wegen der Dummheit seiner Mutter alle Privilegien verliere. Kai sei nicht die einzige Frau auf der Welt, fuhr Hans Mutter fort, und sei diese Krise erst einmal überstanden, würden sie eine bessere Frau für ihn suchen, schöner und gehorsamer und eine liebevolle Stiefmutter. Das Gespräch wurde noch eine Weile weitergeführt, und als Han wieder weinte und sagte, er könne nicht zulassen, dass Kai etwas passiere, seufzte sein Vater und sagte zu seiner Mutter, sie solle keine Worte mehr verschwenden. Aus einer Schreibtischschublade holte er den Entwurf des Scheidungsantrags, den sie für ihn geschrieben hatten. Unterschreib einfach, sagte seine Mutter, ihre Stimme immer noch ungewohnt sanft.

Han setzte seinen Namen darunter; er war am Boden zerstört, sein Herz von einem Schmerz und einer Trauer erfüllt, die er nicht für möglich gehalten hatte. Seine Mutter goss eine Tasse Tee ein und stellte sie vor ihn hin, dann zog sie sich mit seinem Vater ins Schlafzimmer zurück, um vor Tagesanbruch noch ein wenig zu schlafen. Han sank auf das Sofa seiner Eltern; der neue Fernseher auf seinem wunderbar gearbeiteten Tisch beobachtete ihn wie ein regloses dunkles Auge. Han hatte von Jahren des Glücks mit drei

Kindern geträumt, das jüngste eine Tochter so schön wie Kai und verwöhnt von ihren großen Brüdern. Wenn er die Augen schloss, sah er sie alle in zehn Jahren vor sich, eine liebevolle Familie, die am Abend vor Neujahr am Tisch saß und der bei dem Geruch nach Fisch und Huhn und Schweinefleisch das Wasser im Mund zusammenlief; und wenn die ersten Feuerwerksraketen vor ihrem Fenster explodierten und die baldige Mitternacht ankündigten, würde er mit Frau und Kindern, alle in nagelneuen Daunenjacken, zum großen Platz gehen, wo seine Söhne in jungenhaftem Draufgängertum Raketen verschießen würden und seine Tochter vor Freude kreischte, ihr emporgerecktes Gesicht gehalten von den Händen ihrer Mutter.

WAS UM ALLES IN DER WELT wollte sie? fragte Han Kai später, in der Wohnung ihrer Mutter. Seine Eltern hatten ihm verboten, seine Frau zu besuchen, aber er hatte gedroht, den Scheidungsantrag zurückzuziehen, und schließlich hatten sie ihm erlaubt, noch einmal mit ihr zu sprechen. Als Kais Mutter ihm in der Morgendämmerung die Tür öffnete, sah er an ihren rotgeränderten und geschwollenen Augen, dass auch sie eine schlaflose Nacht hinter sich hatte.

»Bitte, rette sie«, sagte Kais Mutter, bevor sie ihn zu ihr führte. »Kai ist eine eigensinnige Person. Wenn ihr irgend etwas passiert, bist du der einzige, auf den sie zählen kann.«

Han wagte es nicht, der alten Frau in die Augen zu schauen.

»Du musst ihr helfen«, sagte sie. »Sag deinen Eltern, dass ich bis zu ihrer Tür kriechen und sie um Gnade bitten werde, wenn sie es von mir verlangen.«

Han versuchte, Kais Mutter zu trösten, doch einen halben Satz später erstickte er nahezu an seinen eigenen Tränen. Die alte Frau reichte ihm ein Taschentuch und wandte sich dann ab, um sich die Augen zu wischen. Sie standen sich nahe, seit Han sechs Jahre zuvor zu ihr gekommen war und sie gebeten hatte, ihm zu zeigen, wie man Kais Lieblingsgerichte kochte; das hatten sie beide vor seinen Eltern geheimgehalten.

Kai war im Zimmer ihrer Schwester, wo immer ein zusätzliches Bett für sie stand, obwohl sie schon verheiratet waren, als Han dafür sorgte, dass Kais Familie in eine neue Wohnung ziehen konnte. Als Kai und ihre Mutter nach Hause gekommen waren, fanden sie einen Zettel von Lin, Kais jüngerer Schwester. Sie würde ein paar Tage in der Wohnung ihrer besten Freundin verbringen, schrieb Lin und nannte Kai die letzte Person auf der Welt, die sie sehen wollte. Lin war einundzwanzig und genoss es, dass die vielversprechendsten jungen Männer der Stadt ihr den Hof machten. Wie ihre Mutter hatte sie sich dafür geschämt, in einer ärmlichen Gasse zu leben, und hatte darin die Ursache ihres eigenen Unglücks gesehen. Sie war sechzehn, als Kai Han heiratete, und nach dem Umzug war sie aufgeblüht und hatte Selbstvertrauen gewonnen.

Kai schien nicht überrascht, als Han eintrat. Sie fragte, ob er bei seinen Eltern Ming-Ming gesehen hatte.

»Ihm geht es gut«, sagte Han. Er stellte einen Stuhl neben den von Kai und setzte sich, eine Armeslänge von ihr entfernt. »Seitdem ich ihn das letztemal gesehen habe, ist er gewachsen.«

»Das tun Kinder«, sagte Kai. »Sie wachsen. Oder etwa nicht?«

»Er ist ein braves Kind«, sagte Han, und kaum hatte er es ausgesprochen, fielen ihm Tränen in den Schoß und bildeten dunkle Flecken auf seiner grauen Hose.

Als Han ihr von dem brutalen Vorgehen der Regierung in Beijing erzählte, war Kai eher enttäuscht als schockiert; sie fragte sich, ob Jialin ähnliche Nachrichten in seinem Transistorradio gehört hatte. Sie wünschte, sie wären in dieser Nacht zusammen, und lächelte, als Han sie fragte, was sie wollte, was sie nicht schon hätten. Sie habe getan, was ihr Gewissen ihr aufgetragen habe, sagte Kai.

»Und was ist mit Ming-Ming?« fragte Han. »Lastet er nicht auf deinem Gewissen?«

Nicht alle Frauen seien dazu bestimmt, eine gute Mutter zu sein, sagte Kai und entschuldigte sich zum erstenmal an diesem Tag.

Als Han schluchzte, war es, als wäre er wieder ein kleines Kind. Er war in erster Linie der Sohn seiner Mutter; trotz ihres Mangels an weiblicher Sanftheit war er immer der Mittelpunkt ihres Lebens gewesen, und sie hatte ihn stets wissen lassen, dass sie alles, was sie erreicht hatte, für ihn getan hatte. Han hatte nicht gewusst, dass eine Mutter ihren Sohn so leicht aufgeben konnte; diese Grausamkeit, die er nicht verstand, zerstörte seine Welt. Er wollte Kai anflehen, um ihres Sohnes willen und um seinetwillen, aber er sah durch seine Tränen, noch bevor er ein Wort herausbrachte, dass sie ihn mitleidig und angewidert anschaute. Dann stand sie auf und ging aus dem Zimmer. Er weinte, um seinen Sohn und um sich selbst, bis ihm vor Erschöpfung der Kopf auf die Brust sank. In einem Wachtraum erinnerte er sich an einen Frühlingstag vor nicht allzu langer Zeit, kurz nachdem er begonnen hatte, mit Kai auszugehen. Er war der erste, der in Hun Jiang einen aus Deutschland importierten Fotoapparat besaß, und er erinnerte sich, wie er Kai durch den Sucher angeschaut hatte, bevor er abdrückte.

Eine Weile später kam Kais Mutter ins Zimmer, ihr Blick schreckerfüllt und verzweifelt. Han wischte sich schnell über die Mundwinkel. Sein Kopf schmerzte dumpf. Die Polizei sei gerade gekommen und habe Kai mitgenommen, sagte sie. Bitte, er musste Kai helfen, denn er war jetzt der einzige, der sie noch retten konnte.

AM MORGEN NACH CHING MING machten in Hun Jiang Gerüchte und Spekulationen die Runde, ein Gemisch aus unzureichenden Informationen und lebhafter Phantasie. Beim Aufwachen hörten die Leute die Sieben-Uhr-Nachrichten, die nicht von Kai, sondern von einem ihrer männlichen Kollegen vorgelesen wurden. Zwei pensionierte Ingenieure, die jeden Morgen zusammen spazierengingen, überlegten, was passiert sein könnte. Vielleicht hatte es ein politisches Erdbeben gegeben, meinten sie. Die, die das Spiel gewonnen hatten, waren jetzt die Könige, zitierten sie das alte Sprichwort, doch keiner von beiden wollte sich festlegen, wer die Gewinner waren. Die Männer hatten zu ihren Lebzeiten die verschiedenen Revolutionen unbeschadet überstanden. Sie hatten sich drei Jahre zuvor im Leichenschauhaus kennengelernt, beide frisch verwitwet; im Herbst ihres Lebens waren sie füreinander unersetzlich geworden. Seit zwei Wochen diskutierten sie auf ihrem täglichen Spaziergang über die politische Situation, mit keinem anderen konnten sie über dieses heikle Thema sprechen. Keiner von ihnen erwartete sich etwas, keiner von ihnen bezog einen Standpunkt – in ihrem Alter, so dachten sie, blieb ihnen nur noch die Rolle des Zuschauers, und wie in einem Theater nahmen sie ihre Sitze ein und sahen leidenschaftslos aus der Entfernung zu. Für jede arme Menschenseele, die durch die derzeitigen Ereignisse zugrunde gerichtet wurde, so dachten die beiden weisen Männer, würde eine andere nach oben befördert. Ein Ausgleich der sozialen Energie, sagte der eine, und der andere nickte und fügte hinzu, um in diesem Land aufzusteigen, musste man jemand anders als Trittbrett benutzen. Keiner der beiden machte sich die Mühe, die eigene Vergangenheit anzusprechen, denn beide wussten, dass man, um heil und gesund so alt zu werden wie sie, eine ganze Anzahl Leichen unter den Füßen haben musste, damit man nicht versank, und diese Geschichten hatten keine Bedeutung mehr, Scham und Schuld waren vom Alter getilgt.

Woanders sagte eine Frau beim Frühstück zu ihrem Mann, dass die Nachrichtensprecherin in Schwierigkeiten stecke. Vielleicht sei ja bloß der Dienstplan der Sprecher geändert worden, widersprach der Mann, doch seine Frau bestand darauf, dass sie es vorausgesehen hatte; wäre sie nicht gewesen, hätte er sich von dem Aufruf der Frau ins Stadtzentrum locken lassen wie ein Dummkopf. Der Mann aß schweigend, doch das reichte nicht aus, um seine Frau zu beschwichtigen; wie mehrere ihrer engen Freundinnen konnte sie die Nachrichtensprecherin nicht ausstehen, die mit ihrer schönen Stimme die Männer becircte, so dass sie das häusliche Nörgeln ihrer Frauen nicht mehr hörten. »Ich sage dir«, fuhr sie fort, und ihre Stimme übertönte den Bericht des Nachrichtensprechers über die Rekordeinnahmen der Stadt im ersten Quartal des Jahres. »Glaub mir, diese Frau ist ein Alptraum für jeden Mann.«

In der Notaufnahme des Krankenhauses lag niemand im Sterben, und es wurde auch niemand sterbend eingeliefert. Nur ein Junge lag im Aufwachzimmer. Neben seinem Bett döste seine Mutter. Der Junge hatte am Abend zuvor an einem Kampf zwischen zwei Banden teilgenommen, und sein Schädel war mit einem Ziegelstein eingeschlagen worden. Die Ärztin, die ihn mit fünfundzwanzig Stichen genäht hatte, war jetzt nicht mehr im Dienst, und ihre Kolleginnen, die beide am Tag zuvor bei der Kundgebung gewesen waren, standen schweigend am Fenster des Aufwachzimmers. Wenn scharf durchgegriffen wurde, dachte die Ärztin, die die Petition unterschrieben hatte, würde sie sich sofort von ihrem Mann scheiden lassen, damit seine Beförderung zum Chefarzt der Hämatologie nicht gefährdet wäre; die andere Frau, die dank ihres optimistischen Wesens und ihrer Entscheidung, die Petition nicht zu unterschreiben, positiver gestimmt war, glaubte, nichts Schlimmes würde passieren, weil das Gesetz nie die Massen bestrafte, wenn sie in die Irre gingen. Die beiden Kolleginnen sprachen kein Wort, doch als sie aufbrachen, um ihre morgendlichen Pflichten zu erfüllen, tröstete die eine die andere mit einem Klaps auf die Schulter, und damit war alles gesagt.

Jialin lehnte an seinem Kissen. Als seine Mutter mit einem späten Frühstück die Hütte betrat, rührte er sich nicht. Sie hatte den Kessel mit dem heißen Wasser für die Heizung vergessen, aber er fragte nicht danach. In der Nacht zuvor waren seine drei Brüder nach Hause gekommen mit Blut an den Händen und auf den Hemden. Sie hatten in einem Bandenkampf einem Jungen den Schädel eingeschlagen und erfuhren zum erstenmal in ihrem Leben, was es hieß, Angst zu haben. Sie konnten die ganze Nacht nicht schlafen, wechselten sich ab, um am Tor Ausschau zu halten nach möglichen Feinden mit Schlagstöcken und Ziegelsteinen oder, schlimmer noch, Polizisten mit Handschellen. Jialins jüngster Bruder, der nie viel mit ihm geredet hatte, kam vor Tagesanbruch in seine Hütte und bat ihn, sich um ihre Eltern zu kümmern, falls die drei fliehen und für eine paar Jahre untertauchen müssten.

Jialin hatte das dramatische Verhalten des Jungen lachhaft gefunden, es jedoch für sich behalten. Bevor der Junge in die Hütte getreten war, hatte Jialin sein Transistorradio auf den Hongkong-Sender eingestellt und gehört, dass die Geheimpolizei in Beijing begonnen hatte, Verhaftungen vorzunehmen.

»Die Leute reden über die Sache gestern«, sagte Jialins Mutter und stellte das Essen auf den alten Baumstamm, der als Tisch diente.

»Was sagen sie?«

»Sie sagen, dass die Regierung die Leute nicht so leicht davonkommen lassen wird.«

Jialin rührte sich nicht. »Was sagen sie sonst noch?«

»Sie sagen, dass die Nachrichtensprecherin mit einem hohen Tier verheiratet ist und sich keine Sorgen zu machen braucht«, sagte Jialins Mutter und schaute ihn an. »Du warst dabei, nicht wahr?«

Jialin hatte seiner Familie immer erzählt, dass seine Freunde kamen, um mit ihm Bücher zu lesen, doch er wusste, dass seine Mutter die Verbindung zu der Kundgebung leicht herstellen konnte. »Noch etwas? Was sagen die Leute sonst noch?«

»Sie sagen, dass sie die Kundgebung benutzt hat, um berühmt zu werden«, sagte Jialins Mutter. »Aber das verstehe ich nicht. Sie ist ja schon berühmt. Warum sollte sie noch berühmter werden wollen?«

»Hör nicht auf die Gerüchte«, sagte Jialin. »Die Leute glauben, dass sie mehr wissen, als tatsächlich der Fall ist.«

»Du bist also einer von ihnen?«

»Ja.«

Jialins Mutter schwieg, und nach einer Weile blickte er sie an und sah, dass sie sich still die Augen wischte.

»Mama, mach dir keine Sorgen«, sagte er. »Nichts ist passiert. Die Leute stellen sich bloß alles mögliche vor.«

»Es kann keinen Himmel geben«, sagte Jialins Mutter und betupfte die Augen mit einem Zipfel ihrer Bluse. »Wie könnte es sonst sein, dass du einen Verstand mitbekommen hast, nur um krank zu werden, während deine Brüder gesund und stark sind, aber nichts im Kopf haben.«

»Sie werden ihre Lektion lernen.«

»Und du? Ich kann es mir nicht leisten, dich zu verlieren«, sagte Jialins Mutter. Tränen tropften ihr auf die Bluse.

Jialin lächelte. Es war kein Geheimnis, dass er bald sterben würde. Doch es war ihm wichtig, wie er diese Welt verließ. Seine Mutter wollte, dass er in ihren Armen starb; sie wollte, dass er ihr gehörte, ihr allein.

»Meinst du, dass es Ärger geben wird? Die Leute sagen unterschiedliche Dinge, und ich weiß nicht, was ich glauben soll.«

»Hör auf nichts und glaub niemandem«, sagte Jialin.

»Was wird mit dir passieren?«

Jialin schüttelte den Kopf. Vielleicht war es nur eine Frage von Tagen oder gar Stunden, bis sie ihn aus seiner Hütte holten und seiner Mutter das Herz brachen, doch das wollte er ihr nicht sagen. »Überleg mal, Mama, mir ist sowieso nicht bestimmt, lange zu leben.«

Jialins Mutter wandte den Kopf ab.

»Du musst nicht traurig sein«, sagte Jialin. »In dreißig Jahren – nein, hoffen wir, dass es nicht so lange dauert. In zehn oder in fünf Jahren wird jemand zu dir kommen und sagen, dass dein Sohn Jialin ein Held war, ein Pionier, ein mutiger Mann von weiser Voraussicht.«

»Mir wäre es lieber, du hättest so wenig Ehrgeiz wie deine Brüder.«

»Sie werden ihr Leben unwissend verbringen, ich nicht. Warum lese ich Bücher? Weil ich entsprechend Prinzipien leben will, für die es sich zu kämpfen lohnt.«

»Mir wäre es lieber, du hättest nie im Leben ein Buch angerührt. Ich wünschte, ich hätte nie ein Buch für dich gestohlen.«

»Es ist töricht, so zu denken, Mama«, sagte Jialin und erschrak über seine Vehemenz. Nach einem Hustenanfall sagte er in milderem Tonfall: »Was sonst könnte ich dir hinterlassen, Mama? Ich kann dir keine Enkelkinder geben.«

Jialins Mutter verließ die Hütte, ohne zu antworten; auf dem Weg hinaus stieß sie gegen den Türrahmen. Er horchte auf ihre

Schluchzer, die in den Tiefen des Hauses verstummten, und musste sein Herz zwingen, hart zu bleiben und sich nicht von den Tränen seiner Mutter rühren zu lassen.

AM MONTAG NACH CHING MING war die Lehrerin ziemlich unruhig. Sie trug der Klasse auf, etwas aus dem Schulbuch abzuschreiben, und saß eine Weile an ihrem Pult, dann ging sie in den Flur und unterhielt sich mit einer Kollegin. Die Kinder, deren Aufregung sich noch nicht gelegt hatte, konnten nicht still sein. Die Jungen erzählten sich Geschichten über Geister und wilde Tiere, die sie in den Bergen gesehen hatten; die Mädchen zeigten Souvenirs herum, die sie in der Natur gefunden hatten – Lesezeichen aus frischen Blättern und Blüten, die sie zwischen den Seiten eines Buchs gepresst hatten, bunte Federn, Armbänder aus aufgefädelten vertrockneten Beeren. Erst als es im Klassenzimmer richtig laut wurde, kehrte die Lehrerin zurück und schlug mit dem Lineal gegen die hölzerne Tafel. Sie mussten jede Lektion dreimal statt nur einmal abschreiben, verkündete die Lehrerin, und sie durften nicht eher zum Mittagessen nach Hause gehen, bis sie damit fertig waren.

Die Kinder, von der Aussicht einer verkürzten Mittagspause entsetzt, hörten auf, auf ihren Bänken hin und her zu rutschen, und fingen an zu schreiben; ihre Bleistifte kratzten über das Papier mit einem Geräusch wie tausend mampfende Seidenraupen. Tong zählte die wenigen leeren Seiten in seinem Übungsheft – es waren nicht genug für die Aufgabe, doch selbst wenn er den Platz gehabt hätte, um alle Wörter der Welt abzuschreiben, heute war er nicht mit dem Herzen bei der Sache. Ohr war eine weitere Nacht nicht nach Hause gekommen, und Tongs Hoffnung schwand.

Ständig würden Hunde gestohlen und gegessen, hatte sein Vater am Abend zuvor gesagt, und es gebe keinen Grund, deswegen zu heulen; die Welt wäre ein überfüllter Ort, wenn Hunde, oder auch kleine Kinder, nicht spurlos verschwänden. Seine Mutter hielt Tongs Hand, während sein betrunkener Vater weiter über gestohlene Kinder und geschlachtete Hunde philosophierte. Doch nachdem Tongs Vater eingeschlafen war, wiederholte sie, was er gesagt hatte. Sobald es wieder junge Welpen gebe, könnte er ein neues Hündchen haben; sie schlug vor, dass er es Ohr nennen sollte, wenn er sich damit wohler fühlte.

Die Vorstellung, etwas zu ersetzen, verwirrte und enttäuschte Tong, aber für die Erwachsenen war es anscheinend ein ganz natürlicher Gedanke. Sogar der alte Hua war dieser Ansicht, als gäbe es endlose Duplikate oder Ersatz für alles, eine Jacke, einen Hund, einen Jungen.

Tongs Augen brannten. Es war eine Schande, in der Schule zu weinen, und er schniefte und versuchte, die Tränen zurückzuhalten. Nach einer Weile schmerzte seine Brust. In der Nacht hatte er lange still geweint, und anschließend waren ihm die Tränen peinlich gewesen; was würden wohl die Leute im Dorf seiner Großeltern denken, wenn sie wüssten, dass er so ein weiches Herz hatte? Vielleicht war der Verlust von Ohr so wie das Zähmen von Kwens schwarzem Hund und das Aufdecken von Geheimnissen der Natur anhand der Wettervorhersagen eine weitere Prüfung, die er bestehen musste, aber auch dieser Gedanke linderte den Druck auf seiner Brust nicht.

In der Pause lief Tong auf den Flur und setzte sich in eine Ecke. Er fühlte sich nicht besser, als die lange zurückgehaltenen Tränen auf den Zementboden fielen. Eine Lehrerin sah ihn und fragte, was ihm fehlte. Er brachte kein Wort heraus, bebte am ganzen Körper vor Anstrengung, nicht laut herauszuschreien. Es musste irgendeine Art Bauchweh sein, meinte die Lehrerin und fragte Tong, ob er allein nach Hause gehen konnte oder ob er ins Krankenhaus gebracht werden wollte. Er nickte und schüttelte dann den Kopf, verwirrte damit die Lehrerin, und sie beschloss, den Hausmeister der Schule zu suchen, der ihn zu einem Arzt begleiten sollte. Sie brauchte eine Weile, bis sie den Hausmeister fand, der im Keller hinter einem Stapel Feuerholz döste. Er schien verstimmt, als sie ihn wachrüttelte, doch als er der Lehrerin in den Flur folgte, war der Junge verschwunden, nur ein paar Tränentropfen auf dem Boden zeugten noch von seiner Anwesenheit. Der

Hausmeister murrte, verrieb die Tränen mit der Schuhsohle und eliminierte den einzigen Beweis, dass die Lehrerin nicht gelogen hatte, um ihn aus seinem morgendlichen Nickerchen zu reißen.

Tong wanderte durch die Stadt. Es war sinnlos, noch einmal die Gassen und Straßen zu durchkämmen, da er die Vermutung seiner Eltern und des alten Hua akzeptiert hatte, dass Ohr wahrscheinlich bei irgend jemand auf dem Esstisch gelandet war. Dennoch, als er sich jetzt unter dem klaren Morgenhimmel von seinem Klassenzimmer mit der niederen Decke und den kleinen, rußverschmierten Fenstern entfernte, spürte er eine winzige Hoffnung in sich aufsteigen. Er ging von Block zu Block, mied Augenkontakt mit den Erwachsenen, die wie seine Lehrerin nicht in der Stimmung waren, einen Schulschwänzer zu erwischen. Hausfrauen und Arbeiter, die von der Frühschicht nach Hause kamen, unterhielten sich zu zweit oder dritt auf der Straße; ein paar Ladenbesitzer kamen hinter ihren hohen Theken hervor und stellten sich vor die Tür, wechselten ein paar Worte und schauten jeden Passanten an in der Hoffnung, es könnte ein Kunde sein.

»Warum bist du nicht in der Schule?« schrie ihn ein alter Mann an, als Tong in eine Gasse einbog. Der Mann trug eine dicke Schaffelljacke und eine baumwollgefütterte Mütze, obwohl es schon richtig Frühling geworden war. Er stützte sich mit einer Hand auf einen hölzernen Stock, mit der anderen, in der er einen Umschlag hielt, an einen Holzzaun. »Ich frage dich etwas! Es ist Montag, zehn Uhr morgens. Was tust du hier in dieser Gasse?«

Tong wich zurück. Wenn er losrennen würde, könnte er dem schimpfenden Mann mühelos entkommen, doch weil er auf dem Land aufgewachsen war, wo alte Leute wie Könige respektiert wurden, war es ihm nicht gegeben, die Fragen eines alten Mannes zu ignorieren.

»In welche Schule gehst du?«

»Roter Stern«, sagte Tong. Die Wahrheit entkam ihm, bevor er sich eine Lüge ausdenken konnte.

»Und aus welchem Grund bist du dann in meiner Gasse und nicht in deiner Schule?«

»Ich weiß es nicht«, antwortete Tong.

»Ist das die Antwort, die du deiner Lehrerin gibst? Ich bin auch Lehrer. Vor zwei Wochen noch hatte ich Jungen wie dich in meiner Klasse, und ich kenne alle eure Tricks. Noch einmal, warum glaubst du, dass du heute Schule schwänzen kannst?«

»Unsere Lehrerin hat gesagt, dass wir vor dem Mittagessen das ganze Schulbuch abschreiben müssen«, sagte Tong leise. »Aber in meinem Übungsheft sind nicht mehr genug Seiten dafür.«

»Was für eine Art Unterricht ist das!« knurrte der alte Mann. »In eine so nutzlose Schule brauchst du nicht zu gehen.«

Tong überlegte, ob er den alten Mann, der behauptete Lehrer zu sein, aber wie ein mürrischer alter Analphabet redete, stehenlassen sollte. »Willst du jetzt vor mir davonlaufen?« fragte der alte Mann. »Glaubst du, ich rede Unsinn? Ich sage dir was: Du kannst alle Schriftzeichen im Wörterbuch lernen und die aufsehenerregendsten Artikel der Welt schreiben. Du kannst gebildeter werden als Konfuzius – weißt du, wer Konfuzius war? Tja, wie kann man erwarten, dass man in der Schule heutzutage noch etwas lernt. Wie auch immer, du könntest so viel wissen wie ein Gelehrter und doch dümmer bleiben als ein Bauer oder ein Bettler, die weder lesen noch schreiben können. Hast du mich verstanden?«

Tong schüttelte den Kopf.

»Was ich sagen will, ist folgendes« – der alte Mann stieß mit dem Stock auf den Boden –, »von Schulbüchern wirst du weder gescheit noch weise. Von mir aus kannst du gern von deiner dummen Lehrerin fortlaufen, die dir nur den Kopf mit Stroh vollstopft.«

Tong musste lächeln.

»Also, wenn du ein guter und nützlicher Mensch sein willst, dann hilfst du mir jetzt, diesen Brief zum Briefkasten zu bringen.«

Tong nahm dem alten Mann den Brief ab und staunte über sein Gewicht. Er blickte auf den Umschlag, auf dem mehrere Briefmarken klebten. »Sei nicht so neugierig!« rief der alte Mann, dann überlegte er es sich anders und verlangte den Brief zurück.

»Ich kann Ihnen helfen, Großvater. Dort ist ein Briefkasten.«

»Das weiß ich selbst. Nenn mich Lehrer Gu. Ich bin niemandes Großvater.«

Tong gab Lehrer Gu den Brief zurück, der ihn glattstrich und in seine Jackentasche steckte. Tong griff mit beiden Händen nach der freien Hand des alten Mannes. »Ich helfe Ihnen beim Gehen«, sagte er.

»Danke, nein, ich kann sehr gut allein gehen«, sagte Lehrer Gu, stieß Tong beiseite und ging auf den Stock gestützt weiter.

Tong folgte Lehrer Gu, weil er befürchtete, der Stock könnte sich im Rinnstein verhaken. Lehrer Gu stapfte vorwärts, ohne auf Tong zu achten, als existierte der Junge für ihn plötzlich nicht mehr. Als sie vor dem Briefkasten standen, studierte Lehrer Gu die Leerungszeiten, die auf der Seite klein aufgedruckt waren. »Was steht da?« fragte er stirnrunzelnd.

Tong las es Lehrer Gu vor, der auf seine Uhr blickte. »Zwanzig nach zehn«, murmelte er. »Dann warten wir.«

Tong fand es befremdlich, dass jemand auf den Postboten warten wollte. Waren Briefkästen nicht aufgestellt worden, damit die Leute ihre Briefe einfach einwarfen und nicht warten mussten?

»Warum stehst du da rum?« sagte Lehrer Gu nach einer Weile. »Hat dich jemand geschickt, um mir nachzuspionieren?«

Er habe gedacht, Lehrer Gu hätte ihn gebeten zu warten, erklärte Tong, doch Lehrer Gu schien seine eigenen Worte vergessen zu haben. Er schaute sich in der Straße um und tippte dann mit dem Finger auf seine Uhr, damit Tong die Zeit ablesen konnte. »Wer immer für diesen Briefkasten zuständig ist, ist zu spät dran«, sagte er. »Glaube nie, was geschrieben steht.«

NIE ZUVOR war ihm die Mittagspause so lange vorgekommen. Lehrer Gu trommelte mit den Fingern auf den Tisch und wartete darauf, dass seine Frau mit dem Essen fertig wurde und zu ihrem Bankschalter zurückkehrte. Ende der vergangenen Woche hatte seine Schule einen Antrag auf Frühpensionierung aus gesundheitlichen Gründen geschickt, der ihm drei Viertel seines Gehalts als Rente zusicherte, und ohne einen Augenblick zu zögern oder sich mit seiner Frau zu beraten, hatte Lehrer Gu unterschrieben. Es kamen viele gutausgebildete junge Leute vom Land zurück; er konnte seine Stelle, die ihn nicht mehr erfüllte, ohne weiteres einem jungen Mann überlassen, der von einer Familie träumte und deswegen die langen Stunden mit den lauten, lästigen Kindern eher ertrug.

»Du musst nicht dasitzen und warten, bis ich fertig bin«, sagte Frau Gu. »Oder möchtest du mehr Reis?«

»Ich möchte nichts mehr.«

Als Frau Gu mit dem Essen fertig war, räumte sie den Tisch ab und spülte das Geschirr, dann goss sie eine Tasse Tee ein und stellte sie neben seine nervös trommelnden Finger. »Möchtest du einen Mittagsschlaf machen?« fragte sie.

»Musst du jetzt nicht zur Arbeit gehen?«

»Ja.«

»Dann geh. Ich kann mich um mich selbst kümmern.«

Zu seiner Enttäuschung setzte sich Frau Gu an den Tisch. »Meinst du, wir sollten ein Mädchen aus den Bergen anstellen, die uns bei der Hausarbeit hilft?«

»Sind wir reiche Leute?«

»Oder vielleicht Nini? Ich habe nachgedacht – du brauchst jemand, der dir Gesellschaft leistet. Und vielleicht brauchst du auch Hilfe«, sagte Frau Gu. »Nini wäre in vieler Hinsicht die richtige Person.«

»Ich dachte, du hasst sie.«

Lehrer Gu starrte sie an, und Frau Gu wandte den Blick ab. »Ich weiß, dass ich unfair zu ihr war«, sagte sie.

»Sie muss lernen, damit zu leben«, sagte Lehrer Gu. »Du wirst nicht die letzte Person sein, die sie unfair behandelt.«

»Aber wir könnten es wiedergutmachen«, sagte Frau Gu. »Bei ihr und bei ihrer Familie. Ich habe ihre Mutter auf der Straße gesehen, sie ist wieder schwanger. Sie werden das Geld brauchen können.«

Lehrer Gu dachte, dass ihre jungen Freunde seine Frau einer Gehirnwäsche unterzogen hatten. Ihr Wunsch, das Richtige und

Gute zu tun, widerte ihn an. »Gibt es nicht schon genug Spione?« sagte er. »Nein, ich bleibe lieber allein.«

»Was, wenn dir etwas passiert?« Frau Gu sah ihn an und schüttelte den Kopf. »Ich gehe jetzt zur Arbeit.«

»Ja. Es ist gut, keine Fragen zu stellen, die wir jetzt nicht beantworten müssen«, sagte Lehrer Gu zu seiner Frau, und als sie die Tür hinter sich geschlossen hatte, nahm er den Füller aus der Schublade und schlug die Seite in seinem Notizbuch auf, die einen halb fertigen Brief an seine erste Frau enthielt. Er las ihn, aber sosehr er sich auch bemühte, er fand den roten Faden nicht mehr, den er verloren hatte, als seine Frau mittags nach Hause gekommen war. Er riss die Seite heraus und steckte sie in den Umschlag, der bereits drei nicht beendete Briefe enthielt. Sollte sie selbst daraus schlau werden. Er begann auf einer neuen Seite zu schreiben.

In letzter Zeit bin ich die buddhistischen Schriften durchgegangen. Nein, sie liegen nicht vor mir auf dem Tisch – die Schriften, die mein Großvater mir hinterlassen hat, haben, wie Du Dir vorstellen kannst, das revolutionäre Feuer nicht überlebt, das von niemand anders als von meiner eigenen Tochter entfacht wurde. Die Schriften, die ich gelesen habe, befinden sich in meinem Kopf. Ich bin sicher, dass Dich das als kommunistische Atheistin nicht interessiert, aber stell Dir gemeinsam mit mir nur einen Augenblick lang den Buddha vor, der unter dem heiligen Baum sitzt und zu seinen Schülern spricht. Er, von dem es heißt, dass er der Weiseste unter den Weisen war, er, von dem es heißt, dass er unermessliche und endlose Liebe für die Welt empfand – wer war er, wenn nicht ein alter Mann mit blinder Hoffnung, der unermüdlich zu einer Welt sprach, die ihn nie verstehen würde? Wir werden Gefangene unserer eigenen Überzeugungen, niemand entgeht diesem Schicksal, und das, meine liebste Freundin, ist die einzige Demokratie, die uns die Welt bietet.

Lehrer Gu legte den Füller beiseite, als er hörte, wie jemand durch das nicht verschlossene Tor den Hof betrat. Er schaute aus dem Fenster und sah seine Nachbarn, die junge revolutionäre Irre und ihren Mann, die sich dem Haus näherten. Die Frau fragte laut, ob jemand zu Hause sei. Auch die Haustür war nicht abgeschlossen, und einen Moment lang überlegte Lehrer Gu, ob er leise durch das Zimmer gehen und die Tür von innen verriegeln sollte. Doch bis zur Tür schien es ein langer, ermüdender Weg. Er hielt den Atem an, schloss die Augen und hoffte, dass sie verschwinden würden, wenn er sich nicht rührte.

Das Paar wartete auf eine Antwort, und dann drückte die Frau auf die Klinke, und die Tür ging quietschend auf. »Oh, Sie sind zu Hause«, sagte sie, Überraschung heuchelnd. »Wir haben merkwürdige Geräusche gehört und wollten nachsehen.«

Lehrer Gu erwiderte kühl, alles sei in Ordnung. Diskret schob er die Zeitung über seinen unvollendeten Brief.

»Sind Sie sicher? Ich habe gehört, dass Sie einen Schlaganfall hatten. Wir helfen Ihnen nachsehen«, sagte die Frau und bedeutete ihrem Mann, das Zimmer zu betreten. Er blieb neben der Tür stehen und rieb sich verlegen die Hände. »Ist Ihre Frau zu Hause?« fragte die Frau.

»Warum sollte ich Ihnen antworten?«

»Ich habe ja bloß gefragt. Es ist nicht gut, wenn eine Frau ihren Mann allein zu Hause lässt.«

»Sie ist bei der Arbeit.«

»Ich weiß, aber ich meine im allgemeinen. Als Sie im Krankenhaus waren, habe ich gesehen, dass sie nach Einbruch der Dunkelheit mindestens zweimal das Haus verlassen hat«, sagte die Frau und wandte sich an ihren Mann. »Warum siehst du nicht nach, woher das Geräusch kam. Vielleicht ist irgendwo ein Rattennest.«

Der Mann trat widerwillig vor und sah sich um, mied dabei Lehrer Gus Blick. Die Frau jedoch verhehlte ihr Interesse nicht, während sie herumging und in alle Ecken schaute. Als sie den Deckel von einem Topf hob und hineinblickte, verlor Lehrer Gu die Geduld. »Glauben Sie, dass wir zu alt sind, um mit einer Ratte in unserem Kochtopf fertigzuwerden, und solche Nattern wie Sie dafür brauchen?«

»Also, es ist wirklich keine Art, so mit seinen Nachbarn zu sprechen«, sagte die Frau und ließ den Deckel auf den Topf fallen. »Wir sind hier, um Ihnen zu helfen, bevor die Dinge außer Kontrolle geraten.«

»Ich brauche Ihre Hilfe nicht«, sagte Lehrer Gu. Er stützte sich mit einer Hand auf den Tisch, stand auf und deutete mit dem Stock auf die Tür. »Verlassen Sie augenblicklich mein Haus. Sie haben keinen Durchsuchungsbefehl, oder?«

Die Frau ignorierte ihn und trat an den Tisch. Sie nahm die Zeitung, entdeckte den angefangenen Brief und lächelte. Bevor sie ein Wort lesen konnte, schlug Lehrer Gu mit dem Stock auf den Tisch. Es war ein ohrenbetäubendes Geräusch. Die Teetasse fiel herunter, und der Tee ergoss sich auf die Hose der Frau; die Untertasse schlug auf dem Zementboden auf, ohne zu zerbrechen.

Der Mann zerrte seine blass gewordene Frau zurück, bevor sie reagieren konnte, und versicherte Lehrer Gu, dass sie ihm nichts tun wollten. Die Stimme des Mannes, ein höflicher und schöner Bariton, überraschte Lehrer Gu. Der Mann war ein Arbeiter, er trug einen schmierigen Overall und ein fadenscheiniges Hemd. Lehrer Gu wurde klar, dass er den Mann nie zuvor sprechen gehört hatte. Wenn er die Augen schloss, konnte er sich einen gebildeteren Mann zu dieser Stimme vorstellen.

Die Frau, deren Gesicht wieder Farbe angenommen hatte, trat hinter ihrem Mann hervor. »Was tun Sie da eigentlich? Wir leben in einer zivilisierten Gesellschaft.«

Die Stimme der Frau war schrill. Lehrer Gu bedauerte den Mann, dessen wunderschöne Stimme – hätte sie ein Eigenleben gehabt – wahrscheinlich unaussprechlich enttäuscht gewesen wäre von der anderen, messerscharfen und hässlichen Stimme.

»Glauben Sie bloß nicht, dass Sie mir mit dem Rotgardistenstil Ihrer Tochter Angst einjagen können«, sagte die Frau. »Ich sage

Ihnen, in unserem Land wird der Wahrheit nicht mit Gewalt Geltung verschafft.«

Lehrer Gu zitterte am ganzen Körper und deutete mit dem Stock auf das Gesicht der Frau. »Kommen Sie nie wieder, um in mein Haus zu scheißen«, sagte er langsam unter Betonung jedes einzelnen Wortes.

»Wie vulgär! Und Sie wollen Lehrer sein?« sagte die Frau. »Je eher Sie gefeuert werden, um so besser für die nächste Generation.«

Der Mann zog sie zurück, stellte sich zwischen sie und den bebenden Stock und entschuldigte sich für das Missverständnis. Sie stieß ihn beiseite und sagte, es bestehe keine Notwendigkeit, sich die Unhöflichkeit des alten Mannes gefallen zu lassen. »Und jetzt schlagen Sie mich. Schlagen Sie mich auf der Stelle, Sie konterrevolutionärer alter Fuchs! Schlagen Sie mich, damit wir Sie zur Guillotine der Gerechtigkeit führen können.«

Lehrer Gu betrachtete die Frau. Sie schäumte vor Hass, einem Hass, den er nicht verstand; sie war so alt wie seine Tochter, vermutlich kaum gebildet und ganz bestimmt dumm. Er ließ den Stock auf den Boden fallen und sagte zu dem Mann: »Junger Mann, ich bitte Sie von Mann zu Mann, und ich bitte Sie aufrichtig, warum erklären Sie Ihrer Frau nicht, dass sie so ein Verhalten letztlich zu einer hässlichen, unerwünschten Person machen wird?«

Die Frau grinste höhnisch. »Was für ein durch und durch niederträchtiger Gedanke. Warum sollte ich mir von meinem Mann etwas sagen lassen? Die Frauen sind die tragenden Säulen unseres kommunistischen Hauses.«

Lehrer Gu setzte sich und schrieb mit großen Strichen etwas auf ein Stück Papier, in schiefer Handschrift und ohne sich um kalligrafische Schönheit zu bemühen. HALTEN SIE DEN MUND. GEHEN SIE. Er hielt dem Paar den Zettel hin. Er hatte beschlossen, kein Wort mehr an die Frau zu verschwenden.

»Wer sind Sie, dass Sie uns herumkommandieren wollen? Ich will Ihnen was sagen, Sie und Ihre Frau sind wie die Zikaden nach dem ersten Frost. Sie haben nicht mehr viel Zeit, um herumzuhüpfen.«

Der Mann zerrte seine Frau zur Tür, und als sie Widerstand leistete, sagte er leise, sie solle jetzt den Mund halten. Sie protestierte lautstark, und dann zog er sie halb, halb trug er sie aus dem Haus. Durch die offene Tür hörte Lehrer Gu, wie sie ihren Mann beschimpfte, der sich selbst gegenüber einem alten, nutzlosen Mann als Feigling erwies. Lehrer Gu sammelte all seine Kräfte, schlurfte durch das Zimmer und schloss die Tür. Als er wieder am Tisch saß, zitterten seine Hände zu sehr, als dass er hätte weiterschreiben können. Die Besucher, auch wenn ihre Absicht, Geheimnisse aufzudecken, lächerlich eindeutig war, bedeuteten Gefahr; doch was konnte ein Mann tun, während er darauf wartete, dass sich die Schlinge um seinen Hals zusammenzog, außer die Augen schließen und glauben, dass die Möglichkeit, seinem Schicksal zu entkommen, nicht in den Händen anderer lag, sondern von seinem eigenen Willen abhing?

IM SCHUTZ des dunklen Abendhimmels wurden am Tag nach Ching Ming zehn Häuser durchsucht. Verdächtige wurden festgenommen, keiner von ihnen leistete Widerstand. Noch in der Nacht wurde ein erster Sieg gegen den antikommunistischen Aufstand in einem geheimen Telegramm an die Provinzhauptstadt gemeldet.

Ein hochrangiger Parteikader, aus der Provinzhauptstadt eingeflogen, um das Kommando zu übernehmen, wurde vom Bürgermeister und seinem Stab empfangen. Han und seine Eltern, die früher als die vertrauenswürdigsten Mitarbeiter des Bürgermeisters galten, waren von diesem Treffen ausgeschlossen. Sondereinsatzmannschaften, gebildet aus Polizisten und Arbeitern aus einer hundert Meilen entfernten Stadt, wurden in zehn geschlossenen Militärlastwagen in die Stadt gebracht, um eine unparteiische Untersuchung und Säuberung sicherzustellen. Während der Fahrt öffnete ein junger Mann, der vor kurzem die Stelle seines Vaters bei der Polizei geerbt hatte, einen Knoten der Plane und spähte hinaus. Angesichts der silbernen Sterne am Himmel und des noch weit entfernten dunklen Berges erschauderte er wie ein junger Hund. Er war gerade erst zwanzig geworden und noch nie aus seiner Heimatstadt herausgekommen. Er dachte an die Geschichten, die er nach seiner Rückkehr der jungen Frau am Empfang des Polizeireviers erzählen würde; sie würde ihn einen Angeber nennen und behaupten, dass sie ihm kein Wort glaubte, doch ihr Lächeln und ihr Erröten würden eine andere Geschichte erzählen, die nur die beiden verstanden.

Die Menschen in Hun Jiang vertrauten trotz aller Spekulationen und aller Ungewissheit auf die alte Gepflogenheit, dass das Gesetz nicht die Masse für ihr Fehlverhalten bestrafte. Dieser Glaube gestattete ihnen, abends zu trinken, zu streiten, sich zu lieben – ihre großen Träume und kleinlichen Wünsche erwachten erneut zum Leben in einer Nacht wie dieser, in der wilde Pfirsich- und Pflaumenbäume am Flussufer blühten und die Frühlingsbrise ihren Duft durch die offenen Fenster in die Häuser trug.

Ein Zimmermann und sein Lehrling gingen über die Brücke Richtung Berge. Der junge Mann schob die Schubkarre mit den Werkzeugen und schaute auf die glimmende Zigarette, die im Mundwinkel seines Meisters hing. Der Zimmermann hatte die Zigaretten mit ihrem letzten Geld gekauft, da er sich, bevor er in die Stadt aufbrach, geschworen hatte, das Rauchen auszuprobieren. Der Frau des Zimmermanns und den Eltern des Lehrlings hatten sie Großes versprochen, doch ihre Hoffnung, in der Stadt ein kleines Vermögen zu verdienen, wurde von den Parteifunktionären zunichte gemacht, die sie unter anderem damit beauftragten, drei Fernsehtische zu zimmern, und ihnen dann dafür nur den Mindestlohn zahlten. Den Stadtbewohnern, sagte der Zimmermann und paffte, hatten wilde Hunde das Herz herausgerissen; er warnte den Lehrling, den gleichen Fehler nicht noch einmal zu begehen, doch der junge Mann, der sich über die Fernseher in den Wohnungen der Kader gewundert hatte, stellte sich vor, er würde in einem der Sessel sitzen, die sie geschreinert hatten, und die schönen

Frauen anschauen, die auf einen Knopfdruck hin auf dem Bildschirm auftauchten.

Ein blinder Bettler saß vor der Hütte der Huas und fuhr mit einem kleinen Stück Kiefernharz über den Bogen seiner zweisaitigen Fiedel. Er war unterwegs gewesen von einer Stadt zur anderen, als er den alten Hua und seine Frau kennenlernte, die ihn einluden, die Nacht bei ihnen zu verbringen, und ihm eine gute Mahlzeit servierten. Der Bettler war dem Paar nie zuvor begegnet, doch es überraschte ihn nicht, dass sie nach ein paar Runden Schnaps Geschichten aus ihrem Leben auf der Straße erzählten. Leute wie sie erkannten einander trotz aller möglichen Verkleidungen, und am Schluss tranken, lachten und weinten die drei zusammen. Das Paar forderte den Bettler auf, das Herumziehen aufzugeben und bei ihnen zu bleiben, und es schien nur natürlich, dass er zustimmte. Aber jetzt, da der Zauber des Reisschnapses verflogen war, wusste der Blinde, dass er früh am nächsten Morgen wieder aufbrechen würde. Er war noch nie im Leben bei jemandem geblieben, und jetzt war es zu spät, das zu ändern. Er testete den Bogen auf den Saiten, und die Fiedel seufzte und stöhnte.

Die Tür wurde geöffnet, der Blinde hielt inne und horchte. Der Mann schnarchte in der Hütte, und die Frau schloss die Tür so leise, wie sie sie geöffnet hatte, und setzte sich neben den Bettler.

»Ich habe dich geweckt«, sagte der Blinde.

»Spiel weiter«, sagte Frau Hua.

Der Blinde hatte vorgehabt, sich davonzuschleichen, ohne das Paar zu wecken, aber da die Frau jetzt neben ihm saß, schuldete er ihr eine Erklärung. »Es war sehr nett von euch, mich zum Bleiben aufzufordern«, sagte er. »Ich bin kein Mensch, der seine Meinung oft ändert, aber ich muss eure freundliche Einladung doch ablehnen.«

»Du musst zurück auf die Straße. Das verstehe ich.«

»Wenn man dazu bestimmt ist, heimatlos zu sein, fällt es einem schwer, sich irgendwo niederzulassen.«

»Ich weiß. Ich wünschte, wir könnten auch wieder auf die Straße zurückkehren«, sagte Frau Hua. »Und jetzt spiel weiter.«

Der Blinde nickte. Er wusste, dass das Paar wegen seines Aufbruchs nicht gekränkt war. Langsam fuhr er mit dem Bogen über die Saiten und spielte ein altes Lied mit dem Titel »Abschied« für diese einen Tag alte Freundschaft.

11

Bashi war verliebt, und er staunte darüber. Der Wunsch, jede Minute seines Lebens mit Nini zu verbringen, schien seinen Ursprung nicht zwischen seinen Beinen zu haben, sondern an einer anderen Stelle in seinem Körper, die er nicht kannte und nicht erklären konnte. Er dachte angestrengt nach, und die einzige vergleichbare Erfahrung hatte er mit drei Jahren gemacht, nicht lange nachdem seine Mutter ihn bei seiner Großmutter gelassen hatte: Es war ein besonders kalter Winter in Hun Jiang gewesen, und jeden Morgen waren die Handtücher steinhart gefroren, obwohl seine Großmutter nicht mit Kohle sparte. Jeden Abend legten sie sich sofort nach dem Essen gemeinsam ins Bett, und Bashi wachte oft mitten in der Nacht mit eiskalten Füßen auf. Er wimmerte, und seine Großmutter nahm im Halbschlaf seine kleinen Füße und legte sie an ihren nackten Busen. Die weiche Wärme ließ Bashi vor unerklärlicher Angst und Aufregung erschaudern, und er lag wach und bewegte einen Zeh nach dem anderen und stellte sich ihre Abenteuer vor, bis er wieder einschlief.

Bashi sehnte sich nach Nini, wie er sich einst nach dem Busen seiner Großmutter gesehnt hatte. Manchmal sorgte er sich, dass irgend etwas mit seiner Männlichkeit nicht stimmte, doch sie erhob sich pflichtbewusst, wann immer er an Nini dachte. Das Problem stellte sich jedoch, wenn sie bei ihm war, ein Körper, den man berühren konnte, warm und weich. Er konnte sie nicht auf die Art begehren, wie er es gern gewollt hätte. Die voreheliche Brautprüfung, die er einer Eingebung folgend durchgeführt hatte, verfolgte ihn; der Blick in die geheime Öffnung, den sie ihm vertrauensvoll, unverklemmt, sogar spielerisch gestattet hatte, beschämte ihn. Ihr dünnes Haar, achtlos kurz geschnitten von ihrer Mutter, sah aus wie ein Vogelnest. Ihr spitzes Kinn, ihre knochigen Arme und ihre stets gesprungenen Lippen weckten in ihm den Wunsch, sie in die Arme zu nehmen, zu wiegen und ihr etwas vorzusummen. Doch sogar dieser Wunsch ließ ihn in ihrer Gegenwart nervös werden. Was würde sie von ihm denken? Würde sie glauben, bei ihm sei mehr als nur eine Schraube locker?

Nini schien seine Unsicherheit jedoch nicht zu bemerken. Am Morgen nach Ching Ming kam sie so natürlich wie das Tageslicht in sein Haus. Sie ging umher, als wäre sie hier aufgewachsen. Bashi wartete, dass sie erneut das Thema Heirat ansprach; er glaubte alles, was er ihr erzählt hatte, als er die Brautprüfung durchführte, aber er wusste, dass es leichter gesagt als getan war, eine Zwölfjährige zu heiraten. Entgegen seinen Befürchtungen übte Nini ihrerseits keinerlei Druck auf ihn aus. Sie sprach mehr, plauderte sogar ein wenig; sie kritisierte scherzhaft sein unordentliches Schlafzimmer, und bevor er sich verteidigen konnte, räumte sie es auf. Sie zuckte mit keiner Wimper, als sie unter dem Bett seine stinkenden Socken und die schmuddelige Unterwäsche fand. Er protestierte, als sie die Wäsche einsammelte, um sie zu waschen, aber sie hörte nicht auf ihn. Wenn sich ein Mann um sich selbst kümmern konnte, sagte sie, wozu brauchte er dann eine Frau?

Nini schien ihren Wert nicht zu begreifen, dachte Bashi. Sie legte sich keine Allüren zu wie andere Frauen, wenn ihnen der Hof gemacht wurde – oder vielleicht war sie einfach nur ein Mädchen mit einem goldenen Herzen. Überwältigt von seinem Glück, wollte Bashi unbedingt einem Freund von seiner Liebesgeschichte erzählen, doch er hatte keinen. Er ging im Geist alle Leute durch, die er kannte – als erstes fielen ihm natürlich die Huas ein, und je länger Bashi darüber nachdachte, um so überzeugter war er, dass die Huas die einzigen waren, die ihm und Nini helfen konnten. Aber angenommen, sie waren altmodisch und hielten nichts von einer Ehe, die die jungen Leute selbst arrangiert hatten?

Bashi fand Frau Hua morgens in der Straße; die Verhaftungen, die am Vorabend vorgenommen worden waren, hatten den Alltag von Hun Jiang kaum gestört. »Ist Ihre Ehe mit dem alten Hua von Ihren oder seinen Eltern arrangiert worden?« fragte Bashi.

Die alte Frau hielt im Fegen nicht inne. Sie wusste sehr wohl, dass sie angesprochen war, doch seit dem Traum vom Tod ihrer jüngsten Tochter Häschen fiel es ihr schwer, sich auf ein Gespräch zu konzentrieren. Der blinde Fiedler, der mit herzzerreißenden Melodien gekommen und wieder gegangen war, hatte in ihr die Sehnsucht nach den Tagen und Nächten auf der Straße geweckt. Sie hatte ihrem Mann vorgeschlagen, ihr Zuhause aufzugeben und erneut das Vagabundenleben aufzunehmen. Sie konnten ihre Töchter besuchen, die verheirateten und die, die ihnen weggenommen worden waren, bevor sie beide die Welt endgültig verließen; der alte Hua schwieg zuerst, und als sie nachfragte, meinte er, er glaube, dass die Besuche weder ihren Töchtern noch ihnen selbst guttun würden.

»Frau Hua?« Bashi griff nach dem Stiel ihres Besens und sie blickte ihn an. Mehr als je zuvor sah er aus wie jemand, den sie vor langer Zeit gekannt hatte. Sie schloss die Augen, fand jedoch die Person nicht in ihrem Gedächtnis.

»Hatten Sie eine Heiratsvermittlerin, die mit Ihren Eltern und den Eltern des alten Hua geredet hat?«

Dieser junge Mann, der voller Ernst und hartnäckig unwichtige Fragen stellte, verblüffte sie – wer war die Person, die in diesem Körper zu ihr zurückkehrte?

»Frau Hua?«

»Ich habe ihn als Bettler kennengelernt«, sagte sie.

»Sie meinen, niemand hat zwischen Ihren Eltern und seinen vermittelt?«

»Keine Heiratsvermittlerin besucht tote Eltern in ihrem Grab. Mein Mann war schon zu einer Zeit Waise, an die er sich nicht mehr erinnern kann.«

Bashi war hocherfreut über Frau Huas Antwort. Er selbst war Waise, und Nini war so gut wie Waise. Selbstverständlich brauchten sie den Segen ihrer Eltern nicht, ob sie nun am Leben oder tot waren. »Was halten Sie von Nini?«

Frau Hua sah Bashi mit einem so intensiven Blick an, dass er Angst bekam. Er fragte sich, ob es ein Fehler gewesen war, das Thema anzusprechen. Würde die alte Frau Verdacht schöpfen und ihn bei der Polizei melden?

Es war der junge Flötenspieler, dachte Frau Hua. Der Junge, der einst zu ihnen gekommen war und sie gebeten hatte, ihn als Sohn aufzunehmen. Frau Hua schaute zum Himmel empor und rechnete. In welchem Jahr war das gewesen? In dem Jahr, in dem ihr Mann und sie zum erstenmal an ihren eigenen Tod und das Leben ihrer Töchter ohne sie gedacht hatten – 1959, das Jahr, in dem die Hungersnot begann, ein harter Schlag für jeden, am härtesten jedoch für die Bettler. Damals hatten sie vier Töchter, Purpurwinde war dreizehn, Pfingstrose zehn, Lotus acht und Hibiskus sieben. Der Flötenspieler war nicht älter als zwölf, eine Waise, die wie sie selbst von Dorf zu Dorf zog und auf der Flöte spielte und bettelte.

»Spielst du Flöte?« fragte Frau Hua Bashi.

»Wer ist Flöte? Ich kenne ihn nicht. Kennt er mich?«

Der Junge damals hatte auch auf ähnlich schnippische Weise gesprochen, aber die Musik, die er spielte, brachte einen Stein zum Weinen, so traurig waren die Melodien seiner Flöte; andererseits konnte er auch einen Toten im Sarg zum Lachen bringen, wenn er in der Stimmung war. Wesentlich ältere Mädchen verguckten sich in ihn; sogar verheiratete Frauen traten vor die Tür, wenn ihre Männer auf dem Markt oder auf den Feldern waren, und scherzten mit ihm auf eine Art, die eigentlich nur verheirateten Leuten hinter verschlossenen Türen vorbehalten waren. Trotz all der Aufmerksamkeit, die ihm zuteil wurde, bat der Junge Frau Hua und ihren Mann, ihn zu adoptieren; er würde sie Baba und Mama nennen und sie mit seinem Flötenspiel unterstützen, versprach er, aber ihr Mann war dagegen. Mit seiner Musik und seinen süßen Worten würde er allen ihren Töchtern die Hölle auf Erden bereiten, sagte der alte Hua später zu Frau Hua; sie stimmte ihm zu, doch nicht ohne Bedauern. Und jetzt war der Junge in einer anderen Inkarnation zu ihr zurückgekehrt, zwar ohne Flöte, dennoch erkannte sie ihn.

»Was halten Sie von Nini, Frau Hua?«

»Warum fragst du, mein Sohn?«

»Was halten Sie davon, wenn ich sie heirate?« sagte Bashi. »Frau Hua, schauen Sie mich nicht an, als hätte ich zwei Köpfe. Sie machen mir angst.«

»Warum willst du Nini heiraten?«

»Sie würde es bei mir viel besser haben als bei ihren Eltern«, sagte Bashi. »Und ich wäre der glücklichste Mann der Welt, wenn ich meine Tage mit ihr verbringen könnte.«

Frau Hua schaute Bashi prüfend an. Nachdem der Junge sie verlassen hatte, war Lotus ein Jahr lang niedergeschlagen gewesen, was für eine Achtjährige ungewöhnlich war. Von ihren Töchtern hatte sie dem Jungen am nächsten gestanden; sie hatte gelernt, zu seiner Begleitung zu singen, und er hatte gescherzt und gesagt, sie würden mit seiner Flöte und ihrer Stimme das beste Bettlerpaar abgeben. Damals hatte sich Frau Hua gefragt, ob es ein Fehler gewesen war, den Jungen fortzuschicken, doch der alte Hua schüttelte den Kopf, als er von ihren Zweifeln erfuhr. Lotus war das unscheinbarste der vier Mädchen, und der Junge mit seinem viel zu hübschen Gesicht hätte ihr eines Tages das Herz gebrochen. Und außerdem, sagte der alte Hua, sollte ihre Tochter nicht das gleiche Schicksal ereilen wie sie selbst. Sollte sie etwa einen obdachlosen Bettler heiraten?

»Ich meine es ernst«, sagte Bashi. Frau Huas Schweigen machte ihn nervös. Er wollte sich unbedingt bewähren. »Ich werde sie gut behandeln.«

»Ich habe dich in diesen Jahren aufwachsen sehen, Bashi«, sagte Frau Hua. »Ich kenne dich gut genug, um zu wissen, dass du kein schlechter Mensch bist, aber alle anderen, die davon hören, werden dich für verrückt halten.«

»Warum?«

»Sie ist noch ein Kind.«

»Sie wird älter werden«, sagte Bashi. »Ich kann warten.«

Ja, warum sollte der Junge nicht das Recht haben, an eine Ehe mit Nini zu denken? Was wäre gewesen, wenn sie den jungen Flötenspieler in die Familie aufgenommen hätten – vielleicht stünden sie jetzt besser da, sie hätten vielleicht noch eine Tochter und einen Schwiegersohn, die sie in die nächste Welt verabschieden würden, Musik, die ihrem langweiligen Leben etwas Farbe verlieh, Enkelkinder, die sie lieben könnten.

»Wer wird sie heiraten und gut behandeln, wenn nicht ich? Ich liebe sie«, sagte Bashi und richtete sich auf, als er diese kühne Behauptung aussprach. »In ihrem Haus ist sie nie glücklich. Könnten Sie nicht vermitteln? Könnten Sie mit ihren Eltern reden? Sie werden kein besseres Angebot bekommen.«

»Sie ist zu jung«, sagte Frau Hua.

»Sie haben Ihre Töchter jung in andere Familien verheiratet, oder nicht?« fragte Bashi. »Ich kann warten, bis sie älter ist. Ich kann dafür bezahlen, dass Nini bei Ihnen wohnt. Ich brauche nur ihr Wort, dass Nini mich heiraten wird.«

Frau Hua betrachtete Bashi. Das Rad des Lebens, das sich unerbittlich drehte, konnte bisweilen barmherzig sein. Der Junge war zu ihr zurückgekehrt und gab ihr eine zweite Chance, doch wie sollte eine Mutter, eine Frau entscheiden? »Ich werde mit meinem Mann sprechen«, sagte sie. »Kannst du heute nachmittag zu uns kommen? Dann werden wir dir eine Antwort geben.«

TONG MUSSTE WEIT GEHEN, bis er den Mut aufbrachte, in die Schule zurückzukehren. Er fürchtete, dass die Lehrerin ihn nach einer Erklärung für sein Verhalten am Tag zuvor fragen würde. Das rote Halstuch würde er nie bekommen, weil er unaufrichtig gewesen war und vorgegeben hatte, krank zu sein, um die Schule zu schwänzen. Die Lehrerin hatte einmal gesagt, dass ein kleines Leck im Rumpf eines Schiffes es auf offener See untergehen lasse; Tong hielt sich für eine angeschlagene Seele, die auf ein sündhaftes Leben zusteuerte, und dieser Gedanke trieb ihm die Tränen in die Augen. Als erstes würde er heute morgen sein Fehlverhalten gestehen, bevor das Leck größer wurde und einen jungen Verbrecher aus ihm machte.

Die Lehrerin war jedoch nicht in der Stimmung, Tong Fragen zu stellen. Der Unterricht der ersten bis sechsten Klasse fiel aus. Der Direktor hatte eine Sonderkonferenz aller Lehrer und sonstigen Angestellten einberufen, und die Schüler wurden in die Aula gescheucht, wo niemand auf sie aufpasste. Bald hallte die unbeaufsichtigte Aula vor Lärm wider. Die älteren Jungen liefen wild durch die Gänge, und die jüngeren wagten zwar nicht, von ihren Plätzen aufzustehen, warfen aber mit Papierflugzeugen. Die Mädchen kreischten, wenn sie von den Jungen geschubst oder geschlagen wurden, manche holten bunte Plastikstreifen heraus und bastelten Schlüsselringe in Form von Goldfischen oder Papageien daraus. Keiner fragte, warum sie hier sein mussten oder wie lange; soweit es sie betraf, konnte dieser Tag des Glücks ewig dauern.

Tong saß zwischen ein paar ruhigeren Klassenkameraden, Jungen und Mädchen, die stundenlang auf ihren Plätzen still sitzen konnten, wenn die Lehrer es verlangten. Es gibt Krieg, flüsterte das Mädchen neben ihm Tong ins Ohr. Was für ein Krieg? fragte Tong, und das Mädchen antwortete, sie wisse es nicht, sie habe nur gehört, wie ihr Vater es zu ihrer Mutter sagte. Sie war der Typ, der bei jedem Wort, das sie sagte, errötete, und Tong schaute ihr ins feuerrote Gesicht und wollte ihr nicht glauben.

Eine halbe Stunde später führte der Direktor die Lehrer in die Aula. Er blies mit aller Kraft in seine Pfeife, so dass allen die Trommelfelle schmerzten. Die Schüler kehrten rasch auf ihre Plätze zurück, und im Saal wurde es still. Der Direktor stellte sich aufs Podium, und bevor er mit seiner Ansprache begann, räusperte er sich wie üblich mehrmals vor dem Mikrofon, das das Geräusch krächzend übertrug.

»Der Ausbruch einer konterrevolutionären Epidemie hat Hun Jiang unvorbereitet getroffen«, sagte er. »Ihr müsst begreifen, dass die Situation dringlich ist, und wenn wir nicht selber aufpassen, können wir die nächsten sein, die von dieser ansteckenden Krankheit befallen werden.«

Manche Kinder rutschten auf ihren Plätzen hin und her, andere husteten oder rieben sich die Nase.

»Es ist Zeit, dass wir unsere Herzen und Seelen mit dem schärfsten Desinfektionsmittel säubern«, sagte der Direktor und schlug zur Betonung bei jedem Wort aufs Pult, und die Herzen der Kinder pochten im Rhythmus seiner Faust.

»Ihr seid alle unter der roten Fahne der Revolution geboren und in dem Honigtopf aufgewachsen, den euch die Partei bereitstellt«, fuhr der Direktor fort. »Manchmal ist genau dieses Privileg der Grund, warum man vergisst, das Glück in diesem Land zu schätzen. Und jetzt antwortet mir, Kinder, wem verdankt ihr dieses glückliche Leben?«

Es dauerte einen Augenblick, bis ein paar Schüler aus höheren Klassen antworteten: »Der Kommunistischen Partei.«

»Ich kann euch nicht hören«, sagte der Direktor. »Sprecht lauter, wenn ihr glaubt, dass es die richtige Antwort ist.«

Ein paar Lehrer standen auf und gaben den Schülern Zeichen, und mehr Stimmen schlossen sich dem Chor an. Es brauchte mehrere Runden, bis der Direktor mit der laut gebrüllten Antwort zufrieden war. *»Lang lebe die große, die ruhmreiche und unfehlbare Kommunistische Partei Chinas*«, sagte er, erneut unterstützt von seiner Faust. »Versteht ihr alle diese Worte? Was bedeuten sie? Sie bedeuten, dass sich unsere Partei nie geirrt hat und nie irren wird; sie bedeuten, dass nichts, was wir tun, der Aufmerksamkeit der Partei entgeht. Ich weiß, euch wurde beigebracht, eure Eltern zu respektieren, aber was sind sie, verglichen mit der Partei, die zuvörderst Elternstelle einnimmt? Ihr seid die Kinder der Partei, noch bevor ihr die Kinder eurer Eltern seid. Die Partei liebt alle gleichermaßen, doch wenn jemand einen Fehler macht, so wie wenn ein Kind einen Fehler macht, wird die Partei keinen Übeltäter ungeschoren davonkommen lassen. Niemand wird verschont, kein Vergehen wird toleriert.«

Tongs Augen waren geschwollen und gerötet. Wie konnte er, ein von der Partei geliebtes Kind, Schule schwänzen wegen eines vermissten Hundes? Wie hatte er vergessen können, dass er dazu bestimmt war, ein Held zu werden? Mit einem weichen Herzen wäre er, wie sein Vater gesagt hatte, zu nichts zu gebrauchen; aus ihm sollte ein besonderer Junge werden, und nie wieder würde er sich gestatten, das zu vergessen. Er schrie die Slogans mit den anderen Schülern – er konnte seine eigene Stimme nicht hören, aber er war sicher, dass sie die Partei erreichte.

Nach der Versammlung stellten sich die Schüler auf und kehrten in ihre Klassenzimmer zurück. Die höheren Klassen mussten detailliert aufschreiben, was sie und jedes andere Mitglied ihrer Familie an Ching Ming gemacht hatten. Den kleineren Kindern wurde Zeit gegeben, nachzudenken und sich zu erinnern, während die Lehrer durch die Gänge gingen, damit die Jungen und Mädchen, die zum Träumen neigten, in ihrer Konzentration nicht nachließen.

Sein Hund sei am Abend zuvor nicht nach Hause gekommen, deswegen habe er an Ching Ming nach ihm gesucht, sagte Tong zu den Lehrern in einem anderen Klassenzimmer, als es an ihm war zu bekennen. Die zwei Lehrer, die mit aufgeschlagenen Notizbüchern an einem Pult saßen, waren Fremde – die Schulbehörde hatte Anweisung erlassen, das Personal auszutauschen, damit die Antworten der Kinder nicht von ihren eigenen Lehrern beeinflusst wurden. Die Jüngere der beiden, eine Frau in den Dreißigern, notierte etwas und fragte dann: »Wie heißt dein Hund?«

»Ohr.«

Die beiden Lehrer wechselten einen Blick, und der andere, ein Mann in den Fünfzigern, fragte: »Was ist das für ein Name?«

Tong wand sich auf dem Stuhl, der für einen Erwachsenen bestimmt war; seine Beine reichten nicht bis zum Boden. Der Stuhl stand mitten im Raum, dem Pult und den zwei Stühlen dahinter zugewandt. Tong bemühte sich, auf seine Schuhe zu schauen, aber da seine Augen einen eigenen Willen hatten, schweifte sein Blick bald zu den vier Beinen unter dem Pult. Zwei Flicken von ähnlicher Farbe bedeckten die Knie der grünlichgrauen Hose des Mannes; auf den schwarzen Lederschuhen der Frau befanden sich glänzende Metallschnallen in Form von Schmetterlingen. Tong wusste nicht, wie lange er befragt würde – obwohl der Direktor und die Lehrer nichts von den Unterschriften auf der Petition gesagt hatten, war ihm klar, dass sie zu den Dingen gehörte, die er geheimhalten musste.

»Wer kann bezeugen, dass du nach deinem Hund gesucht hast?« fragte der Lehrer.

»Meine Mama und mein Baba«, sagte Tong.

»Waren sie dabei, als du nach deinem Hund gesucht hast?«

Tong schüttelte den Kopf.

»Woher sollen sie dann wissen, was du getan hast?« fragte der Lehrer. »Was haben sie getan, während du auf der Suche warst?«

»Ich weiß es nicht«, sagte Tong. »Ich bin früh weggegangen. Sonntags stehen sie immer spät auf.«

»Weißt du, was sie Sonntag morgens tun?« fragte der Lehrer in einem eigenartigen Tonfall, und die Lehrerin blickte auf ihre Notizen und versuchte, ein wissendes Lächeln zu verbergen.

Tong schüttelte wieder den Kopf, sein Rücken war von kaltem Schweiß bedeckt.

»Was haben sie getan, nachdem sie aufgestanden sind?« fragte der Lehrer.

»Nichts«, sagte Tong.

»Nichts. Wie können zwei erwachsene Menschen nichts tun?«

»Meine Mama hat Wäsche gewaschen«, sagte Tong zögernd.

»Das ist schon was. Und dann?«

»Mein Baba hat den Ofen gerichtet«, sagte Tong. Das war nicht wirklich eine Lüge – die Luftklappe des Ofens war gebrochen, und seine Mutter hatte seinen Vater mehrmals darum gebeten, bevor er sie in der letzten Woche repariert hatte. Es war etwas, was ein Vater sonntags tat.

»Was noch?«

»Meine Mama hat das Frühstück und das Abendessen gekocht.«

»Und kein Mittagessen? Ist sie oder dein Vater ausgegangen, um das Mittagessen zu kaufen?«

»Wir essen sonntags nur zweimal«, sagte Tong. »Sie sind nicht ausgegangen. Sie haben nachmittags lange geschlafen.«

»Schon wieder?« fragte der Lehrer übertrieben ungläubig.

Tong biss sich auf die Lippen und schwieg. Seine Mutter sagte immer, dass Schlafen der beste Weg war, um Energie und das Geld für das Mittagessen am Sonntag zu sparen, aber wie sollte er das den Lehrern erklären?

»Haben deine Eltern irgendwann im Lauf des Vormittags das Haus verlassen?« fragte der Lehrer. »Sagen wir, zwischen sieben und zwölf Uhr?«

Tong schüttelte den Kopf. Er hatte das vage Gefühl, dass sie ihm nicht glaubten und früher oder später der Schule und seinen Eltern von seiner Lüge Mitteilung machen würden. Was würden sie dann mit ihm tun? Nie und nimmer würde er im Juni das rote Halstuch bekommen.

»Bist du sicher?«

»Ich bin zum Frühstück nach Hause gegangen, und sie haben gesagt, es ist Zeitverschwendung, nach Ohr zu suchen, und ich bin zu Hause geblieben.«

»Hast du deinen Hund gefunden?« fragte die Lehrerin, schraubte die Kappe auf ihren Füller und blickte auf ihre Liste. Sie war bereit für den nächsten Schüler.

Tong bemühte sich mit aller Kraft, die Tränen zurückzuhalten, aber sein Vorsatz wurde zunichte gemacht von der Angst, dass er nicht nur für die Lüge, sondern auch dafür bestraft würde, dass er den Namen seines Vaters auf das weiße Tuch gesetzt hatte. Die beiden Lehrer beobachteten ihn einen Augenblick. »Wein nicht wegen eines Hundes«, sagte die Frau. »Bitte deine Eltern, dir einen neuen zu beschaffen.«

Tong heulte, ohne zu antworten. Der Lehrer winkte ihn hinaus, und die Lehrerin führte ihn an der Hand aus dem Klassenzimmer. Einen Moment lang wollte er ihr alles gestehen, ihre weiche, warme Hand beruhigte ihn ein wenig, doch bevor er den Mund öffnen konnte, bedeutete sie seiner Lehrerin, ihn an seinen Platz zu bringen, und rief den Namen des nächsten Schülers.

Tong saß auf seinem Platz, ohne mit den anderen Kindern zu sprechen. Niemand fragte ihn, warum er weinte; zwei Mädchen und ein Junge waren vor ihm schniefend oder schluchzend zurückgekommen, und niemand hatte überrascht oder besorgt reagiert.

Es war bereits nach Mittag, als der Direktor über Lautsprecher verkündete, jetzt sei eine Stunde Mittagspause. Sie dürften über nichts mit ihren Klassenkameraden oder Eltern sprechen. Jeder, der sich nicht an diese Regel halte, bekomme größten Ärger.

Tong ging langsam heim. Am Morgen war ihm aufgefallen, dass plötzlich viele schwarze Raupen aufgetaucht waren, die im Dorf seiner Großeltern den Spitznamen »Pappelstecher« trugen, und jetzt, ein paar Stunden später, krochen Hunderte davon über Gehsteige und Mauern. Viele waren von achtlosen Füßen zertreten und von Rädern überfahren worden, und ihre winzigen Körper und Innereien vertrockneten in der Sonne.

Als Tong zu Hause ankam, blickten seine Eltern ihn kurz an und nahmen dann ihr Gespräch wieder auf. »Wer weiß?« sagte sein Vater. »Vielleicht will die Regierung den Leuten nur ein bisschen Angst einjagen, und es wird letztlich nichts Ernstes passieren.«

Tong setzte sich an den Tisch, vor sich eine Schale mit Nudelsuppe. Seine Mutter sagte, er solle sich beeilen, weil beide in einer halben Stunde zur Arbeit zurückmüssten. »So wie das durchgeführt wird, kriege ich Herzklopfen.«

»Das Herz einer Frau klopft bei jeder Kleinigkeit«, spottete Tongs Vater. »Wenn du einen zerdrückten Spatz siehst, bleibt dir das Herz stehen. Ich sage dir: Das Gesetz bestraft die Massen nicht. Du musst nicht mal weit zurückdenken – überleg nur, wie viele 1966 von den Roten Garden verprügelt wurden. Jetzt gilt ihr Verhalten als verwerflich und ungesetzlich, aber siehst du irgendwo einen Rotgardisten, der bestraft wird? Nein.«

Tong aß langsam, jeder Bissen schmerzte ihn beim Schlucken. Als seine Mutter ihn drängte, schneller zu essen, fragte er: »Baba, warum bestraft das Gesetz die Massen nicht?«

»Jetzt hast du also doch mal eine Frage zu was anderem als deinem Hund«, sagte Tongs Vater. In der Ferne waren langanhaltende

Sirenen zu hören. Tongs Mutter hielt inne und horchte. »Klingt wie die Feuerwehr«, sagte sie zu Tongs Vater.

Sein Vater ging hinaus in den Hof und schaute sich um. Gleich darauf kehrte er zurück und sagte: »Man kann den Rauch sehen.«

»Wo brennt es?«

»Im Osten.«

An jedem anderen Tag hätte Tong gefragt, ob er zu dem Feuer laufen dürfe, aber heute saß Tong nur da und knabberte an einer Nudel, die endlos lang schien. Seine Mutter legte ihm die Hand auf die Stirn. »Bist du krank?«

»Er hat Liebeskummer wegen einem Hund«, sagte sein Vater.

Tong antwortete nicht. Er zwang sich, aufzuessen, damit sein Vater nicht auch noch seine Essgewohnheiten kommentierte. Vielleicht würde doch nichts Schlimmes passieren, wie sein Vater gesagt hatte. Diese Hoffnung heiterte ihn auf dem Rückweg zur Schule auf. Aber was, wenn sein Vater sich täuschte? Erwachsene irrten sich, so wie mit Ohr, als sie behauptet hatten, ihm sei nichts zugestoßen. Dieser Gedanke stürzte ihn erneut in Verzweiflung, und ihn fröstelte in der Frühlingsbrise; er taumelte, als würde er auf Wattewolken gehen.

Zwei andere Lehrer von einer weiteren Schule waren Tongs Klasse zugewiesen worden, und einer nach dem anderen mussten die Schüler ein zweites Mal die gleichen Fragen beantworten. Diese beiden Lehrer waren nicht so furchterregend, und Tong war in der Lage, ihnen in die Augen zu schauen. Sie schienen nichts Ungewöhnliches am Schlafbedarf von Tongs Eltern zu finden. »Bist du sicher?« fragte die Lehrerin jedes Mal, nachdem Tong eine Frage beantwortet hatte; ihre Stimme war so sanft, dass Tong keine Mühe hatte zu lügen. Nach dem Ende der Befragung fühlte sich Tong erleichtert. Die Lehrer waren nett zu ihm – sie wären es nicht gewesen, wenn man ihn bereits ertappt hätte. Er hatte ja tatsächlich nichts Schwerwiegendes getan, nur nach Ohr gesucht; je länger Tong darüber nachdachte, desto unwirklicher wurde die Unterschrift, die er auf dem weißen Tuch hinterlassen hatte, und bald schon machte er sich wegen der Petition keine Sorgen mehr.

NINI HATTE NICHT GEWUSST, dass ein Geheimnis ein Eigenleben haben konnte. Dass es einen Ort gab, an den sie eines Tages gehen konnte, nahm in Nullkommanichts allen Raum in ihrem Herzen ein und breitete sich aus, bis ihre kleine Brüste schmerzten. Ihre Gliedmaßen, sogar die gute Hand und das gute Bein, schienen sich von ihr zu entfernen, ihre Gelenke wurden locker und unkontrollierbar. Nini betrachtete sich in dem ovalen, handtellergroßen Spiegel, den ihre zweite Schwester unter dem Kopfkissen versteckte; obwohl sie in dem Spiegel immer nur einen Teil ihres Gesichts sehen konnte, war die Person im Spiegel nicht mehr das hässliche Selbst, an das sie sich erinnerte, die Lippen waren jetzt voller, die Wangen runder, immer etwas gerötet.

Es war nicht das erstemal, dass etwas ihre Gedanken gefangennahm. Vor Bashi waren es Lehrer Gu und Frau Gu gewesen, doch manche Sehnsüchte schienen fordernder zu sein als andere, und Nini hatte das Gefühl, dass ihr Körper jetzt zu klein war, um das Geheimnis für sich zu behalten. Sie musste sich in die Backen beißen, um zu verhindern, dass sie mit der Neuigkeit gegenüber einem Fremden auf der Straße oder, schlimmer noch, gegenüber ihren Eltern herausplatzte. Als es schien, als würde sie gleich explodieren, erklärte sie der Kleinen Vierten und der Kleinen Fünften, dass sie mit dem Baby zum Marktplatz gehen musste. Die zwei Mädchen bettelten, mitkommen zu dürfen, doch Nini weigerte sich. Um sie zu beschwichtigen, gab sie jeder eins von den Bonbons, die sie aus Bashis Haus mitgebracht hatte. Sie versprach mehr Leckerbissen, wenn sie im Haus blieben und keinen Unsinn machten. Konnten sie nicht im Hof spielen? fragte die Kleine Vierte und versprach, nicht auf die Gasse zu laufen. Nini zögerte. Die beiden wurden mehr und mehr zu Zwillingen, und wenn sie zusammen waren, war ihre Welt vollständig. Normalerweise war es in Ordnung, sie im Hof spielen zu lassen, doch diesmal beschloss Nini, dass es nicht schaden könnte, etwas mehr Autorität auszuüben, damit sie auf jede Gunst ihrerseits mit Dankbarkeit und Gehorsam reagierten. Sie erklärte ihnen, sie müsse sie im Haus einsperren. Die beiden blickten unglücklich drein, doch keine beschwerte sich. Sie standen nebeneinander, lutschten ihr Bonbon und sahen zu, wie Nini die Tür schloss und von außen verriegelte.

»Ich habe einen Schwager für dich gefunden«, flüsterte Nini der Kleinen Sechsten auf der Straße zu und berührte mit den Lippen die Ohren des Babys.

Das Baby deutete auf einen Streifenwagen mit blinkendem Blaulicht in einer Seitenstraße und sagte: »Lit-Lit.«

»Ich werde einen guten Mann für dich suchen, und die Leute werden so neidisch sein, dass ihre Augen grün werden«, sagte Nini zur Kleinen Sechsten und stellte sich die hilflose Wut ihrer Eltern und der zwei älteren Mädchen vor. Wenn sich die Kleine Vierte und die Kleine Fünfte anständig benahmen, würde sie vielleicht in Betracht ziehen, auch ihnen zu helfen. Sie streichelte die Kleine sanft, bis sie statt zu dem Streifenwagen zu ihr hinsah. »Hör mal, willst du ein besseres Leben? Wenn ja, musst du dich an mich halten. Du darfst niemand anders aus der Familie lieben. Niemand wird dich glücklich machen, nur ich, deine große Schwester.«

»Sch«, sagte die Kleine Sechste und drückte den nassen Mund auf Ninis Wange.

»Dein Schwager«, sagte Nini und errötete über die gewagte Bezeichnung für Bashi. »Dein großer Bruder weiß, wie man einen Stein zum Lachen bringt.«

Das Baby plapperte und übte das neue Wort »Buda«.

»Er ist reich, und er wird dir eine Aussteuer schenken, wenn du heiratest. Das kannst du von niemand anders erwarten.«

Als sie durch die nicht abgeschlossene Tür Bashis Haus betraten, erwiderte niemand Ninis Gruß. Die Schlafzimmertür war geschlossen. Nini klopfte an die Tür. »Ich weiß, dass du da drin bist. Versuch nicht, mich hinters Licht zu führen«, sagte sie.

Aus dem Zimmer kam keine Antwort. Nini drückte das Ohr an die Tür und hörte etwas rascheln. »Bashi?« fragte sie.

Einen Moment, sagte er mit Panik in der Stimme. Nini stieß die Tür auf. Bashi eilte auf sie zu, die Hand an den Knöpfen des Hosenschlitzes. »Ich habe nicht gewusst, dass du kommst«, sagte er etwas außer Atem.

Sie schaute ihm ins gerötete Gesicht. »Wer ist da?«

»Niemand«, sagte Bashi. »Nur ich.«

Nini legte die Kleine Sechste in Bashis Arme und betrat das Schlafzimmer. Sie hielt Bashis Reaktion für verdächtig und wusste instinktiv, dass er eine andere Frau vor ihr verbarg. Sie nahm die Decke von seinem ungemachten Bett, doch niemand versteckte sich darunter. Sie schaute unters Bett. Das Bett seiner Großmutter auf der anderen Seite des Vorhangs war leer. Ebenso der Schrank.

»Wonach suchst du?« fragte Bashi lächelnd. Die Kleine Sechste saß auf seinen Schultern und zupfte an seinem Haar.

»Versteckst du jemand vor mir?« fragte Nini, nachdem sie keine Spur einer anderen Frau im Schlafzimmer gefunden hatte.

»Natürlich nicht«, sagte Bashi.

»Warum liegst du dann mitten am Vormittag im Bett?«

»Ich habe nicht geschlafen. Ich bin von einem Spaziergang zurückgekommen und wollte mich ein bisschen ausruhen«, sagte Bashi. »Ja, ich habe gerade von dir geträumt, als du gekommen bist.«

»Wer's glaubt, wird selig.«

»Glaub mir«, sagte Bashi. »Ich denke immer nur an dich.«

Nini wollte ihn auslachen, doch er sah sie so verzweifelt an, dass sie sagte: »Ich glaube dir.«

»Ich habe mit Frau Hua geredet.«

Ninis Herz setzte einen Schlag aus. »Ist sie einverstanden?«

»Sie hat gesagt, dass sie mit dem alten Hua reden muss, aber ich glaube, sie werden einverstanden sein. Warum auch nicht? Frau Hua hat ausgeschaut, als würde sie mich am liebsten küssen, als ich gesagt habe, dass ich dich heiraten will.«

»Quatsch. Warum sollte sie dich küssen wollen? Sie ist eine alte Frau.«

»Willst du mich dann küssen, junge Frau?«

Nini schlug Bashi auf den Arm. Er sprang zur Seite, und das Baby juchzte. Nini breitete die Arme aus und versuchte Bashi zu fangen, er hüpfte herum, und alle drei lachten.

Nini beruhigte sich als erste. Sie sei jetzt müde, sagte sie und setzte sich auf Bashis Bett. Die Kleine Sechste zog Bashi an den Haaren und verlangte, weiter getragen zu werden. Er marschierte mit ihr durchs Schlafzimmer und sang ein Lied über Soldaten, die in Korea in den Krieg zogen, das Baby tätschelte seinen Kopf, und Nini summte die Melodie. Nachdem das Lied zu Ende war, setzte er die Kleine neben Nini aufs Bett. Dann nahm er das Halstuch des Babys, faltete eine kleine Maus daraus und ließ sie der Kleinen Sechsten auf den Bauch springen, als wäre sie lebendig. Sie schrie vor Freude; Nini erschrak erst und lachte dann.

»Was für ein glücklicher Mann ich doch bin, dass ich hier zwei Blumen von Mädchen habe«, sagte Bashi.

Nini hörte auf zu lachen. »Was hast du gesagt?«

»Ich habe gesagt, dass ich euch beide mit einem Schlag zum Lachen gebracht habe.«

»Nein, du hast etwas anderes gesagt. Was hast du damit gemeint?«

Bashi kratzte sich am Kopf. »Was ich gemeint habe? Ich weiß es nicht.«

»Du lügst«, sagte Nini, und bevor sie es verhindern konnte, hatte sie Tränen in die Augen. Sie klang wie eine der schlechtgelaunten Frauen auf dem Marktplatz; sie klang wie ihre eigene Mutter, und sie schämte sich.

Die Kleine Sechste kaute auf dem Schwanz der Halstuchmaus herum und beobachtete sie interessiert. Bashi blickte Nini besorgt an. »Hast du Bauchweh?«

»Was für Vorstellungen machst du dir eigentlich von der Kleinen?« sagte Nini. »Ich sage dir – sie gehört nicht dir. Sie wird den besten Mann auf der Welt kriegen.«

»Einen noch besseren Mann als mich?«

»Hundertmal besser«, sagte Nini. Sie begann bereits wieder zu lächeln. »Verguck dich bloß nicht in die Kleine Sechste.«

»Um Himmels willen, sie ist doch noch ein Baby!«

»Sie wird nicht immer ein Baby bleiben. Sie wird ein großes Mädchen werden, und dann wirst du mich nicht mehr mögen, weil sie hübscher und jünger ist. Ist das dein Plan? Willst du mich heiraten, damit du eines Tages die Kleine Sechste bekommst?«

»Ich schwöre, dass ich überhaupt nichts geplant habe.«

»Und wenn das Baby älter ist –«

»Bin ich ihr großer Bruder und werde natürlich auf sie aufpassen. Und einen Mann für sie suchen, der hundertmal besser ist als ich.«

»Buda-Buda«, sagte die Kleine Sechste, das Tuch noch zwischen den Zähnen.

Sie glaube ihm nicht, sagte Nini und versuchte, ernst zu bleiben.

»Ich meine es ernst. Wenn nicht, sollen alle Mäuse der Welt kommen und mich zu Tode knabbern, oder ein Skorpion soll mich in die Zunge stechen, damit ich nie wieder ein Wort sagen kann, oder eine Gräte soll mir im Hals steckenbleiben, damit ich nie wieder ein Reiskorn schlucken kann«, sagte Bashi. »Ich schwöre, du bist die einzige in meinem Herzen.«

Nini schaute Bashi an und entdeckte keine Spur von Ironie in seinem Blick. »Schwör nicht so leichtfertig«, sagte sie leise. »Ich glaube dir.«

»Nein, du glaubst mir nicht. Wenn du nur wüsstest«, sagte Bashi und holte tief Luft. »Nini, ich liebe dich.«

Es war das erstemal, dass er ihr seine Liebe gestand, und beide wurden rot. »Ich weiß. Ich liebe dich auch«, flüsterte Nini, ihre Arme und Beine waren am falschen Ort, ihr Körper eine sperrige Last.

»Was? Ich habe dich nicht verstanden. Sprich lauter«, sagte Bashi und hielt die Hand ans Ohr. »Was hast du gerade gesagt?«

Nini lächelte. »Nichts.«

»Ach, wie schade. Ich habe mich aussichtslos verliebt.«

»Das stimmt nicht«, sagte Nini lauter, als beabsichtigt. Bashi sah sie an und schüttelte den Kopf, als würde er ihr nicht glauben, und sie bekam auf einmal Angst. Hatte er sie missverstanden? »Wenn ich nicht die Wahrheit sage, soll mich der Gott des Blitzes zweiteilen.«

»Dann soll mich die Göttin des Donners erschlagen«, sagte Bashi.

»Nein, ich will einen hundertmal schmerzhafteren Tod sterben als du.«

»Mein Tod soll tausendmal schmerzhafter als deiner sein.«

»Ich will im nächsten Leben deine Sklavin sein«, sagte Nini.

»Ich will im nächsten Leben eine Fliege sein, die um dich herumsummt, bis du sie erschlägst.«

Beide schwiegen, ganz hingerissen von ihrem Wunsch, für den anderen zu leiden. In der Stille hörten sie das Baby plappern. Nini fragte sich, was mit ihnen jetzt, da sie wussten, wie sehr sie einander begehrten, geschehen würde. Als Bashi ihr Gesicht berührte, war es nur normal, dass seine Lippen ihre suchten, und dann ließen sie sich von ihren Körpern wortlos aufs Bett ziehen, auf den Boden, wo sie einander festhielten, bis ihnen die Knochen weh taten.

Bashi hob sie auf und legte sie aufs Bett seiner Großmutter. Die Kleine Sechste sah ihnen zu, und als der Vorhang zugezogen wurde, verlor sie das Interesse. Sie krabbelte auf Bashis Bett herum, von einem Ende zum anderen, erkundete ihr neues Territorium, genoss die Freiheit, da sie kein Seil ans Bett band. Bald fiel sie herunter, doch das Kissen, das sie mit sich zog, milderte den Sturz ab. Sie weinte ein bisschen, krabbelte dann zu dem anderen Bett, am Vorhang vorbei, in den sie sich zu verwickeln drohte, an einem Paar Schuhe und an einem Paar noch größerer Schuhe vorbei, bis sie endlich war, wohin sie gewollt hatte, unter dem Bett, auf dem ihre große Schwester und ihr großer Bruder vor unbekannter Freude und Qual heftig atmeten. Sie fand ein kleines Stück Ginseng unter dem Bett und kaute darauf herum. Zuerst schmeckte es süß, dann jedoch schrecklich. Sie warf es mit aller Kraft fort, und es landete in einem der großen Schuhe.

»Bashi«, flüsterte Nini.

Nur ein paar Zentimeter entfernt schaute Bashi Nini an und vergrub dann den Kopf an ihrem Hals. »Lass uns warten, bis wir verheiratet sind«, flüsterte er. »Du sollst wissen, dass ich ein verantwortungsbewusster Mann bin.«

Nini blickte auf ihr geöffnetes Hemd und lächelte schüchtern. Bashi knöpfte es zu, und gemeinsam horchten sie auf das Plappern des Babys.

»Wenn du weg bist, werde ich sofort zu Frau Hua und dem alten Hua gehen«, sagte Bashi.

»Sag ihnen, dass wir morgen heiraten wollen«, sagte Nini. »Meinen Eltern ist es egal.«

»Was für ein Glück ich habe«, sagte Bashi.

»Ich bin es, die Glück hat.«

Sie lagen engumschlungen da. Von Zeit zu Zeit brach einer von beiden das Schweigen und sprach von Plänen für sie beide, das Baby, ihr zukünftiges Leben. Nach langer Zeit schaute Bashi auf die Uhr. »Es ist fast Mittag«, sagte er.

Nini blickte ebenfalls auf die Uhr, dann horchte sie. Es war ruhig für die Tageszeit, zu der normalerweise Schulkinder und Erwachsene zum Mittagessen nach Hause gingen. Sie setzte sich auf und sagte, sie müsse aufbrechen; sie bewegte sich langsam, als sei ihr Körper erfüllt von trägen Träumen, die zu schwer waren, als dass sie sie hätte tragen können. Sollten ihre Eltern und Schwestern doch warten.

»Kommst du am Nachmittag?« fragte Bashi. »Dann werde ich mit dem alten Hua und Frau Hua gesprochen haben.«

»Ich komme nach dem Mittagessen«, sagte Nini. Sie kehrte ihm den Rücken und ordnete ihre Kleider. Bevor sie ging, steckte sie eine kleine Tüte gerösteter Erdnüsse in die Tasche. Für die Kleine Vierte und die Kleine Fünfte, sagte sie, und Bashi gab ihr noch ein paar Bonbons.

Als Nini Bashis Hof verließ, starrten sie zwei alte Frauen an und wechselten dann einen Blick. Es war das erste Mal, dass sie am hellichten Tag durch das Tor ging – normalerweise war sie vorsichtig, schlich sich im Halbdunkel des frühen Morgens in und aus Bashis Haus –, aber sollten die Frauen doch an ihrer Neugier und ihrem Neid ersticken. Sie gehörten jetzt zusammen, und der alte Hua und Frau Hua würden sie bald verheiraten. Sie hatte nichts mehr zu fürchten.

Die Straße war merkwürdig menschenleer. Der Marktplatz war gesperrt, und in der Hauptstraße waren die meisten Ladentüren geschlossen. Als Nini an einer Grundschule vorbeikam, wurde das Tor geöffnet, und Kinder jeden Alters rannten heraus. Die Schule schickte die Kinder spät nach Hause, dachte sie und beschleunigte den Schritt. Vielleicht war sie zu Hause, bevor ihre Eltern und Schwestern zurückkehrten. Möglicherweise würden sie ihre Abwesenheit nicht einmal bemerken.

Ein paar Straßenzüge von zu Hause entfernt sah Nini den Rauch aufsteigen. Leute mit Eimern und Schüsseln rannten an ihr vorbei. Als sie in ihre Gasse bog, sah sie ein Nachbar und rief erleichtert: »Nini, Gott sei Dank, dass du nicht zu Hause warst.«

Nini schaute zu ihrem Haus, das lichterloh brannte. Vor dem blauen Himmel stieg dicker schwarzer Rauch auf, und orangefarbene Flammen, schnell und böse, leckten am Dach. Der Nachbar rief ihr zu, in sicherer Entfernung stehenzubleiben; ihre Eltern und die Feuerwehr seien unterwegs.

Ein paar Schulkinder liefen an Nini vorbei. Sie warnten lauthals jeden, an dem sie vorbeikamen, doch mehr aus Aufregung als aus Angst, und bald befahlen ihnen die Erwachsenen, die Gasse zu räumen. Nini schaute zu dem Nachbarn, der zu ihrem Haus lief und sie hoffentlich bereits vergessen hatte. Sie hielt das Baby fest und schlich gegen den Strom der Menschen in eine nahe Gasse und wünschte, sie könnte sich in Luft auflösen.

ZWEIMAL GING BASHI DURCH Ninis Gasse, doch keiner der Nachbarn, die auf sein Klopfen hin öffneten, konnte ihm einen Hinweis geben, wo sich Ninis Familie aufhielt. Die Ziegelmauern standen noch, aber das Dach war eingestürzt. Der vordere Raum mit den schwarzen Löchern, wo die beiden Fenster und die Tür gewesen waren, erinnerte Bashi an einen Totenschädel, und er spuckte aus und schalt sich für den unseligen Vergleich. Eine alte Frau, die mit einer Zange im Schutt herumstocherte blickte beunruhigt auf. Bashi hielt sie für eine Nachbarin und fragte, ob sie die vom Unglück getroffene Familie kannte, doch sie reagierte erschrocken und hastete mit einer Strohtasche voller Krimskrams davon. Bashi brauchte einen Moment, bis er begriff, was die Frau hier getan hatte, dann rief er ihr nach, sie solle zurückgeben, was ihr nicht gehöre, aber sie war bereits um die Ecke verschwunden.

Er beschloss, ins städtische Krankenhaus zu gehen und dort nachzufragen. Irgend jemand dort musste doch wissen, ob die beiden Schwestern, wie Nini glaubte, verbrannt waren. Früher am Nachmittag, als er von seinem Besuch bei den Huas zurückkehrte, hatte er Nini zusammengekauert vor seiner verschlossenen Haustür gefunden. Wach auf, Mädchen, ich habe gute Nachrichten, hatte er gesagt, doch als sie die Augen aufschlug, erschrak er; in weniger als einer Stunde war sie zu einer Fremden geworden – Ninis kleinem Gesicht war immer alles abzulesen, Hunger und Zorn, Neugier und Entschlossenheit, aber jetzt jagte ihm seine Ausdruckslosigkeit Angst ein. Die Kleine Sechste, die ihn gehört hatte, krabbelte aus der Vorratshütte und lächelte.

Wollte er sie noch immer heiraten, ein Mädchen, das nur Unglück brachte, das seine Schwestern ermordet und seine Familie obdachlos gemacht hatte? fragte Nini. Bashi brauchte eine Weile, bis er die Frage verstand. Er wollte etwas sagen, was Ninis Stimmung aufheiterte, aber angesichts ihres starren Blicks fiel ihm nichts ein. Die Huas waren einverstanden, sie aufzunehmen, wenn ihre Eltern der Heirat zustimmten, erklärte Bashi mit weniger Zuversicht und Freude, als er sich vorgestellt hatte. Sie hätten den Himmel auf Erden haben können, sagte Nini, sie hätten so glücklich sein können. Sie könnten noch immer glücklich sein, erwiderte Bashi, doch Nini schüttelte den Kopf und sagte, dass sie für ihr Glück bestraft werde. Bashi fiel das Lieblingssprichwort seiner Großmutter ein: Der Himmel war knausrig, er nahm mehr, als er gab. Der Himmel war böse, sagte Nini, und Bashi erwiderte, dass er in diesem Fall mit ihr zur Hölle fahren würde. Eine Weile sahen sie zu, wie die Kleine Sechste im Hof herumkrabbelte, und hielten sich bei den Händen. Sie waren zwei Kinder, die die Welt von Anfang an nicht gebraucht hatte, und gemeinsam waren sie innerhalb eines halben Tages zu einem Mann und einer Frau geworden, die diese Welt nicht mehr gebrauchen konnten.

Auf dem Weg zum Krankenhaus sah Bashi unbekannte Personen zu zweit oder zu dritt in den Straßen stehen. Normalerweise hätte er versucht, mit diesen Fremden ein Gespräch anzufangen, aber nun betrachtete er sie distanziert. Die Welt hätte untergehen können, Nini und ihm wäre es einerlei gewesen.

Die Frau in der Notaufnahme war wie immer unfreundlich, und da Bashi ihr keinerlei nützliche Informationen entlocken konnte, ging er zu den beiden Fremden, die vor dem Krankenhaus standen. »Ziemlich viel los heute, Brüder«, sagte Bashi zu ihnen.

Die zwei Männer musterten Bashi wortlos von Kopf bis Fuß. Er hielt ihnen eine Schachtel Zigaretten hin. Der jüngere Mann, nicht viel älter als Bashi, streckte die Hand aus, blickte rasch zu seinem Gefährten, schüttelte dann den Kopf und sagte, sie hätten eigene Zigaretten.

»Schade. Ich will Sie ja nicht beleidigen, aber man darf eine angebotene Zigarette nicht zurückweisen. Zumindest nicht in unserer Stadt.«

Der ältere Mann nickte entschuldigend und nahm zwei Zigaretten, eine für sich und eine für seinen Gefährten. Der Jüngere entfachte ein Streichholz und zündete die Zigarette des Älteren an. Als er Bashi das nahezu abgebrannte Streichholz hinhielt, schüttelte dieser den Kopf. »Von wo kommen Sie?« fragte er.

»Warum fragen Sie?« wollte der ältere Mann wissen.

»Bin nur neugierig. Ich kenne zufällig jede Menge Leute in der Stadt, und Sie habe ich noch nie gesehen.«

»Ja? Was arbeiten Sie?« fragte der Ältere.

Bashi zuckte die Achseln. »Haben Sie was über das Feuer gehört?«

»Es hat gebrannt?«

»Ein Haus ist ausgebrannt.«

»Pech«, sagte der Jüngere.

»Sie haben also nichts gehört oder gesehen? Ich dachte, Sie wüssten vielleicht etwas, so wie Sie den ganzen Tag hier rumstehen.«

»Wer behauptet, dass wir hier den ganzen Tag stehen?« sagte der jüngere Mann. Der Ältere hustete und zog seinen Gefährten am Ärmel.

Bashi betrachtete die beiden und lächelte. »Glauben Sie bloß nicht, dass ich ein Dummkopf bin«, sagte er. »Sie sind wegen der Kundgebung hier, oder?«

»Wer hat das gesagt?« Die beiden Männer traten näher zu Bashi, jeder auf einer Seite.

»Ich bin weder blind noch taub«, sagte Bashi. »Ich kann Ihnen helfen, wenn Sie mir helfen.«

Der ältere Mann legte Bashi die Hand auf die Schulter. »Erzähl uns, was du weißt, kleiner Bruder.«

»He, Sie tun mir weh«, sagte Bashi. »Was wollen Sie wissen?«

»Alles, was du weißt«, sagte der Ältere.

»Wie gesagt, Sie müssen versprechen, zuerst mir zu helfen.«

»Über so etwas verhandelt man nicht.«

»Nein? Wollen Sie wissen, was der Mann da getan hat?« Bashi deutete auf einen Mann mittleren Alters, der aus dem Krankenhaus kam und über die Straße ging.

Der Ältere sah den jüngeren Mann an, der Jüngere nickte, ging ebenfalls über die Straße und lief ein paar Schritte, um den anderen Mann einzuholen.

»Wenn Sie in die Notaufnahme gehen und fragen, ob bei dem Brand jemand verletzt wurde, sage ich Ihnen, was er getan hat«, sagte Bashi, als der Ältere ihn weiter bedrängte.

»Sag's mir zuerst.«

»Dann werden Sie mir nicht helfen.«

»Doch, das werde ich.«

Bashi musterte den Mann und sagte dann: »Ich nehme Sie beim Wort. Der Mann – ich weiß seinen Namen nicht, aber ich weiß, dass er im Krankenhaus arbeitet – hat die Petition für die konterrevolutionäre Frau unterschrieben. Jetzt müssen Sie reingehen und mir helfen.«

Der ältere Mann rührte sich nicht. »Mehr nicht?«

»Wie? Ist diese Information nicht wichtig genug?«

»Benutze dein Gehirn, kleiner Bruder. Wenn er die Petition unterschrieben hat, wozu brauchen wir dann dich?«

»Was wollen Sie dann hören?«

»Kennst du jemand, der bei der Demonstration war und nicht unterschrieben hat?«

Darauf waren sie also aus, dachte Bashi, nickte lächelnd und deutete auf den Eingang der Notaufnahme. Der Mann schaute Bashi an und schnippte dann die Zigarettenkippe in den Rinnstein. »Ich werde mich für dich erkundigen, und dann hast du mir hoffentlich was Interessantes mitzuteilen.«

Ein paar Minuten später kam der Mann zurück und sagte, dass niemand bei dem Brand umgekommen war, aber zwei kleine Mädchen waren am Nachmittag mit schweren Verbrennungen in die Provinzhauptstadt gebracht worden. Bashi dachte an die kleinen, vom Feuer eingeschlossenen Körper und schauderte.

Der Mann betrachtete Bashi. »Die Mädchen sind nicht tot – ich weiß nicht, ob das gute oder schlechte Nachrichten sind, aber ich hab's für dich herausgefunden. Jetzt bist du dran.«

»Was wollen Sie wissen?«

»Wie ich gesagt habe, alles, was du weißt.«

»Die alte Frau – die Mutter der Konterrevolutionärin, wenn Sie wissen, von wem ich spreche – ist eine von denjenigen, die hinter den Kulissen die Strippen gezogen haben.«

Der Mann schnaubte unbeeindruckt. »Was noch? Erzähl uns was, was wir noch nicht wissen.«

»Ich habe so viele Leute gesehen, dass ich mich kaum mehr an sie erinnern kann.«

»An ein paar wirst du dich wohl noch erinnern.«

»Mal sehen.« Bashi dachte nach und zählte Namen auf, Namen von Leuten, die er bei der Kundgebung gesehen hatte, von anderen, die ihn irgendwann einmal beleidigt hatten. Der Mann schien nicht daran interessiert, die Wahrhaftigkeit dieser Aufzählung zu kontrollieren, und Bashi wurde dreister, nannte alle Personen, die er bei der Kundgebung gesehen hatte, und fügte dann noch ein paar Leute hinzu, die er als seine Feinde betrachtete. Der Mann schrieb die Namen in sein Notizbuch und fragte dann nach Bashis persönlichen Daten.

Bashi nannte seinen Namen und seine Adresse. »Wann immer Sie Hilfe brauchen«, sagte er.

»Moment noch«, sagte der Mann. »Warum bist du zur Kundgebung gegangen?«

»Nur um zu sehen, was dort los ist«, sagte Bashi und verabschiedete sich.

DIE FREUDEN DER JUGEND verkürzten den Tag zu einem Augenblick; die Einsamkeit des Alters streckte einen Augenblick zu einem endlosen Alptraum. Lehrer Gu betrachtete seinen schrägen Schatten, den die Abendsonne auf die Mauer in der Gasse warf. Der Umschlag in seiner Hand war schwer, doch einen Moment lang erinnerte er sich nicht mehr daran, was er seiner ersten Frau geschrieben hatte. Wie lange dauerte es, bis seine Briefe auf ihrem Schreibtisch lagen, geöffnet, gelesen, wieder gelesen und beantwortet wurden? Er rechnete nach und kalkulierte die Zeit, bis ihr Brief bei ihm einträfe, aber die Zahl der Tage entfiel ihm.

Am Abend zuvor war seine Frau von zwei Polizisten abgeholt worden, und jetzt fiel ihm ein, dass er ihre Verhaftung in sachlichem Ton in seinem letzten Brief erwähnt hatte. Die Polizisten hatten nach einmaligem Klopfen die Tür aufgestoßen, und sie trat aus dem Schlafzimmer und ließ sich Handschellen anlegen, ohne ein Wort zu sagen. Lehrer Gu saß am Schreibtisch, den Füller in der Hand, obwohl er gerade keinen Brief schrieb. Weder die Polizisten noch seine Frau wandten sich an ihn, und einen Augenblick lang meinte er, aus reiner Willenskraft unsichtbar geworden zu sein. Dann verfasste er einen langen Brief an seine erste Frau; der Zauber der Befreiung verwandelte ihn in den Dichter, der er schon lange nicht mehr gewesen war.

Seine Frau war zum Frühstück und zum Mittagessen nicht zurück, und jetzt, da die Straßen und Gassen mit den langen Schatten der nach Hause gehenden Menschen erfüllt waren, wusste Lehrer Gu, dass sie ebensowenig zum Abendessen und vermutlich auch zu seinen Lebzeiten nicht mehr zurückkommen würde. Alle waren sie auf diese Weise verschwunden und hatten ihm keine Chance gelassen, mitzubestimmen oder auch nur zu protestieren: Seine erste Frau war eines Abends nicht von der Arbeit nach Hause gekommen, und gleich danach fand er einen Brief mit dem Antrag auf Scheidung, in ihrer wunderschönen Handschrift, neben einer Kanne Tee, den er für sie gekocht hatte und der kalt wurde; Shan hatte im Bett ein Buch gelesen, als die Polizei sie holte, abends, wenn die Verhaftungen normalerweise vorgenommen wurden, und Shan hatte sich gewehrt und protestiert, die Rechtmäßigkeit der Festnahme in Frage gestellt, doch letztlich war sie fortgeschleppt worden, und das Buch mit den Eselsohren blieb neben ihrem Kissen liegen; seine Frau hatte am Vorabend den Polizisten weder widersprochen noch hatte sie Widerstand geleistet. Sie hatte sich mit ein paar Worten des Bedauerns an den Rücken ihres Mannes gewandt, aber was für einen Sinn hatte das, da ihr Herz nicht länger bei ihm in diesem Haus war, das sie dreißig Jahre miteinander geteilt hatten, sondern an einen anderen Ort schwebte, bereit, sich auf einem Altar zu opfern. Sie alle machten sich so leicht davon, als wäre er ein Traum, weder ein guter noch ein schlechter, sondern ein belangloser Traum voll uninteressanter Details, und eines Tages erwachten sie, setzten ihr Leben fort und merkten nicht einmal, dass er nicht mehr da war. Würden sie einen Moment innehalten und an ihn denken, wenn sie sein Gesicht zwischen zwei Ästen sahen oder ihn im Husten eines alten Hundes hörten? Dachte seine Frau, wo immer sie war, jetzt an ihn, an diesen alten Invaliden, der nichts Besseres zu tun hatte, als in einer Gasse stehenzubleiben und zu weinen? Lehrer Gu versuchte, sich auf seinen Stock zu stützen, aber seine Hand zitterte so sehr, dass er einen Moment lang glaubte, es wäre das Ende, auf das er sich gefreut hatte, sein Körper würde seinen eigenen Willen durchsetzen und ihn in die Gosse stürzen, bevor sein Geist ihn daran hindern konnte.

»Alles in Ordnung?« Es war der Nachbar mit der schönen Stimme, dessen Namen zu erfahren Lehrer Gu sich nie die Mühe gemacht hatte und dessen Frau sie hatte ausspionieren wollen. Er hielt mit seinem Fahrrad neben Lehrer Gu an und stützte ihn mit einer Hand.

Lehrer Gu war verwirrt, wollte seinen Arm befreien und davonlaufen. Der Griff des Mannes wurde so fest wie eine eiserne Klammer. Ohne Lehrer Gu loszulassen, stieg er vom Rad und sagte: »Müssen Sie ins Krankenhaus?«

»Ich gehe zum Briefkasten«, sagte Lehrer Gu, nachdem er seine Würde zurückgewonnen hatte.

»Ich kann das für Sie erledigen«, sagte der Mann.

Lehrer Gu schüttelte den Kopf. Er wollte mit eigenen Ohren hören, wie der Brief in den Blechkasten fiel. Vor wie vielen Tagen hatte er den ersten Brief abgeschickt? Er zählte sie erneut, ohne zu ahnen, dass der Brief, auf dem als Absender sein Name und seine Adresse standen, wie alle anderen abgefangen und zuerst von einem Fremden gelesen wurde. Der Mann, der die Briefe las, ein älterer Funktionär, der sein letztes Jahr an einem Schreibtisch im Polizeirevier verbrachte, quälte sich mit den nahezu unlesbaren Passagen ab, die ihn an seine todkranken Eltern und seinen kurz bevorstehenden Ruhestand erinnerten. Er hätte die Zeilen mit den unfreundlichen Worten über die Regierung unterstreichen und ein großes Theater darum machen können, doch schließlich sah er keinen Grund, einem alten Mann während seiner letzten, freudlosen Jahre unnötig Schmerz zuzufügen, stempelte die Briefe als harmlos ab und ließ sie von der Post weiterschicken. Nachts, wenn er nicht einschlafen konnte, dachte er sogar an die Frau, die diese Briefe lesen und beantworten würde. Er wünschte, es gehörte zu seinen Pflichten, auch die Briefe zu lesen, die an die Adresse der Gus geschickt wurden, doch das tat eine Kollegin, eine Frau Ende Dreißig, die beim Lesen immer Bonbons lutschte, und das leise Geräusch, das die Bonbons verursachten, wenn sie gegen die Zähne stießen, lenkte den alten Mann ab und ärgerte ihn. Er brachte es nicht über sich, sie nach den Briefen einer bestimmten Frau an Lehrer Gu zu fragen, aber er war neugierig, nahezu so ungeduldig wie Lehrer Gu selbst, was die Frau antworten würde. Beide wussten nicht, dass die Briefe neben anderer Post ungeöffnet in einem Arbeitszimmer lagen, während die betreffende Frau an Krebs und Einsamkeit in einem Krankenhaus für hochrangige Kader in Beijing starb.

»Ich gehe mit Ihnen zum Briefkasten«, sagte der Mann zu Lehrer Gu.

Lehrer Gu erwiderte nichts. Er befreite sich aus dem Griff des Mannes und ging weiter, doch als der Mann nach ein paar Schritten sein Angebot wiederholte, schickte er ihn nicht weg. Er hatte seit dem Abend nichts mehr gegessen, und als er sich wieder an der Mauer abstützte, hob der Mann ihn hoch und setzte ihn auf den Gepäckträger des Rads. »Ich bringe Sie ins Krankenhaus, in Ordnung?« sagte er laut, fasste mit einer Hand nach dem Lenker und hielt mit der anderen Lehrer Gu fest.

Lehrer Gu protestierte so vehement, dass sie beide samt Rad fast gestürzt wären. Ein weiterer Nachbar eilte zu Hilfe, und gemeinsam schoben sie das Fahrrad langsam zum Tor der Gus. Der Mann lehnte das Rad an die Mauer und half Lehrer Gu beim Absteigen, doch bevor sie den Hof betreten konnten, tauchte aus dem Nirgendwo die Frau des Mannes auf. »Was geht hier vor?« fragte sie und schnalzte mit der Zunge. »Sie hassen uns Arbeiter doch, oder etwa nicht?«

Lehrer Gu blieb stehen und brauchte einen Augenblick, bis er begriff, dass sie ihn angesprochen hatte. Sie stand lächerlich nahe vor ihm, die Augen aufgerissen. »Wo ist Ihre Frau? Glauben Sie jetzt an die Macht des Volkes?«

Der andere Nachbar schlich davon, und der Mann sagte zu seiner Frau: »Geh jetzt nach Hause. Mach keine Szene.«

»Warum nicht?« sagte die Frau. »Ich will Leute wie ihn mit eigenen Augen verrotten sehen.«

Lehrer Gu hustete, und die Frau hielt sich die Hand vors Gesicht. »Na los. Kommen Sie mit«, sagte Lehrer Gu leise. »Es wird nicht lange dauern.«

Die Frau wollte etwas entgegnen, doch ihr Mann wiederholte flehentlich: »Geh nach Hause. Ich komme gleich.«

»Wer bist du, dass du meinst, mich herumkommandieren zu können?« sagte die Frau.

Lehrer Gu, der seinen Schwächeanfall überwunden hatte, löste den Griff des Mannes um seinen Arm. »Danke, junger Mann«, sagte er. »Ich bin zu Hause, Sie können mich allein lassen.«

Der Mann zögerte, und die Frau lachte. »Komm jetzt«, sagte sie. »Er ist nicht dein Vater, du musst ihm nicht hinterherlaufen wie ein gehorsamer Sohn.«

Der Mann entfernte sich wortlos mit seiner Frau, während sie ihn fragte, warum er sich einem alten Konterrevolutionär gegenüber höflich verhielt. Lehrer Gu sah zu, wie sie durch ihr Tor verschwanden. Nach einer Weile betrat er sein stilles Haus, in dem es dämmrig und kalt war. Einen Augenblick lang wünschte er sich eine geschwätzige Frau wie die seines Nachbarn. Er wünschte, das Haus würde von ihrem geistlosen Geplapper widerhallen, damit er nicht selbst einen Sinn suchen musste, um die Leere zu füllen. Er stand da und wünschte sich unklugerweise solche Dinge, dann nahm er sich zusammen. Er goss aus dem Kessel lauwarmes Wasser in eine Tasse und löffelte Puderzucker hinein. Er würde die Energie zuerst für die notwendigen Dinge brauchen, den leeren Magen, die volle Blase und danach den vollen Nachttopf. Anschließend musste er sich um anderes kümmern, er musste herausfinden, wo seine Frau festgehalten wurde, welche Formalitäten zu erledigen waren, um sie zu besuchen, all die Dinge, die er einst für seine Tochter getan hatte und jetzt wieder tun musste für seine Frau, mit weniger Hoffnung als zehn Jahre zuvor. Lehrer Gu nippte an dem widerlich süßen Zuckerwasser.

Ein Klopfen an der Tür kündigte schon wieder einen unerwünschten Besucher an. Lehrer Gu wandte sich um und sah seinen Nachbarn, noch immer in Arbeitskleidung, dunkle Schmiere auf dem Blaumann. »Lehrer Gu«, sagte er. »Ich hoffe, Sie nehmen meiner Frau die Unhöflichkeit nicht übel.«

Lehrer Gu schüttelte den Kopf. Mit einer wortlosen Geste bat er den Mann, sich an den Tisch zu setzen. Der Mann nahm ein paar Papiertüten aus den Taschen, riss sie auf und legte den Inhalt –

gebratener Tofu, eingelegte Schweinsfüße, gekochte Erdnüsse, mit weißen Sesamsamen bestreuter Algensalat – auf das ausgebreitete Papier. »Ich dachte, Sie würden vielleicht gern mit jemand reden«, sagte der Mann und reichte Lehrer Gu eine kleine, flache Flasche mit Hirseschnaps.

Lehrer Gu blickte auf die kleine Flasche in seiner Hand: dickes grünes Glas, eingewickelt in rauhes, mit roten Sternen bedrucktes Papier. »Ich muss mich entschuldigen, weil ich Ihnen im Gegenzug nichts anzubieten habe«, sagte Lehrer Gu, als er seinem Nachbarn Stäbchen reichte.

Der Mann holte eine zweite Flasche Schnaps für sich heraus. »Lehrer Gu, ich bin gekommen, um mich für meine Frau zu entschuldigen«, sagte er. »Wie Sie neulich gesagt haben, von Mann zu Mann.«

Lehrer Gu schüttelte den Kopf. Als Erwachsener hatte er nie mit jemandem an einem Tisch gesessen, der dem gleichen Stand wie sein Nachbar angehörte, mit einem Arbeiter, einem wenig gebildeten Mitglied der allmächtigen Proletarierklasee. Nur als kleiner Junge hatte er eine ähnliche Erfahrung gemacht, als er im Haus seines Kindermädchens zu Besuch war – ihr Mann war Schreiner, der vier Finger seiner rechten Hand bei einem Unfall verloren hatte, und Lehrer Gu erinnerte sich daran, wie er auf die Stümpfe gestarrt hatte, als der Mann ihm Tee einschenkte. Sein Nachbar roch anders als die Männer, die er kannte, bewandert in Literatur und berühmte Lehrer. »Was arbeiten Sie, junger Mann?« fragte er.

»Ich arbeite in der Zementfabrik«, sagte der Mann. »Sie kennen die Zementfabrik?«

Lehrer Gu nickte und sah zu, wie der Mann sich zwei Erdnüsse in den Mund steckte und schmatzend kaute. »Wie heißen Sie? Bitte entschuldigen Sie, ich bin ein alter, unwissender Invalide.«

»Ich heiße Gousheng«, sagte der Mann und fügte hinzu, als wollte er sich seinerseits entschuldigen, dass seine Eltern Analphabeten gewesen waren und ihm diesen Namen – Essensreste für einen Hund – gegeben hatten, um sicherzugehen, dass es keinen Teufel nach ihm gelüstete.

»Kein Grund, sich zu schämen«, sagte Lehrer Gu. »Wie viele Geschwister haben Sie?«

»Sechs, aber lauter Schwestern«, sagte Gousheng. »Ich war das einzige Glück, das meinen Eltern widerfahren ist.«

Lehrer Gu hatte nicht bewusst auf einen Sohn gehofft, doch jetzt fragte er sich, ob das nicht falsch gewesen war. Es wäre anders, wenn er einen Sohn hätte, der mit ihm trank, mit ihm von Mann zu Mann sprach. »Trotzdem hatten Sie mehr Glück als viele andere Familien«, sagte Lehrer Gu.

Gousheng trank einen großen Schluck aus der Flasche. »Ja, aber der Druck auf mich wäre weniger groß gewesen, wenn ich einen Bruder gehabt hätte.«

»Sie und – Ihre Frau – haben keine Kinder?«

Gousheng schüttelte den Kopf. »Kein Baby in Sicht«, sagte er.

»Und Sie« – Lehrer Gu suchte nach den richtigen Worten – »bemühen sich, ein Baby zu bekommen?«

»Sooft ich kann«, sagte Gousheng. »Meine Frau – Lehrer Gu, bitte entschuldigen Sie ihre Unhöflichkeit – hat einen weichen Kern. Sie leidet darunter, dass sie bis jetzt kein Kind bekommen hat. Sie glaubt, dass die ganze Welt sie auslacht.«

Lehrer Gu dachte an die Frau, an ihre rasiermesserscharfen Worte. Er konnte sich ihren weichen Kern nicht vorstellen, und einen Augenblick lang freute er sich über ihre wohlverdiente Verzweiflung, doch diese Freude war nicht von Dauer. Sie litten alle in ihrem jämmerlichen Schmerz, jeder einzelne von ihnen, und was für ein Recht hatte er, über diese Frau zu lachen, deren Mann ihm sein Herz ausschüttete?

»Ich befürchte, dass ihr aufbrausendes Temperament es uns erschwert, ein Kind zu kriegen. Aber wie kann ich ihr das sagen? Sie ist der Typ Frau, der alles will, Erfolg und Ruhm.«

Lehrer Gu nahm die Flasche und betrachtete sie. Gousheng schob ihm das Essen hin. »Essen und trinken Sie«, sagte er. »Lehrer Gu, ich bin ein Mann, der kaum ein Buch gelesen hat, und Sie sind der gebildetste Mensch, den ich kenne. Bitte, sagen Sie mir, Lehrer Gu – gibt es etwas, was wir besser machen können? Ich befürchte, dass meine Frau zu viele Menschen schlecht behandelt und wir deswegen bestraft werden.«

Lehrer Gu trank bedächtig aus der Flasche und spürte das Brennen in seiner Kehle. »Wissenschaftlich gesprochen«, sagte er und bereute die Worte sofort. Wahrscheinlich stießen sie den Mann vor den Kopf, der ihn vor einem einsamen Abend bewahrte. »Waren Sie bei einem Arzt?« fragte er.

»Meine Frau will nicht – wir sind seit drei Jahren verheiratet. Es reicht schon, dass sie nicht schwanger wird – wenn wir zum Arzt gehen, wird die ganze Welt davon erfahren.«

Lehrer Gu wollte erklären, dass sie vielleicht nicht allein für die Lage verantwortlich war, aber warum sollte er das Gewicht ihrer Schande und Demütigung verringern? Er trank und steckte sich wie Gousheng Erdnüsse in den Mund. »Es gibt keine andere Möglichkeit. Versuchen Sie's weiter. Aber Sie müssen wissen, dass manche Hühner keine Eier legen«, sagte Lehrer Gu, zuerst angewidert und dann erheitert von seiner derben Metapher.

Gousheng dachte darüber nach. Nach ein paar Schlucken Schnaps nickte er. »Dann wäre ich verloren«, sagte er. »Als meine Eltern ihr Foto sahen, waren sie mit der Heirat nicht einverstanden. Sie meinten, dass sie zu männlich aussieht.«

»Und Sie mochten sie?«

»Sie war bereits eine Anführerin der Jugendliga, und ich war nur ein einfacher Arbeiter. Wie hätte ich so ein Angebot zurückweisen können? Ein Blinder konnte sehen, was für ein Glück ich hatte, vor allem weil sie es war, die die Heirat vorschlug.«

»Warum hat sie Sie dann ausgesucht?« fragte Lehrer Gu. »Sie sind natürlich ein gutaussehender Mann«, fügte er wenig überzeugend hinzu.

Gousheng schüttelte den Kopf. »Sie hat gesagt, dass sie jemand Vertrauenswürdigen wollte, jemand aus der Proletarierklasse, jemand, der seinen Lebensunterhalt mit der Arbeit seiner Hände verdient. Aber warum um alles in der Welt hat sie sich für mich entschieden? Es gibt viele Männer, die besser zu ihr gepasst hätten. Manchmal wünschte ich, sie hätte sich jemand anders ausgesucht – ich hätte eine fügsame Frau haben können, statt selbst gehorchen zu müssen!«

Lehrer Gu betrachtete den jungen Mann aus alkoholfeuchten Augen. »Das Verhalten von Frauen ist nicht vorhersehbar«, sagte er. »Die Männer wollen ihre Logik verstehen, aber ich sage Ihnen, sie verhalten sich nicht vernünftig. Warum lassen Sie sich nicht von ihr scheiden? Lassen Sie sie leiden. Leiden Sie nicht mit ihr. Frauen sind alle gleich – sie wissen nicht, wie man einem Mann das Leben leichter macht.«

Gousheng schien erschrocken über Lehrer Gus plötzlichen Ausbruch, doch der trank weiter und sprach mit neuer Energie. »Nehmen Sie zum Beispiel meine Frau – schauen Sie nur, in was für eine Lage sie sich gebracht hat.«

Gousheng trank einen Schluck und sagte dann: »Lehrer Gu, Ihre Frau –«

»Glauben Sie bloß nicht, dass Sie sie verteidigen müssen. Ich weiß, was sie getan hat.«

»Wahrscheinlich ist sie nur eine Mitläuferin«, sagte Gousheng. »Sie ist nicht mehr jung, und vermutlich werden sie sie nicht allzu hart behandeln.«

Lehrer Gu ignorierte Goushengs Versuch, ihn zu trösten. Er trank jetzt mit einer Geschwindigkeit, die es mit der von Gousheng aufnehmen konnte. »Ich will Ihnen sagen, was das Schlimmste an diesem neuen China ist – ich bin überhaupt nicht gegen das neue China, aber alle diese Frauen, die ohne die Zustimmung ihrer Männer tun können, was sie wollen. Sie glauben, sie wissen viel über die Welt, aber sie handeln, als hätten sie kein Gehirn. Ihre Frau, entschuldigen Sie, wenn ich Ihnen zu nahe trete – sie ist genauso ein Geschöpf wie meine eigene Frau. Und meine Tochter auch – Sie kannten sie nicht, aber sie war genauso wie Ihre Frau, voller Ideen und Urteile, aber sie hatte keine Ahnung, wie man sich respektvoll verhält. Sie glauben, sie seien revolutionär, progressiv, sie glauben, sie täten der Welt einen großen Gefallen, wenn sie ihr Leben selbst in die Hand nehmen, aber eine Revolution ist nichts anderes als eine systematische Methode, wie eine Spezies eine andere bei lebendigem Leib auffrisst. Ich sage Ihnen – die Geschichte wird im Gegensatz zu dem, was sie über die Lautsprecher verkünden, nicht von revolutionärer Kraft bestimmt, sondern von dem Wunsch des Menschen, sich über einen anderen zu erheben und ihn anzuscheißen und anzupinkeln, wie er oder sie möchte. Männer tun schon genug schlimme Dinge, aber wenn man jetzt auch noch Frauen in die Gleichung mit einbeziehen muss, dann ist es vielleicht besser, kein Kind mehr in die Welt zu setzen. Was gibt es denn auf der Welt, was es wert wäre, ein Kind zu bekommen? Nennen Sie mir einen guten Grund.«

Lehrer Gu hatte den Eindruck, dass sich sein Herz über den Tisch ergoss wie die dahinrollenden Erdnüsse, die seine ungeschickten Finger jetzt nicht mehr zu fassen bekamen. Nie zuvor hatte er so viel Leidenschaft für die Welt empfunden. Warum sollte er respektvoll und bescheiden bleiben, wenn ihm Leid zugefügt wurde, nicht nur von den Männern, die er hasste, sondern auch von den Frauen, die er liebte? Warum hatte er sie überhaupt lieben müssen, da der Buddha doch deutlich gesagt hatte, dass eine schöne Frau nur ein verkleideter Sack weißer Knochen war? Warum hatte er sich von ihnen täuschen lassen, von seinen Frauen, seinen Geliebten und seiner Tochter – was waren sie anderes als Geschöpfe, ausgesandt, ihn zu zerstören, ihn unter Schmerzen leben und unter Schmerzen sterben zu lassen?

»Lehrer Gu, bitte, sprechen Sie nicht so laut«, flüsterte Gousheng. »Das wäre unklug.«

Der junge Mann, der an seinem Tisch saß und dessen Namen Lehrer Gu bereits wieder vergessen hatte, versuchte, ihm die Flasche wegzunehmen. Lehrer Gu stieß seine Hand weg, bereit, gegen den jungen Mann und die Welt, die hinter ihm stand, zu kämpfen. Das sei sein Zuhause, und hier könne er tun, was er wolle, sagte Lehrer Gu laut. Er spürte, wie die Welt furchtsam hinter dem breiten, schweren Körper des jungen Mannes hervorspähte. Wenn sie es noch einmal tat, würde Lehrer Gu ihr mit der dicken grünen Flasche den Schädel einschlagen, doch als er auf seine Hand blickte, wusste er nicht, wohin die Flasche verschwunden war.

MITTENDRIN, WÄHREND ER EIN REVOLUTIONÄRES LIED SANG, schlief Tongs Vater ein und begann bald zu schnarchen. »Nicht viele Leute bleiben gutgelaunt, wenn sie getrunken haben«, sagte Tongs Mutter bewundernd, als wollte sie erklären, warum sie soviel Nachsicht mit der Trinkerei ihres Mannes hatte. Sie kniete sich neben ihn, löste seine Schnürsenkel und zog ihm die Schuhe aus. »Er hat die besten Seiten eines Trinkers.«

Tong saß auf der Kante eines Stuhls und blickte auf seine baumelnden Beine. Er wartete darauf, dass sein Vater tief und fest schlief. Niemand hatte die Unterschrift auf der Petition erwähnt; dennoch war Tong noch immer beunruhigt und hatte beschlossen, mit seiner Mutter zu sprechen.

Sie zog seinem Vater die Socken aus. »Hol warmes Wasser«, sagte sie, ohne aufzublicken. Als Tong sich nicht rührte, befahl sie ihm, sich zu beeilen, damit sein Vater sich nicht erkältete. Tong ging langsam zu der hohen Küchentheke, wo der Wasserkessel stand. Zwei Kraniche waren auf dem rosa Plastik abgebildet, einer reckte den Hals zum Himmel empor, der andere senkte den Kopf zu etwas Unsichtbarem. Als seine Mutter ihn erneut drängte, stieg er auf einen Stuhl und drückte den Wasserkessel an die Brust wie ein kleines Kind. Er sprang vom Stuhl, und seine Mutter runzelte die Stirn, als sie den Aufprall hörte. Tong zog mit dem Fuß eine Schüssel unter dem Waschtisch hervor. Die Schüssel kratzte über den Betonboden, und dieses Geräusch schien ihn wacher zu machen, als er es den ganzen Tag über gewesen war. Er stieß die Schüssel zuerst mit dem einen Fuß, dann mit dem anderen an, wie einen Ball, den er auf dem Spielfeld nicht verlieren wollte. Eins, zwei, eins, zwei, zählte er und stieß beinahe gegen seine Mutter.

Sie nahm die Emailschüssel und besah sich genau ihren Boden, bevor sie missbilligend sagte: »Tong, du bist alt genug, um zu wissen, was du nicht tun sollst.«

Er spürte Tränen in seinen Augen brennen, aber es wäre falsch gewesen zu weinen. Er drückte den Wasserkessel an sich in der Erwartung, dass sie ihn jetzt erst richtig schimpfen würde, doch sie nahm ihm nur den Kessel ab. Tong sah zu, wie sie zuerst mit dem

Handrücken die Wassertemperatur prüfte und dann Wasser über die großen Füße seines Vaters goss. Er rührte sich kurz auf seinem Stuhl und schnarchte weiter.

Tong fragte sie, warum sie für seinen Vater alles tat.

»Was für eine Frage!« sagte seine Mutter. Sie schaute auf, und als sie Tongs ernste Miene sah, lächelte sie und fuhr ihm durchs Haar. »Wenn du ein Mann bist, wirst du eine gute Frau und einen braven Sohn haben, die dich auch auf Knien bedienen werden.«

Tong erwiderte nichts. Er trug die Schüssel mit dem Wasser in den Hof und leerte sie in einer Ecke neben dem Zaun aus. Zurück im Haus, sah er, wie seine Mutter seinen Vater unter Mühen ins Schlafzimmer schleppte; er murrte und fuchtelte mit den Armen, doch nachdem sie ihn aufs Bett gelegt und zugedeckt hatte, schlief er sofort wieder ein. Sie betrachtete ihn einen Augenblick und wandte sich dann an Tong. »Hast du deine Hausaufgaben gemacht?«

»Wir haben heute keine Hausaufgaben«, sagte Tong.

»Wie das?«

Tong blickte seine Mutter kurz an, aber sie schien es nicht zu bemerken. »Den ganzen Tag gab es Dringlichkeitssitzungen«, sagte er.

»Ach ja, richtig«, sagte sie. »Wegen der Kundgebung.«

»Was ist an Ching Ming passiert?« fragte Tong. Er wusste nicht, ob sie ihm ansah, dass er ein Geheimnis vor ihr verbarg.

»Das ist zu kompliziert für dich. Das verstehen nur Erwachsene.«

»Unser Direktor hat gesagt, dass schreckliche Dinge passiert sind.«

»Es ist nicht so schlimm, wie du glaubst«, sagte Tongs Mutter. »Manche Leute denken so, andere denken anders. So sind die Menschen. Sie sind selten einer Meinung.«

»Welche Seite hat recht?«

»Die Seite, auf der deine Lehrer und der Direktor stehen. Halte dich immer an das, was sie sagen, dann machst du keinen Fehler.«

Tong dachte an die Lehrer, die er am Tag zuvor bei der Kundgebung gesehen hatte, an den Lehrer, der am Tisch hinter der Petition gesessen hatte, und ein paar andere, die schweigend mit den weißen Blumen in der Schlange gestanden hatten. »Denk nicht soviel an diese unwichtigen Dinge«, sagte Tongs Mutter. »Wenn du nicht von der Linie abweichst, bist du immer am richtigen Ort. Und wenn du nichts Falsches tust, brauchst du nie Angst zu haben, auch wenn um Mitternacht die Geister an die Tür klopfen.«

Tong wollte noch weitere Fragen stellen, doch bevor er etwas sagen konnte, hämmerte jemand an ihr Tor. Seine Mutter lachte. »Kaum spricht man vom Teufel, klopft er schon an die Tür. Wer kann so spät noch kommen?«

Tong folgte ihr in den Hof, und plötzlich war seine Kehle vor Angst wie zugeschnürt. Im Hof konnte er sich nirgendwo verstekken außer in dem Karton, der einst Ohr als Hütte gedient hatte. Als seine Mutter das Tor öffnete und Tong die hellen Strahlen zweier Taschenlampen sah, kroch er in die Schachtel und hielt den Atem an.

Tongs Mutter fragte die Besucher, was sie wollten, und jemand antwortete leise. Konnte ein Fehler vorliegen? fragte sie, und Tong hörte die Angst in ihrer Stimme. Es müsse ein Missverständnis vorliegen, sagte sie flehentlich, doch die Besucher schienen sie nicht zu hören, und einer musste sie gestoßen haben, denn sie schrie leise und überrascht auf und trat zur Seite. Tong schaute aus dem Karton und versuchte zwischen den vier Lederstiefeln der Besucher die Stoffschuhe seiner Mutter auszumachen. Zwei Männer gingen jetzt zum Haus, und seine Mutter lief ihnen nach; ihr Mann war krank und lag im Bett, log sie, doch die Besucher ignorierten sie. Sie betraten das Schlafzimmer, und bald darauf hörte Tong, wie sein Vater, den sie geweckt hatten, den Eindringlingen Fragen stellte. Sie antworteten leise und gelassen, und sosehr Tong sich auch anstrengte, er konnte nicht hören, was sie sagten. »Eins möchte ich klarstellen«, sagte Tongs Vater. »Ich habe an diesem Vormittag das Haus nicht verlassen.«

Die Antwort der Besucher war nicht zu verstehen.

»Das muss ein Missverständnis sein«, beharrte Tongs Mutter. »Ich schwöre, wir sind beide gesetzestreue Bürger.«

Tong kroch aus der Schachtel hervor und näher zum Haus. Durch die offene Tür hörte er einen der Männer ruhig sagen: »Wir werden jetzt nicht mit Ihnen streiten. Unsere Aufgabe ist es, Sie zum Revier zu bringen. Dort können Sie sagen, soviel Sie wollen, aber hier ist der Haftbefehl, den Sie schon gesehen haben. Wenn Sie nicht freiwillig mitkommen, müssen wir Sie eben mit Gewalt hinbringen.«

»Aber können Sie nicht bis morgen früh warten? Warum müssen Sie ihn heute abend noch mitnehmen, warum kann er nicht zu Hause schlafen?« sagte Tongs Mutter. »Wir versprechen, gleich morgen früh zu kommen und das Missverständnis aufzuklären.«

Die Besucher erwiderten nichts darauf, und Tong wusste, dass sie seinen Vater anschauten und seine Mutter ignorierten. Er hatte viele Männer gesehen, die sich so verhielten, Frauen und natürlich auch Kinder übersahen und überhörten, als existierten sie nicht. Er wünschte, seine Mutter würde das begreifen und es seinem Vater überlassen, sich um die Sache zu kümmern. »Der Verstand einer Frau«, spottete sein Vater, »reicht so weit wie Ameisenbeine. Kennst du nicht das Sprichwort: *Wenn die Geister dich zu einem Gespräch einladen, kannst du nicht länger als eine Minute bleiben*?«

»Na also«, sagte ein Mann und kicherte.

»Aber was hat er denn getan?« murmelte Tongs Mutter.

»Schwarze Worte auf weißem Papier«, sagte der andere Mann. »Mit einem Haftbefehl kann man nicht streiten.«

»Mach kein Theater, Frau«, sagte Tongs Vater. »Offenbar muss ich heute abend noch einen Ausflug machen. Warum stehen wir hier rum und verschwenden unsere Zeit, Brüder?«

»So ist's recht. Sie sind ein schlauer Mann«, sagte ein Besucher, und dann klimperte etwas Metallisches.

»Muss das sein?« fragte Tongs Vater. »Ich habe nicht vor, einen Aufstand zu machen.«

»Tut mir leid.« Die Handschellen wurden geschlossen. »Ich kann keine Ausnahme machen.«

»Kann er etwas zu essen mitnehmen?« fragte Tongs Mutter. »Vielleicht wird es eine lange Nacht.«

Die Besucher schwiegen. »Was für ein dummes Gerede«, sagte Tongs Vater. »Koch ein gutes Frühstück, und ich bin morgen früh wieder zurück, wenn das Missverständnis aufgeklärt ist.«

»Etwas heißen Tee, bevor du gehst? Ist deine Jacke warm genug? Soll ich dir die Schaffelljacke holen?«

»Eine gute Frau haben Sie da«, sagte einer der Männer.

»Sie wissen doch, wie es mit den Frauen ist«, sagte Tongs Vater. »Je mehr man sie wie Dreck behandelt, desto lieber kriechen sie auf Knien vor dir rum. Hör auf, dich wie eine alte Glucke zu benehmen. Schlaf jetzt. Ich bin bald wieder da.«

Tong versteckte sich wieder in der Kiste und sah zu, wie sein noch immer beschwipster Vater mit den beiden schwarz uniformierten Männern den Hof verließ. Die Hände seines Vaters waren auf seinem Rücken mit Handschellen gefesselt, aber das hielt ihn nicht davon ab, so vertraulich mit den Männern zu reden, als wären sie seine Brüder, die er vor langer Zeit aus den Augen verloren und nun wiedergefunden hätte. Die Ungezwungenheit und Zuversicht seines Vaters machten Tong angst. Er stellte sich sein Entsetzen vor, wenn man ihm seinen eigenen Namen auf dem weißen Tuch zeigte. Wäre er klarsichtig genug, um sie darauf hinzuweisen, dass es nicht seine Handschrift war? Aber kämen die Polizisten dann mit Handschellen für ihn selbst zurück? fragte sich Tong, und bekam noch mehr Angst. Nie würden sie ihm das rote Halstuch der Jungpioniere geben.

Nachdem die beiden Männer mit seinem Vater gegangen waren und seiner Mutter das Tor vor der Nase zugeknallt hatten, stand sie da wie in Trance. Dann rief sie Tongs Namen, und als er nicht antwortete, hob sie die Stimme und rief erneut nach ihm.

Er reagierte nicht und hielt die Luft an, während das Blut laut in seinen Ohren rauschte. Er sah zu, wie sie eine Weile horchte, dann ins Haus ging und wieder seinen Namen rief. Wenn er auf Zehenspitzen zum Tor schlich, hätte er vielleicht genug Zeit, um davonzulaufen, ohne dass sie ihn erwischte; wenn er auf einen Nachtzug sprang, könnte er am nächsten Tag im Dorf seiner Großeltern sein. Dort würde ihm niemand Vorhaltungen machen; im Dorf wussten sie, dass er ein Junge war, den das Schicksal dazu ausersehen hatte, groß und bedeutend zu werden.

Tongs Mutter trat erneut in den Hof und rief leise seinen Namen, aber jetzt hörte er die Panik in ihrer Stimme. Er kroch aus der Kiste und stand auf. »Mama«, sagte er. »Hier bin ich.«

WENN SIE SICH AUF DEM STUHL ganz still verhielt, dachte Nini, würde der Geist von Bashis Großmutter, wenn er denn tatsächlich existierte, vielleicht glauben, dass Nini zur Einrichtung des Zimmers gehörte. Nini betrachtete die Plakate an der Wand – der Vorsitzende Mao, der General Zhu die Hand schüttelte, ein dicker Junge, der einen glückbringenden goldenen Karpfen in die Höhe hielt, und ein Paar roter Elstern, Boten des Glücks, die einander etwas zuzwitscherten –, alle mit dunklem Aschestaub überzogen. Der alten Frau würde es nicht gefallen, wenn sie den Haushalt nicht ordentlich und sauber führte, dachte Nini und zog langsam zuerst ein Bein, dann das andere auf den Stuhl und überkreuzte sie. Im Schlafzimmer weinte die Kleine Sechste eine Weile, dann schlief sie wieder ein. Sie waren jetzt eine Familie, Bashi, Nini und das Baby.

Die Fischsuppe stand dampfend und heiß auf dem Tisch, die zwei Schalen mit Reis sahen einladend und köstlich aus; der gebratene Tofu und die gedämpften Würstchen und die eingelegten Bohnensprossen führten ihren rumorenden Magen in Versuchung. Es war ihr erstes Abendessen mit Bashi, und sie hatte sich große Mühe gegeben, ein besonders gutes Essen zu kochen. Sie nahm ein Stäbchen, tauchte es in die Suppe und saugte daran. Der Geschmack machte sie noch hungriger, doch sie traute sich nicht, einen Bissen zu essen aus Angst, dadurch Pech für das Leben heraufzubeschwören, das sie von jetzt an mit Bashi führen würde.

Bashi war schon eine ganze Weile fort, und sie fragte sich, wann er endlich mit Neuigkeiten über ihre Schwestern zurückkehren würde. War er zufällig ihren Eltern oder anderen argwöhnischen

Erwachsenen begegnet? Würden sie ihn fragen, wo sie sich aufhielt? Nini bewegte die Zehen, die eingeschlafen waren, und blickte zur Decke empor. Dort waren keine Augen, die sie beobachteten, und sie nahm die Stäbchen und holte eine Scheibe Ingwer aus der Fischsuppe, dann ein zweites Stück und schließlich einen kleinen Bissen Fisch. Danach ging es ihr gleich besser – warum sollte sie sich Sorgen wegen einer Zukunft machen, über die sie keine Kontrolle hatte? Wenn es denn eine himmlische Gerechtigkeit gab, käme sie in die Hölle – sie hatte das Leben der Kleinen Vierten und der Kleinen Fünften zerstört, und sie sollte ihr eigenes genießen, solange sie noch konnte. Nini nahm einen weiteren Bissen und dann noch einen. Nachdem sie den ganzen Fisch gegessen hatte, wickelte sie die Gräten in eine alte Zeitung und warf sie in den Ofen. Der verbliebene Fisch wirkte einsam, und sie fragte sich, ob das ein weiteres Vorzeichen für Pech war, denn verheiratete Paare sollten alles gemeinsam tun.

Aus dem Ofen drang ein seltsamer Geruch, der Nini an die Schaffellmütze ihres Vaters erinnerte. Die Kleine Vierte und die Kleine Fünfte hatten sie einmal in den Bauch des Ofens unter ihrem Bett zu Hause gesteckt aus Gründen, die Nini nicht verstand, doch Nini hatte statt ihrer eine Tracht Prügel bezogen, und eine Woche lang war ihr Rücken geschwollen gewesen.

Nini stocherte mit dem Haken in den brennenden Fischgräten herum, doch der ekelhafte Geruch wurde davon nur stärker. Sie ging ins Schlafzimmer, kramte im Schrank und in den Schubladen der Kommode und fand nichts außer einer alten Flasche mit Blütenwasser, die Bashis Großmutter gehört haben musste. Sie schraubte sie auf, goss sich eine kleine Menge der klebrigen grünen Flüssigkeit auf die Handfläche und erschrak über den stechenden Duft, der von den Jahren in der Flasche intensiver geworden war. Sie musste niesen.

Sie hielt die Hand lange unter das laufende Wasser und roch dann daran. Der Geruch war schwächer geworden. Neben Bashis Kopfkissen fand sie eine halbe Orange. Sie brach einen Schnitz heraus und saugte daran, während sie den Rest der Orange in den

Ofen warf. Die Orange verbrannte im Feuer, und bald war der Raum von einem angenehmeren Duft erfüllt.

Jemand klopfte mit irgend etwas Metallischem gegen das Tor aus dünnem Holz. Nini schaltete das Licht aus und schlich aus dem Haus und in die Vorratshütte. Das Klopfen jagte ihr Angst ein. Bald würden diese Leute hereinkommen, von ihren Eltern geschickte Teufel, die ihre Hoffnung auf ein glückliches Leben zerstören würden, und Bashi war nicht da, um sie zu beschützen; bald würden sie sie aus diesem Haus zerren und zurück in das Gefängnis bringen, das ihr Elternhaus für sie war.

»Hallo, was machen Sie mit meinem Tor?«

Als sie Bashis Stimme hörte, hätte Nini aus Dankbarkeit am liebsten geweint.

»Bist du Lu Bashi?«

»Ich kenne keinen anderen Lu Bashi.«

»Dann komm mit.«

»Wohin?«

»Das wirst du sehen, wenn wir da sind.«

»Klingt aufregend«, sagte Bashi. »Aber ich kann jetzt nicht mitkommen. Ich habe wichtigere Dinge zu erledigen.«

»Da müssen wir dich enttäuschen«, sagte einer der Männer. »Heute abend gibt es nichts Wichtigeres, als mit uns zu kommen.«

Man hörte das Klirren von Metall.

»Sind das echte Handschellen? Ich erinnere mich, als ich klein war, hatte ich Spielzeughandschellen«, sagte Bashi.

»Probier sie an.«

»Tut mir leid, ich würde sie lieber jemand anders anlegen«, sagte Bashi. »Warum sind Sie hier?«

»Das weißt du besser als wir.«

»Ich weiß beim besten Willen nicht, was ich getan haben soll.«

»Du kannst darüber nachdenken, wenn wir im Revier sind.«

Nini überlegte, ob sie das Tor öffnen und Bashi in den Hof ziehen sollte, bevor die Männer begriffen, was passierte. Sie konnte das Tor von innen verriegeln, und bis die Männer es aufgebrochen hätten, wären sie und Bashi aus dem Hof, aus dem Haus, aus dieser Welt der Schrecken verschwunden.

»Aber ich habe heute abend zu tun. Kann ich nicht morgen früh kommen?«

Ein Mann stöhnte auf. »Schau mal. Weißt du, was das ist? Kannst du lesen?«

»Haftbefehl. Wozu soll der gut sein?«

»Gehen wir. Mir ist noch nie jemand begegnet, der soviel quasselt wie du.«

»Bitte, Brüder, gebt mir einen Tip. Ist es wegen einem Mädchen? Wisst ihr, ob es irgendwas mit einem Mädchen zu tun hat?«

»Mit einem Mädchen!« Die Männer lachten. »Hast du so viele feuchte Träume, dass du glaubst, wir würden dich wegen einem Mädchen holen?«

»Es hat also nichts mit einem Mädchen zu tun«, sagte Bashi.

Ihre Eltern machten sich also nicht einmal die Mühe, nach ihr zu suchen, so wenig lag ihnen an ihr. Vielleicht waren sie froh, sie loszusein, dachte Nini.

Wieder drängten die Männer Bashi mitzukommen.

»Moment noch, Genossen, seid so nett. Könnt ihr mir noch eine Minute geben, damit ich ein paar Dinge im Haus erledigen kann?«

»Du siehst aus wie ein Mann und machst ein Theater wie ein Mädchen«, sagte ein Mann und klimperte mit den Handschellen. »Wir müssen noch zu anderen Häusern. Wir haben nicht die ganze Nacht Zeit.«

»Bitte, nur eine Minute. Ich muss meiner Großmutter sagen, dass ich die Nacht nicht zu Hause verbringen werde. Sie wissen doch, wie alte Frauen sind – sie machen sich die ganze Zeit Sorgen, auch wenn es keinen Grund dazu gibt.«

»Jetzt halt uns nicht für dumm. Hier steht, dass außer dir niemand in dem Haus wohnt, stimmt das etwa nicht?«

»Was das Melderegister betrifft, stimmt es, aber denken Sie nur an den Geist meiner Oma – sie hat mich großgezogen und mich nie allein gelassen, deswegen spreche ich jeden Tag mit ihr, damit sie weiß, wo ich bin. Wenn Sie mich mitnehmen, ohne dass ich ihr Bescheid sage, was ist dann, wenn sie mir aufs Revier folgt? Was, wenn sie einen Fehler macht und mit Ihnen nach Hause geht und den Schlaf Ihrer Kinder stört? Sagen Sie bloß nicht, dass Sie nicht von hier sind und sich wegen solcher Sachen keine Gedanken machen. Geister sind schneller als Sie und ich.«

Nini schauderte in der Dunkelheit. Sie blickte zu dem Schinken hinauf, der über ihrem Kopf hing. Was, wenn der Geist sie beobachtete? Aber was für ein Geist war sie, wenn sie ihren eigenen Enkel nicht rettete? Nini betete leise zu der alten Frau und bat sie zu begreifen, wer ihre wahren Feinde waren.

»Willst du uns bluffen? Wir leben in einer neuen Gesellschaft, in der Aberglaube keinen Platz hat.«

»Wenn ihr mir nicht vertraut, dann nehmt mich mit. Das Problem ist, dass man nie weiß. Geister lesen keine Zeitung, und sie hören auch nicht die Verlautbarungen der Regierung.«

»Ist in Ordnung«, sagte der ältere der beiden Männer. »Geben wir ihm eine Minute. Er kann uns ja nicht wegrennen.«

»Nein, ich werde nicht wegrennen«, sagte Bashi. »Ihr habt mein Wort – ich brauche nur eine Minute.«

»Was soll das heißen? Wir kommen mit.«

»Aber meine Oma hat euch nicht eingeladen.«

»Wir werden höfliche Gäste sein.«

Das Tor wurde geöffnet, und die drei Männer betraten den Hof. Nini, die sich hinter einen Krug in der Vorratshütte duckte, erinnerte sich an die Kleine Sechste, die im Schlafzimmer fest schlief, und ihr Herz begann zu pochen. »Riecht ihr das?« hörte sie Bashi sagen, nachdem er die Haustür geöffnet hatte.

»Was ist das für ein Geruch?«

»Das Blütenwasser meiner Großmutter«, sagte Bashi. »Wie lange habe ich das nicht mehr gerochen? Zum letztenmal hat sie es benutzt, als ich noch ein Kind war, das ohne Hose auf der Straße gespielt hat.«

Die Männer hüstelten nervös, und einer sagte: »Jetzt beeil dich.«

»Kommt ihr nicht mit mir rein? Vielleicht wusste meine Oma, dass ihr kommt, und hat euch was zum Essen gemacht.«

»Gehen wir«, befahl ein Mann plötzlich in barschem Tonfall. »Ich hab deinen abergläubischen Unsinn satt.«

»Haben Sie Angst, Genosse?« sagte Bashi, doch sein Lachen verstummte abrupt, als einer der Männer ihn zurückzerrte, so dass er die Stufen hinunterstolperte. Er schrie auf, aber die beiden Männer packten ihn und zerrten ihn durch das Tor. »Nana«, rief Bashi. »Hast du die beiden Herren gehört? Ich muss für eine Nacht fort. Kein Grund, dir Sorgen zu machen, Nana. Ich bin in Nullkommanichts wieder da, und du sei brav und bleib hier. Lass es dir bloß nicht einfallen, ungezogen zu sein und den Herren zu folgen. Ich möchte nicht, dass du dich verläufst.«

Jemand fluchte, und dann schrie Bashi vor Schmerz auf. Nini kauerte in der Dunkelheit und weinte. Sie hörte, wie das Tor der Nachbarn knarzend geöffnet und wieder geschlossen wurde. Nach einer Weile verließ sie die Vorratshütte. Ein sichelförmiger Mond hing rotgolden am Himmel. Das Tor zur Gasse stand einen Spaltbreit offen. Nini näherte sich leise und schaute hinaus. Die Nachbarn waren ins Haus gegangen, alle Tore in der Gasse waren geschlossen. Sie zog Bashis Tor zentimeterweise geräuschlos zu. Es gab nicht einen einzigen Geist auf der Welt, dachte sie; die alte Frau war begraben, lag kalt in der Erde, und sie würde nicht kommen, um Bashi zu retten oder sich von Nini kränken zu lassen. Sie waren der Gnade Fremder ausgeliefert, wie immer.

DAS WASSER TRÖPFELTE in einem bedächtigen Rhythmus, wie vor vielen Jahren im Garten seiner Großeltern die Regentropfen von den Spitzen der Bananenblätter in eine kleine Pfütze gefallen waren. Jeden Augenblick würde jetzt sein Kindermädchen kommen, und er müsste die Augen schließen, aber sie sah es ihm immer an, wenn er geweint hatte. Schau dir dein Kopfkissen an, würde sie sagen und mit einem Finger über seine nassen Wimpern streichen; das Licht der roten Laterne in ihrer anderen Hand beleuchtete warm sein Gesicht, doch sie konnte seine Schwermut nie aufheitern, ebensowenig wie er eine Begründung für seine Tränen finden konnte. Der junge Herr hat wieder geweint, hörte er sie zu seinen Großeltern sagen, nachdem sie das Schlafzimmer verlassen hatte, und seine Großmutter würde wieder einmal geduldig erklären, dass Kinder weinten, um mit den Tränen die Traurigkeit hinauszuspülen, die aus ihrem früheren Leben stammte.

Es war ein vollkommener Kreis, dachte Lehrer Gu. Das Leben begann mit dem Leid aus einem früheren Leben, man wuchs auf, um die Last abzuwerfen, nur um neues Leid für das nächste Leben anzuhäufen. Langsam wurde er der Welt um sich herum bewusst, und unter großen Mühen schaltete er das Licht auf dem Nachttisch an. Er trug nur sein Hemd und die Unterwäsche. Seine Jacke und seine Hose – vermutlich von seinem Erbrochenen besudelt – hingen gewaschen an der Wäscheleine, und Wasser tropfte in eine kleine Pfütze auf dem Zementboden. Gousheng hatte eine Kanne Tee neben seinem Bett stehen lassen, der noch warm war. Wie lange war er bewusstlos gewesen? Lehrer Gu öffnete den Mund, aber seinem rauhen Hals entrang sich kein Laut. Das war nun aus ihm geworden, ein alter Mann mit einem Kater, der von seinem Wunsch herrührte, am Leben zu bleiben. Am Leben zu bleiben war seit seiner Scheidung sein Glaubensbekenntnis gewesen, und dafür hatte er seine Würde, seine Hoffnungen, seinen Zorn und die Menschen, die er liebte, aufgegeben; doch wohin hatte ihn dieser Glaube geführt wenn nicht zurück in diesen Kreis, dem niemand entkam?

Meine Liebste, mein Geist ist so klar wie ein Spiegel, der im silbernen Licht des Vollmonds von allen Flecken gereinigt wurde, schrieb Lehrer Gu und steckte den Zettel zusammen mit anderen Notizen an seine erste Frau in einen großen Umschlag. Zum letztenmal schrieb er ihren Namen und ihre Adresse, dann schraubte er die Kappe gewissenhaft auf den Parker und steckte ihn zu den Briefen in den Umschlag.

Unter dem Bett stand die alte Holzkiste, in der seine Frau ihre wertvollen Dinge aufbewahrt hatte, und es kostete Lehrer Gu große Anstrengung, sie hervorzuziehen. In der Kiste befand sich ein Anzug im westlichen Stil. Der Anzug habe ihrem Großvater gehört, sagte Lehrer Gu zu Shan am Abend vor dem Tag, an dem sie und ihre Genossen vorhatten, seine bürgerlichen Besitztümer zu verbrennen; der Regenschirm neben dem Anzug sei eine Erinnerung an die Liebesgeschichte seiner Eltern. Er wäre dankbar, wenn sie die paar Dinge von seinen Eltern verschonen würde. Shan spottete über seine Bitte, doch am nächsten Tag beschloss sie, den Anzug und den Schirm zu übersehen, während sie die anderen Sachen ins Feuer warf, darunter die Seidenblusen ihrer Mutter und Lehrer Gus Talar von der Abschlussfeier in der Universität.

Lehrer Gu knöpfte den Anzug zu und kämmte sich; es oblag seiner Verantwortung, die Welt als saubere Person zu verlassen.

Der Briefkasten war weiter weg, als er gedacht hatte, und er musste zweimal stehenbleiben, um Luft zu schöpfen. Der Umschlag wog nicht mehr als sein eigenes Herz, und es war nichts zu hören, als er ihn in den Briefkasten warf.

Ein Hund bellte; eine streunende Katze miaute, und eine andere antwortete mit schrillerer Stimme; ein Kind weinte in einem Haus, und eine Mutter sang ein Wiegenlied; die Welt unter dem Frühlingshimmel war ein wunderschöner Ort, die Mondsichel umgeben von silbernen Sternen, und eine sanfte Brise fuhr mit unsichtbaren Fingern durch die langen Zweige der Weiden. Lehrer Gu horchte. Sein Herz war ein Brunnen ohne Grund; er begrüßte jedes noch so leise Geräusch, einen Seufzer, ein Wispern und das Flattern der zartesten Flügel, mit tiefempfundener Heiterkeit.

»Wohin gehen Sie?« fragten ihn zwei Männer und hielten Lehrer Gu auf der Straße auf.

»Zum Schlammigen Fluss«, sagte Lehrer Gu.

Die Männer wechselten einen Blick und erklärten Lehrer Gu, dass er nicht dorthin gehen dürfe. Warum? fragte Lehrer Gu, aber die Männer zuckten nur die Achseln und sagten, dass sich nach acht Uhr abends niemand mehr auf den Straßen aufhalten durfte. Sie deuteten in die Richtung, aus der er gekommen war, und befahlen ihm, nach Hause zurückzukehren. An anderen Orten wurde der gleiche Befehl erteilt, Arbeiter aus einer anderen Stadt sorgten dafür, dass die Ausgangssperre eingehalten wurde.

Nehmt euch in acht, sagte Lehrer Gu, voller Mitgefühl für diese Menschen, die in blindem Glauben lebten und eines Tages sterben würden, ohne dass ihre Seele auch nur von einem einzigen Lichtstrahl erhellt gewesen wäre. Ihr seid Schlächter an einem Tag, und am nächsten seid ihr das Fleisch auf der Schlachtbank, sagte er zu den Männern; die Messer, mit denen ihr die Kehlen anderer aufschlitzt, werden eines Tages eure eigenen durchschneiden.

Die beiden Männer waren empört. Sie stießen Lehrer Gu und drohten, ihn zu verhaften. Ihre Münder öffneten und schlossen sich, während sie sinnlose Worte und leere Warnungen ausstießen. Ihr dummen Menschen, sagte Lehrer Gu; er war fest entschlossen, an das Wasser zu gelangen, das ihn forttragen würde, schlug mit dem Stock nach den Männern und forderte sie auf, ihn gehen zu lassen. Die Männer brauchten nicht lange, um ihn auf den Boden zu werfen. Kalt wie Wasser, dachte er, und Erleichterung durchströmte ihn wie ein leises Rauschen, als er den Kopf ein wenig bewegte, damit ihm die Scherben seiner Brille nicht so schmerzhaft in die Wange schnitten.

Lehrer Gu schwindendes Bewusstsein ahnte nichts von den Schreien und dem Geheul gefolterten Fleisches, die gedämpft wurden von fühllosen Mauern und ungerührten Herzen. Tongs Vater, bewusstlos geschlagen, versank einen Augenblick in einem betrunkenen Traum, in dem hinter seinen warmen Lidern seine Mutter ein Ei verquirlte, doch dann wurde das Klappern der Stäbchen in der Porzellanschale übertönt von heftigen Stiefeltritten gegen seinen Kopf. Nicht weit entfernt, in einem anderen Raum, weinte ein Mann, Vater zweier Töchter, von denen Bashi einst geträumt hatte, auf dem kalten Zementboden, nachdem er einen blutigen Finger auf das ihm vorgelegte Geständnis gedrückt hatte. Er war ein vorsichtiger Mensch und hatte nie im Leben ein Flugblatt auch nur in die Hand genommen, doch laut Bashis erfundenen und haltlosen Beschuldigungen war der Mann mit einer weißen Blume auf der Kundgebung gewesen.

In wieder einem anderen Raum weinte auch Bashi, warf sich auf dem Boden hin und her und hielt sich mit beiden Händen den Schritt. Bitte große Brüder bitte Onkel bitte Opas bitte bitte, flehte er; er war kleiner als ihr kleinster Zehennagel kleiner als sein eigener Furz bitte er wollte alles gestehen alles was sie wünschten; ja er war ein Konterrevolutionär ja er war bei der Kundgebung gewesen aber bitte große Brüder bitte Onkel und Opas er erinnerte sich an alle Leute die er gesehen hatte; er würde ihre Namen nennen er würde ihre Gesichter auf Fotos wiedererkennen bitte bitte nicht treten nicht schlagen denn er war ein so schlechter Mensch sie würden sich nur die Schuhe und die Hände besudeln; bitte er konnte ihnen alles und jedes erzählen bitte er konnte ihnen von dem Mann erzählen der schlecht über den Kommunismus geredet hatte und von der Frau die die Statue des Vorsitzenden Mao angespuckt hatte, und ja ja er konnte ihnen alles erzählen von dem Mann, der die Leichen von Frauen schändete und verstümmelte und das gleiche mit ihren Frauen und Schwestern tun würde wenn sie ihn nicht rechtzeitig festnahmen.

12

Viele Jahre später machten Eltern in Hun Jiang ihre Kinder auf Tong aufmerksam. Manche erklärten, er allein sei schuld daran, dass sein Vater taub war, dass man ihm den Schädel eingeschlagen hatte und sein Körper für immer gelähmt war; andere fügten aus Gründen der Fairness hinzu, dass Tong trotz seiner Dummheit ein guter Sohn war, der nicht zuließ, dass sein Vater sich wundlag oder seine Mutter unter der Herrschaft einer Schwiegertochter litt. Tagsüber arbeitete er als Angestellter bei der Stadtverwaltung und abends las er. Er las bis nach Mitternacht, und nachdem seine Mutter eingeschlafen war, holte er ein dickes Notizbuch aus der Schublade und schrieb darin. Er las nie, was er geschrieben hatte, und es gab niemand sonst in seiner Welt, der es lesen wollte.

Ohne Rücksicht darauf, wie trostlos sein Leben werden würde, betrat Tong am Morgen nach der Festnahme seines Vaters das Büro des Direktors und hatte nichts anderes vor Augen als die Blüte seines Glaubens, prachtvoller als alle Blumen, reiner als reines Gold. Er zählte die Namen der Leute auf, die er bei der Kundgebung gesehen hatte, Onkel und Tanten aus den Arbeitseinheiten seiner Eltern, Lehrer und Nachbarn, den alten Hua und Frau Hua. Er beschrieb unbekannte Gesichter und schwor, sie alle zu identifizieren, wenn er Gelegenheit dazu bekäme. Er wollte sein Leben in die strafenden Hände der Partei und des Volkes legen, und bitte, konnte der Direktor den Kadern nicht erklären, dass sein Vater nur ein armer Säufer war?

Der Junge ist uns vom Himmel gesandt worden, dachte der

Direktor und betrachtete Tong, der mit einem seltsamen Akzent sprach und aussah wie ein Landei. Der Junge war eine unbeschriebene Tafel, die er mit Farbe bemalen konnte, und ob sie schwarz oder rot würde, hing ganz von seinem Einfallsreichtum ab.

Der Direktor griff zum Telefon und wartete auf die säuselnde Stimme der Frau in der Vermittlung, die ihn mit einem Kader für Erziehung im Stadtrat verbinden sollte. Der Junge saß mitten in seinem Büro und blickte auf seine Schuhe; der Direktor musste ihm zweimal ein Zeichen geben, damit er den Kopf hob, so dass er ihn besser studieren konnte. Sie waren jetzt zwei mit einer Schnur aneinandergebundene Grillen, dachte der Direktor. Seine Hände zitterten, sein Herz war jedoch von der Aufregung eines Spielers erfüllt: Der Junge war möglicherweise der jüngste Konterrevolutionär in diesem politischen Sturm, und er, der scheiternde Erzieher, würde seine eigene Karriere zerstören, die er so gewissenhaft verfolgt hatte; wenn es ihm jedoch gelang, seinen Vorgesetzten davon zu überzeugen, dass der Junge zu einem Helden aufgebaut werden konnte, der alle Kriminellen, darunter seinen eigenen Vater denunzierte, dann würden sie, die Architekten des jungen Helden, einen Orden für ihre Arbeit verdienen.

Er sei bereit, für seine Sache zu sterben, sagte Jialin zu seiner Mutter, als ihr am Tag vor der Verhandlung ein Besuch erlaubt wurde, und sie solle sich für ihn freuen, statt zu trauern. Manches Leben war leichter als eine Feder, und mancher Tod wog schwerer als der Berg Tai. Jialins Mutter drückte ein Taschentuch an die Augen und erwiderte, dass das Leben eines Sohnes, so belanglos es für die Welt auch sein mochte, unersetzbar war, und wie konnte er von ihr erwarten, dass sie das Unglück ihres eigenen Sohnes feierte?

Gegen achthundertfünfundachtzig Personen wurde ermittelt: gegen die, die mit weißen Blumen zur Kundgebung gegangen waren, und die, von denen es ihre Nachbarn und Feinde behauptet hatten. Später wurden sie aus ihren Arbeitseinheiten entlassen. Darunter war eine Ärztin aus der Notaufnahme des städtischen Krankenhauses. Warum war das Schicksl so blind? schrieb ihre Tochter in ihr Tagebuch, und das Unglück der Mutter wuchs sich im Gehirn des vierzehnjährigen Mädchens zu einem giftigen Tumor aus. Eine junge Frau, deren Hochzeit in zwei Wochen, am Ersten Mai, stattfinden sollte, erhielt einen Brief ihres Verlobten, in dem er sich für die Zerbrechlichkeit der Liebe entschuldigte und ihr Glück bei der Suche nach einer neuen Arbeit und einem neuen Mann wünschte. Ein Lehrer in der Mittelschule verabschiedete sich von seiner Klasse; zwei Busenfreundinnen, die beide für den Lehrer schwärmten, brachen in Tränen aus; daraufhin mussten sie mehrmals im Büro des Direktors antreten, wo sie gegeneinander aufgewiegelt wurden, bis sie schließlich miteinander wetteiferten, die schmutzigen Gedanken der jeweils anderen in bezug auf einen Mann, der ihr Vater hätte sein können, offenzulegen.

Frau Hua und der alte Hua wurden ein paar Stunden nach ihrer Verhaftung aus dem provisorischen Internierungslager, einem Ausbildungslager der örtlichen Miliz, entlassen. Später erfuhr Frau Hua, dass ihnen ihr Chef, der alte Junggeselle Shaokang, geholfen hatte. Sie wären ihm auf ewig dankbar, sagte Frau Hua, als sie ihn wiedersah, und er erwiderte in strengem Tonfall, dass er keine Arbeit mehr für sie hatte. Aber wie hatte er es bewerkstelligt? fragte sie und konnte ihr Glück noch immer nicht glauben; hatte er einen einflussreichen Kumpel in der Stadtverwaltung, einen Bruder oder einen anderen Verwandten oder einen Freund? Shaokang blickte auf zu Frau Hua. Das vergessen wir lieber, sagte er nahezu flehentlich, und ihr wurde zum erstenmal klar, dass es wohlgehütete Geheimnisse gab in seinem Junggesellenleben, das er für sie riskiert hatte.

Nini aß, schlief und weinte vier Tage lang in Bashis Haus, bevor sie von der Polizei gefunden wurde. Sie waren nicht wegen ihr gekommen, sondern um nichtexistente Beweise für ein nichtexistentes Verbrechen zu suchen, da Kwen ausgesagt hatte, Bashi sei sein Komplize gewesen und habe mit ihm gemeinsam die Leiche der hingerichteten Konterrevolutionärin geschändet. Die Häuser beider Männer wurden durchsucht. Nachdem sie seinen knurrenden

Wachhund mit einem Schuss in die Stirn getötet hatten, fand die Polizei in Kwens Hütte zwei Gläser mit Formaldehyd, in die er die abgeschnittenen Brüste und das Geschlechtsteil der Frau gelegt hatte; in dem anderen Haus fanden sie ein Mädchen und seine kleine Schwester, die der Verbrecher eingeschüchtert und gefangengehalten hatte. Das Mädchen sprach immer wieder von einer geplanten Heirat, doch niemand glaubte ihr, und als sie sie aus dem Haus führten, schrie sie und trat nach den Polizisten. Bei einer medizinischen Untersuchung erwies sie sich als geistig gesund und als Jungfrau, und die Polizei stand vor einem Rätsel, weil sie immer wieder von einer geplanten Heirat mit Bashi, ihrem Entführer, sprach. Als Ninis Vater gefragt wurde, warum er seine beiden Töchter nicht als vermisst gemeldet hatte, erklärte er, er habe sie vergessen, da er sich sowohl um zwei andere Töchter, die sich bei einem Hausbrand Verbrennungen zugezogen hatten, als auch um seine Frau, die eine Fehlgeburt erlitten hatte, kümmern musste. Wie konnten Eltern eine Tochter vergessen? fragte eine junge Polizistin ihre Kollegen, und sie erwiderten, anderen Kindern sei Schlimmeres widerfahren und sie tue gut daran, sich im Hinblick auf ihre Arbeit abzuhärten.

Die Geschichten von den Körperteilen der hingerichteten Frau und von dem eingesperrten Mädchen, das von den eigenen Eltern verstoßen worden war und für ihren Entführer Gefühle entwickelt hatte, gingen von Mund zu Mund und von Ohr zu Ohr; sie waren die einzigen Themen, über die man in Hun Jiang derzeit gefahrlos sprechen konnte. Die Menschen erfanden neue Details, und ihre Phantasie erstickte die Angst vor einem Leben, das sie nicht verstanden.

Es galt, alle gegen die Regierung opponierenden Organisationen und Personen aufs härteste zu bestrafen, und die dreihundertelf Menschen, die die Petition unterschrieben hatten, wurden als Konterrevolutionäre vor Gericht gestellt; die Urteile reichten von drei Jahren für die Mitläufer bis zu lebenslänglich für die Anführer. Nachdem sie die Urteile überprüft hatte, stellte die Provinzverwaltung klar, dass die Massen nicht wirkungsvoll eingeschüchtert würden, wenn es kein Todesurteil gäbe. *Töte ein Huhn, um alle unartigen Affen zum Gehorsam zu zwingen*, drängte ein hoher Kader schriftlich, und mehrere andere signalisierten Zustimmung.

DIE STILLE HATTE SIE NICHT ERWARTET. Die Geräusche, die einst ihre Tage begleitet hatten – Ming-Mings Weinen mitten in der Nacht, Hans Späße, das Jammern ihrer Mutter, die patriotische Musik, die sie für die Stadtbewohner abspielte, ihre eigene Stimme, die die Nachrichten für die immergleichen tauben Ohren sprach –, waren nicht verstummt; sie übertönten vielmehr die alltäglichen Geräusche: das tropfende Wasser, das Weinen und Flüstern der Frauen in den Nachbarzellen, das Aufsperren des Fensters, durch das das Essen gereicht wurde, ihre eigenen Schritte, die ihre Zelle vermaßen.

Kai war nicht überrascht gewesen, als sie nach dem ersten Tag Haft im besten Gästehaus von Hun Jiang in Handschellen in diese Zelle gebracht worden war. Sie wusste nicht, was sie von den Stunden und Tagen, die vor ihr lagen, erwarten sollte, doch auf merkwürdige Weise freute sie sich darauf wie jemand, der über unbekanntem Territorium fliegt, sich darauf freut, auf festem Boden zu landen.

Nur bedrückten sie diese Phantomgeräusche, und in den stillsten Nächten dachte sie an Ming-Ming, für den sie dank seines Vaters und seiner Großeltern allmählich aufhören würde zu existieren. Von all den Menschen, die sie vermisste – ihre Mutter und ihre Geschwister, Jialin, sogar Han –, war Ming-Ming der einzige, der sich nicht mehr an sie erinnern würde, sobald diese Seite umgeblättert wäre. Hatte Herbstjade, während sie furchtlos auf den Tod wartete, gewünscht, dass es eine Parallelwelt gäbe, in der sie ihren Kindern weiterhin eine Mutter sein könnte?

Kai fing an zu singen, um den Schmerz zu vergessen. Sie sang die Lieder, die sie vor langer Zeit zusammen mit ihren Jugendträumen verdrängt hatte. Ihre Stimme klang anders als Jahre zuvor, doch die Bühne hatte damals nicht so heftig von ihr Besitz ergriffen wie jetzt die kalten Mauern.

Sie sang die Lieder, die Gu Shan während der langen Jahre ihrer Haft gesungen haben musste. *Im Mai blühen die Blumen auf der Ebene, und die roten Blätter fallen und bedecken das Blut der Märtyrer.* Nie zuvor hatte sie sich den Menschen in diesen Liedern so nahe gefühlt – dem Mann und der Frau, die Minuten vor ihrer Hinrichtung heirateten, der im Gefängnis sitzenden Tochter, die ihre Mutter bat, den Stein auf ihrem Grab nach Osten auszurichten, damit sie den Sonnenaufgang sehen konnte, der Mutter, deren Kind vor ihren Augen von der Geheimpolizei zu Tode gefoltert wurde. Sie waren lebendig gewesen, bevor sie zu Legenden wurden, und sie lebten jetzt in ihrem Gesang, teilten ihre Geheimnisse mit ihr, hielten ihr die Hand und warteten mit ihr.

Viele Jahre später schilderte ein verhafteter Aktivist in seinen Erinnerungen, wie er ihrem Gesang gelauscht hatte. Er wurde freigelassen und rehabilitiert, doch zu diesem Zeitpunkt gehörte sie schon lange dem Reich der Legenden an.

DIE FEIERLICHKEITEN ZUM ERSTEN MAI waren geprägt von der öffentlichen Denunziation von Wu Kai und ihren Komplizen wegen des Aufstandes gegen die Regierung. Am Morgen stand Tong früh auf, wusch sich das Gesicht und mit besonderer Sorgfalt hinter den Ohren. Seine Mutter hatte an den beiden Abenden zuvor eine blaue Hose und ein weißes Hemd für ihn genäht, und nachdem er sich angezogen hatte, fuhr sie mit der Hand über seine Kleidung, um auch noch die winzigste Falte glattzustreichen. Tong sollte bei der Denunziation neben Han und ein paar anderen vorbildlichen Bürgern von Hun Jiang sprechen, denen der Titel Wachsamer Held des Kommunistischen China verliehen werden sollte. Vor der Denunziation sollte Tong in einer kleinen Zeremonie zum Kommunistischen Jungpionier ernannt werden. Er blickte auf sein Hemd, das bald mit dem roten Halstuch geschmückt wäre; seine Mutter betrachtete ihn ehrfürchtig und mit einer Trauer, die er nicht verstand. Sei ein braver Junge, sagte sie und fügte hinzu, dass sie und sein Vater sehr stolz auf ihn waren; Tong sah zu seinem Vater, der im Bett lag – er hatte sich noch nicht so weit erholt, dass er Tong erkannte –, und sagte, dass er alle Preise gewinnen und sie zu den stolzesten und glücklichsten Eltern der Welt machen würde.

Zwei Gefängniswärterinnen schlossen die Zellentür auf und traten ein, ohne Kai anzusehen. Ein Paket von deiner Mutter, sagte eine und überreichte Kai ein Kleiderbündel. Seit ihrer Verhaftung weigerte sich Kai, ihre Mutter zu sehen, die sie mehrmals hatte besuchen wollen. Was für eine hartherzige Frau sie sei, hatte der Richter bei ihrer ersten Verhandlung befunden, die unter Ausschluss der Öffentlichkeit stattfand; sie habe nicht nur die Partei verraten, die sie gefördert hatte, sondern auch ihre Mutter, ihren Mann und ihren Sohn. Kai schwieg und hielt Distanz, und sie war nicht überrascht, dass ihr Fall ein zweites Mal verhandelt wurde, auf ähnliche Weise. Warum sollte sie vor dem Tod Angst haben? fragte sie, als das Urteil verkündet wurde; sie nahm an, dass der gleiche Urteilsspruch Jialin vorgelesen würde, und wusste, dass er ebenso bereit war zu sterben wie sie.

Kai öffnete das Bündel, neue Kleider und Schuhe, die ihre Mutter für sie eingepackt hatte. Es war das Unglück ihrer Mutter, eine Tochter wie sie zu haben, dachte Kai und konzentrierte sich auf die kleine Aufgabe, sich umzuziehen. Sie war keine Tochter oder Mutter oder Ehefrau; sie war sie selbst und sie würde für den Rest des Tages sie selbst bleiben.

Um halb zehn wurde sie zu einem Polizeiauto geführt, die Arme, die bereits taub wurden, fest auf den Rücken gebunden. Die Polizisten, zwei Männer und zwei Frauen, schwiegen; der Anführer der vier, ein Mann, der ungefähr zehn Jahre älter war als die anderen, war nahezu höflich zu ihr, als er sie anwies, bei der Denunziationszeremonie keine konterrevolutionären Reden zu halten.

Warum durchtrennten sie ihr nicht die Stimmbänder, wie sie es bei Gu Shan getan hatten, um ihren Gehorsam zu erzwingen? fragte Kai, nahezu neugierig. Die drei jüngeren Polizisten schienen nicht zu wissen, wovon sie sprach, ihre Mienen blieben ausdruckslos. Kai fixierte den älteren Mann, als der Wagen losfuhr; er senkte den Blick, doch nach einer Weile sagte er, dass alle Häftlinge eine zivilisierte Behandlung verdienten, und wenn besondere Maßnahmen durchgeführt würden, dann aus humanitären Gründen.

Als sie vor dem Ostwindstadion ankamen, wusste Kai aufgrund der Sprüche, die geschrien wurden, und ihrer eigenen früheren Erfahrung, dass die Zeremonie ihren Höhepunkt erreicht hatte. Als sie auf die Bühne ging, sah sie, dass ihre Genossen bereits da waren und die Rufe ihnen gegolten hatten. Allen waren die Arme auf den Rücken gebunden, hinter jedem standen zwei Polizisten. Kai hatte keine Gelegenheit, ihnen ins Gesicht zu sehen, als sie in ihre Mitte gestoßen wurde. Nachdem die Zuschauer endlich verstummt waren, verkündete eine Frauenstimme die Verbrechen der Konterrevolutionäre.

Kai hörte der neuen Sprecherin zu; ihre Stimme war so vollkommen, wie ihre eigene einst gewesen war. Ein kleiner Junge mit einem ländlichen Akzent betrat die Bühne und las seine Ansprache vor, gefolgt von ein paar anderen Personen, die alle auf die eine oder andere heroische Weise dazu beigetragen hatten, die Stadt von ihren gefährlichsten Feinden zu säubern. Han sprach als letzter, sprach von seinem Kampf und seinem Erwachen, als er herausfand, dass seine ehemalige Frau eine Anführerin des Aufstands gegen sein Vaterland war.

Erst als die zehn Urteile verlesen wurden, war Kai zum erstenmal an diesem Tag überrascht. Ihr Urteil wurde als letztes verkündet, es war das einzige Todesurteil. Sie sei zu jung, um zu sterben, rief Frau Gu und brach zusammen, bevor sie von der Bühne geschleift wurde. Erst da begriff Kai, dass ihr Urteil vor ihren Freunden geheimgehalten worden war, vielleicht um die größtmögliche Schockwirkung zu erzielen oder auch nur aus Gründen des Protokolls. Trotz der Polizisten, die ihr Bestes taten, um ihren Kopf nach unten zu drücken, gelang es ihr, Jialin anzusehen, der sich ihr zugewandt hatte. Sein Blick hinter der Brille wirkte seltsam sehnsüchtig. Bevor er etwas sagen konnte, wurde er von der Bühne gestoßen. Kai wurde als letzte abgeführt, und einen Augenblick lang erinnerte sie sich an einen Aufsatz, den ihr Vater für sie in der fünften Klasse entworfen hatte. *Ein Mensch mit einem revolutionären Traum ist nie einsam*, lautete der Titel, und als sie die Augen schloss, konnte sie den Aufsatz fast vor sich sehen, ausgehängt, weil sie damit den ersten Preis im Aufsatzwettbwerb der Provinz gewonnen hatte, die vollkommenen Worte ihres Vaters in ihrer unvollkommenen Handschrift.

DER ALTE HUA UND FRAU HUA verließen die Stadt am Abend vor den Feierlichkeiten zum Ersten Mai. Es gab nichts mehr, was sie in der Stadt oder sonst irgendwo auf der Welt hielt, doch ihre Herzen waren erfüllt von der Hoffnung, die Freiheit des Bettlerlebens wiederzuerlangen. Mit ihnen kam Nini, die von ihren Eltern verstoßen worden war und die das Paar angefleht hatte, sie mitzunehmen. Es machte nichts, dass sie sich nicht mehr an die Gesichter ihrer Töchter erinnerte, dachte Frau Hua; Nini würde ihre letzte Tochter sein. Sie wussten nicht, dass Nini das ganze Bargeld aus Bashis Truhe mitgenommen und es in ihren Socken versteckt hatte; die Geldscheine rieben an ihren Sohlen, doch aus den Blasen waren Schwielen geworden, und niemand wunderte sich über ihr Humpeln.

Sie würde mit dem Geld für das Paar sorgen, wenn sie zu alt zum Betteln wären. Nini hatte keinen Grund mehr, warum sie in Hun Jiang bleiben sollte, doch sie wusste, sie würde nach siebzehn Jahren zurückkehren, wenn Bashi seine Zeit abgesessen hätte. Er war wegen Entführung und Missbrauchs eines jungen Mädchens verurteilt worden. Sie hatte einmal versucht, ihn zu besuchen, doch das gestatteten die Wärter nur der Familie und anderen engen Verwandten. Es war sinnlos, ihnen erklären zu wollen, dass sie seine Kinderbraut war; es war sinnlos, irgend jemandem irgend etwas erklären zu wollen, auch nicht den Huas. Es blieb ihr nur, die Tage und Jahre zu zählen, die vor ihr lagen.

Für die Schändung und Verstümmelung einer Frauenleiche war Kwen zu sieben Jahren verurteilt worden. Am Morgen des Ersten Mai, als die Musik und die Sprüche aus den Lautsprechern vor den hohen Gefängnismauern zu ihm drangen, winkte Kwen Bashi zu sich, der zusammengerollt auf seiner schmalen Pritsche lag. Sie waren beide wiederholt von ihren Zellengenossen zusammengeschlagen worden, weil sie Neulinge waren und weil sie sich an Frauen vergangen hatten. Sie waren die niedersten der niederen Kreaturen. Die Schläge schienen Kwen nichts anzuhaben, und es sollte nicht lange dauern, bis er einer von denen wurde, die die Prügeleien organisierten, aber jetzt, während Kai im Polizeiauto zur Buckligen Insel gefahren wurde, bewegten sich Kwen und Bashi langsam, weil man sie gerade blutig geschlagen hatte. Hörst du das? sagte Kwen zu Bashi. Ein weiteres Leben unterwegs in die andere Welt. Bashi entgegnete nichts und schaute voller Angst und Abscheu zu dem alten Mann auf. Erinnerst du dich noch an den Tag, als wir Freunde wurden neben der Leiche der Frau? Kwen klopfte Bashi auf die Schulter und sagte, er solle nicht so verängstigt dreinblicken. Die Pforte zum Himmel ist schmal, und es kann immer nur ein Held auf einmal durchgehen, aber die, die in die Hölle fahren, sagte Kwen, sind immer zu zweit unterwegs, Hand in Hand.

DANKSAGUNG

Überaus dankbar bin ich Elizabeth McCracken und Edward Carey, die dem Roman, als er noch ein kleiner Samen war, Sonne, Wasser und viel Liebe gaben; Richard Abate, Chen Reis, Katherine Bell, Jebediah Reed, Barbara Bryan, Timothy O'Sullivan, John Hopper und Ben George, die das Manuskript mehrmals lasen; der Lannan Foundation und der Whiting Foundation für ihre großzügige Unterstützung; Andrew Wylie, Sarah Chalfant und Scott Meyers für ihre harte Arbeit und Mitzi Angel und Kate Medina für ihre Anregungen.

Und auch:

Brigid Hughes und Aviya Kushner für ihre Freundschaft, die meine kleine Welt groß macht;

James Alan McPherson und Amy Leach für ihre schönen Seelen;

Vincent und James, die ihre Mutter davon abhielten, nur in Worten zu leben; und Dapeng, der die Landkarten und die Vorhänge machte, der die Erinnerungen bewahrte – und für seine Liebe.

Mr. William Trevor für seine Geschichten und für die Hoffnung.